黄河下游涵闸工程老化
防治与管理技术

任士伟　董兆忱　王汉新
孔志杰　马政委　朱云峰　编著

黄河水利出版社

内 容 提 要

以山东黄河涵闸工程为例,系统分析了黄河下游涵闸工程老化病险机理,探讨了工程老化评估方法,提出了工程老化病险预防及整治措施,介绍了涵闸工程抢险及除险加固有关问题和典型实例、涵闸自动化监控新技术、黄河下游涵闸引水减淤技术,总结了部分新兴涵闸工程设计、施工、管理、病险研究新技术,并对当前涵闸工程老化评估方法的改进及整治措施的选择提出了建议。尽量做到严谨的理论分析和丰富的工程实例相结合,力求科学实用。适合于从事涵闸工程设计、施工及运行管理的人员阅读,也可作为大中专院校相关专业师生的参考书。

图书在版编目(CIP)数据

黄河下游涵闸工程老化防治与管理技术/任士伟,董兆忱,王汉新等编著.—郑州:黄河水利出版社,2003.2
ISBN 7－80621－640－5

Ⅰ.黄…　Ⅱ.①任… ②董… ③王…　Ⅲ.黄河－下游河段－水闸,涵洞－老化－防治－管理－技术　Ⅳ.TV698.2

中国版本图书馆 CIP 数据核字(2002)第 098757 号

出 版 社:黄河水利出版社
　　　　地址:河南省郑州市金水路 11 号　　邮政编码:450003
发行单位:黄河水利出版社
　　　　发行部电话及传真:0371－6022620
　　　　E-mail:yrcp@public.zz.ha.cn
承印单位:黄河水利委员会印刷厂
开本:787mm×1 092mm　1/16
印张:20
字数:462 千字　　　　　　　　　印数:1—3 000
版次:2003 年 2 月第 1 版　　　　　印次:2003 年 2 月第 1 次印刷

书号:ISBN 7－80621－640－5/TV·298　　定价:42.00 元

前　言

水利工程的老化问题在 1967 年第 9 届国际大坝会议上已经提出,20 世纪 80 年代以来,许多国家对大坝工程老化病险的检测诊断、可靠性评估及工程加固等问题开展了研究。我国从 20 世纪 80 年代开始重视大坝工程的老化问题,对混凝土坝、水闸等水工建筑物逐步开展了病险调查及检测、病险原因分析及危害性评定、修补及加固技术的研究等。1990 年水利部立项进行"全国大型灌区工程老化损坏调查、评估及对策研究",已建立起了混凝土水闸工程老化病险整体评估递阶层次模型,建立了评估分级标准,采用变权综合评估技术和计算方法对水闸工程老化病险进行评估分级。目前,对水工建筑物老化病险的修复通常遵循"立项→调查检验及原因分析→老化病险评估分级→按评估结果确定修复对策→实施"的程序。欲完善此项工作,急需进行以下 3 个方面的研究和探索:①已有工程的检测手段(仪器)和检测技术;②工程老化病险状况的评估,这是近年来在工程界一直有争议的问题,特别是在水利工程方面,研究工作才刚刚起步,其目标是要采用更准确、更科学、更简便的方法对建筑物的老化病险进行评估;③工程维修、加固、改建的技术和经济分析,主要研究两个方面的问题:一是对老化病险的既有建筑物进行维修、加固和改造的技术措施,二是对新建或待建工程防止其老化病险、延长使用寿命综合措施的研究,这也是国内外研究很多、但尚未圆满解决的问题。

山东黄河涵闸工程多建于 20 世纪 60 年代至 80 年代,目前已普遍暴露出各类老化病险问题,主要表现在上下游砌石工程、钢筋混凝土工程、闸门及止水、启闭设备和电力设施等方面。目前,黄河下游对涵闸工程老化问题的研究尚无系统的程序可循,工程检查制度与运行机制不健全,工程老化病险检测手段落后,缺乏科学实用的老化病险评估方法,现行的工程安全鉴定评价方法不够规范科学,对工程老化病险程度的评价不够详尽具体,受人为因素影响大,工程老化病险评估结果缺乏指导性与实用性,工程老化病险的预防措施不够完善,整治技术手段不够科学先进,缺乏针对性和有效性。这些问题的存在,使涵闸工程的老化病险问题长期得不到根治,工程的老化病险形势变得日益严峻。

以山东黄河涵闸工程为代表的各类老化病险问题,已给黄河下游涵闸工程安全管理和正常运用带来了不同程度的影响。遵循规范、系统的程序对黄河下游涵闸工程老化问题进行研究，建立起一套适用于黄河下游涵闸工程实际的老化病险评估方法，根据老化病险原因和程度有针对性地对老化病险进行防治，以有效遏制工程功能的衰减，延长工程使用寿命，最大限度地发挥工程效益，已成为一个急需解决的课题。本书从这一课题出发，遵循"现状调查→机理分析→评估分级→防治措施"的科学程序，对山东黄河涵闸工程老化病险现状进行了系统的调查分析，从外因与内因两个方面分析了工程老化病险的机理，探讨了黄河下游涵闸整体工程及病险多发的钢筋混凝土工程老化评估的方法，在此基础上提出了适合于黄河下游涵闸工程老化病险的先进实用的防治措施，同时介绍了涵闸工程抢险及除险加固有关问题和典型实例、涵闸自动化监控新技术、黄河下游涵闸引水减淤技术，总结了部分近年新兴涵闸工程设计、施工、管理、病险研究新技术，对提高黄河下游涵闸工程老化病险问题的研究水平、防治技术及运行管理水平具有一定的实践指导意义。

本书由任士伟、董兆忱、王汉新、孔志杰、马政委、朱云峰共同编著，具体分工如下：

任士伟：第一章、第五章部分内容、第八章；

董兆忱：第二章、第三章、第五章部分内容、第六章部分内容；

王汉新：第六章部分内容、第九章、第十章部分内容；

孔志杰：第四章部分内容、第七章部分内容、第十章部分内容、附录一；

马政委：第四章部分内容、第五章部分内容、第七章部分内容、第十章部分内容；

朱云峰：第四章部分内容、第七章部分内容、第十章部分内容、附录二；

全书由任士伟、马政委统稿。

在编写过程中，参考引用了许多专家、学者的文献资料，并得到武汉大学徐云修教授的指导，在此表示由衷的感谢！

涵闸工程的老化防治与管理技术有待于进一步研究和发展提高，加上作者水平有限，书中疏漏和不当之处，恳请广大专家、同行予以批评指正。

编　者

2002 年 10 月

目　录

第一章　山东黄河涵闸工程概况

第一节　山东黄河河道及防洪工程概况

黄河山东段从山东省东明县入境,呈北偏东向流经 9 市(地)25 个县(市、区),在垦利县注入渤海,全长 628km。河道特点是上宽下窄,比降上陡下缓,排洪能力上大下小。自东明上界到高村长 56km,属游荡型河段,两岸堤距 5～20km,排洪能力20 000m³/s,比降约为 1/6 000;高村至陶城铺长 164km,属过渡型河段,堤距 2～8km,排洪能力20 000～11 000m³/s,比降约为 1/8 000;陶城铺至利津长 298km,属弯曲型窄河段,堤距 0.5～4km(其中艾山卡口宽 275m),排洪能力11 000m³/s,比降约为 1/10 000;利津以下为摆动频繁的尾闾段,泥沙不断堆积,平均年造陆面积为 25～30km²。

1951 年至 1998 年,进入山东黄河(高村水文站)年均水量为 388 亿 m³,年均来沙量 10 亿 t。1986 年以来,年来水量明显减少,平均每年仅 327 亿 m³。由于水少沙多,径流年内多集中于汛期,泥沙大量淤积,河道年均升高 10cm,河床高于背河地面 3～5m,设计洪水位高出背河地面 8～10m,是典型的"地上悬河",防洪形势十分严峻。山东黄河的始末两端纬度相差 3 度多,每年 12 月至次年 2 月形成凌汛,对堤防构成严重威胁。

人民治黄以来,经过山东人民和治黄职工的艰苦努力,初步建成了由堤防、河道整治工程和蓄滞洪区组成的防洪工程体系,为战胜黄河洪水奠定了物质基础。每年汛期,沿黄各地组建 100 多万人的群众防汛队伍,常备不懈,待命抗洪抢险。凭借防洪工程和"人防大军",保证了 50 多年伏秋大汛不决口,彻底改变了历史上黄河"三年两决口"的险恶局面,谱写了人民治黄史上岁岁安澜的新篇章。

山东黄河防洪工程主要有堤防、险工、控导和蓄滞洪工程。现有各种堤防1 472.3km(包括东平湖围堤 113.1km、北金堤 83.4km、南北展宽堤 76.4km 等),其中:临黄堤803.2km;险工 118 处 3 708 段坝岸,长 223.5km;控导工程 114 处 1 831 段坝垛,长169.1km。有 4 处蓄滞洪工程,其中:东平湖水库,面积 627km²(老湖区 209km²、新湖区418km²),近期运用保证水位 44.0m,争取 44.5m(相应库容为 27.3 亿 m³ 和 30.42 亿 m³),设计分洪能力8 500m³/s,泄洪能力3 500m³/s;北金堤滞洪区跨豫、鲁两省,总面积2 316km²(其中山东省 93km²),设计有效库容 27 亿 m³;齐河北展宽区面积106km²,最大库容 4.75 亿 m³,有效库容 3.9 亿 m³,设计分洪能力2 000m³/s;垦利南展宽区面积123.3km²,近期滞洪库容 3.27 亿 m³,设计分洪能力2 350m³/s。

第二节　山东黄河涵闸工程基本情况

一、工程概况

黄河下游有引黄涵闸94座,其中,沿山东河段有引黄涵闸61座,占65%。另有分泄洪闸12座,排水闸26座。山东黄河引黄闸及分泄洪闸具体位置、设计参数及修建时间详见表1-1、表1-2。

表1-1　　　　　　　　　　　山东引黄涵闸工程统计

序号	工程名称	所属县、市、区	桩号	岸别	孔数	孔口尺寸(m)	设计流量(m³/s)	防洪水位(m) 设计	防洪水位(m) 校核	底板高程(m)	闸顶高程(m)	堤顶高程(m)	修(改)建竣工年、月
1	阎潭	东明	162+700	右	6	6.0×2.8	50.0	74.40	75.40	64.20	78.10	76.10	1982.12
2	新谢寨	东明	181+739	右	6	2.2×2.2	50.0	70.90	71.90	62.20	68.70	71.85	1990
3	谢寨	东明	181+790	右	3	2.6×2.8	30.0	69.80	70.80	62.20	68.70	71.90	1980.11
4	高村	东明	207+337	右	2	2.2×2.2	15.0	67.90	68.90	58.35	67.35	68.00	1989
5	刘庄	菏泽	221+086	右	3	6.0×4.0	80.0	64.90	65.90	56.45	68.40	66.20	1979.10
6	苏泗庄	鄄城	240+000	右	6	2.2×2.2	47.0	62.50	63.50	54.50	60.50	63.80	1978.7
7	旧城	鄄城	265+240	右	5	2.8×2.8	50.0	60.27	61.27	50.60	57.60	60.73	1987.5
8	苏阁	郓城	290+719	右	4	2.8×2.8	50.0	58.00	59.00	47.50	54.50	58.20	1983.7
9	杨集	郓城	300+642	右	3	2.6×2.8	30.0	56.60	57.60	45.90	52.90	57.40	1992.7
10	陈垓	梁山	316+718	右	3	2.5×2.5	30.0	53.30	55.30	44.40	50.10	55.60	1977.7
11	国那里	梁山	337+127	右	3	4.7×4.5 5.0×4.5	45.0	50.00	52.00	39.50	50.60	50.69	1975.7
12	陶城铺	阳谷	4+051	左	4	3.0×3.0	50.0	50.10	51.10	38.91	45.91	50.78	1987.9
13	陶城铺东	阳谷	4+115	左	8	3.0×3.0	100.0	50.70		39.15	46.15	50.00	1996
14	位山	东阿	8+040	左	8	7.7×3.6	240.0	49.70	50.70	38.50	52.20	50.20	1983.6
15	郭口	东阿	37+365	左	2	2.6×2.8	25.0	47.81	48.81	35.30	43.30	46.80	1984.8
16	潘庄	齐河	63+120	左	9	2.7×2.55 3.0×2.55	100.0	49.75	44.25	31.32	37.67	44.30	1980.8
17	韩刘	齐河	77+635	左	2	3.0×3.0	15.0	43.72	44.72	30.30	37.30	42.80	1986.11
18	豆腐窝	齐河	105+261	左	2	2.6×2.8	15.0	41.40	42.40	27.80	35.80	40.60	1990
19	李家岸	齐河	123+210	左	9	3.0×3.0	100.0	39.50	40.52	25.88	32.88	39.38	1986.6
20	北店子	槐荫	8+950	右	3	2.8×3.0	50.0	40.40	41.40	26.00	36.00	39.80	1981.9
21	杨庄	槐荫	16+045	右	2	2.0×2.2	10.0	39.74	40.74	26.00	35.00	39.05	1986.12
22	老徐庄	天桥	23+939	右	2	2.0×2.0	10.0	38.80	39.80	25.00	34.00	38.30	1983.12

续表 1-1

序号	工程名称	所属县、市、区	桩号	岸别	孔数	孔口尺寸(m)	设计流量(m³/s)	防洪水位(m) 设计	防洪水位(m) 校核	底板高程(m)	闸顶高程(m)	堤顶高程(m)	修(改)建竣工年、月
23	大王庙	历城	131+680	左	2	2.6×2.8	15.0	39.00	40.00	25.20	33.20	38.20	1995.10
24	沟阳	济阳	164+755	左	2	2.6×2.8	15.0	34.90	35.90	21.10	29.20	33.90	1996.11
25	邢家渡	济阳	146+905	左	6	2.8×2.6	50.0	33.14	34.14	23.00	29.00	36.24	1975.12
26	葛店	济阳	181+627	左	2	2.6×2.8	15.0	32.40	33.40	19.10	27.10	32.00	1989
27	张辛	章丘	189+910	左	2	2.6×2.8	15.0	32.10	33.10	18.40	26.40	31.30	1991
28	胡家岸	章丘	65+162	右	3	2.6×2.8	20.0	34.50	35.50	21.90	29.90	34.02	1985.11
29	土城子	章丘	73+480	右	2	2.0×2.0	10.0	34.00	35.00	20.30	29.30	33.26	1988
30	马扎子	高青	119+902	右	3	2.6×2.8	27.8	29.20	30.20	16.40	24.40	28.60	1984.7
31	刘春家	高青	154+880	右	4	2.5×2.5	37.5	24.86	25.86	12.80	20.30	25.38	1980.08
32	胡楼	邹平	102+500	右	4	3.0×3.0	35.0	30.70	31.70	18.10	25.60	30.00	1986.6
33	张桥	邹平	95+300	右	2	2.6×2.8	15.0	31.30	32.30	18.50	26.50	30.65	1991.7
34	簸箕李西	惠民	208+034	左	4	3.0×3.0	50.0	30.80	31.80	16.50	23.50	29.50	1989
35	簸箕李	惠民	209+165	左	6	3.0×3.0	75.0	28.96	29.46	18.60	26.10	29.78	1976.12
36	白龙湾	惠民	235+106	左	2	2.6×2.8	20.0	27.90	28.30	15.50	23.50	27.30	1983.7
37	大崔	惠民	244+764	左	1	2.0×2.0	6.0	26.80	27.80	15.15	24.50	26.40	1987.7
38	小开河	滨州	256+387	左	3	2.6×2.8	25.0	26.10	27.10	13.80	21.80	25.58	1987
39	新小开河	滨州	253+690	左	6	3.0×3.0	60.0	26.27	27.27	14.00	21.00	25.60	1994.11
40	张肖堂	滨州	264+498	左	2	3.0×3.0	15.0	24.06	24.56	12.10	20.00	24.60	1979.11
41	韩墩	滨州	286+925	左	6	3.0×3.0	60.0	22.80	23.80	10.50	18.50	22.38	1982.10
42	大道王	滨州	163+985	右	2	2.0×2.0	10.0	24.80	25.80	11.70	20.70	24.40	1991.7
43	道旭	滨州	173+002	右	2	2.6×2.8	15.0	23.82	24.82	10.50	18.50	23.40	1989.8
44	打渔张	博兴	183+650	右	6	6.0×3.0	120.0	22.70	23.70	10.50	25.80	25.97	1981.9
45	麻湾	东营	193+357	右	6	3.0×3.0	60.0	21.70	22.70	9.50	16.50	21.20	1989.10
46	曹店	东营	200+770	右	4	3.0×3.0	30.0	21.13	22.13	9.30	16.30	20.52	1984.12
47	胜利	垦利	210+385	右	3	2.8×3.0	40.0	19.94	20.94	8.80	16.80	20.00	1988.6
48	路庄	垦利	216+181	右	3	2.6×2.8	30.0	18.10	19.10	7.80	14.80	19.00	1996
49	宫家	利津	300+137	左	3	2.6×2.8	30.0	21.59	22.59	9.70	17.30	21.20	1988.6
50	东关	利津	309+330	左	1	2.0×2.0	1.0	21.30	22.30	9.30	16.30	20.20	1993.7
51	王庄	利津	328+192	左	4	3.0×3.0	80.0	18.70	19.70	8.00	21.80	18.70	1998.7
52	纪冯	垦利	225+500	右	1	2.0×2.0	4.0	18.50	19.50	13.85	17.85	18.23	1988.10
53	一号穿涵	垦利	235+450	右	1	2.0×2.0	10.0	16.85	17.85	11.95	15.95	18.95	1982.12
54	格堤穿涵	垦利		右	1	2.0×2.0	10.0	16.85	17.85	12.20	16.20	18.95	1982.12
55	一号坝	垦利	11～18号坝	右	12	3.0×3.6	100.0	16.70	17.70	5.60	14.80	15.80	1986.7
56	西双河	垦利	239+054	右	5	6.0×3.0	100.0	16.70	17.70	5.50	19.80	17.06	1986.7
57	十八户	垦利	246+500	右	8	7.5×3.7	200.0	11.80	12.80	6.50	15.30	15.30	1969.9

续表 1-1

序号	工程名称	所属县、市、区	桩号	岸别	孔数	孔口尺寸(m)	设计流量(m³/s)	防洪水位(m) 设计	防洪水位(m) 校核	底板高程(m)	闸顶高程(m)	堤顶高程(m)	修(改)建竣工年、月
58	三十公里	垦利	北30+112.5	左	2	2.6×2.8	20.0	11.24	12.24	3.40	9.40	12.34	1996.11
59	五七	垦利	防3+000	右	2	2.6×2.8	15.0	14.60	15.60	4.80	10.80	14.48	1990.7
60	神仙沟(2)	河口	北18+1700	右	3	2.6×2.8	25.0	14.00	15.00	5.42	11.42	13.60	1987.12
61	罗家屋子	河口	9+900(北大堤)	右	3	2.6×2.8	30.0	15.00	16.00	6.94	12.94	15.45	1993.7

注:如无特殊说明,高程均为大沽高程。

表 1-2　　　　　山东黄河分泄洪闸基本情况统计

序号	名称	桩号	岸别	孔数	孔口尺寸(m)	设计流量(m³/s)	防洪水位(m) 设计	防洪水位(m) 校核	底板高程(m)	公路面高程(m)	修(改)建竣工年、月	情况说明
1	石洼	338+000	右	49	6×4	5 000.0	51.50	52.50	42.50	53.00	1978.6	
2	林辛	339+000	右	15	6×4	1 500.0	51.00	52.00	42.00	53.00	1979.6	
3	十里堡	340+000	右	10	7×4	2 000.0	51.00	52.00	40.75	50.50	1981.10	
4	徐庄	0+000	右	5	10×6	1 000.0	47.25	48.25	39.49 38.74	49.99	1 960.4	堰顶高程48.5m,边坡1:2,顶宽4m
5	耿山口		右	6	10×7	1 840.0	47.25	48.25	38.49 37.74	50.99	1960.8	堰顶高程48.5m,边坡1:2,顶宽4m
6	清河门	[0+650]	右	15	6×5.5	1 300.0	47.40	48.40	36.50	48.50	1968.8	
7	陈山口		右	7	10×8	1 200.0	47.40	48.40	36.75	49.25	1959.10	
8	司垓	42+750	右	9	8×3.6 8×3	1 000.0	46.00	47.00	39.50	48.50	1989.10	
9	豆腐窝	104+644	左	7	20×7	2 000.0	39.04	39.54	33.10	38.70	1973.8	围堰37.5m
10	大吴	32+455	右	9	8×2.8 8×2	300.0	34.40	35.50	22.00	35.50	1978.12	
11	麻湾	191+270	右	6	30×5.54	2 350.0	18.00	18.00 +地震	13.00 13.50	22.25	1974.10	
12	章丘屋子	232+647	右	16	8×6.5	1 530.0	16.00	17.00	9.50 9.00	18.50	1977.7	

注:(1)如无特殊说明,高程均为大沽高程;

　　(2)引黄虹吸工程1998年底仅有盖家沟、付家庄、王家梨行3处8条管,1999年5月开始拆除,6月底前全部完成拆除任务。

二、工程效益简介

根据"除害兴利"的方针,山东省积极开发利用黄河水资源,为沿黄工农业生产服务。目前,黄河山东段已有引黄闸 61 座,设计引水流量 2 800m³/s,共开辟引黄灌区 73 处,其中 2 万 hm² 以上的大型灌区 19 处,引黄灌溉和供水范围已达 11 市(地)68 个县(市、区)。近 10 年来,全省年均引水量 77.8 亿 m³(引水量最多的 1989 年为 123 亿 m³),灌溉面积 200 万 hm²。引黄供水事业的发展,大大改善了沿黄地区农业生产条件,保证了灌区粮棉连年丰收。自 1979 年以来,山东省多年干旱少雨,沿黄的菏泽、济宁、聊城、德州、济南、淄博、滨州、东营 8 市(地),粮棉产量每年都有大幅度增长,粮食总产量由 1979 年的 952 万 t 提高到 1994 年的 2 140 万 t,增长了 1.25 倍,棉花总产由 12.9 万 t 提高到 49.3 万 t,增长了 2.82 倍。沿黄地市比全省同期粮棉增长幅度分别高出 59.3%和 46.8%。1995 年沿黄 8 市(地)小麦平均单产达 5 307kg/hm²,高出非沿黄市(地)363kg/hm²,昔日贫穷落后的鲁西北地区,如今成了商品粮棉基地,发生了翻天覆地的变化。据推算,自 1980 年以来,山东省农业引黄灌溉年增产效益达 30 多亿元。

此外,山东省还利用黄河水为沿黄地区放淤改土 18.7 万 hm²,并通过灌溉排水、冲洗等措施,使沿黄市(地)的盐碱地面积由 73.3 万 hm² 减少到不足 20 万 hm²,把不毛之地改造成肥沃良田,促进了农业生产的发展。引黄供水工程为城镇工业和居民生活提供了大量水源:1981~1983 年引黄济津供水 8.5 亿 m³;1989~1997 年向青岛及沿线供水 17.79 亿 m³,增加工农业产值 200 多亿元;1993~1997 年向河北省送水 14.36 亿 m³,缓解了沧州市工业和居民生活用水紧张的局面。

山东省沿黄地区有大量的工矿企业,像华能德州电厂、沾化电厂等大中型企业,都是靠黄河供水。胜利油田地处黄河河口地区,年产原油 3 000 万 t 左右。当地地下水都是咸水,无法利用,黄河水是这里的惟一淡水资源,每年需要黄河水 3 亿多 m³。滨州地区和东营市地处黄河最下游,濒临渤海,地下水含盐、氟量高,工业用水和人畜饮水全靠黄河水。黄河水已成为山东省经济和社会发展的重要资源,正在为富民兴鲁发挥着越来越大的作用。

为在汛期超常情况下有效运用蓄滞洪区分洪,充分减小洪水威胁,黄河山东河段自 20 世纪 50 年代末至 80 年代初共修建分泄洪闸 12 座、排水闸 26 座,担负着黄河山东河段分洪、泄洪的重要任务,这些工程能否及时准确运用,直接关系到黄河防洪的安危,作用举足轻重。

三、工程控制运用原则

针对黄河多泥沙、高水位的特点,山东黄河引黄涵闸的控制运用遵循闸前最高运用水位不高于当地 5 000m³/s 流量大河水位、闸前最高运用淤沙高程不高于设计防洪水位以下 2m 的原则;各闸引水流量按照统一调度,上下游、左右岸统筹兼顾的原则进行分配。

承担分洪、分凌和泄洪任务的涵闸必须按黄河防汛总指挥部的命令进行启闭。如东平湖水库的分泄洪闸、齐河北展、垦利南展的分洪(凌)闸的运用,具体由黄河防汛总指挥部会同山东省人民政府确定,山东省防汛指挥部组织实施。

四、工程管理及检测现状

山东黄河引黄涵闸及分泄洪闸工程管理,一般设有专门管理机构,负责日常检查观测、维修养护及其他方面的管理工作。为保持工程完整、维持工程强度、充分发挥工程综合效益,黄河下游近几年大力开展工程管理达标活动,目前山东黄河涵闸工程达标率达65%。山东黄河涵闸工程检查可分为经常检查、定期检查、特殊检查和安全鉴定。经常检查是指为保证工程设施的正常运行,由各类工程管理人员按照岗位责任制的要求进行的检查。检查的主要内容包括混凝土结构、圬工及闸门、启闭机等设备。定期检查主要指由基层管理单位按有关规定组织进行的全面检查。检查内容包括对引黄涵闸工程定期进行清淤检查,对分泄洪闸每年汛前要进行试运行并通过试运行检查工程状况。特殊检查是指当工程处于非常运用条件下和工程发生重大事故或者发现工程存在较大问题时进行的检查,一般由工程主管单位(基层管理单位)组织进行,邀请上级主管部门和其他有关部门参加,或者报请上级主管部门直接组织进行检查。特殊检查要对检查的工程项目提出鉴定意见、处理方案或措施建议,工程主管单位要编写专题报告呈报上级主管部门。安全鉴定是指对工程安全进行的特殊检查与评定工作。各种检查发现的问题和工程缺陷,应及时进行处理或修补,情况严重的,除查明原因,采取必要措施外,还应报告上级主管部门处理,对重要问题要认真进行记录,连同处理情况一并存入工程技术档案。

目前,山东黄河具有代表性的涵闸专项观测技术有以下两个方面。

(一)涵闸测流测沙

采用目前黄河下游涵闸测流中应用的微机控制自动测流系统,能够实现整个测流过程的全面自动控制及数据采集、数据处理、数据计算、成果打印、报表输出等的自动化,达到了较高的自动化水平。

(二)涵闸工程观测

目前山东黄河涵闸工程观测的主要项目有:沉陷(垂直位移)、水平位移、渗透、裂缝及伸缩缝、水流形态、上下游冲淤、闸门振动及冰情等内容。工程沉陷与水平位移一般由专业测量队伍观测,其他观测项目一般由闸管单位自行观测。

五、工程现有维修养护措施

为了保持山东黄河涵闸工程完整、设备良好和安全运转,需要经常进行维修养护。维修养护分为经常性的养护维修、岁修、大修和抢修,均以保持和恢复工程原设计标准或局部改善原有结构为原则。如工程设计标准有较大的变更,必须作出计划并经批准后才能执行。目前山东黄河涵闸工程的养护主要包括混凝土、钢筋混凝土工程养护,砌石工程养护,涵闸附近土堤、土石结合部、洞顶的土工养护,钢木结构的养护,启闭机械的养护等方面。主要的维修措施有以下几个方面。

(一)混凝土表层损坏的修补

根据损坏的程度及原因采取不同的修补措施,主要有水泥砂浆修补、预缩砂浆修补、喷浆修补、喷混凝土修补、压浆混凝土修补、混凝土真空作业修补、环氧及其他化学材料修补等几种。

(二)混凝土裂缝的修补

混凝土裂缝的补修主要有表面处理(表面涂抹水泥砂浆、防水快凝砂浆、环氧基液及环氧砂浆)、表面贴补、凿槽嵌补、凿槽嵌补与表面处理相结合、喷浆修补等措施。

(三)砌体工程的整修

对表层浅缝一般采用勾缝、更换部分块石或对空隙部分灌注水泥浆的方法;对贯穿裂缝一般将砌体破坏部分拆除,然后按原设计要求进行回填重砌;对砌体裂缝渗漏主要采用麻绳填塞、环氧材料涂抹、水泥灌浆等处理措施。

(四)土工建筑物裂缝处理

纵缝一般程度较轻,可采取用土填实处理;对横缝一般采用开挖后逐坯夯实回填或采用泥浆灌填的方法。

(五)常用渗漏处理措施

对闸体裂缝引起的渗漏,对其表面可采用涂抹、粘贴、嵌补、喷浆等处理措施,对其内部可采用化学灌浆方法进行处理;对于绕闸渗流,可以在枯水期开挖回填加修齿墙,也可以采用压力灌浆方法密实回填土,堵塞渗水通道;对基础渗漏,可以采用在闸体上游帷幕灌浆,旋喷或灌注连续截渗墙,并在下游辅之以反滤带导渗措施;对于集中渗流,可以采用快凝胶泥填堵孔洞的处理措施;对于散渗,可以采用灌浆、涂抹或筑防渗层的处理方法。

(六)防渗止水工程修复

修复防渗止水的办法主要有:涂抹沥青胶保护橡皮;涵洞伸缩缝橡皮(紫铜片)止水、铜板压橡皮止水、型钢压橡皮止水;环氧贴橡皮包角止水、环氧贴橡皮铆孔止水;冰凝化学灌浆堵漏;补灌沥青等处理措施。

六、工程存在的主要问题

目前,山东黄河引黄涵闸工程质量虽能基本满足运用要求,但也普遍地存在着止水橡皮老化损坏、闸门漏水,启闭设备和电力设施陈旧落后,闸上下游浆砌石护坡(平台、翼墙)出现蛰陷、裂缝,钢筋混凝土构件出现碳化锈蚀等问题。分泄洪闸工程均建于20世纪60~70年代,平均已运行近30年,已进入工程老化期,加上多年来工程岁修经费严重短缺,工程设施得不到有效的维护,机电设备不能及时更新改造,设备陈旧,老化严重,工程欠账越来越多,直接影响到分泄洪闸的安全运用。对山东黄河涵闸工程老化问题进行科学系统的研究,在此基础上制定技术先进、经济可行的防治措施,对于确保工程强度、充分发挥工程效益具有重要意义。

第二章 山东黄河涵闸工程老化现状调查分析

第一节 山东黄河涵闸工程老化状况调查

1999 年黄河山东段开展了一次系统全面的涵闸安全检查工作。本次检查共检查涵闸 95 座,其中引黄闸 61 座,分泄洪闸 10 座,排水闸 24 座。本着突出重点、兼顾一般的原则,将作用重要、修建时间长、运行管理中问题突出的涵闸作为此次检查的重点。涵闸安全检查专家组由有关设计、施工、管理、科研等方面的专家和涵闸上级主管部门及管理单位的技术负责人组成。检查采用专家组首先查看涵闸沉陷、水平位移、测压管水位等观测资料和听取工程设计、施工管理中存在的问题及处理情况汇报后,再进行外业检查的方式,检查项目包括土石方工程、钢筋混凝土工程、闸门、启闭机设备、机电设备等。根据本次检查情况,目前山东黄河涵闸工程存在的主要问题有以下几个方面。

一、土石方工程

在检查的 95 座涵闸中,有 32 座涵闸上下游翼墙、扭曲面存在裂缝,比较严重的有 13 座。其中:分泄洪闸有章丘屋子泄洪闸、石洼分洪闸和林辛分洪闸;引黄闸有路庄、胜利、打渔张、北店子、郭口和国那里闸;排水闸有睦里、王台、赵升白和八里庙闸。章丘屋子泄洪闸因基础沉陷较大,致使右侧翼墙倾斜,产生了一条宽 2~3cm 的裂缝;石洼分洪闸、林辛分洪闸上下游两侧减载孔与边墩接触处各有一条长 5m 左右、宽 3~5cm 的裂缝;路庄引黄闸上下游 4 个浆砌石扭曲面各有一条长 4~5m 的竖缝;胜利引黄闸上游右侧砌石护坡与扭曲面结合处有一条宽 0.5~2cm 的竖缝;打渔张引黄闸左岸刺墙外凸 10~20cm,出现裂缝,缝宽 1cm;北店子引黄闸上游翼墙各有两条长 6m 左右、宽 5~10cm 的裂缝;郭口引黄闸上游翼墙有 3 条长 0.7m 左右、宽 2cm 的裂缝;闸下游右侧平台有两条长 3m 左右裂缝;国那里引黄闸上游左侧混凝土挡土墙有一条长 3m 的裂缝,最宽处 8cm;睦里排水闸上游右侧翼墙扭曲面有一条长 4m、宽 0.5~1.0cm 的裂缝;王台排水闸上游边墩与刺墙接缝处左右两伸缩缝内沥青杉板腐烂,形成上下游通缝,缝长 4m、宽 5~9cm,洪水时形成过水通道(已于 1999 年 6 月份处理完毕);赵升白排水闸上游扭曲面翼墙左右岸各有竖向裂缝一条,右岸裂缝长 3m、宽 0.5~2cm,左岸裂缝长 1.5m、宽 0.5~1cm;八里庙排水闸上游左岸 4 条裂缝,长 3~5m,宽 1~5cm。

有 29 座涵闸砌石护坡存在着不同程度的蛰陷裂缝现象,比较严重的有 4 座。大吴泄洪闸上游砌石护坡沉陷较为严重,平台沿子石前倾,总长度 140m,最大位移 20cm;胜利引黄闸下游右侧砌石护坡塌陷 18m²,最大塌陷深度 1.2m;一号坝引黄闸上游干砌石护坡有较大蛰陷 5 处,蛰陷深度 5~15cm,总面积达 306m²,陷石下土体空洞深度 60~80cm;谢寨引黄闸上游翼墙有一蛰陷,面积 30m²,深度 15cm。

有 14 座涵闸上下游平台存在不同程度的局部塌陷现象,比较严重的有 7 座。麻湾分凌分洪闸上游翼墙顶砌石平台靠闸部分蛰陷深度 10～30cm,面积 280m²;西双河引黄闸上游 12.5m 高程平台蛰陷 30～40cm;胜利引黄闸上游砌石平台靠闸身处有 3 处面积分别为 18m²、5m²、25m² 的蛰陷,蛰陷深度 3～5cm;老徐庄闸上游平台水泥花砖有 200m² 凸起,原因是 13 号坝漏水;胡家岸引黄闸上游平台有一直径为 30cm 的陷洞;土城子引黄闸下游平台蛰陷面积 300m²;小八里排水闸上游平台有一处蛰陷,面积 60m²。

二、钢筋混凝土工程

有 7 座涵闸混凝土闸门表面混凝土剥蚀露筋。该现象多存在于修建比较早的涵闸,如章丘屋子泄洪闸闸门横梁混凝土脱落,钢筋外露面积达 30m²。

有 13 座涵闸闸墩表层混凝土碳化、脱落,钢筋外露锈蚀,比较严重的有 2 座。麻湾分凌分洪闸右边墩门槽上有一长 1.5m、宽 0.1～0.3cm 的垂直裂缝;十里堡分洪闸闸墩下半部混凝土剥蚀严重。

有 15 座涵闸机架桥、工作桥、公路桥混凝土部分剥蚀脱落,严重者导致钢筋外露锈蚀,严重降低了机架桥、工作桥、公路桥的承载能力,对闸门启闭和工作人员的人身安全构成威胁,比较严重的有 11 座。其中:麻湾分凌分洪闸公路桥第六孔第一排上游侧立柱裂缝长 3m、宽 0.5cm,该闸公路桥微弯板部件 90% 以上存在裂缝;章丘屋子泄洪闸机架桥大梁混凝土剥蚀严重,其中第十一孔下游梁露筋长度 1.3m,机架桥盖板 60% 以上出现混凝土剥蚀和钢筋锈蚀外露,强度降低;十里堡分洪闸公路桥面混凝土严重老化;石洼分洪闸消力池水位变化区混凝土严重剥蚀和林辛分洪闸消力坎混凝土剥蚀严重;一号坝引黄闸、西双河引黄闸机架桥、工作桥栏杆 70% 以上龟裂、酥脆,钢筋锈蚀外露;打渔张引黄闸公路桥及下游挡土墙混凝土栏杆年久失修,混凝土开裂破碎、钢筋锈蚀;国那里引黄闸上游工作桥栏杆严重老化,部分碎裂,钢筋锈蚀,右侧工作桥桥板断裂;十八户放淤闸机架桥第八孔第七块桥板底部钢筋全部外露;流长河排水闸与码头排水闸工作桥、闸墩、胸墙、闸门混凝土严重老化。

北展堤小八里排水闸清淤检查发现洞室有 35 条裂缝,其中 1 号孔 18 条:边墩 2 条,中墩 11 条,顶板 5 条,缝宽 0.1～2mm;2 号孔 17 条:边墩 3 条,中墩 10 条,顶板 4 条,缝宽 0.2～2mm。

三、闸门

有 24 座涵闸闸门的门板或部件存在着不同程度的锈蚀,锈蚀部件主要是导轨、导轮、吊耳、吊环等,比较严重的有 12 座。麻湾分凌分洪闸钢闸门底部锈蚀高度 0.5m,6 扇钢闸门 12 个滑轮组外壳均已锈蚀穿孔,其中第六孔滑轮组外壳已全部锈蚀脱落;石洼分洪闸门页连接板、螺栓严重锈蚀,影响闸门安全启闭;纪冯引黄闸闸门导轨、导轮全部锈蚀,导轮不能转动;一号坝格堤穿涵闸门导轨、导轮全部锈蚀,导轮不能转动;打渔张引黄闸六孔闸门铁件严重锈蚀,支承滚轮基本不能转动;邢家渡引黄闸闸门主轮支承座锈蚀在 0.3cm 以上,已影响到支承强度;国那里引黄闸中孔闸门吊耳严重锈蚀,上下页穿钉锈断,边孔闸门连接螺杆锈蚀断裂;苏泗庄引黄闸第三孔闸门吊杆变形,致使抱头销钉不牢,闸门吊耳由于长时期浸泡在水中,锈蚀严重,强度降低,影响闸门安全启闭;杨集引黄闸闸门提升至 0.3~0.4m 时发生震动;位山引黄闸第五孔闸门开启高度大于 1.5m 时牛腿处有异常声音;胜干排水闸三孔闸门全部卡死,不能启闭;流长河排水闸吊耳、导轮严重锈蚀。

闸门止水老化现象比较普遍,有 31 座涵闸因止水老化而漏水,其中麻湾引黄闸、一号坝引黄闸、韩墩引黄闸、大道王引黄闸漏水流量均超过 $0.5m^3/s$。

四、启闭机

启闭机存在的主要问题是闸门制动失灵、钢丝绳锈蚀断丝、防护罩损坏等。其中闸门制动失灵的涵闸有 12 座,钢丝绳存在断丝现象的涵闸有 9 座。麻湾分凌分洪闸 12 台启闭机护罩严重变形;章丘屋子泄洪闸、国那里引黄闸、苏泗庄引黄闸钢丝绳锈蚀严重,有断丝现象;赵升白排水闸启闭机丝杠弯曲,启闭困难;八里庙排水闸启闭设备锈蚀,无法启动;小八里排水闸 1 号启闭机已经运行了 25 年,老化十分严重。部分涵闸无电源,闸门的启闭仍需要人工操作,费时费力,也不安全。

五、机电设备

有 28 座涵闸存在机电设备陈旧、供电线路老化问题,其中比较严重的有大吴泄洪闸、麻湾分凌分洪闸、石洼分洪闸、章丘屋子泄洪闸、豆腐窝分洪闸、潘庄引黄闸、苏泗庄引黄闸。大吴泄洪闸无网电设施,自备发电机为已淘汰的 20 世纪 70 年代捷克产品,设备陈旧,配件难购;章丘屋子泄洪闸无网电电源,自备发电机组严重老化,一旦出现问题,将直接影响涵闸的及时准确启闭;麻湾分凌分洪闸发电机组设备陈旧,已不能保证安全及时运用;石洼电厂供电线路老化,需要更换;石洼变电站变压器设备陈旧,耗电量大,属淘汰产品,当地电力部门已多次下达限期整改通知;豆腐窝分洪闸高压线路已运行 26 年,严重老化。苏泗庄引黄闸现有发电机组损坏严重,无法修复已报废,配电设备及线路老化严重,供电极不正常,严重影响了闸门启闭及度汛安全。

六、机房

有 6 座涵闸启闭机房、发电机房、油库房顶老化失修,加速了电器设备老化,并给日常管理带来困难。如司垓闸机房、大吴泄洪闸油库等都存在此类问题。

第二节 山东黄河涵闸工程老化病险状况统计分析

为便于系统了解山东黄河涵闸工程老化病险状况,以下从老化病险程度、老化病险形式及常见部位两个方面对其老化调查资料进行统计分析。

一、山东黄河涵闸工程老化病险程度分类

山东黄河涵闸工程老化病险程度分为四类,按三种不同功能的涵闸分别汇总于表 2-1。

表 2-1　　　　　　　　　　　　山东黄河涵闸工程老化病险状况汇总

名　称	老化病险状况				
	总数(座)	一类闸(座)	二类闸(座)	三类闸(座)	四类闸(座)
引黄闸	61	26	25	9	1
分泄洪闸	10	1	5	2	2
排水闸	24	4	10	8	2
合　计	95	31	40	19	5
占总数百分比(%)		32.6	42.1	20.0	5.3

表 2-1 中涵闸老化的病险程度分类为:一类闸运用指标能达到设计标准,无影响正常运行的缺陷,按常规维修养护即可保证正常运行;二类闸运用指标基本达到设计标准,工程存在一定的损坏,经大修后,可达到正常运行;三类闸运用指标达不到设计标准,工程存在严重损坏,除险加固后,才能达到正常运行;四类闸运用指标无法达到设计标准,工程存在严重安全问题,需降低标准运用或报废重建。

二、山东黄河涵闸工程老化病险形式及常见部位

山东黄河涵闸工程老化病险形式及常见部位各分 3 类,其汇总状况见表 2-2。

表 2-2　　　　　　　　　山东黄河涵闸工程老化病险形式及部位统计

项　目	老化病险形式			最严重病险发生部位			涵闸总数
	1	2	3	1	2	3	
座数	4	30	46	9	45	28	95
百分比(%)	4.2	31.6	48.4	9.5	47.4	29.5	

表 2-2 中,形式 1 指整体老化失稳、不能正常安全运行,形式 2 包括构件断裂及变形过大、启闭及止水设备破损、土石结合部渗漏严重等,形式 3 指混凝土出现孔洞、裂缝、表面剥蚀及碳化等;部位 1 指涵闸的基础、底板、铺盖、护坦,部位 2 指涵闸的闸墩、闸门及启闭设备、启闭台,部位 3 指涵闸的交通便桥、上下游连接段。从表 2-2 可以看出,山东黄河涵闸工程的老化病险形式以混凝土的裂缝及碳化、剥蚀等居多,且病险多发生在闸墩、闸门及启闭台等主体部位,危害性较大。

第三章　山东黄河涵闸工程老化病险机理分析

涵闸工程老化的定义为:涵闸工程在正常设计、施工、运行和维护管理条件下,随着运行时间推移,其结构性质和预定功能逐步衰减或最终完全丧失的自然现象。在特殊情况下(地震、台风、爆破等)工程遭到损坏不属于老化研究范畴。根据以上调查分析及涵闸工程老化定义,我们认为,导致山东黄河涵闸工程老化病险的因素有外因与内因两种,其中外因有地面水流、地下渗流、地基沉陷、超载运行、土压力、气温及大气中二氧化碳、氧、水分等;内因有设计施工缺陷、管理不善等。

第一节　涵闸上下游砌石工程老化病险机理分析

一、外因

(1)砌石护坡、翼墙、平台下层土体不均匀沉陷,使砌体局部产生拉应力或剪应力而产生裂缝。

(2)外侧土体压力过大,导致翼墙、砌石护坡前倾受剪,产生裂缝。

(3)洪水、雨水冲刷,导致砌石下土体流失产生蛰陷,引起砌石护坡、翼墙坍塌。

(4)受气温变化影响,使砌体内产生温度应力而产生裂缝。

二、内因

(1)施工时土体夯实不够,未达到设计压实度,导致土体产生不均匀沉陷。

(2)施工时砌石与混凝土结合面处理不善,产生裂缝导致渗水、漏水。

(3)砌体石料强度不够,或砂浆标号太低,导致砌体应力达不到设计要求而产生裂缝。

(4)部分砌石工程整体结构形式不合理,使砌体内局部应力集中而产生裂缝。

第二节　钢筋混凝土工程老化病险机理分析

钢筋混凝土工程老化病险形式发生概率高,危害性大,产生机理较为复杂。

一、外因

(1)环境湿度及其中 O_2、CO_2、Cl^- 等侵蚀性介质的作用。从涵闸混凝土表面剥蚀部位看,多在常年水位变动区及波浪区。据有关资料介绍,湿度对混凝土碳化有较大影响,就密混凝土而言,当空气中相对湿度为 50% ~80% 时,最适于混凝土老化的进行。由于这些部位长期处于半干半湿状态,所以混凝土易于碳化。一般先呈现龟裂,继而层层剥落,严重者露出钢筋。

钢筋混凝土构件在大气中侵蚀性介质的长期作用下,大致发生两种破坏情况:一种是介质直接破坏混凝土的保护层,使钢筋裸露以致锈蚀;另一种是介质改变了混凝土液相成分,降低了混凝土对钢筋的保护能力,使钢筋锈蚀发生在混凝土内部。后者的锈蚀往往比处于同样介质作用下裸露的钢结构更快。这说明,混凝土保护层反复湿润的时间和使钢结构发生电化学锈蚀的水膜停留在钢筋表面上的时间,比在钢结构表面上更长。对于钢筋混凝土构件,迄今为止,惟一能够保护钢筋的实际上是混凝土。但长时间后,钢筋出现锈蚀并不断发展,这说明,混凝土在周围介质的影响下已失去保护钢筋的能力。究其原因,原来钢筋在混凝土里是处于高碱性($pH=12.5\sim13.5$)的环境中,铁在碱性介质($pH>11.5$)中能迅速生成一层稳定致密的"钝化膜",阻止其与电解质的接触,使铁的电化学反应即腐蚀的速度变得十分缓慢而得以保护。但是,由于混凝土的碳化作用,即空气中的二氧化碳通过混凝土的裂缝或毛细管侵入混凝土内部,与氢氧化钙作用生成碳酸钙,从而使混凝土的碱性下降,pH 值降至9。一般当 pH 值小于 11.5 时,钝化膜就不稳定,pH 值降至 9 左右,钝化膜就被完全破坏。钢筋失去混凝土的碱性保护,在一定的湿度和供氧条件下便发生锈蚀。锈蚀后的钢筋体积增大 $2\sim2.5$ 倍,因而压迫其周围的混凝土并产生超出混凝土抗拉强度的拉应力,使保护层沿着锈蚀的钢筋开裂。这些裂缝成为锈蚀因子侵入的通道,因而加速了钢筋的锈蚀。如此循环往复,导致构件破坏,危及工程安全。另外,环境介质中氯离子侵入,也能穿破钝化膜,同样使钢筋遭到腐蚀。通常认为,当混凝土中钢筋周围氯离子含量为水泥重量的 0.4% 时,钢筋的钝化膜就会被破坏。

(2)冻融循环因素影响。黄河山东段属温带大陆性气候,光照充足,四季分明。夏季炎热多雨(最高气温达 40℃ 以上),冬季寒冷干燥(最低气温达 -20℃),冰冻期较长。冬季昼夜之间阴阳两面温差较大,特别是向阳面,白天阳光照射,气温增高,靠近混凝土处的冰层全部或部分融化,夜间气温下降转负,融水又结成冰,如此循环往复,在水位变动区和有渗水的地方或受雨、雪水浸透的混凝土受到反复冻融,表层部分反复膨胀、收缩,以致疏松、裂缝和剥蚀。根据调查,一般混凝土冻融破坏发生的规律是:开敞式水闸较涵洞式水闸破坏的程度大;涵闸阳面破坏的程度较阴面大;闸底板上淤沙厚度小且淤沙表面有积水的闸墩及底板破坏程度较闸底板上淤沙厚度大且淤沙表面无积水的要大。

(3)气温变化影响。温度骤降会使混凝土表面产生裂缝,夏季受阳光直射的混凝土表面吸收大量热量,温度增高,受热膨胀,有时突然受雷雨或冰雹袭击,温度骤降,混凝土表面收缩产生拉应力,这种拉应力一旦超过混凝土的抗拉强度,混凝土表面便会产生裂缝。裂缝形状一般有龟纹状、片状以及顺筋开裂的直缝。

(4)地基不均匀沉陷引起闸墩开裂。因整个涵闸各部分的荷载不相同,在运行过程中如不采取相应的调节措施,就会使闸下地基产生不均匀沉降,出现岸墙沉降大于闸室、闸室沉降大于护坦、边孔沉降大于中孔等现象,导致闸墩受力不均,局部应力超出设计强度而产生裂缝,进一步会使大气中侵蚀性介质侵入,发生化学作用和电化腐蚀,导致混凝土碳化、钢筋锈蚀。

(5)长期超载运用或剧烈震动加剧了混凝土老化。超载运用是闸顶公路桥普遍存在的问题。黄河山东段部分涵闸所处堤段为交通干线,过往车辆较多,长期的超载运用和剧烈震动会使主梁产生超过设计标准的挠度和沉陷值,从而会使混凝土桥面、大梁及闸墩等部位混凝土产生裂缝,并进一步剥蚀、破碎、脱落。

二、内因

(1)混凝土的耐久性与混凝土所用的原材料和水泥品种有密切关系,质坚、洁净、粒径规整的石子、砂子,配比合理能保证混凝土的密实度,防止空气中的水分及有害化学物侵入混凝土体内。水泥品种及标号也直接影响混凝土的老化,从调查中发现,矿渣水泥、火山灰质水泥不如硅酸盐水泥。

(2)水灰比和混凝土的密实度是影响混凝土老化的重要因素。在检查中发现,公路桥微弯板较盖梁、立柱、栏杆等构件出现老化裂缝的程度要轻得多,这是因为在原材料、环境、混凝土标号相同的情况下,微弯板是预制的,水灰比为0.4,用振动台振捣密实充分,属干硬性混凝土,耐久性、稳定性好,抗侵蚀能力强,能延长混凝土使用期限;而立柱、盖梁为普通塑态现浇混凝土,水灰比为0.55,用插入式振捣器振捣不够均匀,密实性差,抗侵蚀能力弱,加速了混凝土的老化。

(3)混凝土小型构件及混凝土薄板因人工捣实,密实性更差,易受风雨及有害物的侵蚀,混凝土易开裂破碎,混凝土内钢筋锈蚀,加速了混凝土老化破坏。

(4)部分涵闸混凝土浇筑施工质量差,首先在配制时,没有严格按设计要求控制配合比,往往水灰比偏大,达不到所要求的设计标号,其次在绑筋、拌和、浇筑、振捣、养护过程中,也常发生如钢筋绑扎不规整、混凝土振捣不密实等施工质量问题,结果导致混凝土保护层厚度达不到设计要求,加速了混凝土老化。

(5)浇筑时加入了防冻早强剂氯化钙。黄河山东段有些涵闸工程在冬季施工,为防止混凝土受冻,加入了防冻早强剂氯化钙。氯离子破坏了钢筋表面的钝化膜,为钢筋的电化学锈蚀创造了条件。试验证明,当氯离子含量超过临界值($Cl^-/OH^-=0.6$)时,将对钢筋产生锈蚀破坏作用。

(6)管理不当加速了混凝土老化病险的发展。工程设计寿命是指在正常管理和维护条件下运行时,建筑物完成预定功能的使用年限。如果管理制度不完善、工程管理不当,设计寿命就得不到保障。目前,在山东黄河涵闸工程运行中,工程管理单位资金短缺,工程得不到正常的维修养护。另外,有些管理单位技术水平低、制度不健全,无严格的观测制度和完整的记录档案,当工程出现问题后不能及时发现和维修,从而加速了建筑物的老化进程。

第三节　闸门及止水老化病险机理分析

一、闸门老化病险外因

(1)在黄河枯水季节,为了满足引黄灌区用水,常把闸门提出水面暴露在空气中。在潮湿的空气里(或闸门刚提出水面,带有水分),闸门的表面易形成电解质溶液薄膜,它跟钢铁中的铁和少量碳恰好形成原电池,从而发生氧化反应。Fe^{2+}继续氧化,就形成了

$Fe(OH)_3$，这就是我们常看到的闸门的门板或部件上出现的铁锈，呈红褐色。

由于黄河水大多来自天然降雨，汇流后进入黄河。天然降雨主要来源于江、河、湖、泊和海洋蒸发，其中化学成分有 Na、K、Ca、Mg、Sr、S 等和一些有机成分；黄河沿途城市排放的"三废"含有 H_2S、SO_2 等物质，经过复杂的化学反应，所含的主要成分有 Ca^{2+}、Mg^{2+}、K^+、Na^+、Cl^-、SO_4^{2-}、CO_3^{2-} 和一些复杂的有机成分。黄河泺口站 1995 年 7 月的一次水质分析结果见表 3-1。

表 3-1 　　　　　　　　　　　　黄河泺口站水质分析

成 　分	Ca^{2+}	Mg^{2+}	K^+	Na^+	Cl^-	SO_4^{2-}	CO_3^{2-}
含量(mg/L)	0	48.5	20.5	90	98.7	81.6	191

从表 3-1 可以看出，黄河水中 Cl^-、SO_4^{2-}、CO_3^{2-} 含量较高，当闸门落入水中，在空气中所生成的 $Fe(OH)_3$ 继续与水中各种离子反应，如：

$$3Cl^- + Fe^{3+} = FeCl_3$$
$$3SO_4^{2-} + 2Fe^{3+} = Fe_2(SO_4)_3$$
$$3CO_3^{2-} + 2Fe^{3+} = Fe_2(CO_3)_3$$

铁离子还与河水中的有机成分生成络合物。

(2)部分引黄涵闸由于引水流量较大，放水时间较长，黄河水位不稳定，闸门启闭频繁，造成水上、水下交替使用，加速了上述化学侵蚀反应的进行，从而加剧了各部件的老化锈蚀，造成导轨与导轮间变形错位、门板及吊耳、吊环等部件强度降低，影响闸门安全正常启闭。

二、闸门止水老化病险外因

(1)由于止水型式多为预压式，是依靠止水预压量密封闸门与门槽之间的间隙，因其止水材料为橡胶，当闸门的止水水头较高时，要求止水的预压量很大，在闸门启闭过程中产生较大的摩擦力，长期运用会导致橡皮磨损老化甚至脱落。

(2)闸门的止水经常处于水下，与水中侵蚀性介质发生化学反应产生老化。

三、闸门及其止水老化损坏的内因

(1)施工质量未达到设计要求，如钢筋混凝土闸门混凝土配合比不合理或保护层厚度未达到设计要求；钢闸门钢材质量差、表面未进行涂防腐金属处理，闸门的顶、侧、底止水橡皮安装不严密等。

(2)闸门一些部件和闸门止水经常处于水下，缺乏必要的维修养护措施，导致锈蚀、老化。

第四节　启闭机老化病险机理分析

一、外因

目前,山东黄河涵闸工程所用的启闭机有手摇电动两用的、单吊的、双吊的、螺杆卷扬的等多种规格、型号。造成启闭机抱闸不灵及老化损害的外因有以下几个方面:

(1)闸门经长期启闭运用,导致轨道变形引起划块与轨道间摩擦力增大,使闸门因阻力大而不能依靠自重关闭下行,需要较大的启闭力,从而使启闭机超标准运用,出现失灵。

(2)闸门运行间隙(间隙包括铰耳与拉杆之间、拉杆与螺杆之间、启闭机内部、启闭机机座与地基之间)过大,再加上长期运行造成启闭机机座与地基连接松动,使得在闭门加压过程中,需不断地消除这些间隙,造成启闭机振动失灵。

(3)当涵闸上下游水位差较大时,作用于门体上的水压力大,启闭闸门时,所需要启闭力就大,此时启闭机失灵表现得较为突出。

(4)空气中的氧气、水分、二氧化碳等侵蚀性介质,使启闭机设备及钢丝绳产生锈蚀,造成老化损害。

二、内因

(1)部分启闭机安装质量差,如螺杆式启闭机的安装对螺杆轴线、吊耳中心、闸门重心同轴度的要求较高,但实际施工中这些方面做得并不理想,造成螺杆轴线、吊耳中心、闸门重心三者间的相对偏移量过大,闸门在启闭过程中,导致门体前后及左右倾斜,使门体的下滑阻力增大,引起启闭机失灵。

(2)在停用期间缺乏必要的定期检查,对损坏部件未做到及时修理更换,钢丝绳、轴承未做到经常养护,未采取必要的防护措施,使日晒、雨淋、尘土等侵入,加速了机械老化。

第五节　机电设备及房屋设施老化病险机理分析

一、外因

长期运行中与外界侵蚀性介质作用及日晒、风吹、雨淋等加剧老化反应的因素影响。

二、内因

(1)机电设备质量性能差,设计使用寿命短,房屋设施用材不合理,施工质量差。

(2)机电设备没有按电业部门的规程进行操作和保养,房屋设施检查维修不够及时,木结构未采取必要的防腐措施等。

第四章 黄河下游涵闸工程老化病险评估

第一节 黄河下游涵闸安全鉴定方法初探

目前以山东黄河涵闸工程为代表的老化病险现象,已给黄河下游涵闸工程安全管理和正常运用带来不同程度的影响。为有效地遏制工程功能的衰减,保证工程防洪安全和正常运用,必须对已运行多年的涵闸进行安全鉴定和评价,以便为工程维修、加固、改建提供决策依据。据此,水利部根据水利水电技术标准制定计划,委托江苏省水利厅为主编单位,编制了《水闸安全鉴定规定》(SL214-98)。该规定依据《水闸技术管理规程》(SL75-94),在总结全国水闸安全鉴定工作经验的基础上,就水闸鉴定的适用范围和周期、鉴定的工作程序、水闸现状调查分析、现场安全检测与成果分析、工程的复核计算、安全评定的标准等诸多内容作了规定。黄河下游涵闸的安全鉴定工作在部颁规定出台前缺乏系统性、完整性和规范化。新规定的颁布标志着涵闸的鉴定工作有了可靠的理论依据和评估准则。为使黄河下游涵闸安全鉴定工作规范化、科学化,有必要对鉴定的原则和具体方法作一探讨。

一、安全鉴定的原则

黄河下游涵闸的安全鉴定是为保障工程的安全运行而进行的周期性的检测和评定。涵闸安全鉴定,以涵闸建成投入运行后每15~20年为一周期,进行一次全面鉴定,单项工程达到折旧年限时也应及时作安全鉴定。在涵闸的安全鉴定中应以坚持标准、严格程序、检测到位、资料翔实、计算精确、评价合理为原则。

二、鉴定的组织程序

涵闸的鉴定工作涉及内容较多,因此在鉴定中应严格按照鉴定的基本程序进行。在调查分析、安全检测、复核计算和安全评价的基础上,写出安全鉴定的技术总结报告。涵闸管理单位在要求安全鉴定时,应进行涵闸管理现状的调查分析,并将分析报告逐级上报黄河水利委员会。黄河水利委员会根据申请情况进行审批,下达安全鉴定任务。由省河务局聘请由有关设计、施工、管理、科研及高等院校等方面的专家及黄河水利委员会、涵闸管理部门的技术负责人组成的涵闸安全鉴定专家组,编制鉴定工作计划,并组织有关单位进行现场检测和工程复核计算。专家组组织编写安全鉴定工作总结并将鉴定结果报黄河水利委员会备案。

(一)调查与检测

调查分析和安全检测工作是安全鉴定的前提。调查的内容包括技术资料的收集、现状检查和提出工程存在的问题。调查资料力求真实完整,应包括设计资料、施工资料和技术管理资料。设计资料应包括工程地质勘测和水工模型试验资料、工程设计文件和图纸等;施工资料应包括施工技术总结资料、工程质量监督检测资料、观测设施的考证资料及施工观测资料、工程竣工图和验收交接文件等;技术管理资料应包括技术管理的规章制度、控制运用技术文件和运行记录、工程观测资料、工程大修和重大事故险情处理措施等。在这些资料的基础上编写工程调查分析报告。

检测的项目应根据涵闸运行中存在的问题综合研究确定。检测中重点检查地基土和填料土性质、防渗导渗和消能防冲设施的性能、混凝土结构的强度变形和耐久性、闸门启闭机的安全性、观测设施的有效性,尤其是工程的薄弱和隐蔽部位,如闸门、底板和钢筋等。变形观测中要注意闸底板渗流和过闸水流流态是否异常,岸墙、翼墙有无沉降、倾斜和滑移,止水是否破坏,结构是否断裂,有无冲坑和塌陷等。对于混凝土结构,应主要检测结构的裂缝、钢筋的锈蚀和因超载引起的变形等。应根据检测结果编写安全检测报告,以作为鉴定依据。

(二)复核与评价

复核计算是依据调查和检测的成果,按照现行《水闸设计规范》(SD133-84)对涵闸各个部位的稳定性、抗渗性、过流能力、消能防冲及结构强度进行复核验算。复核内容主要包括结构因荷载标准提高影响运行安全而进行的结构强度校核和变形验算、闸室及上下游连接段产生的异常变形验算、混凝土结构构件超允许值的裂缝变形验算、因锈胀变形和剥蚀磨损引起的钢筋混凝土保护层破坏及钢筋锈蚀的构件强度验算、涵闸上下连接段河道严重冲淤引起的消能防冲验算、涵闸防震的抗震强度验算等。在复核验算的基础上编写复核计算报告。

安全评价工作是鉴定的核心内容。在调查、检测和复核的基础上,专家组依据评价的标准对成果报告进行审查,综合分析每一个项目和环节,提出涵闸安全鉴定的结论。按照部颁标准,涵闸安全类别评定标准分为四类:一类闸运用指标能达到设计标准,无影响正常运行的缺陷,按常规维修养护即可保证正常运行;二类闸运用指标基本达到设计标准,工程存在一定的损坏,经大修后,可达到正常运行;三类闸运用指标达不到设计标准,工程存在严重损坏,除险加固后,才能达到正常运行;四类闸运用指标无法达到设计标准,工程存在严重安全问题,需降低标准运用或报废重建。专家组依据评价结论写出安全鉴定报告,并提出加固和改善运用意见。

三、注意事项

涵闸安全鉴定工作是工程管理部门的常规性工作。为使该项工作更加科学合理,在实际操作中应注意以下几个问题:一是要注意保存和积累工程的运行资料,二是提高评定人员的专业素质,三是运用微机自动化手段管理和操作,四是建立安全鉴定工作的运行机制。

第二节　层次分析法用于黄河下游涵闸工程老化评估的探讨

目前,黄河下游涵闸工程老化评估方法实际上以实用鉴定法中的标准比照评定法和试验、计算校核评定法两种方法为主,虽基本满足工程管理、改(扩)建及维修加固需要,但同时也存在评价不够详尽具体、受人为因素影响大、工作程序及运行机制不够规范健全等不足。20 世纪 70 年代中期,T. L. Saaty 提出的层次分析法,具有遵循人的思维规律的层次分析的系统观、严格数学基础的简洁分析技术、稳定结构模式的广泛内涵等优点,可有效地消除人为因素影响,整个程序系统严谨、科学实用。我们认为,此法很适合于黄河下游涵闸工程老化评估,以下对其具体应用的有关问题作一探讨。

一、评价因素确定

黄河下游涵闸工程担负着挡水与过水双重任务,其工作性能应满足以下要求:

(1)满足适用功能要求,包括防洪与引水灌溉或分洪标准。

(2)满足安全功能要求,包括适应交通、抢险要求及位移、裂缝变化,抗渗、抗滑稳定、表面抗冲刷、抗腐蚀能力及材料本身老化等。

(3)满足耐久功能要求,包括工程建设质量、运行年限、维修状况等。

有关研究认为,一个建筑物老化损坏程度包括建筑物本身的损坏程度、工程老龄程度及其功能丧失程度等三个主要衡量标准。其中:损坏程度主要指工程被损坏的现状或工程剩余潜在功能的大小;老龄程度主要根据工程运行年数,来判别工程结构或材料本身的老化程度;功能丧失程度则主要指因工程老化、损坏直接导致的功能丧失,是工程老化的主要体现形式。参照现行工程可靠性评价标准,结合黄河下游涵闸工程自身的工作特点,确定评价其老化的主要因素有:适用功能、安全功能、耐久功能 3 个方面,每个方面又包含有许多子因素,都应详尽考虑。

二、评判模型拟定

层次分析法的基本步骤是把复杂的系统问题分解成基本构成因素,按功能的支配关系构造为有序的递阶结构,通过因素间的两两比较,确定每一层次中因素的相对重要性,然后在各层次间进行合成,得到各决策因素相对于目标的重要性的总排序。所以,它本质上是一种决策的思维方式,在结构上符合人们决策思维中分解、判断、综合的基本特征。拟定黄河下游涵闸工程老化评价模型的构造如图 4-1 所示:

评价模型构造递阶层次有 3 层:目标层、评价准则层、评价指标层。

目标层:以黄河下游涵闸工程老化程度为目标进行评价。

评价准则层:是一个建筑物老化程度的主要衡量准则。我们初步确定涵闸工程有适用功能、安全功能、耐久功能三个衡量准则。

评价指标层:是准则层的描述指标。这些指标各属于某一准则。它们的选取应能从主要方面代表准则的实质性内容和特征。黄河下游涵闸工程可主要考虑 11 项指标。

(一)适用功能准则层

其中:引黄涵闸由其所担负的任务决定其应具有一定的抗洪能力和输水能力,能完成预定的灌溉任务,即包括设防标准、引水能力、灌溉面积 3 个主要指标;分泄洪闸所担负的任务决定其应具有一定的抗洪能力和分泄洪水、削减洪峰、确保下游防洪安全的能力,所以包括设防标准、分泄洪量、受益区面积三个指标。在工程老化的实际评价中可通过对工

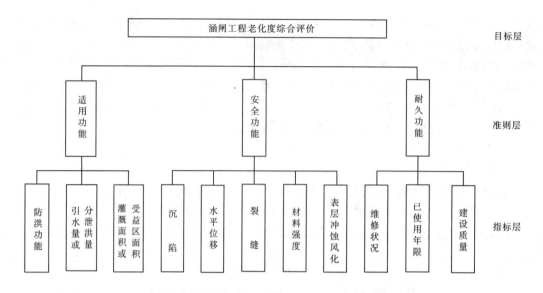

图 4-1 黄河下游涵闸工程老化评价模型

程运行现状进行测定计算与设计值比较来评价。

（二）安全功能准则层

涵闸工程在各种力的作用和自然因素影响下,工程各构件及建筑物整体不断在发生形变和强度变化,当其变化超过一定限度时,将影响工程的安全正常运用。其中形变可分为沉陷、水平位移、裂缝 3 个指标,在实际工程中应根据有关规范要求,考虑其发展趋势及裂缝部位进行评价;工程强度变化可用材料强度、表面冲蚀风化两个指标来描述,材料强度指标通过测试与设计对比进行评价,表层冲蚀风化指标依据有关规范要求评价。

（三）耐久功能准则层

涵闸工程的耐久功能是指其正常效益的发挥年限,可通过提高建设质量来保证,在某些情况下又可通过维修管理来弥补。因此,耐久功能准则层可用工程建设质量、已使用年限、维修状况 3 个指标描述。工程建设质量可通过竣工验收评价,维修管理指标可按静态维修费占工程造价比率进行评价。

三、工程老化度的分级

工程老化可有多种分级法,如根据工程完好度、实际功能分级等。但工程老化研究的根本目的是为了评定工程老化对其使用性能的影响,因此我们认为,按照工程的老化程度(即"老化度"用 B 表示)进行分级是较为恰当的。于是我们可根据涵闸工程老化度评价值域,给出相应的模糊评语。鉴于工程老化是一个不可逆的渐变过程,为简便明了,对其老化过程分段用 3 个等级的模糊语言来描述,即轻度老化、中度老化、严重老化。

（一）轻度老化（$B<0.25$）

工程开始运用 3～5 年一般为稳定运用期,稳定运用期之后即开始老化,建筑物整体结构性能向下降趋势发展,这时并未影响工程正常运行,工程性能处于良好状态,但应加强工程观测、检查及资料分析工作,捕捉工程老化迹象,以便及时采取补救措施,达到延缓工程老化进程的目的。

（二）中度老化（$0.25 \leqslant B \leqslant 0.45$）

工程运行到一定时期,在内外因素的共同作用下,部分部位结构性能的下降,影响其效益的正常发挥。这时应加强对老化原因的分析、研究,加强维修管理工作,以防止老化的进一步发展。

（三）严重老化（$B > 0.45$）

工程老化到一定程度,其预定功能明显下降,工程效益已不能正常发挥,工程老化状态严重。这时应及时采取加固改造等防治措施,否则易发生安全事故。

四、涵闸工程老化直观评判方法

不同的涵闸工程由于地质、地形、水文等条件的差异,其结构型式也不尽相同,但由其共同的功能特性决定工程布置和结构型式具有一定的规律,且许多指标有明显的设计标准和规范极值。因此,为便于研究,引黄涵闸工程老化评判可采用直观评价的方法。

（一）单因素指标的评价

评价涵闸工程老化度有三个准则层的 11 项指标,有些指标可与设计对比评价;有的指标可依据有关规范进行评价;有的指标可用仪器测定,而有些指标只能定性分析,情况比较复杂,我们考虑可采用专家评分取值法。在此,我们初步拟定直观评价标准如表4-1。

（二）各层次指标权重的确定

一般层次指标的相对权重通过专家评估取得,本章结合涵闸工程实际,依据多层次权重决策法对准则、指标两个层次分别确定权重。我们认为,工程老化对其影响主要表现在安全性方面,对适用功能和耐久功能的影响程度基本相同,各部位的老化对工程整体功能影响程度各不相同。据此,将表征安全功能的准则层划定为 50%～60% 的权重;表征适用功能的准则层划定为 20%～25% 的权重;表征耐久功能的准则层划定为 20%～25% 的权重。

准则层的权重确定后,进行指标层权重的划分,其思考方法仍然视同各指标准则层的重要程度而定。

各层次指标权重分析情况见表4-2。

（三）评价合成

将权重系数输入直观评价体系进行关系合成,可按常规加权法则进行,得出工程老化度 B,其计算式为:

$$B = \sum_{i=1}^{11} A_i R_i \qquad (4-1)$$

（四）评价实例

山东滨州地区黄河河务局打渔张引黄闸始建于 1956 年,1981 年因河床淤积抬高,设计标准相对降低进行改建。改建后设计防洪水位 22.70m(大沽高程),闸顶高程 26.00m,流量 120m³/s,灌溉面积 28.8 万 hm²,闸室段长 21m,为桩基开敞式水闸,主体工程为钢筋混凝土结构,经竣工验收质量评定为合格标准。改建后到 1999 年运行 18 年,检查及有

表 4-1　　　　　　　　　　　　涵闸工程老化指标直观评价标准

准则层	评价指标	直观评价标准（R）		
		0.2	0.4	0.6
适用功能	1.防洪功能	设防水位、渗径满足要求,渗流无异常	设防水位接近标准,渗流无异常,工程能正常运用	设防水位接近标准,渗径不足,渗流异常
	2.引水量（分泄洪量）	最大引水量（分泄洪量）能达到设计标准,闸室无振动	过闸流量基本接近设计标准,能满足用水（分泄洪）需要	引水（分泄洪）能力明显下降,不能满足用水（分泄洪）要求
	3.灌溉面积（受益区面积）	灌溉（受益区）面积大于或等于设计灌溉（受益区）面积	能灌溉（受益）面积低于设计灌溉（受益）面积的10%～20%	能灌溉（受益）面积低于设计灌溉（受益）面积的20%～40%
安全功能	4.沉陷量	最大沉陷量（h）<100mm,最大沉陷差（a）<30mm,基本稳定	100mm≤h≤150mm,300mm≤a≤50mm,基本稳定	h>150mm,a>50mm,有发展趋势
	5.水平位移	水平位移（b）<10mm	10mm≤b≤30mm	b>30mm
	6.裂缝	主体部位无裂缝或轻微龟裂,连接段轻微裂缝不渗水,对结构强度无影响	主体部位没有大于0.5mm的裂缝,其他部位裂缝小于1.0mm,对结构影响不大	主体及连接段裂缝较多、较宽、有渗水,对结构强度影响较大
	7.材料强度	主体部位材料强度接近设计标准,连接段材料强度不低于设计标准的10%	主体部位材料强度不低于设计标准的10%,连接段材料强度不低于设计标准的20%	主体部位材料强度低于设计标准的10%～30%,连接段低于设计标准的20%～40%
	8.表面冲蚀风化	主体部位表层基本无冲蚀风化,连接段表层无冲蚀或轻微风化	主体部位轻微冲蚀风化,连接段冲蚀风化较严重,但混凝土保护层大于$a/2$	主体部位及连接段冲蚀风化较严重,混凝土保护层大于$a/2$
耐久功能	9.维修状况	一次性维修费率<10%	一次性维修费率10%～30%	一次性维修费率>30%
	10.已使用年限	<10年	10～30年	>30年
	11.建设质量	竣工验收评定优良	竣工验收评定合格	竣工验收评定不合格

注：(1)当材料强度指标评价值（R）为 0.6 时,安全功能层指标权重取上限值,其他指标权重取下限值;

　　　(2)当材料强度指标评价值（R）为 0.4 时,各指标权重取中值;

　　　(3)当材料强度指标评价值（R）为 0.2 时,安全功能层指标权重取下限值,其他指标权重取上限值。

准则层		指标层		权重合成（A） (1)×(2)
指标名称	权重（总(100%)）(1)	指标名称	权重（总100%）(2)	
适用功能	20%～25%	防洪功能	70%	0.14～0.18
		引水量（分泄洪量）	15%	0.03～0.04
		灌溉面积（受益区面积）	15%	0.03～0.04
安全功能	50%～60%	沉陷量	25%	0.13～0.15
		水平位移	10%	0.05～0.06
		裂缝	25%	0.13～0.15
		材料强度	30%	0.15～0.18
		表层冲蚀风化	10%	0.05～0.06
耐久功能	20%～25%	维修状况	30%	0.06～0.08
		已使用年限	20%	0.04～0.05
		建设质量	50%	0.10～0.13

关测量资料表明:实际最大引水量为 99.5m³/s,灌溉面积 23.33 万 hm²,工程渗径不足, 黄河"96·8"洪水期间闸后翼墙渗流异常;累计最大沉陷量 1.3mm(从 1982 年开始测量), 最大沉陷差 4.1mm,累计水平位移 7.6mm,混凝土工程(闸墩)有轻微裂缝,无发展;主体 部位(胸墙、机架桥大梁)材料强度低于设计值 9.6%,主体部位表层混凝土轻微碳化, 1982 年以来累计最大一次维修费率为 16.2%。对该涵闸工程老化度评价,各指标对照表 4-1 查得评价值如表 4-3 所示。

指标	1	2	3	4	5	6	7	8	9	10	11	合计
直观评价值 R_i	0.6	0.4	0.4	0.2	0.2	0.4	0.4	0.4	0.4	0.4	0.4	
权重 A_i	0.16	0.035	0.035	0.14	0.055	0.14	0.165	0.055	0.07	0.045	0.115	
$A_i \times R_i$	0.096	0.014	0.014	0.028	0.011	0.056	0.066	0.022	0.028	0.018	0.046	0.399

经计算,该涵闸工程老化度 $B=0.40$,属中度老化工程。

根据山东黄河 1999 年涵闸安全检查资料,按以上的评估方法对所查 96 座涵闸进行 评估分级,评估结果见表 4-4。

老化病险级别	轻微老化	中度老化	严重老化	合计
座数	24	27	18	69
比例 1(%)	25.00	28.13	18.75	71.88
比例 2(%)	34.78	39.13	26.09	100.00

注:比例 1 及比例 2 分别为各级老化病险涵闸座数与所检查涵闸总数 96 及老化病险涵闸总数 69 的百分比。

从表 4-4 可看出,山东黄河涵闸工程出现老化病险的已达 72%,其中中度老化和严重老化的占老化病险涵闸的 65%,工程老化形势比较严峻。

五、几点说明

(1)归纳的涵闸工程老化指标体系有适用功能、安全功能、耐久功能 3 层 11 项指标,其中材料强度应由现场宏观调查和具有代表性的典型部位取样,经力学试验后,综合分析做出结论。

(2)涵闸工程老化可用轻微老化、中度老化、严重老化三级老化度衡量。轻微老化应做好工程观测工作,中度老化应加强维修管理,严重老化工程应及时进行改造加固,以确保安全。

(3)从安全角度出发,涵闸材料强度达不到标准要求,即可认为工程已经老化,所以,各层次确定为可变权重,随着安全功能层材料强度指标评价值而变化,当材料强度指标直观评价值(R)为 0.6 时,安全功能层指标权重取极大值($B>0.45$),即工程已达严重老化程度。

(4)在实际工程评价中,评价指标体系的建立、评价标准的确定及层次权重的选择,有待于进一步研究和验证。

第三节　涵闸工程钢筋混凝土结构老化病险评估方法探讨

鉴于涵闸工程水工钢筋混凝土结构老化病险问题异常突出,多发生在涵闸基础及主体部位,危害性大,有必要对其老化病险评估方法作一专门探讨。

一、涵闸钢筋混凝土结构主要检测项目及检测结果的判据

涵闸水工钢筋混凝土结构老化病险评估,应在现场检测的基础上进行。现场检测应有碳化深度、混凝土强度、裂缝渗漏、钢筋锈蚀、沉陷变形、刚度检测、温度测量、冻融、冲刷、气蚀磨损测定、结构尺寸、水质分析、氯离子含量测定等多方面内容。按理各种检测数据都应有相应的判据。但在实际工程中,由于种种原因,常常无法实施上面全面检测项目,为此,必须抓住影响其安全及耐久性的主要因素。如裂缝渗漏、混凝土强度和钢筋锈蚀等 3 个方面的判据进行评估。这对一般常见的水工混凝土结构,足以判断其安全性和耐久性。而对个别建筑物,根据需要也可增加其他方面的检测。

(一)混凝土质量

在评价混凝土现有质量时,首先应区分混凝土受压、受拉、受弯或受剪部位的不同,然后,根据回弹法或回弹—超声波法检测结果推算强度值并结合该部位裂缝、表面脱落和端面损伤情况,建议按表 4-5 所列标准评级。

(二)裂缝渗漏

对于混凝土裂缝渗漏状况的评级,我们建议按照表 4-6 所列标准进行评定。主要是

表 4-5　　　　　　　　　　　　　混凝土质量评级标准

级别	混凝土质量	受压区混凝土	受拉、弯、剪区混凝土
A	良好	$R \geqslant R_0$，且混凝土表面无裂纹或缺损	
B	基本完好	$R \geqslant R_0$，混凝土表面在非受力向有微裂纹，但无缺损	
C	轻微损坏	$R \geqslant 0.9R_0$，或有小于 2% 的表面剥落或断面损伤	$R \geqslant R_0$，但有受力方向的微裂纹，而无缺损
D	严重破损	$R \geqslant 0.8R_0$，或存在 2%～10% 的表面剥落或断面损伤	$R \geqslant 0.9R_0$，或在受力方向有较大裂纹，而表面脱落或断面损伤不大于 5%
E	极严重破损	$R < 0.8R_0$，或有不小于 10% 的表面剥落或断面损伤	$R < 0.9R_0$，或在受力方向有明显裂纹或有表面脱落或断面损伤大于 5%

注：表中 R 为实测的混凝土抗压强度；R_0 为设计的混凝土抗压强度。

根据调查或检测的可见裂缝形式、数量、缝宽或缝长以及有无渗水、石灰质析出物或锈水等现象及其不同程度来进行评定。

表 4-6　　　　　　　　　　　　　混凝土裂缝渗漏评定标准

级别	外观质量	可见裂纹或裂缝	渗漏情况
A	良好	无裂纹或裂缝	无渗漏现象
B	基本完好	少数微裂纹（宽度小于 0.05mm）	无渗漏现象
C	轻微破损	局部有裂纹或轻微裂缝	基本不漏水
D	严重破损	有明显裂纹和存在宽度大于 0.2mm 的裂缝	可见渗水和石灰质析出物
E	极严重破损	有纵向裂缝，或有内外贯通裂缝，或保护层大面积剥落或脱壳	严重漏水且有锈水痕迹

(三)混凝土内钢筋锈蚀

对于混凝土内钢筋锈蚀程度的评级，鉴于目前尚无统一和可靠的检测设备及检测方法，建议根据外露钢筋状况并结合该部位混凝土的表面情况，按表 4-7 所列标准进行评估。同时，如果有条件进行碳化深度、氯离子含量、自然电位或混凝土电阻率等测量时，可根据检测结果参考表 4-8 加以评估，取其中锈蚀程度级别较高者作为评估结果。

二、涵闸钢筋混凝土结构老化程度的评估

(一)评估标准

涵闸钢筋混凝土结构老化评估的目的在于根据结构不同部位的破损程度、不同的受力情况或运用要求，来判断其目前工程状态能否完成既定功能，决定是否加以维护、修理

表 4-7   混凝土内钢筋锈蚀评级标准

级别	锈蚀程度	外露钢筋状况	混凝土表面状况
A	无锈蚀	无锈斑,铁青色	无裂纹
B	轻度锈蚀	有轻微锈斑	有微裂纹,无锈水
C	较严重锈蚀	有明显锈坑	局部开裂,少量有锈水
D	严重锈蚀	锈层明显	严重开裂,不少有锈水
E	极严重锈蚀	锈层可剥	普遍开裂或大面积剥落,普遍有锈水

表 4-8   混凝土内钢筋锈蚀评级参考标准

级别	锈蚀程度	碳化深度 h (mm)	Cl^- 含量(占水泥重%)	自然电位(mV)饱和甘汞电极	混凝土电阻率($\Omega \cdot cm$)
A	无锈蚀	$h_0/2 > h \geqslant 0$	$\leqslant 0.1$	$0 \sim -200$	$>12\ 000$
B	轻度锈蚀	$h_0 > h \geqslant h_0/2$	$0.10 \sim 0.20$	$-200 \sim -350$	$5\ 000 \sim 12\ 000$
C	较严重锈蚀	$(h_0 + d/2) > h \geqslant h_0$	$0.20 \sim 0.80$		
D	严重锈蚀	$(h_0 + d) > h \geqslant (h_0 + d/2)$	$0.80 \sim 2.40$	低于 -350	$<5\ 000$
E	极严重锈蚀	$h \geqslant (h_0 + d)$	>2.4		

注:h_0 为净保护层厚度(mm);d 为钢筋直径(mm)。

和加固。一般对钢筋混凝土建筑物各独立结构或其局部,建议按下面 4 类加以评估。

第一类:属基本完好的结构。无裂缝渗漏,钢筋无锈蚀,混凝土强度满足设计要求,整体刚度较好等。对此种结构,只需正常养护,而无须修理。

第二类:属轻微破坏的结构。混凝土保护层局部龟裂或微细裂缝,或钢筋有轻度锈蚀,或混凝土强度局部低于设计要求,或整体刚度略低者等。但都尚不威胁结构安全和严重影响耐久性。一般对此类结构可在个别部位或表面采取适当措施,并加强维护保养。

第三类:属破坏较严重的结构。其可靠性不满足国家现行规范要求。混凝土有明显裂缝和渗漏现象,或钢筋严重锈蚀,混凝土强度低于设计强度,或整体刚度较差等,明显影响结构安全性、适用性和耐久性。对此类结构,应以补强、加固,有的部位还应立即采取措施,以恢复其正常功能,延长工程寿命。

第四类:属破坏严重的结构。其可靠性已严重不满足国家现行规范要求。有严重影响工程安全的裂缝,或钢筋严重锈蚀,或混凝土强度远低于设计要求,或整体刚度极差者。对这类结构必须立即采取措施进行补强、加固,甚至需报废重建。在修补前一般均不宜继续按原设计标准运行,以策安全。

(二)建议的实用评估方法

评定结构老化程度的方法,建议采用记分加权的方法来处理。应区分结构的工作状态,根据各项目影响程度的差异和评定的级别来记分,建议采用下列方法评估:

各项目评定等级以后,A,B,C,D,E 各级分别按 4,3,2,1,0 记分。

各项目在不同工作状态下的结构中所占的权重,可按表 4-9 选取。

表 4-9 各项目在不同工作状态下的权重

项 目	受压为主	受拉、弯、剪为主	
		无整体刚度测试	有整体刚度测试
裂缝与渗漏	0.6	0.5	0.3
混凝土强度	0.2	0.1	0.1
钢筋锈蚀	0.2	0.4	0.3
振动测试			0.3

根据各项目实际得分,经加权处理后,可求得该结构的总得分,然后按表 4-10 的标准来评估其结构实际破坏程度和病险等级。

表 4-10 结构破坏程度的评估标准

结构实际得分 N	$N<1.5$	$1.5 \leqslant N<2.5$	$2.5 \leqslant N<3.5$	$N \geqslant 3.5$
结构等级评定	四	三	二	一
结构破坏程度	很严重	较严重	轻微	基本完好

三、结构尚余承载能力估计

涵闸钢筋混凝土结构的承载能力取决于混凝土和钢筋的抗力。其承压能力主要来自混凝土,而抗拉、抗弯及抗剪能力则主要依靠混凝土内的钢筋。对由于混凝土强度下降、裂缝渗漏和钢筋锈蚀等原因而使工程结构破坏严重或很严重时,其结构抗力必然减小。为使结构修补后恢复其使用功能,满足其可靠要求,除应根据实际情况,验算各种可能组合条件下的荷载效应外,更重要的是应对现有结构的承载能力作出合理的判断。这样才有可能在修补设计中选择适当的修补材料和进行校核计算。而对结构现有承载能力的估计,主要取决于现有混凝土和钢筋尚余承载能力。

根据实验测验及工程修补实践,我们建议根据混凝土质量检测结果,按表 4-11 估算现有混凝土承载能力。

表 4-11 混凝土尚余承载能力估算

混凝土质量评定等级		混凝土尚余承载能力(%)	
		受压区	受拉、弯、剪区
A	良好	100	100
B	基本完好	>90	>95
C	轻微损坏	90~80	95~90
D	严重破损	80~70	90~85
E	极严重破损	<70	85~80

根据实验研究结果:在自然状态下钢筋表面发生不均匀全部锈蚀时,其内部金相组织没有明显变化;钢筋锈蚀程度对其强度性能无明显影响,锈蚀钢筋的剩余承载能力主要由其剩余有效面积来决定;而锈蚀钢筋的有效截面应由工程现场所测的最小截面积经修正后而得。其修正系数为 $K=0.85\sim0.95$,一般可取 0.90,尚余承载能力建议按表 4-12 估算。

表 4-12   锈蚀钢筋尚余承载能力估算

锈蚀级别	A	B	C	D	E	估算方法
测量直径损失率(%)	0	≤1	1~4	4~9	9~16	$(1-D_{测}/D_{原})\times100\%$
测量截面损失率(%)	0	≤2	2~8	8~17	17~29	$(1-D_{测}^2/D_{原}^2)\times100\%$
尚余承载能力(%)	100	≥95	95~90	90~85	85~80	$(KD_{测}^2/D_{原}^2)\times100\%$
承载能力损失率(%)	0	≤5	5~10	10~15	15~20	$(1-KD_{测}^2/D_{原}^2)\times100\%$

注:(1)$D_{测}$为实测最小截面两垂直方向直径的均值;

(2)$D_{原}$为设计钢筋原始直径;

(3)K 为修正系数,本表取 0.90。

四、说明

以上推荐的病险程度评估方法及有关判据简便易行,精度适中,便于推广,经部分涵闸工程修复中实际应用,证明是基本合理、经济的。但限于工程结构的多样性和病险评估的复杂性,尚有待在今后更多的工程实践中去检验、补充与修正,以求进一步完善和提高。

第五章　黄河下游涵闸工程老化病险防治对策研究

采取有效措施延缓涵闸工程老化进程,提高其使用寿命,最大限度地发挥工程效益,是我们进行涵闸工程老化研究的最终目的。只有预防和整治并重,即一方面针对老化病险产生的内因和外因,对待建或已建工程采取综合措施,提高及保持工程质量;另一方面根据病险形式及破坏程度、原因分析和评估结果采取各种修复措施,才能真正达到这一目的。

第一节　严格执行工程建设程序 科学制定工程设计标准

一、严格执行建设程序,确保各阶段工作质量

实践证明,只有严格执行工程建设程序,确保各阶段的工作质量,才能确保工程质量,提高工程耐久性,充分发挥工程效益。黄河下游涵闸工程建设,应严格执行项目建议书→可行性研究报告→初步设计→施工详图设计→施工准备→建设实施→竣工验收→项目后评价的建设程序,并且要强化各阶段工作措施,落实责任制,确保各阶段工作质量。

项目建议书应委托有相应资质的设计单位根据国民经济和社会发展长远规划、流域综合规划、专业规划,依据国家产业政策和有关投资方针,严格按照水利部《水利水电工程项目建议书编制暂行规定》(水规计[1996]608号)进行编制,并按国家现行规定权限向主管部门申报审批。

可行性研究报告由项目法人组织严格按照《水利水电工程可行性研究报告编制规程》(电力部、水利部电办[1993]112号)编制,报告应对项目进行方案比较,对技术上是否可行、经济上是否合理进行科学合理的论证,完成后应按国家现行规定的审批权限报批,审批部门要委托有相应资质的工程咨询机构对可行性研究报告进行评估,并综合行业归口主管部门、投资机构(公司)、项目法人(或筹备机构)等方面的意见进行审批,经批准的可行性研究报告,是项目决策和进行初步设计的依据,不得随意更改和变更。在可行性研究报告批准后,应正式成立项目法人,并按照项目法人责任制实行项目管理。

初步设计应委托符合资质、经历和业绩、信誉和履约能力要求的设计单位,依据批准的可行性研究报告和必要而准确的设计资料,严格按照《水利水电工程初步设计报告编制规程》(电力部、水利部电办[1993]113号)和有关的设计规范进行编制。工程初步设计由项目法人组织审查后,按国家和流域机构的现行规定权限向主管部门申报审批。建设单

位在已取得上级主管部门对初步设计的审查批复，并对初步设计审查提出的重大问题和初步设计的遗留问题(如补充勘测、测量、试验等)解决后，即可开展工程施工详图设计工作，一般仍选择初步设计单位完成。设计内容主要包括工程施工所需的全部图纸，重要施工、安装部位和生产环节的施工操作说明，施工图设计说明，预算书和材料、设备明细表，设计完成后要履行审查报批手续。

施工准备是建设单位为保证工程开工建设所必须完成的工作，其主要内容包括：施工现场的土地征用、拆迁、施工所需的水、电、通信、路和场地；必需的生产、生活临时建筑；组织招标设计、咨询、设备和物资等服务；组织建设监理和工程施工的招标投标，确定工程监理单位和工程施工队伍。进行施工准备必须满足的条件是：初步设计、施工详图设计已经批准；项目法人已经建立；项目已列入投资计划或筹资方案已经确定；有关土地使用权已经批准；已办理项目报建手续。

建设实施阶段是项目法人按照批准的设计文件，组织工程建设，保证建设目标实现的过程。主体工程开工须由项目法人或其代理机构按审批权限向计划主管部门提出开工申请，经批准后方可开工。主体工程开工必须具备的条件是：前期工程各阶段文件已按规定批准，施工详图可以满足初期工程施工需要；项目已列入年度计划，且投资已落实；施工招标已定标，施工合同已签订，并得到主管部门同意；现场施工准备和征地移民等外部条件能够满足主体工程开工需要。建设实施中项目法人要充分发挥建设管理的主导作用，为施工创造良好的建设条件，同时充分授权工程监理，使之能独立负责项目的建设工期、质量、投资的控制和现场施工的组织协调。建设实施中要按照"政府监督、项目法人负责、社会监理、企业保证"的要求，建立健全质量管理体系，重要的建设项目，须设立质量监督项目站，行使政府对项目建设的监督职能。

在建设项目的建设内容全部完成以后，且按规定完成了竣工报告、竣工决算等必须的文件编制，项目法人可按《水利工程建设项目管理规定(试行)》(水利部水建[1995]128号)的规定向验收主管部门提出竣工验收申请，根据国家、水利部、黄河水利委员会颁发的验收规程，组织验收。对于工程规模较大、技术复杂的建设项目可先行进行初步验收。不合格的工程不予验收；有遗留问题的项目，对遗留问题必须有具体的处理意见及有限期处理的明确要求，并落实责任人。

后评价的目的是提高项目决策水平和投资效果，一般在工程投入运行一段时间后进行，主要内容包括影响评价、经济效益评价、过程评价三个方面，一般按三个层次组织实施，即项目法人的自我评价、项目行业的评价、计划部门(或主要投资方)的评价。

二、合理划分涵闸工程等级，科学制定涵闸工程设计标准

黄河下游涵闸工程均建于平原地区，其等级划分应在充分考虑工程的安全度和造价的基础上，依据工程规模、效益及对国民经济的重要性对枢纽工程分等，按作用和重要性对其中不同的建筑物分级。

目前国内已建平原地区的涵闸工程的分等分级尚无统一标准，有些地区以设计或校核过闸流量的大小作为划分依据，有的以设计水头作为划分依据。综合考虑涵闸工程等级划分依据，结合黄河下游涵闸工程实际，我们认为引黄闸等级划分应将效益作为首要因

素考虑,按设计灌溉面积确定等级:设计灌溉面积大于 10 万 hm² 的为一等工程,主要建筑物为 1 级建筑物;设计灌溉面积大于 3.33 万 hm² 但小于 10 万 hm² 的为二等工程,主要建筑物为 2 级建筑物;设计灌溉面积大于 0.33 万 hm² 但小于 3.33 万 hm² 的为三等工程,主要建筑物为 3 级建筑物;设计灌溉面积大于 330hm² 但小于 3 300hm² 的为四等工程,主要建筑物为 4 级建筑物;设计灌溉面积小于 330hm² 的为五等工程,主要建筑物为 5 级建筑物。分泄洪闸应按设计分泄洪量确定等级:设计分泄洪量大于 2 000m³/s 的为一等工程,主要建筑物为 1 级建筑物;设计分泄洪量大于 1 000m³/s 但小于 2 000m³/s 的为二等工程,主要建筑物为 2 级建筑物;设计分泄洪量大于 100m³/s 但小于 1000m³/s 的为三等工程,主要建筑物为 3 级建筑物;设计分泄洪量大于 10m³/s 但小于 100m³/s 的为四等工程,主要建筑物为 4 级建筑物;设计分泄洪量小于 10m³/s 的为五等工程,主要建筑物为 5 级建筑物。以上的等级划分标准不是一成不变的,在实际划分中尚需根据具体情况提高或降低工程级别。如有些涵闸工程尽管规模并不大,但是很重要,一旦失事将造成巨大损失。这些涵闸工程和黄河大堤具有同样的重要性。所以按 1 级建筑物设计,而闸后的扬水站工程则是 2 级建筑物。

黄河下游涵闸工程设计应在充分论证河道淤积发展对涵闸工程设防水位、过流量、控制运用水位影响的基础上,结合涵闸工程设计寿命,科学长远地制定各项设计标准。

(一)设计和校核防洪水位

1.防洪标准

因涵闸工程直接与河水的洪流接触,所以在设计时要考虑到抗御洪水的能力。修建在黄河堤防上的进水闸,应和大堤的抗御洪水能力相适应。黄河下游堤防上修建的大小涵闸都是 1 级建筑物,抗御洪水标准和堤防一样,以防御花园口站 22 000 m³/s 的洪水为设计防洪标准,以防御花园口站 46 000m³/s 的洪水为校核防洪标准。

2.设计防洪水位

(1)以工程修建前三年黄河防总颁发的设防水位的平均值 H_m 作为设计防洪水位的起算水位。但仍应根据发展的趋势,对特殊情况进行适当调整。

(2)设计水平年。以工程建成后第 30 年作为设计水平年。

(3)洪水位的年平均升高率 a。根据三门峡到利津河段年平均泥沙淤积量为 4.2 亿 t 计算,各河段洪水位年平均升高率 a:高村(山东河段起点)—艾山为 0.096m,艾山—河口为 0.126m。

小浪底水利枢纽和其他水库建成后,应对其下游河道冲淤变化的影响充分论证后对 a 另定。

设计防洪水位为:$H_设 = H_m + 30a$

3.校核防洪水位

采用:$H_校 = H_m + 30a + \Delta h$,其中 Δh 值规定为 1.0m。

4.安全超高

按照《水闸设计规范》规定,开敞式水闸的闸顶高程(指胸墙或岸墙顶高),泄洪时应高于设计或校核洪水位加安全超高值。关门时应高于设计或校核洪水位加波浪高度和安全超高值。涵洞或水闸的闸墩顶及岸墙的高程较低,洪水期多被淹没,上述规定的高程,系指启闭机平台高程。黄河下游涵闸的安全超高值在确定时,应考虑泥沙沉积后水位可能抬高的影响;对修建在黄河大堤上的涵闸,其闸顶高程应不低于两侧堤顶高程。黄河下游涵闸的挡水超高,与临黄大堤的要求相同,从设防水位起算:高村—陶城铺为2.5m,陶城铺以下为2.1m。

(二)引水标准和闸底板高程

(1)为了统筹兼顾上下游的用水,对设计引水相应大河流量规定如表5-1所示。

表5-1　　　　　　　　　各站设计引水相应大河流量数值

控制站	夹河滩	高村	孙口	艾山	泺口	利津
流量(m^3/s)	500	450	400	350	200	100

(2)设计引水位,按表5-1所列各站流量内插出拟建涵闸处的大河流量,以其相应水位作为设计引水位。为了清除偶然性,设计引水位应采用工程修建时前三年的平均值。

在确定闸底板高程时,要考虑所在河段河槽冲淤变化的趋势。在泺口以下,还应考虑周期性河口改道影响,而适当降低闸底板高程,以保证在河槽下切、大河流量很小、闸前实际水位低于设计引水位时,仍可引出一定水量进行抗旱。

(3)闸上下游设计引水水头差,一般情况下,高村—艾山的设计水头差应大于0.3m,艾山以下应大于0.2m,以节约工程投资。

(4)设计引水流量,引黄涵闸根据灌溉规模、城市工业和生活用水要求而定;分泄洪闸根据下游大堤设防标准和控制下泄流量而定。

(三)设计堤顶高程

按设计防洪水位加挡水超高,一般大堤填筑高程要低于2m左右。

(四)地震烈度和组合风力

据《水工建筑物抗震设计规范》规定:Ⅰ级建筑物加一度设计。地震烈度按本省"地震烈度区划图"查找。

组合风力一般黄河上按八级风计算,风速中值20m/s。

(五)涵闸运用水位

(1)大河最高运用水位。相当于建闸后30年大河流量5 000 m^3/s 的大河水位。

(2)淤沙高程。设计防洪水位时,闸前相应淤沙高程比设计防洪水位低2m。校核防洪水位时,闸前相应淤沙高程比校核防洪水位低2m。

(3)设计关门挡水时,下游水位为底板高程;建成无水时,地下水位为底板高程。

第二节　　合理进行涵闸改(扩)建总体型式布置

黄河是一条多沙河流,每年有大量泥沙淤积,随着主槽的逐年淤积,黄河水位逐年抬高,设防水位也有所变化,为确保防洪安全,两岸大堤随着设防水位的抬高相应地进行了加高培厚。新中国成立后,从1950年开始到1985年止,黄河下游进行了3次大修堤,目前正进行第4次大规模的大堤加高工程建设。但随着时间的推移,两岸一批涵闸相继出现了一些不适应防洪要求的问题,如防渗长度不够,使水闸地基受到渗流和两侧绕流破坏的可能性增大;洞顶填土达到极限,涵闸本身强度已不够,但洞顶上的填土断面仍达不到新的设计防洪标准;消力池本身的稳定受到浮托力的威胁;机架桥显得过低,一般洪水即被淹没,致使启闭机浸泡在水中,损失很大。因此,为确保黄河防洪安全,保证正常引水泄洪,需要对一批涵闸进行改(扩)建。

通过对山东河段 20 世纪 80 年代初至今分批进行改(扩)建的 40 多座涵闸的总体布置形式进行比较分析,比较成功的有以下五种类型:①前接开敞式闸:在原有涵洞上游接一座开敞式水闸;②前接涵洞式闸:在原闸的基础上,从上游(临河)接长改建;③后接涵洞式闸:原闸出口段接长,以满足大堤断面帮宽的需要;④原闸加固改建:在满足新设计指标的情况下,对原闸进行加固改建;⑤原闸后建新闸。

上述几种涵闸的布置型式有以下几个共同优点:

(1)不增加防洪险点。从防洪的角度看,涵闸土石结合处往往是堤防上的弱点。原闸引水口两岸险工坝岸长期以来不断得到加固,洞身部分两侧大堤也不断得到压力灌浆加固,已经过多年洪水考验,因此比较牢固。水闸在原闸轴线上进行改(扩)建,避免了在大堤上重复建闸而增加新的防洪险点。

(2)可以利用原闸引水的有利条件。原闸址选定时,对大河的溜势、引水角度、背河的沉沙条件、附近村庄的拆迁等进行过多方案比较。通过多年的运用,证明了原闸址具有良好的引水条件。因此,在原闸前后进行改(扩)建,能够充分利用原来已具备的引水条件,避免了重选闸址的困难。

(3)消除了堤身的防洪隐患。通过改(扩)建,重新设计了防渗长度和引黄涵闸的结构尺寸,使水闸本身符合新的设计标准,闸体处于稳定状态,达到了防洪安全要求。同时,改(扩)建后,地基土和两侧大堤受到渗流破坏的可能性已大大减小甚至不存在,消力池已能够依靠自身重量维持稳定,不致因自重不够而受到浮托破坏的威胁。

(4)(开敞式)水闸两侧堤段和涵闸洞顶填土高程可以满足防洪要求。改(扩)建前,由于(开敞式)闸边墩和涵闸洞身负荷已达到极限,不能继续填土,故在一定范围内,大堤高程达不到防洪标准。通过改(扩)建,(开敞式)闸边墩外侧和涵闸洞顶的填土高程可根据新的设计指标填筑,满足了防洪标准。

(5)利用部分原闸设施,节省了大量投资。改(扩)建过程中充分利用了原闸的部分防渗设施及原有的消能设施,并利用原闸结构解决新建部分的稳定问题,充分发挥了原涵闸洞身的承载力。同时,在原闸基础上进行改(扩)建,可相应减少征用土地量,并能继续延用与原闸相适应的配套渠系及其他管理设施。

今后在进行涵闸工程改(扩)建时,应借助于经运用验证的成功总体布置型式,结合具体工程实际,对其总体型式进行科学合理地布置。另外,在涵闸改(扩)建工作中,还存在着一些问题,如新建部分与原闸接缝的不均匀沉陷以及新、老结构接头处理等问题,都需要认真对待,妥善解决。

第三节 严格施工质量管理 确保工程施工质量

优良的施工质量是提高工程使用寿命的保证,在工程施工过程中,建设各方要建立健全质量管理体系,明确各方质量责任。施工单位必须建立施工质量保证体系,实行全面质量管理:建立质检机构,配备质检人员,制定规章制度和质量控制措施。质量检查要实行"三检制"(班组初检,分队复检,总队终检),成立工地试验室,按规范要求做好施工中的有关试验工作。同时,做好质检和试验记录及资料整编工作。监理单位要建立质量控制体系,对现场施工质量进行严格检查控制。建设单位要建立质量检查体系,建立健全质量检查组织和质检制度。质量检查采取以预防为主、跟踪检查的方法,在施工单位自检合格的基础上进行检查,要认真检查,如实记录。对隐蔽工程的质量检查,应由工程技术负责人、质量监督员、监理工程师代表、设计代表和施工单位技术负责人共同到场,检查合格并签发合格证书后方可隐蔽。加强"工序质量"管理,未经建设单位或监理单位检查或检查不合格的工序,不得进行下一道工序施工。加强对工程施工测量的管理,确保工程位置和尺寸的精度。对工程施工沉陷观测应按时进行,涵洞(闸室)过水(或积水)前,应及时进行联测,以保证沉陷资料的连续性和完整性,施工期间沉陷观测不得少于 4 次,施工完成至竣工验收之前每月测量一次。各种测量成果应及时送工地技术负责人审查。按设计和规范要求做好各种材料的试验工作,凡是未按要求进行试验或试验不合格的材料不准进场使用。对于料场内的混凝土骨料,在每次使用前均应进行试验,并据此调整混凝土配合比。施工中对混凝土及水泥砂浆应按规范规定取样,并加强养护和管理,按期送检试压。加强工程质量监督工作,质量监督员要按有关文件规定开展工作,把工作的重点放在对建设单位的质量检查体系和施工单位的质量保证体系的监督上,以及对施工方法、技术措施、隐蔽工程、施工测量、关键部位、关键工序的监督上,对材料、成品、半成品、设备等的监督上。

第四节 改革完善管理制度 增加工程管理经费

严格完善的管理制度是保持工程完整、维持工程强度、提高工程使用寿命的前提,具体到涵闸管理工作应做到以下几点。

(1)涵闸管理单位应由事业型向经营服务型企业转化,将水费核收、自负盈亏切实落到实处,彻底根除重效益、轻管理的现象。

(2)对涵闸的管理实行制度化,根据各个涵闸不同的具体情况制定针对性较强的调度运用制度、维修保养制度、工程管理制度、检查观测制度、事故处理报告制度等。对管理人员进行考核与奖惩,使管理工作逐步走上正规。

(3)加强在职职工的培训及新招职工的岗前培训工作,使职工都能了解必要的安全运行知识。提高职工待遇,稳定职工队伍,引进专业人才。

(4)通过派专人外出学习,引进涵闸管理方面的新技术,并充分发挥现有涵闸管理人员在技术更新、发明创造等方面的作用,不断提高涵闸管理水平。提高涵闸工程管理水平的另一个重要方面是充足的经费保障。目前黄河下游涵闸工程管理经费不足,导致了工程管理工作举步维艰,一些工程因资金不足不能及时维修,被迫带病作业,达不到防洪标准,长此下去不仅影响防洪安全,也难以形成良性发展的运转机制。工程管理经费不足,已成为亟待解决的问题。我们认为,第一,应提高引黄水价,目前水价太低,既不反映其价值,更不反映市场价格,而且水费征收困难,拖欠现象严重;第二,上级应根据已改变了的社会经济情况,增加防汛岁修经费投入,尽最大可能满足工程需要;第三,争取优惠政策,增加正常维修经费,这部分费用可由受益地区全部负担;堤防修建维护费也应包括涵闸整修加固的投资。对涵闸的启闭设施、电器设施、水工结构等及时进行维修,以保证涵闸正常运用,发挥工程效益。

第五节　强化工程检测制度　及早发现工程病害

强化涵闸工程检测制度,对老化病险做到早发现、早处理,不失为涵闸工程老化病险的有效整治措施之一。

一、引水期及汛期加强工程检查

引水期及汛期是涵闸工程老化病险问题最易暴露出来的两个重要时期,在此期间应加强对工程的检查。春灌前认真做好放水运用的准备,对闸门、启闭设备、电源、变压器等进行一次全面检查和闸门启闭试行运转,同时对闸前后渠道断面、水尺零点、测流设施进行测量检修。放水期间观察水流形态和水沙测验、闸门出流和机器运转情况。汛前检查上下游砌石护坡有无蛰陷松动,土石结合部有无裂缝陷坑,观测设施和机械设备是否完好,同时进行裂缝、渗压观测;启闭闸门,看有无异常现象。洪水期间注意观察工程各部位工作情况和变化,特别注意两岸土石结合部有无渗流现象,发现问题及时分析研究,采取措施,保证涵闸防洪安全。汛后按与汛前同样的检查程序对工程进行全面检查,着重检查工程老化和损坏情况,并提出下年维修计划。

二、积极采用先进的工程观测新技术

目前黄河下游涵闸工程观测设备包括渗压管、沉陷杆、位移标点等,沉陷观测在涵洞施工时,在每联底板的四脚各设一个临时沉陷点,在浇筑涵洞时,于每联洞顶的四角各设钢管沉陷杆,在洞顶以上土方填筑时,要保持沉陷杆垂直,土方填筑完成后,在填筑面以下20~30cm处焊接沉陷测头,并用混凝土池加盖保护。渗压管、位移标点观测设备按设计制作安装。主要的观测手段有:垂直位移采用水准仪观测;水平位移采用经纬仪观测;裂缝及伸缩缝采用放大镜、游标卡尺、金属丝、电阻测缝仪观测;基础扬压力采用渗压管或电阻式渗压计观测;闸门振动采用接触式振动仪观测。而闸上下游土石方工程、闸门及止水设备、水流形态等主要靠管理人员肉眼观察。

以上观测设备及技术手段虽基本满足工程观测需要,但同时也存在着自动化程度不高、观测速度慢、观测精度低、观测结果不够全面深入系统等问题,尚不能较好地对各种潜在的老化病险做到深入系统地观测和及时发现。为改变这一现状,今后的工程观测应积极推广应用现代水利科技发展所带来的先进工程观测技术和设备,提高涵闸工程的观测水平。一是采用山东河务局研制的 ZDT－1 型智能堤坝隐患探测仪,对闸上下游土石方工程进行隐患探测,可精确全面地发现内部裂缝、空穴等潜在隐患;二是采用全站仪等先进的测量仪器,对涵闸工程的变位进行自动精确地观测;三是采用超声波探损仪及GXY－1型钢筋锈蚀测量仪(交通部公路科研所研制),对闸体裂缝的深度及内部混凝土的质量、强度以及钢筋锈蚀程度进行精确系统的探测;四是采用微机控制自动测流测沙系统对过闸水沙流量进行精确测验;五是经常采用渗压管清污器清除渗压管内杂物,提高基础扬压力的观测精度;六是采用指针读盘或光电转换数字显示闸门高度指使器,以有效提高闸门控制启闭的精度和安全运行水平。在采用先进观测技术手段的同时,应注意对其观测结果进行科学系统的分析,找出其中规律及表里对应关系,为有针对性地对病害进行整治提供科学依据。

第六节　科学合理地控制运用涵闸工程

为了保证工程的安全完整、延长工程寿命、充分发挥工程效益,在涵闸工程管理中,要以规划设计为依据,改进控制运用技术,对闸门做到科学合理地控制运用。管理人员一定要熟悉闸门的技术操作规程,控制运用指标和各种注意事项。

一、严格闸门运用操作技术规程

(1)启闭时,应有步骤地进行操作。无论是用钢丝吊绳启闭或者用丝杆启闭,必须使两端钢丝吊绳均匀上下和保持丝杆垂直,使闸门始终平稳升降。严禁两绳升降不一,丝杆歪斜,妨碍正常工作。闸门关闭时,当闸门下降至将近接触门槛处时,下降速度应稍微缓慢些,但应注意动作一致,仍保持平稳下降。

(2)闸门每次开启高度,应视下游尾水情况而定。一般不应超过 0.5m,要求水跃发生在消力池内,避免发生远驱水跃,以防下游河床遭受不应有的冲刷,保证涵闸的安全运用。多孔闸门的启闭方式,最好根据水工模型试验确定。一般情况下,除有专门规定外,均应将闸门置于同一高度,其启闭顺序除设计上有特殊要求者外,要注意对称、同步启闭,使过闸水流平稳。当上游水位超过最高运用水位时,不准开闸放水,当上、下游水位差大而启闭高度又大时,对下游水流冲刷的情况,应予特别注意。

(3)闸门启闭时,不能将闸门停放在发生震动的位置。如闸门需要开启高度正好在产生震动的部位时,可适当对称地将某些孔的闸门略微开高一些(到不震动为度),另一些闸门放低一些或关闭,以符合控制泄水量的要求。当闸门通过震动部位时,应力求均匀较快地升降,以减少震动时间。黄河下游地层是深厚的冲积土层,绝大部分土壤属极细沙或粉沙壤土、沙壤土,黏土很少,强烈的闸门震动,不仅能使闸本身断裂、扭曲、破坏,而且还可能引起基础变形和液化问题,对涵闸安全运用构成严重威胁。所以在启闭闸门时,应尽量避免产生震动问题。

(4)启闭机运转不得超过设计规定。闸门启闭完毕后,应立即将刹车刹好并锁固,不得随便捣动机件。

二、闸门控制运用注意事项

(1)要注意下游的消能。在始升闸门时,应该慢慢提升,提高下游水位,保证出闸水流在消力池内形成水跃,再进行第二次提门,增大闸门开度,分次达到所需之开启高度。

(2)要注意流态变化。在放水期间或启闭过程中,必须密切注意下游水流形态,有无集中水流、折冲水流发生,有无回流、旋涡及流速分布不均等现象,闸门有无发生强烈震动,可根据不同情况及时调整闸门升降,将其消除。

(3)要力求闸门控制运用的科学性。要保证涵闸下游不发生严重的冲刷或其他原因所造成的破坏,仅从闸门的操作上注意还是很不够的,还必须掌握到底在什么水位,什么闸门开启高度及什么过闸流量下,下游能形成什么水跃等技术要求,科学利用闸门控制运用曲线图(图 5-1),以使闸后形成淹没式水跃(闸后渠道水深大于跃后水深)为原则,决定闸门启闭的操作方式(一定下泄流量下闸门开启孔数及开启高度),把闸门的控制运用建立在科学的基础上。

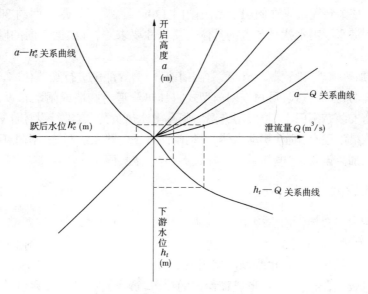

图 5-1 闸门控制运用曲线示意图

第七节 引黄涵闸冬季放水应采取的防护措施

冬季凌汛期间引黄供水,为保证闸门不出现冰冻,能够及时自由启闭,安全运用,防止引黄涵闸及下游输水渠和各种水工建筑物遭受冰的破坏,防御各种病害发生,建议采取必要的工程防护措施。

一、闸门防冻

借鉴冬季输水的成功经验,结合引黄涵闸冬季放水的实际情况,可采取以下闸门防冻措施。

(1)安装潜水泵喷水扰动水体。以此保证闸门前一段水面和闸门槽处不封冻,整个装置如图5-2所示。

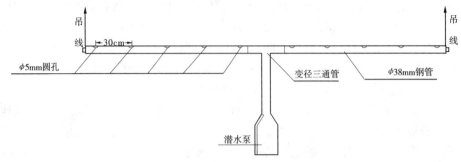

图5-2 潜水泵喷水扰动装置示意图

本装置主要构造如下:潜水泵通过出水管、变径三通与喷水管相连,喷水管为 $\phi38mm$ 的钢管,管长略小于闸孔宽度,喷水管两端封闭,在管上方开一排直径为 5mm 的喷水孔,孔距为 30cm,整个装置吊置在闸门上游距闸门 1.0m 处,喷水管距水面约 30cm。不同的引黄渠首工程潜水泵喷水扰动装置的具体安装尺寸要求等,可根据不同的闸室宽度和工程的实际情况确定。

(2)利用加热锅炉,设置蒸汽管道,对闸门前、门槽等部位进行加热化冰,防止闸门、止水、门槽冻结。布置的方式,可根据闸门型式将加热管道沿胸墙或闸墩布设,对钢闸门也可将加热管道安装在闸门上,将闸门升温。闸孔融冰热负荷,应进行设计计算。

闸门防冻措施还有:喷气扰动水体;对钢闸门设置电热系统防冻,闸门、门槽和弧形门支座设有通电加热设备,但电热系统能耗较大,有一定局限性。

二、拦冰导冰

黄河下游大多数年份均出现结冰、淌凌、封冰、开河几个阶段,根据对部分涵闸的实际观测,闸前至大河之间的冰盖可起到一定的拦、导黄河流冰的作用,涵闸对这部分冰盖的稳定起一定的依托作用。但也受调度运用方式、开闸时间、水位情况影响,如淌凌前期开始放水且流量较大,闸前就难以形成较稳定的冰盖,黄河淌凌时就容易引进流冰。因此,根据以往冬季放水引入黄河流冰的现象和涵闸实际观测情况,冬季引黄放水,必须采取拦冰导冰措施,以防止引入黄河流冰,造成引黄渠首工程及下游输水工程破坏。

(1)拦冰索是解决流冰问题的较好措施,冬季黄河放水正值黄河淌凌期间,河道流冰密度、冰块面积以及水流速度大。因此,针对这一实际情况和引黄涵闸的工程布局,拦冰导冰设施应考虑以导为主、导拦结合,并认真进行设计计算,在布设原则上,应顺流布设,尽量将拦冰导冰索布置在靠近大河处,以便把冰凌引导向下游,不使其进入闸前引渠;在设计上,可采用软索浮动式结构,由浮筒、圆木、钢丝索、地锚等部分组成,要求具有较大的设计强度,应考虑的主要承受荷载有:冰下水流阻力、冰上风阻力、上游冰盖前缘输水的动量变化,浮冰块在冰盖前积聚的动量等。

拦冰导冰索(排)能够随冰盖上下浮动,起到导冰、拦冰和破冰、防止封冰等作用,且基本不阻流,具有结构简单、施工方便、易于掌握、投资较小等特点,因此被广泛采用。

(2)在闸前设置拦冰栅,拦截冰水,并加速冰盖形成,实施冰下过流。拦冰栅位置也应考虑导冰作用,以防冰凌堆积,堵塞引渠或闸孔。

另外,闸前稳定冰盖也有拦冰导冰作用。

三、其他措施

(一)防止冰花危害

(1)将冰花拦蓄在输水渠上游或河道内。

(2)对远距离输水工程,可进行分段拦蓄。

(3)在沿线节制闸前设置拦冰索或拦冰栅。

(4)设置排冰闸,并利用拦冰索的导向作用,把冰花、冰块排向低洼地区。

(5)为防止冰花在拦冰索上附着,可改进拦冰栅材料,使冰花难以附着。

(二)桥涵防护

为了防止流冰对桥墩的撞击和净冰压力作用,采用聚苯乙烯板对桥柱进行裹护,先将聚苯乙烯板按尺寸裁剪好,装入编织袋内,再将袋围裹在桥柱桥墩水面处。

(三)渠道边坡防护

渠道边坡破坏的主要原因有冻胀破坏和静冰压力破坏。

(1)冻胀破坏防护。黄河下游沿岸处于季节性冻土地区,冬季气温低,负温持续时间长,渠底属冻胀性土壤,地下水埋深浅,土壤及毛管水补给充足,易使衬砌渠道产生冻胀破坏,应采取必要的防护措施:一是铺设砂砾料垫层;二是铺设聚苯乙烯板保温层,以提高地温,减少基土冻胀。

(2)静冰压力对渠道衬砌的破坏,可采用以下两种防护措施:一是在衬砌上涂抹一层柔性材料,如橡胶A液;二是利用节制闸,控制水位,使水位升高或降低,致使冰盖前缘形成"薄冰带",以此削减冰压力,防止衬砌体失稳。

(四)渠道流冰危害防治

当输水渠出现流冰时,为防止产生冰凌危害,应立即采取措施,利用节制闸抬高水位,减缓流速,促使由下而上形成冰盖,实施冰下过流。只要控制好水流条件,采取冰下输水措施是安全的。

第八节　涵闸上下游砌石工程老化病险整治措施

根据涵闸上下游砌石工程老化病险常见形式及产生原因,结合当今处理类似病险的先进技术及成功经验,我们认为对此类老化病害可从以下几个方面进行整治。

一、砌石工程灌浆防渗加固技术措施

砌体、基础及土石结合部渗漏会导致砌体与水产生物理化学反应,增加体积力,引起破坏效应,降低砌体抗力,加速砌体老化,危及砌石工程整体安全,危害极大。对此,我们经综合比较,推荐以下几种整治技术。

(一)"前堵、中截、后追踪"灌浆防渗加固法

1. 方法简介

(1)砌体、基础帷幕灌浆。主要是填充漏洞和裂缝,防渗堵漏,通过灌浆加固,形成防渗体。

(2)上游面固结灌浆。用于堵塞漏洞和裂缝,加固补强砌体和提高防渗性能,以进一步提高砌体的承载能力和完整性。

(3)下游面追踪固结灌浆。在下游面有漏水或溶蚀物逸出的地方,造水平孔或斜孔,埋注浆管进行灌浆。采用此种方法时最好是上游面无水。

(4)坡面重新剔勾缝。提高坡面防渗漏能力及砌体稳定性、整体性和抗冻融、抗风浪淘刷能力。

此方法即"前堵、中截、后追踪"灌浆防渗加固法。

2. 灌浆前的勘探与试验

为准确确定各种灌浆参数,保证质量,首先要进行勘探和试验。

(1)砌体和基础勘探。目的是探明砌体内部的结构情况。

(2)压力抬动试验。目的是查明砌体、基础的承压情况,确定灌浆压力。

(3)压水试验。目的是为帷幕及固结灌浆设计提供准确数据,并指导施工,保证效果。

(4)灌浆试验。目的是解决帷幕灌浆和固结灌浆的影响半径、浆液浓度及其他参数等,为布孔和灌浆设计提供依据。

3. 设备及材料选择

(1)造孔设备:①帷幕灌浆垂直造孔采用回转式液压钻机,如钻孔浅时,也可采用风钻造孔;②上下游面固结灌浆造水平孔或斜孔,使用风钻或采用 7655 型汽钻机造孔。

(2)灌浆设备。有搅拌机、多缸活塞式灌浆机、承压输浆胶管、注浆管、胶塞、压力表、比重计等。

(3)灌浆材料。主要是 425 号普通硅酸盐水泥、砂子、粉煤灰、石英粉、水、外加剂等。

4. 布孔和造孔

(1)帷幕灌浆布孔。在渗水段翼墙或砌石护坡顶,距坡肩 2m 布孔,以孔距 3m、孔径 50mm 或 75mm 为宜,或根据试验确定孔距。孔深钻至渗水部位以下 1~2m。

(2)上游面固结灌浆布孔。在渗水部位呈"梅花"型,钻孔间距和排距 1~3m 为宜,根据渗水情况确定,钻孔位置选在砌石"T"缝中;在裂缝部位,可沿裂缝每 1m 布一孔。孔距为 42mm,孔深 0.5~1.0m,根据砌体实际情况确定。

(3)下游面追踪固结灌浆布孔。在渗水处布孔:在裂缝部位沿裂缝每 1m 布一孔;在其他渗水部位,按照"梅花"型布孔,排距和孔距 2~3m 为宜,布孔位置在"T"缝中,也可适当加密布孔,孔深和孔距同上游面。

5. 施工要求

(1)先修做临时闸前围堰,提闸将闸前水位降至灌浆部位以下,再灌浆施工,并做好灌浆各项记录。

(2)洗孔。灌浆前应对孔壁、孔底及裂缝进行冲洗,采用风水联合冲洗方法,水压力不大于本段灌浆压力的 75%,时间以孔深浅确定。

(3)帷幕灌浆。①采用孔内循环法,自上而下或自下而上分段灌浆,最后全孔灌注,分段灌浆时,要在灌浆段以上 0.5m 处加胶塞封堵,通过论证也可采用小口径钻孔孔口封闭灌浆法;②坝体内灌浆长度,一般 5m 左右较好,孔深不超过 8m 时,可全孔一次性灌注;③灌浆压力按设计控制,但要低于抬动试验极限压力,一般控制在 0.2~0.4MPa。

(4)坡面固结和追踪灌浆。①在孔内预埋注浆管,孔口周围用干硬性水泥砂浆填堵,采用内径 20mm 的钢管,长 50cm,插入孔内 40cm,外露 5~10cm,管头要加工丝扣,以便与输浆管连接;②采用一组 4 孔并联灌浆法,也可单孔或 2 孔一起灌注,对下游面漏水处重点孔位要采取单孔重点灌注,灌浆压力按设计控制,一般 0.2~0.5kPa。

(5)浆液的浓度。灌浆时应遵循由稀到浓的原则,根据压水试验逐渐变浓。砌体当注入浆量大于 30L/min 时,可逐渐变浓。当某一级浆液灌注 400L 以上,而灌浆压力和吸浆量均无明显变化时,可改浓一级浆液灌注。浆液水灰比一般采用重量比 8:1,5:1,3:1,2:1,1.5:1,1:1,0.8:1,0.6:1,0.5:1 九个级别。根据设计必要时还可掺合粉煤灰、砂子、石英粉、铝粉等。在灌浆过程中浆液每隔 1h 测定一次浆液密度。

(6)灌浆时要分 2~3 次灌注,同时一定要进行复灌。在设计压力下,当吸浆量不大于 0.4L/min 时,再续灌 30min 即可结束。

(7)灌浆孔封孔。帷幕灌浆时,竖孔封孔采用机械导管法,用 1:2 水泥砂浆从孔底向上逐渐提升封填密实;坡面固结灌浆水平孔封孔,采用水灰比 1:2 的水泥砂浆人工填堵捣实,填堵材料最好用膨胀水泥砂浆。

(8)特殊灌浆孔处理。①灌浆过程中,发现冒浆时,可采用表面封堵,加浓浆液、降压等方法处理;②砌体灌浆串浆时,可采用停钻、两孔并灌、胶塞封堵等方法处理;③灌浆过程应连续进行,因故中断超过 30min,应及时冲洗钻孔或扫孔后复灌;④砌体吸浆量较大难于结束时,加大浆液浓度,可采取限流、间歇灌浆、灌浆中加速凝剂;⑤加强灌浆观测,在灌浆期间,应随时观测砌体位移、变形情况,发现问题立即停灌或降低压力,采取补救措施。

6.灌浆效果

经实际工程应用,下游面渗水、明流全部消失,防渗加固效果良好。

(二)劈裂灌浆防渗加固法

1.技术原理

劈裂灌浆技术是我国首创,已经有 20 年的历史,其原理是沿坝的小主应力作用面钻孔灌浆,在浆液压力下,将坝体沿着小主应力作用面劈开,同时灌入浆液,形成铅直连续的防渗墙,并通过浆、坝互压和湿陷,使坝体内部应力重新分布,提高坝体变形的稳定性。浆液一般都是黏土浆,视情况不同,可掺入水泥、水玻璃等。一般上下游对称的坝体,其坝轴纵剖面就是小主应力作用面,劈裂灌浆可沿坝轴线钻孔施灌。对上下游不对称坝体,其最小主应力作用面应结合实际工程论证确定。

2.施工要点

(1)劈裂灌浆的布孔,应沿河槽段、岸坡段、弯曲段不同的部位分别进行布孔设计。河槽段应根据坝体碾压质量沿最小主应力面单排、双排或三排布孔。孔距可通过灌浆试验确定,在岸坡段和弯曲段,应适当缩小孔距,并应采用专门的布孔设计和灌浆方法。

(2)造孔深度应大于隐患深度 2～3m,泥墙的设计高度一般可采用 5～20cm,应根据坝体土质、碾压质量、隐患性质和坝高等情况合理确定。当坝体的渗透系数大于或等于 10^{-4} cm/s,或坝体存在下游贯通的水平裂缝时,应专门计算泥墙的厚度,并进行渗透破坏验算和专门试验研究。

(3)泥墙的设计容重,可根据不同的坝体、不同的灌浆方法和浆液中黏粒含量的多少提出要求。对灌浆土料的选择塑性指数 8%～15%,黏粒含量 20%～30%,有机质含量小于 2%。为加速浆液凝固和提高后期强度,可掺入适当水泥,水泥掺量可为 15% 左右,必要时通过试验确定。

(4)灌浆允许压力,应经计算和现场试验确定。灌浆应采用孔底注浆、全孔灌注和分序灌注。

(5)适应于坝高 50m 以内均质坝和宽心墙坝。

3.结论

该项技术施工设备简单,操作方便,经实践加固效果良好,相对造价较低,具有较广泛的推广价值。可在涵闸上下游砌石工程及土石结合部防渗加固处理中推广应用。

二、复合土工膜夹黏土垂直防渗加固技术

(一)复合土工膜性能特点

土工膜是由聚乙烯(PE)、聚氯乙烯(PVC)、氯化聚乙烯(CPE)、氯磺化聚乙烯(CSPE)、丁基橡胶(IIP)、氯丁橡胶(CR)等聚合物制成的膜片。厚度 0.3～2.0mm,幅宽 2～6m,长 40～100m,成卷包装运输。在常温下(-10～30℃)抗拉强度 10～20MPa,极限拉伸率 300%～600%,渗透系数小于 $1×10^{-11}$ cm/s。

复合土工膜是以土工膜为基料,在其一面或两面热压短纤针刺非织造土工织物,以增加抗拉抗刺强度,类型有单面复合土工膜及双面复合土工膜,基材厚度与单膜相同。极限拉伸率为 30%～100%,剥离力大于 20～40N,幅宽与单膜相同,包装卷长 30～50m。

复合土工膜渗透系数很小,接近不透水,有足够的抗压强度,使用寿命长,在水下或土石覆盖埋设下,100 年后不会严重老化。质量轻,运输量小,施工方便,能缩短工期,已普遍应用于病险坝防渗加固。

(二)复合土工膜夹黏土坝基防渗施工程序

1.造槽

位置:沿平行坝轴线的坝前坡脚连续开槽施工,机械采用链条开槽机。

施工槽宽:0.17～0.25m。

施工槽深:至渗水部位以下 1～2m。

2.制浆

制浆车的泥浆搅拌机供浆,泥浆配比为:水:土:碱(1:0.5:0.02)。浆液注满槽沟,施工制浆选用土料为亚黏土。

3.土工膜投放

土工膜投至槽沟底,并用探板捣入槽内沉淀的泥浆底部。

4.土工膜搭接

施工中,向盛满泥浆的槽内投放土工膜,土工膜幅宽 0.50～0.90m,土工膜倒向坝体一侧,露至地表部分,膜高 1.00～1.50m,回填好黏土后卷埋在槽口。

5.回填料选用黄土状亚黏土

该黏土在造槽碱溶液中崩解迅速,是回填固结迅速的条件。向投放好土工膜的泥浆槽沟内填满黄土状亚黏土。

(三)防渗效果

经实际工程应用,防渗墙后静水位明显下降,防渗效果显著。

三、提高坡面砌石勾缝质量

砌石工程坡面砌石勾缝质量差是加速其老化的一个重要原因。为此提出以下强化勾缝质量的措施。

(1)砌石安砌一律按水平通缝、垂直错缝,自下而上逐行安砌。

(2)安砌前要清扫冲洗砌石附着泥土并浸润。

(3)先刮平拍实垫层,再安砌砌石,并用木锤夯实,用 2cm 木板条控制缝宽。

(4)砌石铺砌必须挂线作业,坡面平整度 2m 尺检查不超过 15mm,相邻块差小于 5mm。

(5)水平缝应随砌随勾,竖向缝可砌完后一次勾平。砂浆可略低于砌石面 1～2mm。

(6)勾缝采用"三刀法",扎刀贴两板边用力捣实,最后一刀中间压光。

(7)填缝采用干硬性砂浆,由专人负责,机械拌和。

(8)勾缝完毕,必须覆盖草帘,并由专人洒水养护不少于 7 天。

涵闸上下游砌石工程勾缝质量的好坏直接关系到砌石工程运行年限、管理费用的投入,只有在维修管理中健全责任制,加强施工监督,强化技术措施,提高勾缝质量,才能延缓工程老化,确保工程安全运行,充分发挥工程效益。

四、振冲挤密法在涵闸基础处理中的应用

涵闸地基的不均匀沉陷是导致涵闸上下游砌石工程发生裂缝或塌陷,造成工程老化的多发性原因,涵闸的基础处理对延长工程使用寿命、确保工程安全正常运行具有重要意义。黄河下游涵闸地基多为壤土或沙壤土,经分析比较,我们认为可在其基础处理中推广应用振冲碎石桩加固技术。

(一)技术原理

振冲挤密法对壤土地基加固机理主要表现在以下 3 个方面:挤密、排水减压、砂基预振。

挤密作用在施工过程中,振冲器喷出的高压水使粉沙处于饱和状态,在振冲器强烈高频振力作用下,使粉沙处于液化状态,导致土颗粒向低势能转移而重新排列成稳定状态,同时,在桩孔中强迫填入的粗骨料被进一步挤入土中,使土体密度增加,空隙率减小,构成密实碎石桩体与被挤压的砂基,大幅度提高了地基承载力。

排水减压作用使振冲碎石桩在砂基中形成良好的排水通道,由于碎石桩体的渗透系

数远大于沙壤土,显著提高了地基土的综合渗透能力,因而可有效阻止超静孔隙水压力上升,加快地基土的排水固结速度,防止地基液化。

砂基预振研究表明,预振是提高砂土地基抗液化能力的极为有效方法。振冲器在施工过程中的振冲挤密所产生的预振效应将大幅度提高地基土的抗液化能力。

(二)地基加固设计

1.加固处理要求和范围

根据设计地基允许承载力和地勘结果,以及基坑开挖后实际的地质条件,确定加固后的复合地基承载力和加固处理范围。

2.加固处理深度

应根据闸基各类土层厚度和对地基处理的要求来确定桩孔深度。因为绝大多数砂土的强度随深度的增加压缩性很快减小,结合国内外工程的施工经验,桩孔深度一般为6~8m。

3.桩径及桩间距

根据有关工程施工实践,碎石桩桩径可取0.8m,为获得最大加密作用,碎石桩按等边三角形布置。碎石桩的间距按下式估算:

$$d = \alpha\sqrt{\frac{V}{V_a}} \tag{5-1}$$

式中 d——振冲碎石桩的间距,m;

      α——系数,正方形布置时为1.0,三角形布置时为1.075;

      V——振冲碎石桩每米长度可能灌注碎石量,m^3/m,一般可按$0.3 \sim 0.7\ m^3/m$考虑;

      V_a——原地基单位体积所需灌注碎石量,m^3/m^3。

$$V_a = [(1 + e_{料})(e_0 - e)]/[(1 + e_0)(1 + e)] \tag{5-2}$$

其中 e_0——加固前粉砂层空隙比;

      e——加固后粉砂层空隙比;

      $e_{料}$——填料空隙比,假设$e_{料} = e_0$。

4.复合地基承载力

地基土与碎石桩共同作用下的复合地基,在荷载作用下的应力应变表现相当复杂,应在加固后的地基土上做大型静荷载试验确定地基容许承载力。在没有试验资料时,可采用面积分配法估算地基承载力。

$$[R_{sp}] = [1 + (n - 1)F_v][R_s] \tag{5-3}$$

式中 $[R_{sp}]$——复合地基允许承载力;

      n——桩土应力比,$n = 3 \sim 6$,刚度好的基础取大值,刚度差的基础取小值,一般取$n = 4$;

      F_v——面积置换率;

      $[R_s]$——原地基土的允许承载力。

(三)主要施工技术要求

为有效控制施工质量,提高振冲桩加固效果,参考国内砂基振冲桩施工经验,施工应遵循以下主要施工技术要求。

1. 填料

每一桩孔的填料量及压实质量主要取决于填料的颗粒级配、填料入孔的速度及回水上升速度。其中填料的颗粒级配尤为重要。填料采用人工碎石,粒径为 2～5cm,碎屑及含泥量不超过 5%。

2. 施工程序

为有效地提高处理后地基的密实度,采用推进法和单元划分相结合,工作面由上游向下游推进。各段又分成若干单元,每个单元特别是闸室地基单元应先施工外围振冲桩,然后采用隔一排振冲一排的方法。振冲桩顶部 1m 左右的加密效果一般较差,因此要求基坑挖到设计高程 0.6m 时开始施工振冲桩,待振冲桩全部施工完成后,再开挖至设计高程并压实。

3. 主要技术参数

首先将振冲器下沉至设计高程,然后上提一定距离投料并留振一定时间,连续投料、振密直至完成整孔加密。参考国内同类地基施工经验,提出如下施工技术参数要求:造孔水压 0.4～0.6MPa,贯入速度 0.5～1.0m/min,成桩水压 0.15～0.30MPa,密实电流 50A,留振时间 30～60s,上提高度 0.3～0.5m,成桩直径不小于 0.8m。

(四)结论

经实际工程应用,自 1994 年至今,工程运行良好,未发现结构出现沉陷及地基变形情况,说明该法地基加固处理是可行而有效的。

第九节　钢筋混凝土工程老化病险整治措施

一、钢筋混凝土锈裂构件的一般修补措施

(一)梁的修补

(1)材料和配比。水泥采用与原混凝土同品种的水泥,砂料用孔径 2.5mm 的筛子过筛,其细度模数为 3.1～3.3,水灰比为 0.45,灰砂比为 1:3。

(2)拌制方法。先将称量好的砂子、水泥混合搅拌均匀,再掺入水翻拌均匀即可使用。拌和时要防止阳光照射。

(3)修补工艺。①将碳化开裂的老混凝土全部凿掉,对于钢筋锈蚀层用除锈铲和钢丝刷全部除掉,对于钢筋断面锈损较大者,则要增补钢筋;②用高压水枪冲洗,将松动的砂浆块和粉末冲掉;③挂双层钢丝网,其保护层不得大于 5mm,钢丝网的固定用 8 号铅丝与原钢筋连接;④在低于设计尺寸 2cm 处立底膜,且要在抹灰前 24h 将钢模板润透;⑤以最快的速度由两边向中央填充振捣拌制好的砂浆,务必在砂浆失去塑性前完成填筑工序,要边敲振、边紧固,将模板预留的 2cm 顶托上去,以增加新旧界面的结合力;⑥浇筑完砂浆后要提浆压面,立即覆盖。终凝结束后要及时洒水养护,达到设计强度的 70% 即可拆模,洒水要到 28d 才能停止。

(二)闸墩、消力坎等构件表面混凝土剥蚀的修补

当闸墩、消力坎等构件表面混凝土剥蚀深度不超过 5cm，修补质量又无特殊要求时，可考虑采用"预缩砂浆修补"的方法。所谓预缩砂浆是拌好之后再归堆放置 30～90min 才使用的干硬性砂浆。

(1)材料和配比。水泥采用与原混凝土同样品种的水泥、砂料用 1.6mm 孔径的筛子过筛，其细度模数 1.8～2.0，水灰比 0.34，砂灰比 1:2.5。

(2)扳制方法。先将称好的砂子、水泥混合拌匀，再掺入水翻拌 3～4 次，归堆放置 30～90min，使其预先收缩后即可使用。由于加水量少，要注意水分均匀，防止阳光照射。

(3)修补工艺。①将损坏的混凝土清除，在打毛时，边缘处最小深度不得小于 2cm，而且还要垂直于混凝土构件表面。如果混凝土损坏面积较大，则每隔 20cm 要打出 2cm×2cm 的纵横嵌固槽，以利于新补砂浆的嵌固。对已经外露的钢筋要除锈。②涂一层厚 1mm 的水泥浆，其水灰比为 0.5。③紧接着填入预缩砂浆，分层用木锤捣实，直至表面提出浆液为止，最后表面必须压实抹光，与原混凝土接头平顺。捣实压光工作的好坏，是保证质量的关键，必须做好。④在砂浆铺填完成后的 7d 内，必须有专人养护，最好用湿草袋覆盖，7d 后仍应洒水，待强度达到约 5MPa 时，应用小锤敲击检查，若声音清脆，则质量良好；如似鼓空声，须凿出重填。

我们认为，在没有特殊要求下，采用水泥砂浆修补混凝土表面缺陷，不仅强度和平整度可以保证，而且成本低廉，施工简便。实际工程应用证明，修补运行 5～6 年后仍保持质量良好。

二、积极应用涵闸钢筋混凝土工程老化病险整治"三新"技术

随着现代水利科技的发展，一批先进的钢筋混凝土老化病险整治新技术、新材料、新工艺迅速发展起来，结合山东黄河涵闸钢筋混凝土工程老化病险现状，经技术、工艺、经济等方面的综合比较，我们认为以下几项技术可在黄河下游涵闸钢筋混凝土工程老化病险整治中加以推广应用。

(一)CT104 型复合添加剂在涵闸加固中的应用

该混凝土病险处理方案是全部清除闸墩、公路桥大梁等主体部位老化混凝土保护层，钢筋除锈及补筋，湿喷特种水泥砂浆作为防碳化保护层。该特种砂浆要具有三个基本要求：力学强度应高于基体混凝土；砂浆、混凝土新老结合可靠；耐久性也高于基体混凝土。设计选用湿喷补偿水泥砂浆。其中 CT104 型阻锈复合多功能添加剂是该砂浆的重要掺合剂。

1.CT104 型阻锈复合多功能添加剂的特性

CT104 型添加剂是一种新颖的砂浆添加剂，具有防裂、防水、膨胀、阻锈功能。其和易性好，可在砂浆拌和时直接投入，形成特种砂浆，通过湿喷机高压喷向闸墩、大梁等老混凝土面层，砂浆具有大流态、高黏聚、低水灰比三大特点，CT104 型添加剂掺入的砂浆称为补偿收缩水泥砂浆。该砂浆与普通水泥砂浆特性对比见表 5-2。

可见，掺入 12% 复合添加剂后，当砂浆的水泥用量不变时，抗压强度提高 32%，粘结抗拉强度提高 59%。作为修补材料是很适宜的。

表 5-2 特种砂浆与普通砂浆对照

配合比	CT104 复合添加剂（％）	水灰比	水泥用量（kg/m³）	抗压强度（MPa）		粘结抗压强度（MPa）	
				28d	相对（％）	28d	相对（％）
1:2（普通砂浆）		0.53	615	33.9	100	1.66	100
1:1.8（特种砂浆）	12.0	0.40	615	44.8	132	2.64	159

2.喷补偿收缩砂浆施工

1）施工工艺

搭脚手架→风镐凿除混凝土疏松层及碳化层→表面高压水清洗→试喷砂浆→布设喷浆平面及厚度标志→大面积湿喷 M25 及 M20 阻锈补偿收缩水泥砂浆→喷至预定厚度后用木蟹及铁板整平表面，初凝及终凝前各光面一次→终凝后用喷雾器洒水及喷水养护，间隔 3h，养护龄期 14d 以上→强度抽测。砂浆配合比见表 5-3。

表 5-3 砂浆配合比

设计标号	施工部位	配合比	水灰比	CT104 掺量（占水泥用量）	稠度（mm）
M25	闸墩及翼墙水位变化区	1:2	0.48	12%	80
M20	闸墩及翼墙水上部位及公路桥大梁	1:2.25	0.43	12%	80

2）施工注意事项

（1）老混凝土面凿除 40～50mm。其中，表面疏松层平均 10mm，碳化层 30～40mm。

（2）对钢筋断面锈蚀率大于 80％的部位，必须除锈后即补焊钢筋至原设计断面，再湿喷砂浆。

（3）湿喷前一天施工基面应洒水润湿。

（4）拌和时间较常规砂浆增加 1min。

（5）喷嘴与喷射面垂线保持 10°～15°夹角，喷头与喷射面距离为 20～30cm；一次喷射厚度 3cm。对水位变化区喷 2 遍，第 2 遍湿喷安排在第 1 遍砂浆终凝前进行，时间间隔一般为 4～6h。

（6）为充分发挥湿喷砂浆的补偿收缩作用，养护龄期需 14d 以上。

3）强度试验

在喷嘴处取试件做抗压试验，在闸墩侧面做现场拉拔试验，在室内做模拟仰喷拉拔试验。试验结果为：28d 抗压强度 42.6MPa、拉拔强度 1.72 MPa，现场拉拔破裂面基本在老混凝土面上。

3.结论

（1）用补偿收缩水泥砂浆修补的保护层与老混凝土结合良好，表面无龟裂、无蜂窝。

经检测,砂浆的抗压强度达 42.6 MPa 以上,说明抗压强度和粘结强度均符合设计要求。

(2)修补严重碳化的闸墩和大梁,一般采取替代保护层法,但新老结合和收缩问题是普通砂浆无法办到的,而湿喷补偿收缩水泥砂浆以其优良特性,成为修复薄层混凝土的一种理想材料。

(二)丙乳砂浆在涵闸防腐加固中的应用

1.丙乳砂浆原材料及其配比

丙乳砂浆是一种聚合物水泥砂浆复合材料,原材料有:丙烯酸酯共聚乳液(简称丙乳),砂为过 2.5mm 筛的河砂,425 号普通硅酸盐水泥。丙乳净浆配比为:丙乳:水(重量比)=1:2。丙乳砂浆配比为:水泥:砂:丙乳(重量比)=1:1:0.25,加水量根据砂的含水量及当地气温试验而定,每次拌制的砂浆要在 30~45min 内用完。

2.丙乳砂浆的性能分析

丙乳砂浆具有与老混凝土粘结好,强度高、抗渗、抗碳化等性能。

丙乳出厂时掺有稳定剂、消泡剂和表面活性剂;掺入水泥、砂后能显著改变砂浆的和易性;丙乳砂浆与普通砂浆流动性相同时,前者用水量可减少 35%~43%,大大提高了砂浆的密实度。

掺入水泥砂浆中的丙乳在自然条件下发生了聚合反应,生成物充填在水泥砂浆凝胶体和颗粒之间,形成网络结构,改善了水泥砂浆的物理力学性能。

丙乳砂浆与普通砂浆相比,材料弹模降低、收缩倍减,可提高水泥砂浆的抗裂性。丙乳砂浆与混凝土粘结强度极高,在先湿后干养护条件下,丙乳砂浆的粘结强度可比普通砂浆提高 4 倍以上;即使老混凝土面不打毛,丙乳砂浆的粘结强度仍比普通砂浆提高 1 倍;做两种砂浆的粘结抗折试验时,断裂面均发生在普通砂浆侧。在物理力学性能方面,由于丙乳填充了空隙,使水泥砂浆抗渗性约提高 1.5 倍;抗冻试验,经 300 次循环冻融,丙乳砂浆的失重率为零,相对动弹模不仅不降低,还略有提高;将丙乳砂浆试件放进老化试验箱中 2 160h,试件的抗拉强度、极限拉伸率与老化试验前相比均未降低。

3.施工工艺

1)处理面凿毛

铲除破坏区的松散层并凿毛,修补边缘部位凿深为 3~5cm 的齿槽,以增加修补面丙乳砂浆与老混凝土的结合。凿毛完毕,用清水冲洗干净,但不能有积水。

2)施工方法及养护

先用丙乳净浆刷一遍;在净浆未硬化时,用 0.6m³/min 空压机喷射丙乳砂浆,第一遍喷射厚度为 3mm,稍干不流淌即喷射第二遍,厚度为 2mm,不用压光;待喷涂的丙乳砂浆凝结约 1h 后,用 300 号微膨胀水泥砂浆(配合比为水泥:砂:膨胀剂:水 = 1:2:0.1:0.45,膨胀剂为 PNC 型)抹厚 6mm,再用铁抹子压光;待微膨胀水泥砂浆面层终凝后,挂草帘喷水雾养护,3d 以后,可改为直接喷水养护,7d 以后,可干燥自然养护。

3)质量控制

在施工中,按照一定配合比及技术要求严格控制施工质量,每道工序由质检员验收合格后方可进行下道工序。

4.加固效果

经对部分涵闸闸墩及机架桥大梁裂缝用丙乳砂浆按照以上方法进行补强处理情况看,丙乳改变了水泥砂浆的性能,密实度提高,粘结牢固,是混凝土防碳化的一种较理想的补强材料,今后可在混凝土建筑物防碳化加固处理中推广应用。

(三)吸砂管法喷砂技术在涵闸防腐处理中的应用

1.涵洞混凝土表面腐蚀除蚀方法选择

近几年因黄河水质污染严重,致使涵闸涵洞混凝土及钢件受腐严重,洞身混凝土表面变疏松,经取样化验一般为酸性分解性侵蚀和硫酸盐性侵蚀。

经多方调研,我们认为涵洞混凝土表面应采用粘贴玻璃钢的防腐方案。在防腐处理之前,必须对受腐蚀的混凝土及钢件表面进行喷砂处理。目前,喷砂防腐处理一般采用砂罐法,但该法有以下缺点:①对砂的质量要求严格,必须是干燥均匀的粗砂;②受施工场地、喷砂距离限制;③装置复杂,设备费用高;④输砂胶管磨损快,增加了施工费用。因引黄涵闸涵洞一般较长,施工场地狭窄,不宜采用砂罐法,经改进论证,可采用另一种喷砂除腐方法——吸砂管法。

吸砂管法弥补了砂罐法的不足,具有以下几个优点:①施工简单,操作方便,省去了砂罐装置;②吸砂管直径大,对远、近距离喷砂均适用;③对砂的要求不甚严格,砂的直径可大可小、可湿可干,不易堵管;④喷砂强度大、效率高、费用低。

2.喷砂枪头设计与设备安装

吸砂管能否正确喷砂的关键是喷枪头。喷枪头是按照气流由均匀流变为急流时在其临界面处产生一定的负压这一原理设计的。喷枪头设计的关键在于吸砂管轴线与喷砂管轴线的夹角,经过多次实验,该夹角为36°时喷砂效果最好。喷砂枪头结构见图5-3。

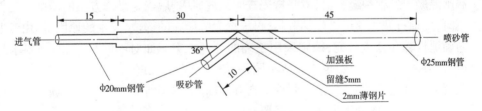

图5-3 喷砂枪头结构示意(单位:cm)

制作喷砂枪头时须注意以下几点:①所有焊缝要严密,焊接喷砂管与吸砂管时,将吸砂管按图5-3中的尺寸及角度割开,用2mm薄钢片沿36°方向将吸砂管口封住,但上部要留0.5cm的缝,最后将吸砂管与喷砂管焊接在一块;②为防喷枪磨损,在吸砂管顶部焊接一块加强钢板,可延长喷枪的使用寿命。

吸砂管法喷砂除腐设备由空压机、喷砂枪、砂车及高压胶管等组成,设备连接示意图见图5-4。空压机主要制造高压气体,在实际施工中应据腐蚀程度调节空压机的压力,因为压力大会把混凝土表面处理得凹凸不平,并且浪费材料;压力小则处理不彻底,影响玻璃钢粘结效果。高压胶管按位置不同分为供气胶管和工作胶管。供气胶管与空压机连接,长度以30m为宜,工作胶管与喷枪头连接,长度根据工作范围而定,一般以20m为宜,供气胶管及工作胶管的耐压强度均应与空压机采用压力相适应。砂车采用$0.1\sim0.2m^3$

的铁斗车。连接线路最好采用高压胶管连接,为节省投资可用 $\phi3.8$cm 钢管连接,凡连接部分均用铅丝扎紧绑牢,以不漏气为准。

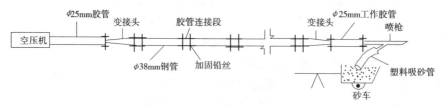

图 5-4 设备连接示意

3.除腐施工及除腐效果

除腐施工前应做好以下准备工作:①将引渠围堵,保证施工期洞内不过水;②将洞内积水、淤泥清除,用清水冲洗干净,使洞内腐蚀混凝土面洁净干燥;③将米石或粗砂摊开晒干,提高喷砂效率;④工作人员配齐安全帽、风镜、雨衣、毛巾、口罩;⑤检查管道是否漏气;⑥洞内架设照明线路。以上工作准备就绪即可开机。开机工作顺序为:启动空压机,使空压机压力表达到所需压力时开始供气,进行喷砂施工。

为保证喷砂质量和提高喷砂效率,首先对混凝土面进行粗喷,然后再进行细喷。喷枪与混凝土面成 70°角为宜,喷砂除腐必须逐段进行。为检查除腐施工质量,技术人员可用批刀对除腐混凝土面用力刻划,无混凝土脱落即可。经对部分涵闸实际应用,整个涵洞混凝土面焕然一新,在粘贴玻璃钢时,无起皮、脱落现象发生,喷砂除腐达到了设计要求。

(四)涵闸混凝土工程裂缝化学灌浆防渗加固技术

1.混凝土裂缝防渗加固程序

涵闸混凝土工程裂缝整治,应坚持先查明裂缝原因,后确定维修方案的原则。选择处理方案时,要通过调查获得必要的资料,再根据裂缝所在的部位、发生的原因等,由专业工程师精确地计算和分析研究,确定采用正确的处理方案。如对不同性状、不同要求的裂缝,处理的方法、时段和材料也应有所不同,一般对稳定的死缝,宜采用刚性材料;对季节和荷载周期性变化的活缝,则采用弹性材料等。因此,治理前对工程进行全面的检测和裂缝评估,对确定正确的处理方案十分必要。

2.化学灌浆材料

混凝土裂缝的开度一般比较小,因此要求浆液的黏度小,可灌性好,且与混凝土面层粘结强度高。水泥浆液难以满足这个要求,需要采用化学灌浆,化学灌浆材料按灌浆对象可分为防渗堵漏材料和补强加固材料两类。常用的化学灌浆防渗加固材料有环氧树脂、聚氨酯等。

1)环氧树脂

环氧树脂具有强度高、粘结力强、收缩率小、化学稳定性好、可以室温固化等优点,是一种应用较为广泛的补强加固材料。但用于细裂缝的加固灌浆仍力不从心,在保持原有环氧树脂优良性能的前提下,要想在低温下进一步降低浆液黏度是有困难的。山东省水利科学研究院建筑物防渗堵漏课题组研制成功了改性环氧树脂化学灌浆材料,适合灌注缝宽0.5mm的细裂缝及深层裂缝,经实际在涵闸闸底板裂缝补强加固工程中应用,取得了较好的效果。

2）聚氨酯

聚氨酯主要用于堵漏，但只有非水溶性聚氨酯才适合作为补强加固材料使用。

3. 化学灌浆施工工艺

化学灌浆施工主要分为布孔、钻孔及冲洗、封缝止浆、压气（水）止浆、灌浆和检查等几个工序。

1）布孔

混凝土裂缝的开度一般都比较小，还往往混有尘埃等杂物，因此布孔方法极为重要，必须使灌浆孔与裂缝的通畅性好。布孔有表面贴嘴（盒）和风钻钻孔两种形式。对裂缝不深的表面缝，一般可在缝面埋设灌浆嘴（盒）；当裂缝较深时，由于缝的走向不规则，采用骑缝孔常不能满足要求，因此在缝两侧必须附以斜孔。为避免孔距过大而影响化学灌浆效果，一般拟定水平孔距0.4~0.8m，斜孔孔距1.0m。确定孔距、排距的影响因素较复杂，最好通过现场试验来确定。

2）封缝止浆

封缝止浆的目的是防止浆液流失，确保浆液在灌浆压力下将裂缝充填密实。对于较小的混凝土构件或无明显漏水的裂缝处理，缝面不必开槽，骑缝孔间可用环氧树脂基液贴玻璃丝布或环氧树脂胶泥封闭，以免造成构件的过分破损和缝隙的堵塞。对于有渗漏水的裂缝，沿缝凿槽，首先埋设半圆塑料管引水减压，管壁钻孔埋设灌浆嘴，并用快凝材料、环氧砂浆（或胶泥）及其他材料封缝固定。

3）压气（水）找补

主要检查封缝效果，防止浆液流失而影响灌浆质量，并为每条缝的化学灌浆量提供数据。一般要检查多次，直至合格为止。压水结束后需压气，以便使孔内和缝内的水排出。

4）灌浆

灌浆是最重要的一环，除需要适宜的机具、进浆程序外，还要严格控制浆液配比、灌浆压力、进浆速度和结束标准等几个重要参数。

（1）灌浆机具。目前一般使用手揿泵和压浆泵，手揿泵使用较多，但清洗和维修比较麻烦。山东省水科院建筑物防渗堵漏课题组研制了一种新型的压浆泵，它重量轻，使用方便，可以在无电的条件下操作，大大简化了施工要求，有利于化学灌浆技术的推广应用。

（2）进浆程序。在一条裂缝上，一般按由深到浅、由上而下、自一侧向另一侧依次推进的顺序进行灌浆。

（3）浆液配比。根据进浆速度及浆液外露情况及时调整浆液配比，一种是调整固化剂含量，控制浆液的固化时间，另一种是调节浆液黏度，通常在浆液中加入粉状掺合物，使浆液变稠。

（4）灌浆压力。灌浆压力一般为0.2~0.4MPa，压力应逐级提高，直至设计压力。

（5）进浆速度。主要通过灌浆压力和间歇灌浆来调节，以确保达到灌浆中浆液充填量最大、外漏浆量最小、灌浆效果最佳的目的。

（6）灌浆结束标准。灌浆历时要合理，以确保浆液在裂缝中充分渗透，灌浆结束标准通常为0.02L/5min。为使浆液在有压下固化，提高固化物密实度及其与缝面的粘结强度,灌浆结束前,将孔口皮管反握并用铁丝绑扎。

5)检查

(1)凿开封缝止浆层,观察裂缝被浆体结石所充填的密实度。

(2)压水实验,通过压水测定缝面吸水率,单位吸水率应小于0.01L/min。

(3)超声波测试,通过超声波检测,将灌浆前后的波速、波形予以对比,从而定性地判定灌浆效果和质量。

(4)钻孔取芯检查,通过钻孔取芯样观察浆液结石在缝面的充填情况和测定缝面的粘结强度。

4.化学灌浆加固效果

该项技术1998年运用于山东四女寺枢纽南进洪闸闸底板裂缝化学灌浆加固处理,经检验,其浆液固化物弹性模量、抗压和抗拉强度、粘结强度各项性能指标符合设计要求;采用超声波跨缝测试灌浆前后波速,灌后较灌前提高25%～32.6%,钻孔取芯检查,从芯样和切片中观察到裂缝内浆液充填较密实,与混凝土粘结良好,工程修复治理达到了预期效果。

(五)水泥裹砂(石)半喷湿工艺在涵闸加固中的应用

豆腐窝分洪闸是山东黄河齐河段北展宽区的主要分洪闸,位于展宽区上首,兴建于1972年4月,1974年7月竣工,该闸分为7孔,设计流量2 000m³/s。分洪闸的兴建,对解决北店子至泺口窄河段洪、凌汛威胁,确保济南与津浦铁路安全及沿黄河的工农业生产有重要意义。

该闸机架桥为一简支于框架式桥柱上的梁板结构,主梁预制吊装,计算跨度20.6m,共7孔,支座接触面50cm×60cm。

该闸自建成以来,机架桥主梁已先后出现不同程度的裂缝,主要在1、5、6、7孔机架桥下游大梁底部及外侧面,沿主筋方向出现纵向裂缝,沿箍筋出现竖向裂缝,管理单位曾用环氧树脂处理过,但效果不佳。受管理单位委托,山东省水利科学研究院承接了对第6、7孔的加固任务,以下介绍对该闸机架桥主梁的维修加固技术。

1.工程检测情况

据现场检测,机架桥1、5、6、7孔主梁均存在纵、横向裂缝,以第7孔最为严重,外层混凝土(即钢筋保层)与肋全部脱离(用钢钎插入混凝土缝中,用手即可撬下1m多长的混凝土),外层钢筋全部锈蚀,主钢筋锈蚀壳最厚达8mm之多,73根箍筋中有7根已被锈断,30%箍筋已接近锈断,剩余箍筋平均直径不超过8mm(原箍筋直径10mm),混凝土碳化深度1.7cm,碳化层已从裂缝向两侧各延伸5mm,大梁外侧面沿竖向钢筋出现许多条竖向裂缝,最长的裂缝由梁底向上接近梁顶。裂缝深至内部钢筋,内部钢筋已锈蚀,钢筋保护层厚度2mm,第7孔竖向裂缝长度总计30m。

第6孔为4孔中破坏情况较轻的一孔,在两支座处,各有一段梁(约2m长),混凝土表面无裂缝处,内部钢筋无锈蚀,混凝土碳化深度1.5cm;原混凝土表面有裂缝处,内部钢筋锈蚀情况同第7孔,碳化层深度1.7cm。大梁外侧出现竖向钢筋锈蚀,锈蚀物膨胀,造成混凝土出现开裂,钢筋保护层深度2.0cm,第6孔竖向裂缝长度总计30m。

第6孔大梁底部的6根主筋中,外侧4根锈蚀较重,底侧面钢筋锈蚀较重。

原大梁混凝土强度测试采用单一回弹法,每个梁测 5 测区,具体分布位置:把梁分为 4 等份,在每个端点及分点处各设一测区,共 5 个测区,每个测区测 16 个回弹值,每个测区的平均回弹值见表 5-4。

若混凝土平均碳化深度取 2cm,查《回弹仪评定混凝土抗压强度技术规范》(JGJ23－85)中的"测区混凝土强度值换算表"。表 5-4 的回弹值基本都超出"测区混凝土强度值换算表"上限,说明原混凝土强度满足设计($R_设 = 250\text{kg/cm}^2$)要求。

表 5-4 第 6 孔和第 7 孔测区回弹值

测区位置	北端点	北 1/4 处	梁中点	南 1/4 处	南端点
第 6 孔平均回弹值	56.9	57.5	57.3	54.4	47.4
第 7 孔平均回弹值	56.5	60.2	49.1	52.3	58.2

2.维修方案的选择

针对分洪闸大梁的破坏情况及施工条件,要求修补加固技术具有以下特点:

(1)施工技术灵活多变,适应于高空作业,施工质量可靠,造价低。

(2)选用的材料应与构件基本相同,各项性能基本接近。

(3)与老混凝土要有足够的粘结强度,其粘结强度应等于或接近老混凝土的抗拉强度。

(4)构件维修后外型整齐。

根据上述大梁维修技术要求和施工条件,选用方案如下:

(1)大梁底部采用水泥裹砂(石)半喷湿工艺(图 5-5),该工艺操作灵活多变,不用立模,便于高空作业。喷混凝土各项性能指标与老混凝土接近。

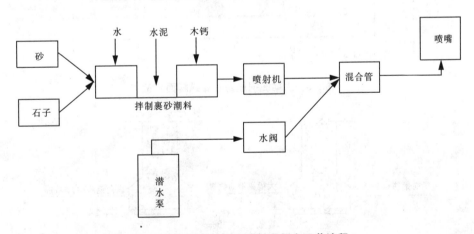

图 5-5 水泥裹砂(石)喷射混凝土工艺流程

(2)大梁底部侧面。在大梁底部侧面(施工面),离梁 1.5m 处有多条黄河通讯专用线,工程维修要确保通讯线路畅通无阻。因此大梁底部侧面选用丙乳砂浆处理方案,为保持构件美观整齐,在丙乳砂浆施工后再用高标号砂浆抹平。

(3)大梁侧面立缝处理。大梁侧面立缝处理后,结合面不再出现裂缝是该工艺的关键。

在施工中采用了丙乳水泥净浆进行新、老界面填缝处理,用半干硬性高标号砂浆补平。

3.大梁维修加固施工

机架桥大梁维修加固施工属高空作业,脚手架借助于闸门上部平台及公路桥而架设,闸门吊起后,底部用圆木顶起,以保证施工安全。大梁施工分为:大梁底部、底部侧面及侧面立缝处理,现将施工工艺分述如下:

(1)凿毛除锈。大梁底部及底部侧面,将原钢筋保护层凿掉,使钢筋露出一半,对钢筋锈蚀部分进行除锈。大梁上部侧面,沿裂缝凿沟槽,该缝宽3cm,深至钢筋,并进行除锈。

(2)大梁底挂钢筋网。由于该大梁内部钢筋布置较密,不易采用钻孔栽锚杆方案。绑扎钢筋网时,先把钢筋用 $\phi6.5$ 钢筋与原主筋焊接在一起,钢筋网到原主筋的距离应大于等于2cm,各焊接位置间距 $60cm \times 8cm$,呈梅花型布置。

钢筋网采用 $\phi12$ 螺纹钢筋,间距 $30cm \times 8cm$,纵向钢筋接头采用搭焊,箍筋绑扎在纵向钢筋上,为避免钢筋网颤动,电焊配合绑扎同时加固,使钢筋网成一整体,钢筋布置见图5-6、图5-7。当大梁隐蔽工程验收后,用高压水冲洗混凝土面(包括大梁侧面),为保证新、老混凝土更好的粘结,在潮湿(表面无水)的混凝土面上,均匀刷涂一层水泥浆,使水泥浆进入原混凝土空隙中。

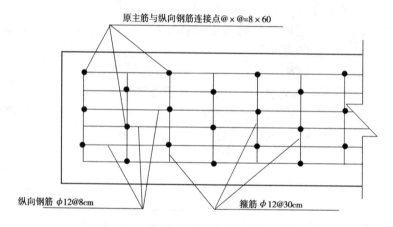

图5-6 大梁底钢筋网布置纵断面示意

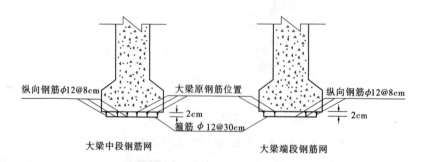

图5-7 大梁钢筋网布置横剖面

(3)水泥裹砂料拌和。在冲洗大梁的同时拌和水泥裹砂(石)潮料,喷射混凝土采用配比:水泥:砂:石子:水 $=1:2.05:1.68:0.5$,水泥裹砂(石)潮料拌和采用图5-5的工艺,砂、石料要过筛使用(砂子用 10mm 筛,石子用 15mm 筛),要把水泥中的硬块、碎纸片捡出。配料以重量计,裹砂(石)水灰比 0.15～0.20,裹砂应均匀。

(4)大梁底部喷混凝土。在喷射时,先送风,后送水,然后由指挥人员通知开机送裹砂(石)料,送料后,喷射手要及时调整加水量,使喷出的水灰比适宜,然后正式向大梁底喷,喷射手要随时观察已喷出的混凝土保持不塌不裂,两次喷射间隔时间要大于 2h,喷射混凝土要严格掌握风压,风压偏大,粉尘、回弹相应增加,风压偏小,压力不足,混凝土不密实,也容易堵塞,影响施工速度。水泥裹砂(石)喷射混凝土所需的风压较普通干喷、潮喷要大,输送距离为 25m、45m、60m 时,所需要的工作风压分别为 2.5～3kg/cm²、3.5～4.0kg/cm²、4.5～5.0kg/cm²。

为避免天气炎热造成喷后混凝土出现干裂,喷射时间掌握在室外温度不超过 28℃ 时施工。

(5)大梁底部侧面施工。大梁底部混凝土喷射结束后,在大梁的底部侧面凿毛部分,涂抹丙乳砂浆。丙乳砂浆涂抹前,需提前 1h,将已凿毛处理的混凝土表面冲洗干净,使之处于饱水状态而表面无积水,随即涂抹丙乳砂浆,应一次抹平成功。

(6)涂丙乳砂浆后,稍停,抹水泥浆覆盖丙乳砂浆。水泥砂浆比:水泥:砂 = 1:1.5,加水量能满足施工和易性即可,抹水泥砂浆厚 3cm,分两次抹面,第一次抹面预留毛面,第二次与大梁底面一起抹砂浆并压光。

(7)大梁侧面立缝处理。处理前,将已凿成沟的混凝土表面冲洗干净,使之处于饱水状态而表面无积水,每道缝涂丙乳砂浆后,立即用水泥砂浆把沟抹平压光。

(8)养护。施工季节气候干燥,混凝土潮湿面不易保持,本工地采用塑料布包裹混凝土,充水后密封混凝土养护,立缝洒水养护。

4.施工质量控制与检测

为保证该闸正常使用,确保黄河度汛安全,施工中把质量控制始终放在重要位置,甲、乙双方都派有专职人员在工地负责施工质量,同时,成立了由甲乙双方设计人员参加的施工领导小组,每道工序结束后,进行检查验收,对达不到设计和规范要求的工程部位,及时处理。

为更好地检测工程质量,对混凝土质量进行了测试,现分述如下:

(1)喷混凝土抗压强度。采用现场喷混凝土大板(40cm×50cm×12cm)自然养护,28d 龄期后,切割加工,制作成 10cm×10cm×10cm 立方体试块,进行抗压强度测试,试验结果:$R_{28}=25.5$MPa,达到设计($R_{设}=25.0$MPa)要求,从切割面看,喷混凝土大板内部密实情况较好。

(2)水泥砂浆及丙乳砂浆抗压强度。工地现场取样,成型 7.07cm×7.07cm×7.07cm 立方体试块,草袋覆盖洒水养护,测 28d 龄期强度,见表 5-5。

表 5-5   砂浆抗压强度检测

试验内容	抗压强度(MPa)	抗拉强度(MPa)
丙乳砂浆	20.4,22.4,20.2	4.0,4.2,4.3
水泥砂浆	35.6,42.0,32.6	5.0,3.9,4.5

(3)新老混凝土结合面粘结力的大小直接影响工程质量,为增加混凝土界面粘结力,国内外有关人员已做过大量工作,积累了不少资料。为进一步探讨水泥裹砂喷射混凝土与老混凝土的粘结力,结合工程实际,我们在施工现场进行试验,提前预制混凝土板(龄期大于28d)在现场对其截面凿毛,凿毛面积10%,凿毛深度,露出内部石子为止,潮湿凿毛后的界面,涂水泥浆,喷混凝土,自然养护28d,切割成10cm×10cm×10cm立方体试块,用劈裂法测试其抗拉强度,试验数据见表5-6。

表5-6　　　　　　　　　　　　　　　　　　新老混凝土粘结强度检测

受力面积(cm²)	粘结强度(MPa)	断面部位	切割后界面情况
10×10	1.2,1.3,1.8	结合面	新、老混凝土面结合良好

(4)修补后的大梁,经过两个月的龄期养护及运行情况看,表面平整,基本无龟状裂缝出现,满足设计要求,达到预期的处理目的。

5.认识与建议

(1)水泥裹砂(石)半喷湿工艺加固涵闸机架桥大梁,质量好,投资少,效果良好。

(2)采用先涂抹水泥净浆,再喷混凝土的加固维修工艺,新、老混凝土面结合良好,经测试其界面粘结强度为1.2~1.8MPa,接近或等于混凝土的抗拉强度且界面无裂缝出现。

(3)工程维修后要加强养护,以防再度出现龟裂。

(六)C形止水带嵌缝防渗漏法在涵闸混凝土裂缝处理中的应用

该法的技术核心是采用了"压性弹簧"密封止水原理,即裂缝在预定的开度变化范围内,防渗体总是保持膨胀受力状态,与回填的嵌缝抗渗砂浆紧密接触,从而实现良好的止水效果。

1.技术要点

(1)主要应用于涵闸迎水面裂缝止水处理。水平缝或竖向缝、活动缝与非活动缝均可应用。

(2)需要沿裂缝凿成U形槽。根据裂缝的性质,裂缝的开度和开度最大年变幅选取"C形止水带"的直径,U形槽的断面尺寸按所选的"C形止水带"直径大小确定。槽深取"C形止水带"的直径加2~4cm,槽宽取"C形止水带"的直径加3~4cm。

(3)安装"C形止水带"可以采用先固定止水带后回填防渗砂浆的办法,也可以采用砂浆直接固定止水带的简单方法。为了保持施工质量和美观,我们推荐先固定止水带后回填防渗砂浆的施工方法。

(4)止水效果是靠"C形止水带"和回填的抗渗砂浆共同实现的,所以,嵌缝砂浆必须具有良好的抗渗性能,且与老混凝土粘结保持良好,粘结力≥1MPa。应用实践证明,华东水利科学研究院研制的903抗渗砂浆是一种理想的配方。

(5)"C形止水带"切口必须向外,以便裂缝张开时,"C形止水带"内的膨胀材料能吸水膨胀,而继续保持与裂缝两侧的修补材料良好的压性接触。

(6)"C形止水带"构造与工作原理如图5-8所示。

"C形止水带"是由橡胶外层和内部高分子凝胶体构成的复合构件,凝胶体具有良好的抗渗作用,且遇水膨胀,膨胀率达36%以上(浸水时间大于72h)。橡胶外层是由橡胶管做单向切口形成的"C"形断面,裂缝开度增大时,线6处的抗渗砂浆会首先由 a 向 b 处断裂,这是因为 a 点为应力集中点,而 ab 断面为最小断面。而"C形止水带"切口处连同混凝土一起张开,内部凝胶体吸水膨胀,起到连续止水作用。裂缝逐渐闭合时止水带被压缩复原。所以,"C形止水带"被嵌入裂缝之后始终保持压性弹簧垫工作状态,将裂缝入水口封闭。

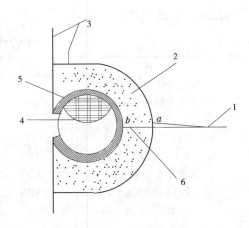

图 5-8 C形止水带工作原理
1—裂缝;2—U形槽内填抗渗砂浆;
3—闸体混凝土;4—膨胀芯;
5—C形橡胶管;6—预计断裂处

2.性能特点

(1)"C形止水带"选材和设计合理,制作简单,施工方法简易,大大减少了现场工作量,适合快速堵漏,并且保持长久效果。

(2)各种材料均无毒、无害、无污染,符合环保要求。

(3)适应性强。"C形止水带"是一种柔软的材料,而且可根据使用要求选用不同直径的胶管制作而成;可随裂缝走向任意弯曲;可据缝长任意对接延长;既可用于水上施工,也可用于水下施工。

(4)无须复杂的施工器械,直接与间接的材料消耗都很少,经济效益十分显著。

(5)适应面广,可广泛应用于各种水工混凝土结构的裂缝或接缝止水的漏水处理。

3.结论

经与SR材料封堵裂缝、多种复合材料封堵裂缝、环氧粘橡胶板加玻璃丝布封堵裂缝等其他混凝土裂缝处理方法比较,采用"C形止水带"的封缝方法明显地减少了许多工作量和辅助设施,且无有毒、有害材料,施工快、投资省、效果好,是一种很值得推广应用的新方法。

(七)CP砂浆在涵闸混凝土工程加固中的应用

1.CP砂浆的组成及配比

CP砂浆是水泥、砂、CP材料组成的复合型砂浆。CP材料是由高分子聚合物和外加剂组成,其成分包括:①混凝土外加剂——CA复合早强减水剂;②TNT9345;③半水纤维白石膏粉(速凝剂);④明矾石膨胀剂;⑤合成树脂等。一般用于水下部分混凝土修补的CP净浆配比是 0.4∶1,即每立方米用554kg的CP材料与1 384kg的水泥拌成CP净浆。用于水上部分混凝土修补的CP砂浆配比是 0.4∶1∶1,即每立方米用305kg的CP材料与762kg水泥、762kg黄砂拌和成CP砂浆。

2.CP砂浆的性能

CP砂浆具有良好的技术性能。据河海大学科研处试验,其抗老化性能优于高标号水泥砂浆,抗冲磨强度是250号普通砂浆的两倍,粘结强度是250号混凝土的 1.23～1.38

倍、250 号普通砂浆的 1.59 倍,见表 5-7、表 5-8。

表 5-7   CP 砂浆与普通砂浆性能比较

性　能	单位	普通砂浆	CP 砂浆
R_{28} 抗压强度	MPa	52.7	39.3
未老化抗压强度	MPa	67.9	70.2
老化抗压强度	MPa	57.5	61.3
抗压老化系数		0.85	0.87
R_{28} 抗折强度	MPa	8.4	6.42
未老化抗折强度	MPa	9.06	9.79
老化抗折强度	MPa	7.71	11.07
抗折老化系数		0.85	1.13
抗冲磨强度	h/(kg·m²)	0.305*	0.599

注:(1)普通砂浆为水泥标号 525(R)的软练胶砂;

　　(2)老化指人工老化 3 个月,约与南京地区自然气候下老化 3 年相当;

　　(3)老化系数为试件老化后的强度值与同龄期试件未老化(正常养护)强度值的比值;

　　(4)抗冲磨强度是指单位面积上被磨损单位重量时所需的时间;

　　(5)* 值为 M25 普通砂浆的数据。

表 5-8   CP 砂浆与混凝土、普通砂浆强度比较

粘结方式	粘结层方向	劈拉强度 (MPa)	粘结强度 (MPa)	粘结强度系数
整体混凝土		2.09		1.00
整体 CP 砂浆		2.22		1.00
普通砂浆粘结混凝土	水平		1.38	0.66
混凝土粘结混凝土	水平		1.59	0.76
混凝土粘结混凝土	垂直		1.60	0.77
CP 砂浆粘结混凝土	水平		2.19	1.05
CP 砂浆粘结混凝土	垂直		2.05	0.95

注:(1)粘结强度是用劈裂法测得的粘结面强度,其粘结面尺寸为 10cm×10cm;

　　(2)粘结强度系数是指各劈拉、粘结强度与整体混凝土劈拉强度之比;

　　(3)混凝土、普通砂浆的标号均为 250 号。

3. CP 砂浆加固施工工艺

(1)混凝土面打毛清洗。将老化混凝土面将要脱落而又未脱落部分全部清除,将个别坝面凿毛,凿毛时尽量挖深松动混凝土,用钢丝刷洗刷干净,使混凝土面清洁无杂物,以利砂浆与老混凝土粘结。

(2)高标号水泥砂浆局部找平。为节省 CP 材料,并易涂抹均匀,先对原混凝土面凹凸不平或裂缝进行处理,用灰砂比 1:1.5~1:2.0、水灰比 0.55 的高标号水泥砂浆填洞打底找平。

(3)涂抹 CP 砂浆。混凝土面处理好后,在新涂抹的水泥砂浆面上用钢丝刷子刷一

遍,除去浮质及松散颗粒,再用扫帚扫净后,即可人工涂抹 CP 防渗砂浆。一般涂抹厚度为 2~3cm,接缝及严重破损部位及水位变动 3m 范围内厚度适当增至 3~4cm。涂抹时必须反复多次,力求均匀。用于配制 CP 砂浆的水泥采用 525 标号水泥,砂子用过筛洗过的河砂。涂抹 12h 后即应开始浇水养护。

4.防渗效果

经实际工程应用,混凝土处理面高水位变化运行 10 年来,防渗面安全正常,多次现场检查无脱落、老化、掉块现象,也无龟裂和裂缝出现,说明 CP 砂浆具有可靠的防渗性能。该材料还具有无毒性、不燃烧、施工简单、可在潮湿环境中施工、不受季节限制、并能带水作业等优点,是水工建筑物理想的防渗补强材料之一,具有一定推广应用价值。

(八)高压旋喷技术在涵闸地基加固中的应用

涵闸地基承载力不足,工程发生不均匀沉陷或沉陷过大,是导致闸体裂缝或构件断裂,加剧工程老化的重要根源之一,危害性极大。采用高压旋喷技术对涵闸地基进行有效加固处理,不失为涵闸工程老化整治的重要措施之一。

1.技术原理

高压旋喷技术是地基处理中的一项新工艺,其技术原理是利用钻机把带有喷嘴的注浆管钻进至土层的设计位置后,以高压设备使浆液或水成为高压流从喷嘴中喷射出来,冲击破坏土体。当能量大、速度快和呈脉动状态的喷射流的动压超过土体的强度时,土粒便被剥落下来。已剥离的土粒,在喷射流的冲击力、离心力和重力等作用下,搅拌混合,按一定浆土比例和质量大小,有规律地重新排列。浆液凝固后,便在土中形成一个固结体。工作时,喷嘴一面喷射,一面旋转和提升,固结体呈圆柱状,称之为旋喷桩。

2.性能特点

(1)可靠性好。高压旋喷技术加固土体具有增加地基强度、提高地基承载力、止水防渗、防止砂土液化等多种功能。

(2)施工方便。旋喷桩机械可任意控制钻孔深度和喷桩高程,不受施工场地高程的限制。

(3)施工速度快。每部旋喷桩机平均每日可完成 6~7 根桩,较钻孔灌注桩快 2~3 倍。

(4)成本低,材料单一。除造浆用水和水泥外,不再需要其他材料,成本较混凝土灌注桩降低 30% 左右。

(5)投入设备简单,用工少。

3.工程应用情况

山东东营市神仙沟引黄闸于 1987 年兴建,地质钻探表明,设计闸底板底面标高 -8.0~14.0m 高程内土层为力学性质较差的淤泥质黏土,不能满足荷载承载力的要求,需进行处理。经方案比较选定了高压旋喷桩加固方案,处理后经开挖检测,60d 抗压强度为 42kg/cm²,满足设计要求。该闸经过几年的使用与观测,闸基未出现异常情况。

山东章丘县土城子引黄闸于 1988 年改建时按原轴线向上游接长涵洞。新闸首及其洞身持力层均坐落在闸基的粉土层上,该层下有一厚度为 2.45m 的软弱土层,其垂直承载力不能满足闸首段地基应力的要求,经分析比较采用高压旋喷加固技术进行了处理,至今运用正常。

4.适应范围与推广价值

高压旋喷技术适用于中低水头的中细砂层、砂壤土层和砂砾石层基础,也可用于砂卵石层地基处理。

该技术设备简单、施工简便、工效高、价格低廉,而且近几年又研制出各项参数监控设备,对施工质量也有相应保证,具有广泛的推广价值,可作为黄河下游涵闸建设地基处理的一条重要途径。

第十节　闸门及止水老化病险整治措施

闸门老化病险的整治措施应以除锈防腐为主,止水老化病害的整治应从采用抗老化、耐磨损的止水材料和改进止水的结构型式入手。结合黄河下游涵闸工程实际,经综合比较分析,我们认为可采用以下几种整治技术。

一、气喷涂锌(铝)技术在涵闸闸门防腐处理中的应用

(一)技术原理

气喷涂锌(铝)防腐技术是在喷枪中以压缩空气为动力的传动装置推动锌(铝)丝通过喷嘴,在氧—乙炔焰的加热作用下,成为熔融体,借压缩空气使之雾化成微粒并喷射到钢闸门上,形成锌(铝)喷涂保护层。该技术使用于江、河、湖泊、水库中的节制闸、泄洪闸等钢闸门,保护周期长(可达20年以上),施工机械化程度高、工效高、劳动强度小、维修保养管理工作量小。

(二)施工要求

1.施工前的准备工作

(1)将闸前、闸后进行围堵,清除闸门附近淤泥,保持施工期内不进水。

(2)各压力容器、管路系统按规定进行检查,做压力试验。

(3)必须对施工设备进行严格安全检查。

(4)工作人员必须配备密封式防护工作服,配带手套、皮鞋、口罩、毛巾等防护用品。

2.施工工序及技术要求

防腐施工大致可分为3个阶段:钢闸门表面处理(喷砂、除锈、打糙)、喷锌(铝)涂料封闭。技术要求严格执行国家颁发的有关标准。具体实施步骤(工序)及技术要求见图5-9。

(1) 设备进场。各种设备进场就位,通电、通水。

(2)搭接脚手架。脚手架必须安全可靠,确保施工正常运行。

(3)闸门清理。清除闸门上泥沙、草、杂物。

(4)拆除闸门附件。钢闸门上的止水橡皮、滚轮、吊耳等可拆卸附件全部拆除,减少死角,避免漏喷。

(5)喷砂除锈。除锈质量好坏直接关系到涂层的结合力性能,影响到保护周期,因此,必须严格按标准进行。磨料必须清洁,有棱角,粒度为$0.5\sim2.0\text{mm}$,常用磨料有石英砂、冷硬铸铁砂、刚玉砂等。喷砂后,基体表面达到$S_a2.5$级,即干燥、无油污、无氧化皮、无

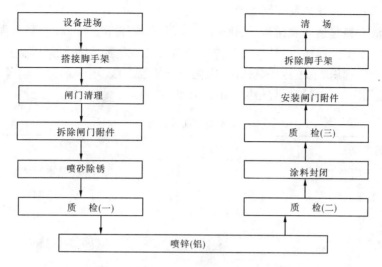

图 5-9　气涂喷锌(铝)闸门防腐施工工序

锈迹、无焊渣等,基体表面粗化度达到 $R_z 40\sim80\mu m$(可用标准样板对比法检查)。

(6)质检(一),即喷砂质量检查。按 GB9793-89 进行。

(7)喷锌(铝)。该工序是获得良好的保护层,确保保护周期的关键工作。必须严格按标准进行施工,确保喷锌(铝)镀层的致密性、均质性、厚度、结合力等技术指标达标。锌的材质至少与 GB470-83 中 Zn—1 一致,含锌量为 99.99%。铝的材质至少与 GB3190-82 中 Al—1 一致,含铝量为 99.7%。涂层厚度用磁性测厚仪测量,常用测厚范围为 $80\sim250\mu m$。结合性能,采用切割法试验,试验结束后,方格内的涂层不得有基体剥落(亦可用拉力试验法),外观细密一致,无粗颗粒。

(8)质检(二),即喷锌(铝)质量检查。按 GB9793-89 严格检查,不合格部位及时采取措施直到达到标准为止。锌(铝)镀层用涂料封闭,使金属镀层与涂料层组成复合防腐涂层,提高保护周期。涂料厚度用磁性测厚仪测量,常用厚度范围为 $40\sim120\mu m$。外观不起皮,无流挂,均匀一致。

(9)质检(三),即涂料质量检查。该工序主要检查涂料封闭层的各项性能指标,把好涂层最后一关。

完成涂料质量检查后,安装闸门附件,拆除脚手架,清场。

(三)效果分析

气喷涂锌(铝)保护周期是油漆的 10 倍以上,年运行费用低,且施工效率高,日常维护工作少,可延长设备寿命,推迟设备更新资金的投入。经实际工程应用,至今闸门已运转 11 年,无锈斑。该项技术可在黄河下游涵闸工程闸门维护中大力推广应用。

二、涵闸环氧基液明止水工艺

涵闸工程明止水的安装型式有多种,其中环氧基液粘贴橡皮是重要的一种,且配方也有多种。在此,我们推荐一种环氧基液粘贴明止水的配方和工艺。经实际工程应用,其止水效果良好,具有粘结力强、粘结牢固、经久耐蚀等特点,对黄河下游涵闸工程非常适用。

（一）环氧基液的配方及配制工序

环氧基液材料包括环氧树脂、固化剂、增韧剂、稀释剂等，是一种快凝高强材料，用于水工建筑物混凝土工程建设，具有抗气蚀、抗冲刷、粘结力强、耐久性好等优点。

基本胶结料选用 6101 号环氧树脂，固化剂选用乙二胺，增韧剂选用磷苯二甲酸二丁酯，稀释剂选用丙酮。橡胶板规格宽 190mm，厚 20mm。

表 5-9 　　　　　　　　　　　　　　环氧基液材料配方

材料名称	配比(g)	作用
环氧树脂	100	基本胶结料
二丁酯	15	增韧剂
乙二胺	9	固化剂
丙酮	5	稀释剂
苯酚	2	固化剂

此配方在温度 20～25℃ 时使用，凝固时间 45min，其配制工艺如图 5-10 所示。

图 5-10　环氧基液配制工序

（二）施工工艺

施工操作分表面处理、刷涂粘贴和紧固 3 个阶段。

(1)混凝土表面处理。将混凝土表面的凸面凿除、剁平、用钢丝刷将混凝土表面均匀刷毛，清扫干净，必要时用水清洗，若潮湿应用喷灯烤干。橡胶止水板表面也均匀刷毛，清扫干净。橡胶止水板接头做割削，坡茬一般 45°割削，长度 15～20cm。

(2)刷涂基液。将配制好的基液均匀涂刷于混凝土面上和橡胶止水板上，厚度0.5mm左右，迅速从底、侧至上一周粘贴橡胶止水板。

(3)固定压紧。预先根据设计图纸构件构造制作好固定架。粘贴上橡胶止水板后，随即用固定架、木板、小方木、小楔子，将其固定牢固挤紧。待凝固 5～6h 后，拆掉固定架，橡胶止水板与混凝土就牢固粘贴在一起了。

（三）施工中应注意的问题

(1)混凝土施工时应严格控制止水槽上下、左右的位置，不能出现错节现象，混凝土表面必须平整，若出现不合格点面，拆模后应及时处理修整。

(2)粘结面必须清理干净，不允许含有渣子。

（3）基液应视工程量大小分批配制，配制完成后立即涂刷。必须在 45min 内全部用完，随即粘贴橡胶止水板。基液用完后毛刷、器具都应用酒精或丙酮及时刷洗干净，以免凝结造成浪费。

（4）固定架加工必须牢固。橡胶止水板粘贴完成后，应随即用固定架、木板、木楔子挤紧，加固完好，木楔一般间距 30～40cm。

（5）基液有毒，对人体有害，操作人员必须按操作规程操作，做好人身防护措施。涵洞内操作，还应做好通风措施，以免毒气侵害人身安全。

三、闸门双重止水技术

（一）工作特点和结构型式

闸门双重止水方式充分利用了钢止水材料的耐磨性和橡皮材料的柔软性，取两者之长，形成刚性与柔性有机配合的止水体系，侧向钢止水既起了止水作用，又可取代滑块，改善闸板受力条件，减少配筋量，同时将橡皮止水带封闭在闸槽之中，从而彻底消除了橡皮止水长期暴露、易被切割破坏的现象。同时，为提高止水效果，在闸板顶端上游闸槽立面处安装楔形角钢，随闸门关闭，迫使闸板自动后推，使得侧止水橡皮在低水位时也能依靠自动后推力紧贴在下游槽壁上，其结构型式见图 5-11。从经济方面来说，双重止水因比橡皮止水减少了侧向橡皮止水轨道而降低了工程造价。闸板双重止水结构型式，既保证了闸门止水的可靠性，也大大延长了止水的使用寿命。

（二）施工技术要求

1. 侧向止水的制作安装

侧向止水主要由止水轨道、止水角钢和"LP"形止水橡皮等 3 部分组合而成。

止水轨道位于闸门槽下游立面的槽壁上，其材料一般采用花岗岩板或型钢，并在浇筑闸槽时预埋设置。当采用花岗岩板为轨道时，应注意板厚不得小于25mm，以保证安装后轨道的承载能力。在预埋时，混凝土包边宽度一般为 30～50mm，以增加轨道的牢固性，并且要严格控制板口接缝和表面平整度。若采用

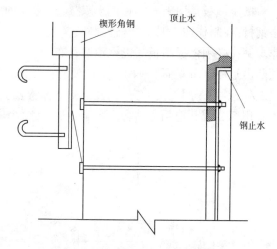

图 5-11　双重止水自动后推结构

型钢轨道材料时，必须将轨道型钢调直，一般选用槽钢、不等边角钢或 15mm 厚的钢板，在埋设时要严格控制其垂直平整度，并将轨道材料固定在闸槽模板上，以确保其位置和整体协调。

止水角钢是依靠与轨道的摩擦接触而起止水作用的，其承担着作用在闸板上的水平方向水压力，并支撑橡皮带准确地贴附在轨道上。因此，角钢规格必须依据闸板受水平力的大小和运行时的正常刚度来选定。

"LP"形止水橡皮带，既起到止水角钢的弹性调整和闭水作用，又弥补了角钢止水精

度欠佳的缺陷。因此,在选择材料时,必须采用质地均匀,外观尺寸偏差小于±2mm的原胶,严禁使用再生胶,以确保橡皮在挤压时变形均匀。其规格确定应高于角钢止水面5～10mm,作为受压变形余量。

侧止水安装螺孔是在闸板预制时,布置于闸板的纵梁顺水流方向上的,预留孔的间距为200～300mm,直径一般为φ25mm。为增加侧止水角钢的牢固性,应在距闸板顶、底端100mm处预留孔的纵轴线上预埋φ12～16mm的螺栓,其长度一般露出混凝土面40～50mm。侧向止水角钢上的螺孔必须根据闸板实际预留孔尺寸位置钻设,以便顺利安装。橡皮止水带的螺孔则是根据角钢螺孔位置确定的,并且在布设螺孔时,橡皮止水带两端应超出闸板顶、底面50mm左右,以便与顶、底止水橡皮带搭接结合。止水必须在闸板吊装前安装、调整完毕。为确保止水橡皮"P"形圈紧贴在止水角钢端部,在橡皮的外侧附夹压钢板,厚4mm,宽30mm,由间距200mm、φ6mm的螺栓与止水角钢连接,夹住橡皮,侧止水构造见图5-12。

2.底止水制作安装

底止水是由双"P"形橡皮、槽压钢板和底板花岗岩3部分组成的。底板花岗岩采用不小于30mm厚的天然、质地均匀、坚硬的花岗岩。埋设工作是在闸底板浇筑结束时,按照闸槽位置以型钢(或大方木)控制花岗岩顶面平整度,由水准仪监视两端高程,进行人工埋设。在埋设时花岗岩顶面应与底板混凝土面平齐,其铺设长度必须超过闸槽内边缘,以确保底止水双"P"形橡皮全都与平整的花岗岩面接触。

槽压钢板是用来固定底止水双"P"形橡皮的,因此一般采用厚度5～12mm的优质规格钢材,在制作加工时要严格控制其宽度小于两"P"形圈净距5mm左右,以便于安装操作。钻孔必须依据闸板底边梁预留孔布设。双"P"形橡皮在安装时,下游"P"形圈外缘必须凸出闸板下游立面5～10mm,以便和侧止水搭接处的拐角处理。底止水橡皮和侧止水接头处,必须采用平交的方式,使下游立面橡皮止水带形成一个封闭的止水圈,并将拐角接头用502或其他强力粘合剂粘牢。底止水结构见图5-13。

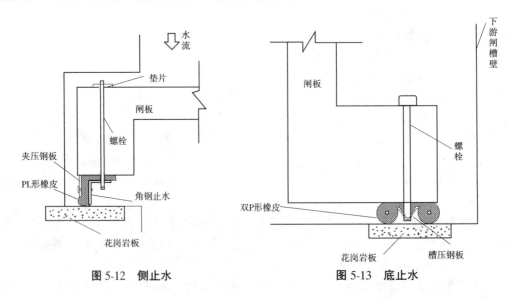

图5-12 侧止水　　　　　　图5-13 底止水

顶止水设置于胸墙式闸门板之上,其主要结构型式、安装施工要求与侧止水基本相同。

(三)结论

闸板双重止水,是继橡皮止水和钢止水技术之后的一项综合性止水方式。该止水技术既利用了钢止水的坚韧耐磨性,又保持了橡皮止水的柔软密封性,形成了刚柔兼备、有机配合的新形止水体系。其止水效果远远高于橡皮止水,并方便了管理,大大提高了止水设备的使用寿命。

四、闸门阴极保护防蚀技术

(一)技术原理

根据钢铁结构在电解质中的腐蚀原理,在辅助阳极与钢结构上外加一个直流电源,通过电解质把两者连接成一个回路,形成外加电流阴极保护系统,当系统开始通电后,阴极(钢结构)表面得到电源输送来的电子逐渐增加,这些电子有一部分被电解质的溶解氧或其他还原物所吸取,一部分聚积在钢结构表面上,使表面电位向负的方向变化,这就是阴极极化过程。随着系统保护电流密度的增加,钢结构表面电子积聚增多,电位降低,保护效率就越高,钢结构基体就能达到基本不锈。

(二)防蚀效果

闸门的阴极保护防蚀技术不仅可以防止均匀锈蚀,还可以防止局部腐蚀、点腐蚀以及应力腐蚀。该方法技术可靠,便于掌握,可在黄河下游涵闸闸门防蚀中酌情选用。

第十一节 启闭机老化病险整治措施

一、启闭机螺杆失稳压弯问题整治措施

黄河下游涵闸工程闸门启闭采用卷扬启闭机和螺杆启闭机两种设备,其中螺杆启闭机经常发生螺杆压弯和螺杆被卡事故。主要原因有两点:一是过载保护装置未调整好,不起作用;二是有的单位擅自拆掉导向轴承,从而使螺杆压弯,产生变形。为此,在运行中应注意以下两点。

(一)对过载保护装置进行调整

螺杆启闭机上所设的过载保护装置,其作用是:保护螺杆,电动启闭时,电动机通过安全联轴器与减速器相连接,安全联轴器是根据超越式离合器的摩擦传动原理组合而成的整体结构,当外荷载超过调动下的压力时,摩擦片打滑,从而起到保护螺杆的作用。建议各管理单位购置压力传感器,将各工程螺杆启闭机需要的启闭力调整好,起到过载保护作用。

(二)正确使用导向轴承

导向轴承是对螺杆起导向作用的,即当螺杆启闭机对工作门施加压力时,能够使螺杆顺利下滑。因闸门吊点到螺杆启闭机底座的距离较大,加压用的螺杆容易压弯,当弯曲度超过螺杆抗弯强度时,螺杆将产生变形,而不能复位,这样需要在螺杆易出现弯曲的部位,增设导向轴承。因此,管理单位应正确使用导向轴承,而不能随意拆掉。若在运行中出现

螺杆被卡问题时,应先调整装配尺寸,使螺杆中心与导向轴承、闸门吊点中心保持在一条直线上。

二、启闭失灵及设备锈蚀整治措施

针对启闭机出现失灵及启闭设备和钢丝绳产生锈蚀的原因,提出以下整治措施。

一是在原轨道上粘贴不锈钢或花岗岩,对磨损严重的滑块要及时更换,以减少滑块与轨道间的摩擦力,使闸门能够正常启闭。

二是尽可能地减小铰耳与拉杆、拉杆与螺杆连接处及螺杆与承重螺母之间的间隙,对启闭机机座与地基之间的连接构件应经常检修,对损坏构件及时更换,以此提高启闭机的整体稳定性,避免启闭机运行中产生振动失灵。

三是应提高启闭机的安装质量,使螺杆轴线、吊耳中心、闸门重心三者尽量在一条垂直线上,对三者间相对偏移量过大、闸门前后及左右倾斜的情况要及时检修调整。

四是对启闭机要加强定期检查养护管理。采取必要的防护措施,使机械免受风吹日晒;对易锈蚀的闸门及钢制轨道零部件及钢丝绳要经常进行除锈上漆上油防腐处理,锈蚀严重的部件、断丝的钢丝绳要安排更换;对运行期限超过30年的大型闸门和启闭设备、运行期限超过20年的中小型闸门和启闭设备要逐步更新。

三、应用新型闸门启闭设备

减少启闭机老化病险产生的另一条途径是使用一套构造简单、操作省力、安全可靠的闸门启闭机械。针对黄河下游涵闸工程闸前水位变幅大、泥沙淤积严重的实际情况,我们建议在部分孔数较多的涵闸中采用一种新型闸门启闭设备——串联多孔闸门启闭机。

(一)技术原理

采用滑车和钢绳组合吊装起重技术,利用作用力与反作用力平衡原理,以一条钢绳串联多孔闸门,通过动力牵引钢绳,使诸闸门可连续启闭。

(二)启闭设备组合情况

串联多孔闸门的启闭方法是:在机架桥上设置导向滑车,在闸门上安置动滑车,再用钢绳将诸闸门串联,使整个启闭系统形成一个展开的多门滑车组,牵引钢绳,可使闸门连续上升或下落,其组合简图见图5-14。

由图5-14看出,牵引闸门的钢丝绳通过滑车数目多少,所累计的滑车阻力会影响对各闸门的牵引力,因而启闭闸门时,闸门是自铰头一侧由近而远依次上升或下落。启门时,当第一孔闸门升到顶点后,起重滑车顶板靠近机架桥梁底,此闸门上升受阻,若继续牵引钢绳,第二孔闸门便会被带动上升,依此程序,直至完成全部闸门启闭。

(三)启闭力分析

由图5-14可以看出,牵引钢丝绳通过滑车将多孔闸门串联起来后,类似一个多门滑轮组,只是各滑轮并不是在同一轴上转动,因此可以产生变速和省力效果。或者也可以把由钢丝绳串联起来的众闸门看成是一些相互平衡的物体,如图5-15所示。

由图5-15可以看出,在滑车转动摩阻力为零的情况下,只要对其中的一个施加微小外力,便会使其作上下运动,当其受到约束停止运动时,作串联的牵引绳便会将外力传递

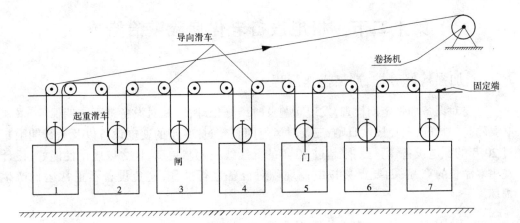

图 5-14　串联多孔闸门启闭设备组合简图

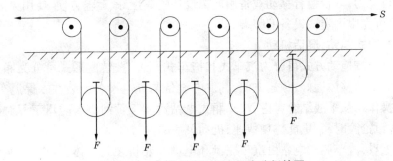

图 5-15　串联多孔闸门启闭力分析简图

给下一个,同样可使其做上下运动。串联多孔闸门启闭系统即是根据这个基本原理进行设计的。当牵引一孔闸门升到顶点后,梁底所产生的反力与提升下一孔闸门的力是平衡的,若继续施加稍大于提升一孔闸门的拉力,便会带动下一孔闸门上升。由此不难看出:提升多孔闸门所需的牵引力是提升一孔闸门的牵引力加钢绳穿绕诸滑车的阻力。

(四)结论

经实际工程应用,串联式闸门启闭机具有以下优点:

(1)投资小。经比较,相同条件下采用多孔串联启闭设备可比采用普通启闭设备减少投资 30%～40%。

(2)操作方便。串联启闭设备操作简单,一个系统只需一人操作、一人观察即可。

(3)设备组装机动灵活。由启动吊装工作经验得知,滑车和钢丝绳组合成的起重吊装设备机动性大、适应性强,用做闸门启闭,可根据工程具体条件灵活组装,既可满足设计要求,又可降低工程造价。

(4)安全可靠。大量工程实例说明,滑车和钢丝绳组合成的设施可应用到安全要求很高的工程上,只要设计合理、选材得当,采用新技术组装启闭设备,建立安全操作和规章制度,对管理人员实行培训上岗,完全可以满足闸门安全运行。

第十二节　机电设备老化病险整治措施

一、加强检修养护,严格操作规程

一要对设备加强定期检查,发现问题及时维修处理;二要对设备进行定期保养,采取必要的防护措施,避免风吹日晒;三要对运行期限超过 25 年的变电设备以及运行期限超过 20 年的配电设备、运行期限超过 20 年的低压线路逐步更新,代之以质量性能好、设计使用寿命长的产品;四要严格按电业规程对设备进行操作,避免设备不正常运行产生损坏。

二、采用多台组合移动式备用电源

综合分析认为,多台组合移动式备用电源设备整体性好、运输方便、使用灵活,在工程中应用广泛,可克服固定式设备的弊端。

(一)汽车厢式电站,灵活机动

移动式电站按拖动方式可分为汽车式和拖车式两种,按装配形式可分为厢式和敞开式。汽车厢式电站整体性好、载运方便,其发电设备与配电设备组装在一保温车厢内,完全实现平台操作。从平战结合考虑,汽车厢式电站适用于黄河沿岸防汛工程对电源的需求,尤其在防汛抢险时,它更能体现快速、机动灵活的优势。

从结构上看,汽车厢式电站由汽车底盘和电站车厢拼装为一体。电站车厢像汽车原货箱一样,用 U 形螺栓卡装在汽车底盘大梁上,装卸方便。若汛期电站在涵闸待命防汛,或非汛期电站为某一工程服务时,汽车完全可脱离电站,这为电站与汽车平行作业、同创经济效益提供了方便条件。

(二)容量适中,多台并机,运用自如

根据涵闸分洪启闸要求,在同时启闭闸门最多的情况下,即最大负荷条件下,确定选用单机功率及台数。由于每台机组都配备有并机输出装置,故可任意选择并机数量。在闸门单孔提升时,只需启动单台电站;多孔提升时,视同时提升闸门的多少来确定并机数量。实际安装调试过程中,应通过现场提闸试验,对不同荷载下的启动电流、运行电流、电压损失等参数进行详细测试,根据电站的负载能力,得出不同组合情况下同时启动和同时运行闸门数量。

(三)结论

多台组合移动式备用电源设备应用了国内外先进技术,自动控制功能完备,大大缩短了备用发电的准备时间,其电站的各项技术指标均达到或超过设计要求。在今后的涵闸电源更新改造中,必将以其设备先进、机动灵活、发电快捷、运用自如的优势创出更大效益。

第六章　涵闸抢险

第一节　涵闸险情分类抢护

一、渗漏抢险

(一)渗漏的分类

涵闸渗漏大致有 4 种。

(1)涵闸与堤坝连接处渗漏。涵闸与堤坝结构的建筑材料不同,在结合处由于不均匀沉陷或止水设施失效等原因,易产生渗漏。

(2)闸基渗漏。由于闸基渗径不足,而产生渗漏。

(3)涵闸洞身渗漏。因闸(洞)身基础的不均匀沉陷、预制管段安装时接头处处理不当、填土质量差等原因,致使闸底板、洞身断裂漏水。

(4)闸门严重漏水。闸门或涵洞开头漏水,一种是常见情况,如门缝或止水效果不佳引起的小量漏水;一种是非常情况,如闸门强度不够,发生变形,尤其是古老闸门的腐烂等,引起严重漏水。

(二)渗漏险情的抢护方法

涵闸渗漏的抢护原则与堤坝渗漏的抢护原则相同:上游堵截,下游导渗。对于连接处的渗漏的抢护可采用堤坝渗漏的抢护方法。建在砂土地基上的涵闸发生闸基渗漏,汛期常在下游采用反滤导渗、降低渗透压力等方法抢护。如闸后水深较大,做反滤有困难,可在闸后修筑围堰,堰内充水以减少上下游水位差,制止险情发展。涵闸洞身渗漏可采用临河围堰、下游反滤围井的方法抢护。临河围堰就是临河修筑围堰,将涵闸围护在内;下游反滤围井就是在涵闸下游渗水出逸点处抢做反滤围井。对于渗漏严重而无有效的抢护措施时,可筑坝封闭,汛后作彻底处理。闸门漏水的一般处理措施是在门外用土袋将整个闸门口(涵口)堵封,以代替闸门挡水,闸外一般有八字形翼墙,可以在两旁墙边抛包和叠包,向中靠拢,使其成为一道临时的防水堤,顶宽 1m,水下坡度 1:1.5 至 1:2。

二、裂缝抢险

砌石或混凝土结构发生裂缝,往往是险情的预兆。对在汛期产生的裂缝难以立即彻底处理的,必须加强防守检查,并采取适当的抢护措施。

(一)裂缝的分类

涵闸的裂缝分为外部裂缝和内部裂缝,内部裂缝在汛期难以发现,处理也困难,这里不多叙述。主要介绍外部裂缝的处理方法。

(二)裂缝险情的抢护方法

涵闸外部裂缝的处理方法有:表面涂抹、凿槽嵌补、化学材料修补。

(1)表面涂抹。用水泥浆、水泥砂浆、防水快凝砂浆、环氧基涂液及环氧砂浆等涂抹在裂缝部位的表面,以堵塞漏水通道。处理前应用钢丝刷将裂缝的表面刷洗干净,涂抹时应尽力压紧。

(2)凿槽嵌补。沿裂缝凿一条深槽,槽内嵌填防水材料,槽的形状一般有"V"形槽,多用于垂直裂缝;"U"形槽,多用于水平裂缝:"匕"形槽,多用于顶面及有渗水的裂缝。槽的两侧混凝土面必须修理平整,槽内清洗干净。填缝材料可采用沥青砂浆、沥青油膏、沥青麻丝、预缩砂浆、聚氯乙稀胶泥等。

(3)化学材料修补。目前使用较多的材料是水溶性聚氨酯。这种注浆材料是一种新型单组合高分子注浆堵漏材料,其与水聚合后的固结体具有良好的延展性、弹性及抗渗性,可用来处理刚性防水法不能奏效的混凝土建筑物伸缩缝漏水问题。这种抢护方法施工方便、造价低、效果好,不仅可用于伸缩缝防漏处理,而且还广泛应用于水工建筑物施工缝、结构缝的渗漏处理。特别是在潮湿或有流水处,更显示出其优越性。

三、冲刷抢险

涵闸发生冲刷破坏的现象常见于下游(或反向引水的上游)消能工、海漫和进出口翼墙及上游护坡等处,这类险情的抢险经常采用抛块石、土袋、铅丝笼抢险,以防止继续冲刷,汛后再进行大修。抛投时尽可能关闭闸门,用船将抛投料运至抛投地点依次投放,避免斜乱架空的现象。

四、护坡损坏抢护

涵闸上、下游护坡损坏时,为防止破坏范围扩大和险情恶化,可先采取临时性抢护。当护坡局部松动脱落时,可用砂袋压盖损坏部位;当护坡局部塌陷时,则采用抛石压盖。若垫层及土体已被淘刷,应先抛填 $0.3\sim0.5\mathrm{m}$ 厚碎石,再抛压砂袋或块石。

五、挡土墙损坏的抢护

涵闸上、下游挡土墙由于墙后土体、水压力的增大,易使墙体发生断裂或倾斜,汛期常采用的抢护方法是:

(1)减压排水。当墙后水压力增大或墙后的含水土层膨胀,使挡墙损坏时,可挖除墙后土体减载,在墙下增设排水孔。如原来的排水孔堵塞,应予疏通。

(2)抛石加撑墙。墙前水较深时,在不影响挡土墙前面正常使用的情况下,可以在挡土墙前抛石加做撑墙,抛石高度视具体情况而定。

六、闸门事故抢险

涵闸闸门经常发生的事故主要有启闭机螺杆损坏和闸门不能关闭两种。

(一)启闭机螺杆折断

在涵闸没有泄漏的情况下发生螺杆折断时,可由潜水员下水探清螺杆断口位置,并用钢丝绳系住闸门吊耳,利用卷扬机绕转钢丝绳开启闸门,待露出折断部位后进行拆除更换。当事故发生时,若闸门已有较大漏水,可先抛置土袋,后用沉放钢筋网方法封堵进水孔口,然后派潜水员按上述方法处理,再更换折断螺杆。处理完毕,清除钢筋网及土袋后,进行闸门启闭试验。

(二)闸门不能关闭

当涵闸闸门发生事故,不能关闭或不能完全关闭或闸门损坏大量漏水时必须抢修,应采用以下应急措施。

(1)钢、木叠梁堵口。如闸身设有事故检修闸门门槽而无检修闸门时,可将临时调用的钢、木叠梁逐条放入门槽,如漏水仍较严重,可再将土(砂)袋沉放在闸门前后,堵塞孔口。

(2)钢筋网堵口。钢筋网一般为长方形或正方形,其长度和宽度均应大于进水口的两倍以上。沉堵前,先架浮桥用做通道,在进水口前扎排并加以固定,然后在排上将钢筋网沉下。待盖住进口后,随即将预先准备的麻袋、草袋抛下,堵塞网格。若漏水量显著减少,即为沉堵成功。根据情况,如需断流闭气,可在土袋堆体上加抛散土。

(3)钢筋混凝土管封堵。当闸门不能完全关闭时,采用直径大于闸门开度 20～30cm,长度略小于闸孔净宽的钢筋混凝土管,管的外围包扎一层棉絮或棉毯,用铅丝捆紧,混凝土管内穿一根钢管,钢管两头各系一条绳索,沿闸门上游侧将钢筋混凝土管缓缓放下,在水压力作用下将孔封堵,然后用土袋和散土断流闭气。

以上介绍了涵闸常见险情在汛期紧急抢险时的一般抢护原则和方法。汛期抢险是防汛紧急时刻所采取的应急措施,技术上难以达到规范要求,所以一旦险情稳定,要抓住洪水的间隙时间,认真分析发生险情的原因,判断抢险措施的可靠性及防御能力,进行整修加固。汛后要进一步查清险情发生的原因、险情规模和破坏程度,进行彻底修复。

第二节 黄河下游涵闸工程抢险预案

建在黄河下游堤防上的涵闸在汛期险情多发,为重点防守的险点。一旦险情发生,如何根据各类险情有的放矢地进行抢护,做到"抢早抢小",快速控制住险情的发展,最大限度地减少工程破坏和抢险费用,是各级黄河防汛指挥者和决策者必须考虑的问题。针对这一问题,黄河下游各级河务部门每年汛前都结合各类工程特点与实际,对其在不同流量级洪水条件下险情的发生、发展及抢护方案进行研究分析,编制堤防、险工、控导、涵闸等各类工程的抢险预案,并通过专家组会审、各单位间研讨交流、上级抽查等方式,确保了工程抢险预案的科学、合理、可行、实用,已形成一套符合黄河下游实际的规范编制程序和抢险预案模式。就涵闸工程抢险预案而言,一般包括以下几个方面。

(一)涵闸工程基本情况

涵闸工程基本情况包括工程修建情况、工程管理情况、工程运行情况、工程存在的问题等。

(二)河势分析及本年度险情预估

河势分析及本年度险情预报包括:

(1)小浪底水库运用后对河势及涵闸工程的影响。重点分析小浪底水库投入运用后，闸前河道的冲淤情况，河床的组成及河势变化情况，对涵闸上下游河道整治工程的影响情况，近闸滩岸坍塌情况，闸前同流量级水位的变化情况，涵闸引水条件的改变情况等新问题。

(2)当年河势险情预估。分析花园口出现 4 000m³/s 以下、4 000～6 000m³/s、6 000～8 000m³/s、8 000～10 000m³/s、10 000～15 000m³/s、15 000～22 000m³/s 及22 000m³/s 以上等不同流量级洪水时，闸前相应水位、水深及涵闸工程偎水情况，结合涵闸工程运行历史及存在问题，分析涵闸出险的部位及险情类别、险情级别等问题。

(三)险情抢护及调度

险情抢护及调度包括：

(1)发生险情后所需抢护料物的计算方法。险情发生后，河务部门技术人员应迅速到达现场，首先要观察河势，估计变化幅度，预估不利河势对险情抢护的影响，分析险情发生的原因，正确、快速制订抢护方案并估算抢险用料数量、品种，交现场指挥长审批。料物计算方法见表 6-1 及表 6-2。需要注意的是，在抢险实际工作中如河床土质不好，易于被冲刷或河势大溜顶冲，要根据实际情况在计算工料时留一定余地；参加抢险的人员要自带工具，如铁锹、小斧、油锤等。

表 6-1 单位体积柳石枕所需各种料物

类别	每立方米枕所需工料数量					
	石料(m³)	柳秸料(kg)	木桩(根)	铅丝(kg)	麻绳(kg)	人工(个)
柳石枕	0.3	126	0.1	1.0	1.0	0.6
柳石搂厢	0.25	144	0.2	0.5	2.25	0.6

表 6-2 单位体积秸埽所需工料估算

类别	每立方米柳(秸)料所需工料数量			
	木桩(根)	麻料(kg)	土料(m³)	人工(个)
新修埽	2m桩 0.1	8 丈绳 1.24	0.3～0.5	技工 0.1
	1.5m桩 0.2	9 丈绳 0.45		民工 0.2
		10 丈绳 0.56		

(2)险情抢护组织。按黄河防洪工程主要险情分类分级标准确定险情的类型及级别(见表 6-3)，责任人(河务局长)在及时组织抢护的同时向上级主管部门进行汇报，并通知县防汛指挥部。抢护结束后由工地技术人员对用工、用料情况进行统计，写出专题抢险报告上报县黄河防汛办公室。较大、重大险情的组织指挥机构见图 6-1。抢险过程中机构各级成员按照各自职责在统一指挥下快速运作，奋力抢险。其中：指挥长负责统一指挥本辖区内的防汛工作，对本辖区的防汛抗洪工作负总责；督促建立、健全防汛机构，负责组织制定本辖区有关防洪的法规、政策，并贯彻实施；教育广大干部、群众树立大局意识，以人民利益为重，服从上一级指挥调度，组织做好防汛宣传，克服麻痹思想，增强干群的水患意识，做好防汛抗洪的组织和发动工作；组织有关部门制订本县黄河各级洪水防御方案和

表 6-3

黄河防洪工程主要险情分类分级

工程类别	险情类型	险情级别与特征		
		重大险情	较大险情	一般险情
堤防工程	漫溢	各种情况		
	漏洞	各种情况		
	渗水	渗浑水	渗清水,有沙粒流动	渗清水,无沙粒流动
涵闸虹吸工程	闸体滑动	各种情况		
	漏洞	各种情况		
	管涌	出浑水	出清水	
	渗水	渗浑水,土与混凝土结合部出水	渗清水,有沙粒流动	渗清水,无沙粒流动
	裂缝	因基础渗透破坏等原因产生		非基础破坏原因产生

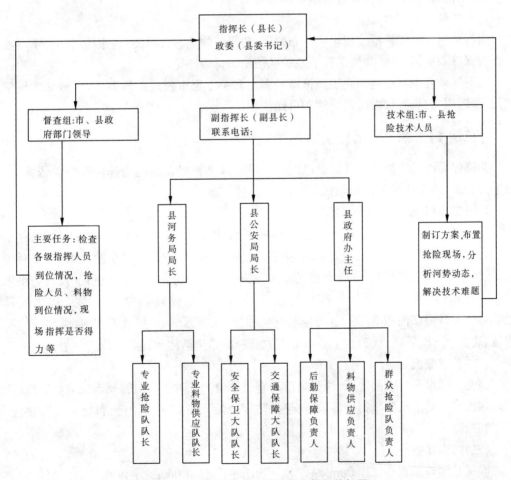

图 6-1 较大、重大险情组织指挥机构框图

工程抢险措施,主持防汛会议,部署防汛工作,进行防汛检查;根据本辖区实际情况,及时调动人力、物力有效地投入抗洪斗争,确保安全度汛。技术负责人负责制订防洪工程查险、报险、抢险的技术指导,分析防洪形势,预测各类洪水可能出现的问题,提出可行性方案,当好指挥长的参谋,将水情、工情和灾情及时通报防汛指挥部和有关部门。抢险队责任人负责在上级防汛部门的直接调度指挥下,担负较大、重大险情的抢护任务,做到行动迅速、措施得当、技能到位、确保安全。查险责任人负责在大汛期间组织所属队员24小时巡堤查险,发现险情及时上报。料物供应责任人负责汛期24小时值班,保证各种抢险物资及时到位,上报补缺防汛物资。通信保障责任人负责制订切实可行的通信保障方案,确保通信畅通,并根据抢险需要及时在出险点架设临时电话。后勤保障责任人负责抢险队伍的生活供给,保证需求,战地救护等,做到及时不误事。照明责任人负责制订切实可行的抢险照明方案,保证夜间查险、抢险照明,确保抢护工作顺利进行。

(3)险情抢护。按照涵闸工程各类险情的抢护原则及抢护方法,贯彻"安全第一,常备不懈,以防为主,全力抢险,抢早抢小"的方针,做到服从大局、统一调度、各司其职、规范从事、临危不惧、忙而不乱,快速有效地控制住险情。

(四)附件

附件包括涵闸工程抢险现场平面布置图、防汛料物运输线路图、各级险情条件下料物与设备保障一览表、各级险情条件下抢护队伍组织保障一览表。

以下列举几个典型的涵闸工程抢险预案。有关专家审查这些预案后,一致认为科学实用、严谨周密,具有很强的指导性和可操作性。

【范例1】 德州市潘庄引黄闸抢险预案

为确保潘庄引黄闸安全度汛及汛期为防汛抢险决策机构实施指挥调度提供依据,按照上级要求,结合该闸工程实际状况,制定本抢险方案。

(一)工程概况

潘庄引黄闸位于黄河左岸潘庄险工14~16号坝之间,闸轴线桩号63+120,始建于1972年,运行至1979年3月发现洞身裂缝127条,于同年10月加固改建,1980年8月竣工,运行至今。该闸为钢筋混凝土箱式涵洞,三联九孔,钢筋混凝土平板闸门,设计防洪水位42.402m(黄海高程,下同),校核防洪水位43.90m,设计流量100m³/s,加大流量120m³/s,设计灌溉面积24万hm²,控制抗旱面积33.3万hm²,担负着齐河、禹城、平原、德城、陵县、宁津、乐陵、庆云8个县市的工农业和城镇生活用水任务。

(二)管理概况

该闸管理设有科级闸管所,属德州市局直属单位。平时引水由德州市局直接调度,汛期防守由齐河县防汛抗旱指挥部负责,包括防守抢险人员组织和调度、料物筹备和供应、防守和抢险等工作。

(三)防洪任务

确保花园口站发生22 000m³/s洪水、艾山站下泄10 000m³/s洪水安全度汛。遇超标准洪水,要尽最大努力,确保不出大问题和垮闸。

(四)曾经发生的险情及抢护措施

该闸自建成运用后曾出现三次闸门落不下去的险情。第一次险情发生于1981年10月8日,艾山下泄流量为5 900 m³/s时,第5号孔闸门在距底板0.4m处卡住落不下去,后采用在闸门上放道轨,用多人摇摆吊杆的方法排除了险情。1983年9月第5号孔、1988年8月第9号孔分别出现上述险情,均采用千斤顶加压排除了险情。

(五)存在的主要问题

(1)由于该闸引水量大,运用时间长,闸门启闭频繁,加之水流含沙量大及冬季引水等特点,对闸门止水橡皮的磨损严重,闸门存在不同程度的漏水现象。

(2)闸门滚轮锈蚀致使滚轮不转,在高水位运用时闸门不能自闭。

(3)两台启闭机变速箱老化漏油,运行时有异常杂音。

(4)闸底板低于黄河河槽2m多。

(六)各流量级洪水险情预估及抢护措施

为争取防洪主动,确保工程防洪安全,根据德州市防洪预案,结合该闸的实际情况,进行险情预估及制定抢险方案。

1. 花园口站4 000~6 000m³/s洪水时

(1)险情预估。德州市河道流量2 500~4 500m³/s。此时,闸前最高水位38.58m,超过设计引水位(36.39m)2.19m,闸门可能出现落不下去的险情。

(2)抢护措施。当接到艾山站发生3 000m³/s洪水预报后,立即关闭闸门,停止引水。若闸门落不下去,采用现有的闭门辅助设施加压关闭闸门,由闸管所全体职工24人在12小时内完成任务。

2. 花园口站6 000~10 000m³/s洪水时

(1)险情预估。德州市河道流量4 500~7 500m³/s。此时,闸前最高水位达40.02m。由于水位较高,可能出现闸门漏水险情。

(2)抢护措施。采取土袋封堵、炉渣闭气的方法进行抢护。需要土方140m³、编织袋4 200条、炉渣10m³、船2只、用工100个。抢险队员由马集乡两个护闸队担任,在8小时内完成。其做法如图6-2所示。

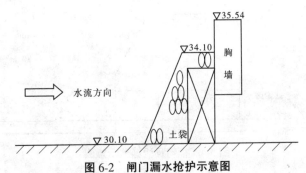

图6-2 闸门漏水抢护示意图

3. 花园口站10 000~15 000m³/s洪水时

(1)险情预估。德州市河道流量7 500~10 000m³/s,闸前最高水位41.06m。由于洪水水位高,可能出现闸基渗水、管涌等险情。

(2)抢护措施。抢护原则是闸上游截渗,下游导渗。

先关闭闸门,在闸前落淤阻渗,或用船在渗漏区抛填黏土,形成铺盖层阻止渗漏。

方案一:闸前落淤阻渗,闸后修做砂石反滤铺盖。

反滤铺盖尺寸:长40m,宽20m,共计800m²。需粗砂160m³、大石子160m³、小石子160m³、块石200m³、用工640个。抢险队员有马集乡20个基干班共240人,24小时内完成任务。

在抢筑时,如有条件,应先清理铺设范围内的软泥和杂物。如在有水渠道内,对其中涌水带沙较严重的管涌出口,直接用块石或砖块抛填,以消杀水势。其上铺盖一层粗砂,厚约20cm,其上再铺小石子、大石子各一层,厚度均约20cm。最后压盖块石一层,予以保护,如图6-3所示。

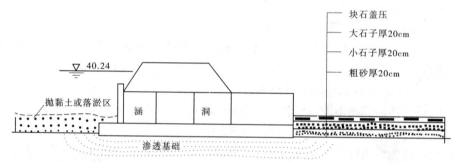

图6-3 砂石反滤铺盖示意图

方案二:闸前落淤阻渗,闸后修做梢料反滤铺盖。

反滤铺盖尺寸:长40m,宽20m,共计800m²。需土方800m³、编制袋8 000条、秸料2.4万kg、麦秸2万kg,共计用工400个。抢险队员由马集乡3个护闸队担任,24小时内完成。

细料采用麦秸、稻草等,厚20～30cm;粗料可采用柳枝、秫秸和芦苇等,厚30～40cm。反滤梢料填好后,顶部要用块石或土袋压牢,以免漂浮冲失,其他与砂石反滤铺盖相同。如图6-4所示。

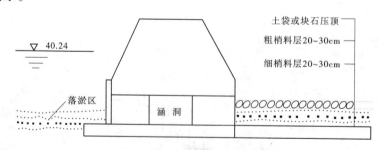

图6-4 梢料反滤铺盖示意图

方案三:闸前落淤阻渗,闸后修做土工织物反滤铺盖。

反滤铺盖尺寸:长40m,宽20m,共计800m²。需土方800m³、土工织物800m²、编制袋8 000条、块石208m³,共计用工280个。抢险队员由马集乡3个护闸队担任,24小时内完成。

土工织物反滤铺盖的抢护方法与砂石反滤铺盖基本相同,但在清理地面时,应把一切带有尖、棱的石块和杂物清除干净,并加以平整,先铺符合反滤要求的土工织物。铺设时块与块之间要互相搭接 0.5m 以上,四周用人工踩住土工织物,使其嵌入土内,然后在其上面填筑 20～30cm 厚的沙土,顶部用土袋或块石压实。如图 6-5 所示。

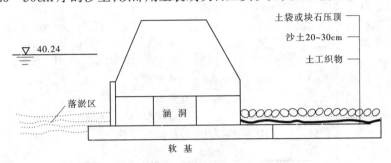

图 6-5　土工织物反滤铺盖示意图

4. 花园口站 15 000～22 000m³/s 洪水时

(1)险情预估。此时,该闸可能出现闸基渗水、管涌加重、洞身土石结合部渗漏等险情。

(2)抢险措施。当接到花园口站发生 15 000 m³/s 以上洪水预报后,立即修做闸后养水盆,减少渗透压力。养水盆围堰在闸后抛石槽末端修筑,顶宽 4m,边坡 1∶2,围堰顶高程与 2000 年设防水位平。渠道两侧围堰现已修做,两围堰上口宽 140m,需要土方量 29 330m³,可在闸后渠道两侧 100m 范围内取土。用 12 辆自卸车、2 部挖掘机、2 部推土机,以 480m³/h 的速度修筑。由马集乡护闸队 150 人用 72 小时左右的时间完成修筑任务。同时,从马集乡调 75 马力抽水机 1 台,随修筑围堰随蓄水,围堰修筑完成蓄水也完成。

如遇阴雨天气,进料路线 300m 撒石屑 75m³,各种险情抢险时间顺延。

(七)附件

(1)潘庄引黄闸护闸队伍组织保障一览表,如表 6-4 所示。

表 6-4　　　　　　　　　　　潘庄引黄闸护闸队伍组织保障一览表

花园口站流量级 (m³/s)	护闸队		驻地	负责人	距工程距离 (km)	到位时间 (h)	通信联络
	队数	人数					
4 000～6 000		24	潘庄闸	所长	4	1	800 兆手机
6 000～10 000	2	100	马集乡	乡长	4	1	全球通手机
10 000～15 000	3	150	马集乡	乡长	4	1	全球通手机
	基干班	240	马集乡	乡长	4	1	全球通手机
15 000～22 000	3	150	马集乡	乡长	4	1	全球通手机

(2)潘庄引黄闸料物、设备保障一览表,如表 6-5 所示。

(3)潘庄引黄闸抢险现场平面布置图,如图 6-6 所示。

表 6-5 潘庄引黄闸料物、设备保障一览表

	名称	单位	数量	来源	存储地点	距离(km)	集结时间(h)	负责人	通信联络
工程材料	石料	m³	408	潘庄段	潘庄险工	0.2	4	段长	800兆手机
	土料	万m³	3.11	就地	闸后两侧	0.1	72	段长	800兆手机
	秸料	万kg	2.4	群众	马集乡	4	8	乡长	全球通手机
	麦秸	万kg	2.0	群众	马集乡	4	8	乡长	全球通手机
	编织袋	条	5 800	社会团体	马集乡	4	3	乡长	全球通手机
	炉渣	m³	10	群众备料	马集乡	4	2	乡长	全球通手机
机械设备	挖掘机	部	2	社会团体	马集乡	4	1	乡长	全球通手机
	自卸汽车	辆	12	社会团体	马集乡	4	1	乡长	全球通手机
	抽水机	台	1	社会团体	马集乡	4	1	乡长	全球通手机
	推土机	部	2	社会团体	马集乡	4	1	乡长	全球通手机

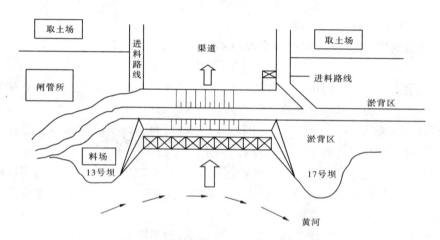

图 6-6　潘庄引黄闸抢险现场平面布置

【范例 2】　齐河北展宽区豆腐窝分洪(凌)闸抢险方案

豆腐窝分洪(凌)闸是黄河齐河北展宽区惟一的分洪闸,是确保黄河下游安全的应急工程。分洪运用由黄河防总商山东省人民政府决定,由德州市防指组织实施。

(一)工程概况

豆腐窝分洪(凌)闸位于展宽区上首临黄堤上,闸中心桩号为 104＋644。该闸始建于 1974 年,1994 年 4 月因防洪标准低和机架桥大梁裂缝开始改建,1995 年 12 月竣工。设计分洪流量 2 000m³/s,分凌流量 1 200m³/s,设计防洪水位 37.69m,校核防洪水位 38.09m。该闸为桩基开敞式钢筋混凝土结构,共 7 孔,每孔净宽 20m。闸门为平板式钢闸门(20m×7m),净重 60t。每孔闸门装有 2×125t 固定式卷扬机一台。启闭动力电源分设两套,一是设有 35kV 高压输电线路,二是配有 4×120kW 发电机组。闸前 110m 处设有防洪围堰,平时挡水,分洪时破除。闸后设一壅水堤,运用时抬高下游水位。

(二)防洪任务

国务院规定:当花园口站发生 30 000m³/s 以上特大洪水,艾山站下泄超过

10 000m³/s时,由黄河防总商山东省人民政府决定利用豆腐窝分洪闸向北展区分洪2 000m³/s洪水,并经济南地区的大吴等闸向徒骇河泄洪700m³/s,确保群众生命、财产安全,尽最大努力减少经济损失。

(三)存在的主要问题

(1)35kV输变电线路和发电机组老化。

(2)闸前围堰坐落在抛石槽上,土石结合部存在隐患。

(四)各流量级洪水险情预估及抢险方案

1. 花园口站6 000～10 000m³/s洪水时

(1)险情预估。德州市河道流量4 500～7 500m³/s。此时,闸前围堰前水位34.10～35.56m,围堰将全部靠水,水深达3.27m。如果此段溜势上提,下游段围堰将靠溜,因吃溜和风浪淘刷,围堰临河坡可能发生坍塌险情,预计坍塌长度120m、高度2m。

(2)抢护措施。

方案一:土袋护坡。该方案需黏土270m³、编织袋8 100条、用工190个,需调集焦庙镇4个护闸队共200人,拖拉机30辆,8小时完成抢险任务。抢护工程如图6-7所示。

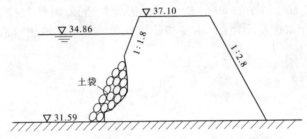

图6-7 土袋护坡示意图

方案二:柳石枕防冲。该方案需用石料80m³、柳枝3.4万kg、铅丝300kg、木桩30根、麻绳300kg、用工110个,需调焦庙镇拖拉机30辆,护闸队3个150人参加抢险,8小时完成任务。柳石枕防冲如图6-8所示。

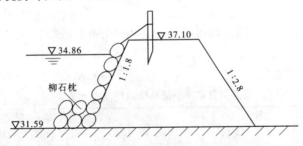

图6-8 柳石枕防冲示意图

2. 花园口站10 000～15 000m³/s洪水时

(1)险情预估。德州市河道流量7 500～10 000m³/s,围堰前水位在35.56～36.69m之间,黄河水面宽广,堤身偎水时间长。由于围堰断面小、围堰坐落在原坝根石和抛石槽上,将发生基础渗水险情。

(2)抢护措施。

方案一:蓄水减压。关紧闸门,向围堰后充水,形成养水盆,减小渗透压力,消除险情。

方案二:做柴草反滤铺盖。铺盖长120m、宽20m,共计2 400m²,需用麦秸6.2万kg、秸料7.2万kg、土方2 400m³、石料624m³、用工1 200个,需调焦庙镇60辆拖拉机,由基干班50个600人在16小时内完成任务。柴草反滤铺盖如图6-9所示。

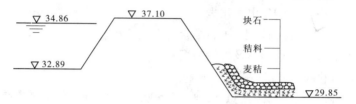

图6-9 柴草反滤铺盖示意图

3. 花园口站15 000~22 000m³/s洪水时

(1)险情预估。德州市河道流量10 000m³/s,闸前水位在36.69m以上,闸前围堰水深达5.27m左右。由于围堰超高仅0.24m,在洪水风浪影响下,将会出现漫溢险情。

(2)抢护措施。修筑子埝。子埝总长387.9m,高1m,顶宽1m,边坡1:1。需要修筑土方量776m³,土方在分洪闸后500m处取用。需调焦庙镇40辆拖拉机、4个护闸队、华店乡4个护闸队,计400人,用16小时完成修筑任务。土袋子埝如图6-10所示。

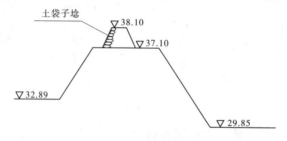

图6-10 土袋子埝示意图

4. 抢险指挥

当发生上述险情时,在豆腐窝指挥点的领导下,立即成立由焦庙镇镇长任指挥、豆腐窝闸管所所长任技术负责人的抢险指挥部,统一指挥,迅速抢险。

(五)附件

(1)豆腐窝分洪闸护闸队伍组织保障一览表,见表6-6。

表6-6 **豆腐窝分洪闸护闸队伍组织保障一览表**

花园口站流量级 (m³/s)	护闸队		驻地	负责人	距工程距离 (km)	到位时间 (h)	通信联络
	队数	人数					
6 000~10 000	4	200	焦庙镇	镇长	10	1	800M手机
10 000~15 000	3	150	焦庙镇	镇长	10	1	全球通手机
	基干班	600	焦庙镇	镇长	10	1	全球通手机
15 000~22 000	4	200	焦庙镇	镇长	10	1	全球通手机
	4	200	华店乡	乡长	30	2	全球通手机

(2)豆腐窝分洪闸料物、设备保障一览表,见表6-7。

表 6-7   豆腐窝分洪闸料物、设备保障一览表

名称		单位	数量	来源	存储地点	距离（km）	集结时间（h）	负责人	通信联络
工程材料	石料	m³	704	国家	豆腐窝险工	0.3	3	段长	800M 手机
	土料	m³	2 500	就地	闸两侧	0.3	8	段长	800M 手机
	柳料	万 kg	7.2	群众备料	焦庙镇	10	16	镇长	全球通手机
	秸料	万 kg	6.2	群众备料	焦庙镇	10	16	镇长	全球通手机
	编织袋	条	12 100	社会团体	焦庙镇	10	6	镇长	全球通手机
机械设备	挖掘机	部	160	群众、团体	焦庙镇	10	1	镇长	全球通手机
	拖拉机	部							
	自卸汽车	辆							
	抽水机	台	5	社会团体	焦庙镇	10	2	镇长	全球通手机
	推土机	部							

(3)豆腐窝分洪闸抢险平面布置图,见图 6-11。

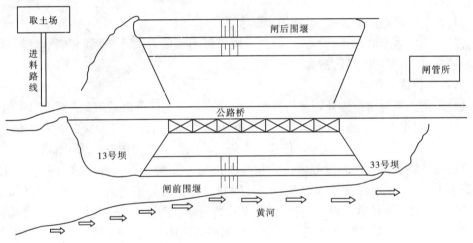

图 6-11　豆腐窝分洪闸险情抢护平面布置图

【范例 3】　齐河北展堤赫庄排灌闸抢险方案

当花园口站发生 30 000m³/s 以上特大洪水时,除上游采取分滞洪措施外,当黄河防总商山东省人民政府决定运用北展宽工程时,赫庄排灌闸成为防守的重点。

(一)工程概况

该闸始建于 1972 年 8 月,位于李家岸引黄闸干渠穿北展宽堤 22＋676 桩号处,为钢筋混凝土箱式结构,洞身长 50m,共三联 9 孔,孔口尺寸 3m×3m。西边孔为低孔,底板高程为 22.50m,承担李家岸输沙渠以西 10.5km² 的原六六河的排涝任务。其他 8 孔为高孔,底板高程 23.50m,设计防洪水位 31.91m,校核防洪水位 32.91m,设计排灌流量为 100m³/s。

(二)管理概况

该闸由李家岸闸管所管理,汛期防守由齐河县防指统一指挥,包括防守人员组织和调

度、料物筹备和供应、防守和抢险工作。

(三)防洪任务

当花园口站发生 30 000m³/s 以上洪水,由黄河防总商山东人民政府决定运用豆腐窝分洪闸向北展区分洪时,该闸担负排除北展区内的尾水任务。

(四)工程存在的问题和曾发生过的险情及处理情况

(1)无动力电源,手摇启闭缓慢。

(2)无固定式启闭机,启闭方式落后。

(3)止水老化损坏严重。

(4)洞身存在横向贯穿性裂缝,最大缝宽 20mm。

(5)经武汉水电大学专家鉴定,该闸为Ⅳ类闸(险闸)

(五)险情预估与抢护措施

当花园口站发生 30 000m³/s 的洪水,上级决定运用北展宽工程时,赫庄闸前水位可达 30.11 m。

1.险情预估

(1)北展分洪运用后,闸门可能出现漏水。

(2)在北展运用后,达到设防水位时,该闸可能出现闸基渗水、管涌和裂缝处渗漏,渗漏严重时可能出现垮闸等险情。

2.抢护措施

(1)采用土袋封堵措施处理闸门漏水。在接到北展宽区分洪运用命令后,立即关闭闸门并封堵。需用土方 140m³、编织袋 4 200 条、用工 100 个,调集安头乡 2 个护闸队计 100 人及拖拉机 20 辆,8 小时完成抢险任务。土袋封堵抢护工程如图 6-12 所示。

(2)闸基渗水管涌和裂缝处渗漏险情抢护措施。在闸后修做养水盆。围堰长 150m (横跨渠道 50m,渠道两侧接大堤各 50m),围堰顶宽 5m,高度不低于该闸设计防洪水位 (31.91m)。鉴于所处背河地面高程为 25.3m,确定修筑高度为 7m,边坡为 1:2,断面图如图 6-13 所示。预计需用土方 2 万 m³,取土在闸后渠道两侧(就地),需自卸车 12 辆,挖掘机 2 部,推土机 2 部。需要抢险人员 120 人,按 480m³/h 的修筑速度,42 小时完成修筑任务。所有车辆和人员由临邑县防汛指挥部负责调集并完成修筑任务。

李家岸闸管所及时抽调人员和发电机组,在 4 小时内赶到抢险地点布设照明设备并发电;齐河县安头乡调集 2 台 75 马力的抽水机,完成养水盆内充水任务。

图 6-12　闸门漏水抢护示意图　　　图 6-13　养水盆围堰断面示意图

3.抢险指挥

当接到运用北展宽工程的命令后,市防指下达命令给临邑县防汛指挥部,临邑县防汛指挥部接到命令后,立即集合人员和车辆,4小时内到位。一旦出险,马上进行抢护。抢险指挥由小八里指挥点指挥负责,李家岸闸管所副所长任技术负责人。

(六)附件

(1)赫庄排灌闸护闸队伍组织保障一览表,见表6-8。

(2)赫庄排灌闸料物、设备保障一览表,见表6-9。

(3)赫庄排灌闸抢险现场平面布置示意图,见图6-14。

表6-8　　　　　　　　　　赫庄排灌闸护闸队伍组织保障一览表

花园口站流量级 (m³/s)	护闸队		驻地	负责人	距工程距离 (km)	到位时间 (h)	通信联络
	队数	人数					
22 000 以上	2	100	安头乡	乡长	50	2	全球通手机
	基干班	240	临邑县	县长	100	4	全球通手机

表6-9　　　　　　　　　　赫庄排灌闸料物、设备保障一览表

名称		单位	数量	来源	存储地点	距离 (km)	集结时间 (h)	负责人	通信联络
工程材料	土料	万 m³	2.014	就地	闸后两侧	就地	42	闸管所所长	800M 手机
	编织袋	条	4 200	社会团体	齐河县安头乡	50	2	乡长	全球通手机
机械设备	挖掘机	部	2	社会团体	临邑县	100	4	县长	全球通手机
	自卸汽车	辆	12	社会团体	临邑县	100	4	县长	全球通手机
	推土机	部		社会团体	临邑县	100	4	县长	全球通手机
	抽水机	台	2	社会团体	齐河县安头乡	50	2	乡长	全球通手机

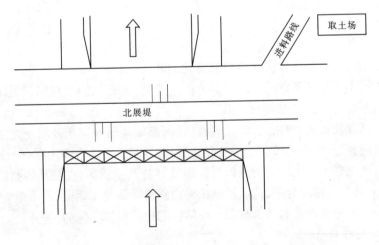

图6-14　赫庄排灌闸抢险现场平面布置示意图

【范例4】 赵口引黄涵闸工程抢险预案

(一)赵口涵闸工程基本情况

1. 工程修建情况

赵口闸位于黄河南岸大堤桩号42+675处,始建于1970年,改建于1981年。该闸共16孔,为黄河下游大型引黄一级水工建筑物。赵口闸建筑物总长147.05m,闸身宽度68.5m。闸底板高程82.70m,闸顶高程90.20m,胸墙底高程85.82m,机架桥高程94.60m,胸墙顶高程90.20m,赵口闸为2.5m×3.0m钢筋混凝土箱式涵闸,护翼为浆砌石结构。该闸设计引水流量210m³/s,可加大到240m³/s,闸前设计水位86.80m,闸后设计水位85.85m,最高运用水位90.10m,防洪水位92.50m,校核水位93.50m。赵口闸始建于1970年,由于渗径偏短,于1981年进行改建。始建工程投资为234.00万元,改建工程投资为329.27万元。

赵口闸防汛料物本着"就近调用"的原则进行调用。防汛专用料物由赵口渠首闸管理处黄河防汛物资仓库供应,现存主要防汛料物有石料4916.5m³、铅丝5.0t、麻料8.0t、检修闸板758块。社会备料由中牟县防汛指挥部具体落实,根据险情所需进行调用。群众备料按照"备而不集"的原则由中牟县万滩镇、谢庄镇负责储备,根据工程出险所需进行调集。

2. 工程存在的问题

(1)赵口险工是常年靠河着溜的老险工,相对稳定的河势以及赵口闸引水作用使得该堤段黄河主流靠赵口闸上下游工程行洪,从而造成赵口闸出险几率增大。

(2)赵口闸在关闭闸门时有卡阻现象,从而造成闸门振动严重。另外,该闸第5孔闸门自改建后就出现卡死、提不开闸门的现象。

(3)赵口闸自改建投入使用以来,于1994年进行涵闸鉴定时清淤一次。该闸在检查时发现问题不少,闸室有不均匀沉陷产生,当时修复后至今未进行清淤检查。涵闸工程内部现状及存在的问题不能及时掌握,造成工程带病运行,严重影响了工程的运用。

(4)赵口闸供电系统为改建时架设,部分为涵闸始建时配置,用至现在。由于使用年限较长,已严重老化,多次出现操纵失灵、不能正常关闸、启闭机丝杆顶破房顶的现象。另外,一遇阴雨天气,供电线路多次发生短路起火,造成设备损坏,不能正常运行。

(5)赵口闸防汛物资仓库现存检修闸板共758块,储备于1977年,已大部分腐朽,其强度明显降低,不能保证日常的检修。更为严重的是,如在汛期出现闸门关闭不严、失控等意外事件,不能起到防洪保安的作用。

(6)赵口闸紧临黄河,口门大、渗径短,且涵闸基础坐落在壤土及粉土之上,渗水能力较强。同时,防渗平台、高水位防渗护坡存有裂缝,涵闸土石结合部还存有不密实的问题。

(7)赵口闸上襄头险工坝面为赵口闸管理处办公及生活区,受场地因素的影响,使得房屋较为密集且布局很不合理,造成该闸抢险道路不能满足车辆通行,不但为工程日常管理带来诸多不便,更为严重的是为汛期工程险情的抢护设置了障碍。

3. 工程运行情况

(1)管护情况及内部隐患。赵口闸现由郑州市河务局成立的赵口闸管理处负责该闸日常的管理、维修、养护等任务。定期检查启闭设备、机电设备及线路等设施，并做好启闭设备、机电设备的养护工作，按时添加启闭机润滑油，保证涵闸安全运行，发现问题及时处理上报。目前，赵口闸存在的内部隐患有：赵口闸自改建投入使用以来，于1994年进行涵闸鉴定时清淤一次，该闸在检查时发现闸室有不均匀沉陷，当时经修复后至今未进行清淤检查。涵闸工程内部现状及存在的问题不能及时掌握，从而使得工程在运用中所产生的问题不能及时修复，造成工程带病运行，严重影响了工程的运用。另外，该闸止水脱落，漏水严重。赵口闸止水橡皮为改建时设置，受水流冲刷以及涵闸启闭磨损，目前存在严重的漏水现象。不但浪费黄河水资源，更为严重的是为汛期涵闸工程险情的检查设置了障碍。

（2）所处位置的堤防临背悬差、坑塘情况。由于引水渠道的存在，赵口闸所处堤防临背悬差较大，最大悬差达6m。目前，该闸上、下游堤防均有淤背区，由于上游段42+430～42+630处淤区宽度仅为67m，100m范围内有坑塘2处，100～150m范围内有坑塘2处。

（3）涵闸出险及抢护情况、机械故障。赵口闸自建闸以来未经历大的洪水考验，没有大的险情发生。由于该闸自改建以来已运用20年，该闸轨道与闸板均未维修过，加之供电线路的老化，目前存在启闭机启闭不灵活的问题。

（二）河势分析及本年度险情预估

1. 小浪底水库运用后对涵闸工程、河势的影响

小浪底水库投入运用后，虽然能使下游防洪标准有较大的提高，但下游河段仍有发生超标准洪水的可能。小浪底运用初期，清水下泄及人造洪峰调水调沙，下游河道将会出现较大程度的冲刷，河床的组成及河势均会发生新的变化，尤其是对新建工程将产生很大影响。河道冲刷将不可避免地影响河势变化，进而导致滩地坍塌、靠河工程冲刷坑加深、根石走失加重、涵闸引水条件改变等新问题。由于近几年来水流量较小，赵口闸上下游河道乃呈现"宽、浅、散、乱"的典型游荡性河势，主流走中，在平面位置上向北岸缓慢摆动，造成北岸出现塌滩现象。从黄河河床纵向分析，由于清水下泄，河床受水流冲刷有较为明显的下切现象。通过赵口闸水位站2000年与2001年水位比较可知，同流量级水位平均降低0.5m，从而有效地反映出河床的冲刷情况。正是由于以上因素的存在，对工程的安全性、管理运行及防汛抢险带来难以预料的影响。

2. 河势、险情预估

赵口闸工程防守预案以花园口站流量为分级依据，分为4 000m³/s、4 000～6 000m³/s、6 000～8 000m³/s、8 000～10 000m³/s、10 000～15 000m³/s、15 000～22 000m³/s及22 000m³/s以上等七个流量级。

（1）花园口站4 000m³/s洪水时河势、险情预估。预估花园口站发生4 000m³/s洪水时，相应水位93.83m，5小时后洪水演进至赵口闸水位站，相应水位88.96m。此时闸前河势基本流路为：武庄控导工程—赵口险工—张毛庵工程。赵口闸上首出现"横河"、"斜河"河势，赵口闸将靠边溜。如此时该闸进行引水，受其影响，该闸下裹头将受大溜顶冲，涵闸管理人员应加强观测，注意河势变化。此时预计赵口闸无险情发生。

(2)花园口站 4 000～6 000m³/s 洪水时河势、险情预估。预估花园口站发生 6 000m³/s 洪水时,相应水位 94.16m,5 小时后洪水演进至赵口闸水位站,相应水位 89.30m。此时闸前河势基本流路为:武庄控导工程—赵口险工—张毛庵工程。赵口闸上首乃为"横河"、"斜河"河势,赵口闸将靠边溜。如此时该闸进行引水,受其影响,下裹头将受大溜顶冲,闸前水深为 4～6m。此时应加强观测,注意赵口闸翼墙、土石结合处等部位,同时注意水情及河势变化。此时预计赵口闸无险情发生。

(3)花园口站 6 000～8 000m³/s 洪水时河势、险情预估。预估花园口站发生 8 000m³/s 洪水时,相应水位 94.39m,4～5 小时后洪水演进至赵口闸水位站,相应水位 89.56m。闸前河势基本流路为:武庄工程—赵口险工—张毛庵工程。赵口闸及上、下裹头均靠大边溜,在洪水到来前应关闭闸门。随着河势的变化下挫,大流将顶冲赵口闸工程,闸前偎水深度达 4～6m。届时应密切关注赵口闸的背水侧坡面、坡脚。由于赵口闸翼墙存有裂缝,同时该闸土石结合部又存有不密实的隐患,在高水位洪水的作用下赵口闸可能会发生渗清水的一般险情。另外,赵口闸由于存在严重的卡阻,再加之供电系统的老化等问题,可能出现闸门失控落不下来的险情。在此情况下可以实施吊放防洪闸板的措施进行抢护,同时组织技术人员抢修闸板,尽快关闭闸门。

(4)花园口站 8 000～10 000m³/s 洪水时河势、险情预估。预估花园口站发生 10 000m³/s 洪水时,相应水位 94.56m,4～5 小时后洪水演进至赵口闸水位站,相应水位 89.78m。随着河势的变化下挫,主流脱弯趋直,逐渐靠中,赵口闸将受回溜冲刷,闸前水深达 5～7m。此时应密切关注赵口闸的背水侧坡面、坡脚。由于翼墙存有裂缝,同时该闸土石结合部又存有不密实的隐患,在高水位洪水作用下赵口闸可能会发生渗清水的一般险情。根据渗水面积,闸前考虑采用棉絮堵塞进水口,背河采用砂石反滤围井进行反滤,估计渗水面积不大,打设内径为 2.0m 的反滤围井。主要材料需用量为砂石料 2m³、土方 10m³、麻袋 350 条。土方采用就近取土的原则运送到位,其他料物均储备于赵口闸管理处仓库,由供料小组及时供应。

(5)花园口站 10 000～15 000m³/s 洪水时河势、险情预估。预估花园口站发生 15 000m³/s 洪水时,相应水位 94.92m,4～5 小时后洪水演进至赵口闸水位站,相应水位 90.23m。随着河势的变化下挫,主流脱弯趋直,逐渐靠中,赵口闸将受回溜冲刷,闸前水深达 5～7m。此时应密切关注赵口闸的背水侧坡面、坡脚。由于翼墙均存有裂缝,且涵闸基础坐落在壤土及粉土之上,渗水能力较强,同时该闸土石结合部又存有不密实的隐患,在高水位洪水的作用下赵口闸可能会发生几处管涌、渗清水且有沙粒流动的较大险情。针对闸基管涌、渗水险情,闸前采用抛黏土填堵进水口,背河采用反滤层导渗。赵口闸紧临黄河,且口门较大,抛黏土工程量为 500m³;由于赵口闸临背悬差较大,背河采用下铺土工布上覆盖梢料设置复合反滤层,反滤层面积为 400m²。需土工布 400m²、柳梢料 20 000 kg、土方 200m³、编织袋 6 500 条。土方采用"就近取土"的原则,由中牟县黄河防汛办公室提出申请,按有关程序运送到位;土工布储备于赵口闸管理处防汛物资仓库,由供料小组及时供应;柳梢料为群众备料,由中牟县防汛指挥负责供应。

(6)花园口站 15 000～22 000m³/s 洪水时河势、险情预估。预估花园口站发生22 000m³/s洪水时,相应水位95.30m,4～5 小时后洪水演进至赵口闸水位站,相应水位90.77m。此时已达到防御标准,南北大堤一片汪洋。此时赵口闸乃受回溜冲刷,闸前水深达 5～7m。高水位防渗护坡偎水,最大水深达 0.50m。此时应密切关注赵口闸的背水侧坡面、坡脚、闸后渠道、坑塘。由于赵口闸防渗平台、高水位防渗护坡、翼墙均存有不同程度的裂缝,同时该闸土石结合部又存有不密实的隐患,在高水位洪水的作用下,赵口闸可能会发生漏洞、管涌、渗浑水以及高水位防渗护坡滑塌的重大险情。

(7)花园口站22 000m³/s以上超标准洪水时河势、险情预估。预估花园口站发生22 000m³/s以上超标准洪水时,此时,已超过防御标准,南北大堤一片汪洋。此时,赵口闸闸前水深在 6m 以上,高水位防渗护坡偎水深度超 0.5m,要密切关注赵口闸的背水侧坡面、坡脚、闸后渠道、坑塘。由于赵口闸防渗平台、高水位防渗护坡、翼墙均存有不同程度的裂缝,闸基渗水能力较强,同时该闸土石结合部又存有不密实的隐患,在高水位洪水的作用下赵口闸可能会发生裂缝、漏洞、管涌、渗浑水以及高水位防渗护坡滑塌等各类重大险情。由于郑州地区没有分洪、滞洪区,不管来多大的洪水,都得容得下、送得出。届时整个抗洪斗争进入最紧张时期,党政军民携手并肩筑就钢铁长城,尽最大努力,把灾害损失降到最低限度。

(8)花园口站 8 000m³/s 洪水退水时河势、险情预估。退水期期间,辖区河势将有较大的变化。随着水位的回落,主流将靠赵口闸行洪。当水位回落较快时,该闸受高水位洪水浸泡,高水位防渗护坡容易发生脱坡的险情。当洪水流量由 8 000m³/s 回落至5 000m³/s时,赵口闸将受大溜顶冲。由于水位骤降,该闸翼墙、岸墙等建筑物可能发生坍塌的险情。当洪水由 5 000m³/s 回落至 3 000m³/s 时,赵口闸将受边溜冲刷,此时该闸预计不会发生险情。

(三)险情抢护

险情抢护要贯彻"安全第一,常备不懈,以防为主,全力抢险,抢早抢小"的方针,做到服从大局、统一调度、职责明确、充分准备、规范从事、临危不惧、忙而不乱。

1.闸门失控及漏水抢堵

出现闸门失控和漏水险情后,可采用如下方法抢堵:

(1)吊放检修闸门或叠梁屯堵。如仍漏水,可在工作门与检修门或叠梁门之间抛填土料,也可在检修门前铺放防水布帘。

(2)采用框架—土袋屯堵。对无检修门槽的涵闸,可根据工作门槽或闸孔跨度,焊制钢框架,框架网格 0.3m×0.3m 左右。将钢框架吊放卡在闸墩前,然后在框架前抛填土袋,直到高出水面,并在土袋前抛土,促使闭气。

(3)大型分泄水闸抢堵的临时措施,主要是根据闸上下游场地情况,择机采用围堰封堵。

(4)对闸门漏水险情,在关门挡水的条件下,应从闸门下游侧用沥青麻丝、棉纱团、棉絮等填塞缝隙,并用木楔挤紧。有的还可用直径约 10cm 的布袋,内装黄豆、海带丝、粗砂和棉絮等混合物,堵塞闸门止水与门槽上下、左右间的缝隙。对大型闸门,应在挡水前进行启闭试验,检查止水装置密封状况,密封不严要及时更换止水装置或进行维修养护。

2.涵闸渗水及漏洞抢险

抢护漏洞、渗水的原则是"上截下排",即临水堵塞漏洞进水口,背水反滤导渗。在上游加强或增设防护体,首先应寻找漏洞、渗水进水口加以封堵,以切断漏水通道;在下游抢修反滤排水,以降低出水口处水压或浸润线,并导出渗水。

1)堵塞漏洞进水口

(1)篷布覆盖。该法一般适用于涵洞式水闸闸前临水堤坡上漏洞的抢护。覆盖用布可是篷布或土工布,幅面宽2~5m,长度要能从堤顶向下铺放至将洞口严密覆盖,并留有一定裕度。需用直径10~20cm钢管一根(长度大于布宽约0.6m)、长竹竿数根以及拉绳、木桩等。将布上、下两端各缝一套筒,上端套上竹竿,下端套上钢管,捆扎牢固。把篷布卷在钢管上,在堤顶肩部打数根木桩,将卷好的篷布上端固定,下端钢管两头各拴一根拉绳,用人工在堤上拉住。然后,两人用竹竿顶推篷布卷筒顺堤坡滚下,直至铺盖住漏洞进口。为提高封堵效果,在篷布上面抛压土袋"闭气"。

(2)水下堵漏法。当水下混凝土建筑物裂缝较大或有孔洞时,可用浸油麻丝、桐油灰掺石棉绳、棉絮等嵌堵;当裂缝、漏洞较小时,可用瓷泥、环氧砂浆粘堵塞并加压顶紧;对闸门渗(漏)水可用黏土、棉絮堵塞。

(3)草捆或棉絮堵塞。当漏洞口不大且水深在2.5m以内时,用草捆堵塞。草捆大头直径0.4~0.6m,内包石块或黏土,草石(土)重量比1:1.5~1:2.5。还可用旧棉絮、棉衣等内裹石块,用绳或铅丝扎成捆。抢险人员系上安全绳,挟带草捆或棉絮捆,靠近漏洞进口,用草捆(棉絮捆)小头端楔入洞口并用力压紧塞入,在其上压盖上袋,以使闭气。

(4)草泥网袋堵塞。当漏洞口不大、水深在2m以内时,可用草泥装入尼龙网袋填堵。填堵时分三组作业:一组装网袋,一组运网袋,一组在水中找准漏洞位置用网袋进行堵塞。

2)背河导渗反滤

渗流已在涵闸下游堤坡出逸时,为防止流土或管涌等渗流破坏致使险情扩大,需在出逸处采取导渗反滤措施。

(1)砂石反滤。使用筛分后的砂石料。对一般用壤土填筑的堤防,可按中粗砂、石屑、碎石三层反滤结构填筑。滤水体汇集的水流,可通过导管或明沟流入涵闸下游排走。

(2)土工织物滤层。土工织物滤层使用幅宽2~4.2m、长20m、厚2~4.8mm的有纺或无纺土工织物。据国内有些工程使用的经验,用一层3~4mm厚的土工织物滤层,可代替砂石料反滤层。铺设前要对坡面进行平整,清除杂草,使土工织物与土面接触良好。铺放时要避免尖锐物体扎破织物。土工织物幅与幅之间可采用搭接,搭接宽度一般不小于0.2m。为固定土工织物,每隔2m左右用"T"形钉将其固定在堤坡上。

(3)柴草反滤。柴草反滤为用柴草秸料修做的反滤设施。在背水坡,第一层铺麦秸、稻草,厚约5cm;第二层铺秸料(或苇帘等)约20cm;第三层铺细柳枝,厚约20cm。铺放时注意秸料均须顺水流方向铺放,以利排出渗水。为防止大风将柴草刮走,在柴草上压一层土袋。

3.上下游建筑物坍塌险情抢护

抢护原则是加强抗冲能力,填塘固基以降低水流冲刷能力。

(1)抛投块石或混凝土块。护坡及翼墙基脚受到淘刷时,抛石体可高出基面;护坦、海漫部位一般抛填至原设计高程。

(2)抛石笼。用铅丝或竹篾编笼,将块石或卵石装入笼内,抛入冲刷坑内。笼体一般容积为 0.5~1.0m³,笼内装石不可过满,以利抛下后笼体变形减小空隙。

(3)抛土袋。在缺乏石料时,将土装入麻袋或编织袋,袋口扎紧或缝牢后抛入淘刷坑内。袋内装土不宜过满,以便搬运和防止摔裂。人工抛投以 50kg 为宜。若用机械抛填,根据袋的强度,可加大重量。也可将土袋装入尼龙网中用机械抛填。

(4)抛柳石枕。用柳枝、苇等梢料裹块石或黏土块,捆扎成直径 0.7~1.0m、长 5~8m的柳石枕,抛入冲刷坑内。

(5)土工织物抢护。由于闸下游水流冲刷或土石结合部渗流作用造成闸下游护坡坍塌时,可根据岸坡土质,选用土工织物反滤、上压土袋进行抢护。

(6)闸后修筑壅水坝。在闸后抢修壅水坝,抬高尾水位,减缓流速,其形式类似于下游围堤蓄水平压,其实质是截断或减轻冲刷水流,避免高速水流对涵闸上下游连接建筑物的冲刷破坏。

(7)围堵。闸前抢修围堤,堵截冲刷水流,达到保护涵闸上下游连接建筑物的目的。该方法适用于闸前滩地宽阔、便于修筑围堤的情况。

4.闸基渗水或管涌抢险

抢护的原则是上游截渗、下游导渗或蓄水平压减小水位差。条件许可时,应以上截为主,以下排为辅。上截即是在上游侧或迎水面封堵进水口,以截断进水通道,防止入渗;下排(导)是在下游采取导渗和滤水措施将渗水排走,以降低基础扬压力。具体措施如下:

(1)上游阻渗。关闭闸门停泄,在渗漏进口处,由潜水人员下水用黏土袋填堵进口,再加抛散黏土封闭,或利用洪水挟带的泥沙,在闸前落淤阻渗,还可用船在渗漏区抛填黏土,形成铺盖阻止渗漏。

(2)在下游管涌或冒水冒沙区修筑反滤围井。

(3)在下游修筑围堤蓄水平压,减小上、下游水头差。

(4)下游滤水导渗。当闸下游冒水冒沙面积较大或管涌成片时,在渗流破坏区分层铺填中粗砂、石屑、碎石修筑反滤层,下细上粗,每层厚 20~30cm,上面压块石或土袋。如缺乏砂石料,亦可用秸料或细柳枝做成柴排(厚 15~30cm),上铺草帘或苇席(厚 5~10cm),再压块石或沙土袋。注意不要将柴草压得过紧,同时不可将水抽干再铺填滤料,以免使险情恶化。也可采用土工织物反滤层,上压土袋,但土工织物选择要符合反滤准则的要求。

(四)附件

(1)赵口闸抢险现场平面布置图(略)。

(2)赵口闸一般险情料物、设备保障一览表(略)。

(3)赵口闸一般险情抢护队伍组织保障一览表(略)。

(4)赵口闸较大险情料物、设备保障一览表(略)。

(5)赵口闸较大险情抢护队伍组织保障一览表(略)。

(6)赵口闸重大险情料物、设备保障一览表,见表6-10。

(7)赵口闸重大险情抢护队伍组织保障一览表,见表6-11。

表 6-10 　　　　　　　　　　赵口闸重大险情料物、设备保障一览表

名称		单位	数量	来源	储存地点	距工程距离 (km)	集结时间 (min)	负责人	通信联络
工程 材料	柳料	kg	50 000	群备	淤区料场	0.2		李××	县防汛指挥部通知
	土料	m³	11 500	国备	就近取土	0.5		冉××	2292030－4161
	土工合成材料	m²	400	国备	赵口仓库	0.1		杨××	2292030－4164
	袋类	条	7 000	国备	赵口仓库	0.1		杨××	2292030－4164
	木桩	根							
	铅丝	kg							
机械 设备	挖掘机	台	2	国备	中牟局车库	4.0	20	朱××	2292030－4191
	装载机	台	1	国备	中牟局车库	4.0	20	朱××	2292030－4191
	自卸汽车	辆	6	国备	中牟局车库	4.0	20	朱××	2292030－4191
	发电机	台	1	国备	赵口仓库	0.1	20	杨××	2292030－4164
	推土机	台	2	国备	中牟局车库	4.0	20	朱××	2292030－4191

表 6-11 　　　　　　　　　赵口闸重大险情抢护队伍组织保障一览表

工程防守责任人:李××　　　　　　技术责任人:刘××

抢险队伍名称	人数	驻地	负责人	距工程距离 (km)	到位时间 (min)	通信联络
赵口闸管处预备队	30	赵口闸	赵××	0.2	20	2292030－4274
郑州机动抢险队	68	县河务局	齐××	4.0	30	2292030－4156
亦工亦农抢险队						
群防队伍	200	三刘寨、王 庄、关家等	李××	2.0	30	县防汛指挥部通知
武警部队	100			待命		
解放军某部						

【范例 5】　杨桥引黄涵闸工程抢险预案

(一)杨桥闸基本情况

杨桥闸位于中牟县境内黄河南岸大堤公里桩号 32＋021 处,由开封地区水利局设计施工,中牟县黄河河务局管理运用。该闸为 3 孔涵洞式水闸,孔口宽 2.6m,高 2.5m,设钢木平板闸门和 15t 手摇、电动两用螺杆启闭机。设计引水流量 32.4m³/s,加大引水流量 45m³/s,设计灌溉面积 2.033 万 hm²。

该闸建于 1970 年元月,工程土方 9.130 万 m³、石方 0.251 万 m³、混凝土 0.144 万 m³,总投资 52.96 万元。

由于黄河河床逐年淤积,洪水位相应升高,闸的渗径长度不足,洞顶堤身断面和高度均不能满足防洪要求,因而于 1978 年 10 月进行改建。改建以 1995 年花园口 22 000m³/s 洪水为防御标准,洞身按原涵洞断面自旧洞出口向闸下游接长 42m,重建工作桥和启闭机房,启闭机改为 30t 手摇、电动两用螺杆启闭机。大堤外移至新接洞身上,旧洞不做加固处理,亦不再增加荷载。

新、旧洞接头处,沿旧洞出口断面顶、底板中部各凿一矩形槽,埋入塑料中止水,然后用水泥沙浆填实。考虑到新、旧洞基础沉陷差异,首节新洞预留 3cm 的沉陷量,待回填土至高程 90.30m 时,再做接头处的表止水。

杨桥闸改建工程由开封市黄河河务局组织设计施工,1980 年元月竣工。工程土方 4.787万 m^3、石方 0.148 万 m^3、混凝土 0.090 万 m^3,总投资 70 万元。

1990 年元月进行了闸门板更换和闸门轨道粘贴不锈钢板处理,总投资 12.02 万元;同年 5 月,又对沉陷缝止水、闸首高水位淹没部分和大堤临水面的防渗层进行了维修处理,耗用混凝土 0.011 万 m^3,总投资 5.21 万元。该闸自投入使用以来,为中牟县工农业发展起了重要作用,但随着马渡控导工程的完善,闸前河势发生变化,引水条件不断恶化,中常洪水下要依靠引河放水,在改建后正常运行的 13 年间,防洪闸板大部分裂缝变形,测压管部分已不通,有一孔启闭机外壳裂缝,防洪备土严重不足,给今后的防洪埋下了隐患。

(二)工程防汛备料及洪水位情况

为了充分发挥工程的效益,杨桥闸建成后交由中牟县黄河河务局管理。该闸有专职管理人员 5 人。

杨桥引黄闸为涵洞式水闸,工程地理位置特殊,临背河悬差在 8～9m 之间,是黄河防洪的重点部分。为了确保工程安全度汛,中牟县河务局在该处专门设立了防汛料物储备点,以备工程急需之用。

(1)专业料物储备情况见表 6-12。

表 6-12　　　　　　　　　　　杨桥闸防汛料物储备情况

地点	名称	单位	型号	数量	管理人	联系电话
杨桥	编织袋	条		2 000	李××	8534167
杨桥	铁丝	kg	12 号	300	李××	8534167
杨桥	绳	根	8 丈	50	李××	8534167

(2)社会备料。编织袋、麻料、铅丝、油料、彩条布、车辆、照明具等,由县防汛指挥部根据险情统一调用。

(3)群众备料。由万滩镇镇长负责筹备软料 10 万 kg、柳料 5 万 kg、袋类 360 条、草捆 900 个、木桩 900 根、彩条布 800m,按照"备而不集、用后付款"原则,由县防汛指挥部、乡防汛指挥部、黄河防汛办公室根据险情统一调度使用。

(4)杨桥闸门各级洪水位推算表见表 6-13。

表 6-13　　　　　　　　　　**2002 年杨桥闸门各级洪水推算水位**　　　　　　　　　（单位:m）

闸顶高程	防洪水位	最高运用水位	各洪水流量级(m^3/s,花园口站)相应水位						
			4 000	6 000	8 000	10 000	15 000	20 000	22 000
93.81	93.0	91.0	90.6	90.97	91.22	91.42	91.84	92.19	92.32

(三)河势分析及本年度险情预估

1.小浪底水库运用后对工程、河势的影响

2001 年小浪底水库建成并正式投入运用后,虽然使下游防洪标准有了较大的提高,但花园口站仍有发生超标准洪水的可能,黄河下游"地上悬河"的局面仍将长期存在。小浪底水库下泄清水,险情有可能增加。小浪底水库的运用对防御特大洪水将发挥很大作用,但对下游河道整治工程来说,将出现一些新情况、新问题。三门峡水库运用初期(1960~1964年),含沙量较小的清水下泄,使下游约4万hm²滩地塌入河中,造成河势发生很大变化,险情不断;而2001年小浪底水库正式投入防洪运用,也将长时间下泄清水,同样会遇到类似的问题。水库运用初期,出库水流含沙量较小,势必发生河槽下切、河势变化、河岸坍塌、工程出险等情况。现有河道整治工程对下泄清水需要逐步适应,工程出现险情和抢险所用料物均会大量增加,出险部位也较难预料。特别是对新修河道整治工程,由于根基不牢,出险将加剧。

下游河道具有"宽、浅、散、乱"的特点,中常洪水也难固定流路,主流多变,经常发生"横河"、"斜河",大洪水时易出现"滚河",造成重大险情。小浪底水库的运用控制了上游的来水来沙,使较大洪水的发生几率降低,使中小洪水的下泄由汛期转变为常年。从近年的主流线变化情况分析,中牟辖区太平庄地段极易发生"滚河",主流顺堤行洪。小浪底水库建成后,虽然下游河势摆动比三门峡水库运用初期可能要小,但河势游荡不定等问题依然存在。

2.河势、险情预估

杨桥闸工程防守预案以花园口站流量为分级依据,分为4 000m³/s,4 000~6 000m³/s,6 000~8 000m³/s,8 000~10 000m³/s,10 000~15 000m³/s,15 000~22 000 m³/s及22 000 m³/s以上等七个流量级。

(1)花园口站4 000 m³/s洪水时河势、险情预估。杨桥闸前水位表现90.63m(大沽高程)。据对1949~1984年河南黄河河势图套绘分析,黄河自桃花峪流出后,桃花峪至九堡河势基本流路为:桃花峪—老田庵—保合寨—马庄—花园口—马渡—三坝—杨桥—赵口—九堡险工。河势"宽、浅、散、乱",游荡性大,经常上提下挫,出现"斜河"、"横河"现象,顶冲工程。近几年来,随着花园口、双井、马渡、武庄、赵口、九堡等河道整治工程的修建完善,马渡—九堡河势初步稳定。1992年后,河势基本流路为:马渡险工—武庄工程—赵口险工—张毛庵滩—九堡下延。杨桥险工中小洪水靠河几率大幅度减小,预估当花园口站出现4 000m³/s洪水时,杨桥闸前9~10号坝坝根低滩部分上水深0.9m,闸管人员加强工程各部观测,涵闸正常运行,预计无险情发生。

(2)花园口站4 000~6 000m³/s洪水时河势、险情预估。杨桥闸前水位表现90.97m,据对1949~1984年河南黄河河势图套绘分析,黄河自桃花峪出流后,桃花峪至九堡河势基本流路为:桃花峪—老田庵—保合寨—马庄—花园口—马渡—三坝—杨桥—赵口—九堡险工,河势宽浅散乱,游荡性大,经常上提下挫,出现"斜河"、"横河"现象,顶冲工程。近几年来,随着花园口、双井、马渡、武庄、赵口、九堡等河道整治工程的修建完善,马渡—九堡河势初步稳定,1992年后,河势基本流路为:马渡险工—武庄工程—赵口险工—张毛庵滩—九堡下延。杨桥险工中小洪水靠河几率大幅度减小,预估当花园口站出现4 000~6 000m³/s洪水时,杨桥险工10号坝坝前水位表现为90.97m(大沽高程),杨桥闸前偎水深1.9~2.1m,根据闸门设计要求(闸门最高运用水位91.0m),届时关闭闸门停止运用,预估闸门无险情发生。

(3)花园口站 6 000～8 000m³/s 洪水时河势、险情预估。杨桥闸前水位表现91.22m，根据对"96·8"洪水在中牟辖区的运行情况分析，预估杨桥险工以上马渡控导工程将全部漫顶过水，郑州铁路桥以下主流线基本流路为：马渡险工—武庄工程—赵口险工—张毛庵滩—九堡下延。杨桥险工 1～17 号坝小边溜，其余工程漫水，杨桥闸前水深 2.4m，预估杨桥闸无险情发生。

(4)花园口站 8 000～10 000m³/s 洪水时河势、险情预估。杨桥闸前水位表现91.28～91.49m，根据对"96·8"洪水、"82·8"洪水在中牟辖区的运行情况及近几年河道淤积情况综合分析，预估杨桥险工以上马渡控导工程将全部漫顶过水，郑州铁路桥以下主流线基本流路为：马渡险工—武庄工程—赵口险工—张毛庵滩—九堡下延。预估 1～17 号坝将靠边溜，18～34 号坝靠小边溜，同时考虑控导工程有可能受大溜冲刷而跑坝，杨桥险工1～17号坝也有可能靠大溜。杨桥闸靠小边溜，闸前水深 2.4m，预估杨桥闸无险情发生。

(5)花园口站 10 000～15 000m³/s 洪水时河势、险情预估。郑州铁路桥至九堡河势在中常洪水下基本流路为：马庄工程下首—东大坝下延—双井工程—马渡险工—武庄工程—赵口险工—张毛庵滩—九堡下延—三官庙—黑石工程。靠溜几率从时间表说，马渡、赵口、九堡下延几率增加，杨桥、万滩逐年减少，武庄和张毛庵滩靠溜增加。当花园口出现 10 000～15 000m³/s 洪水时，根据对"96·8"洪水、"82·8"洪水在中牟辖区的运行情况及近几年河道淤积情况综合分析，杨桥险工 1～17 号坝靠大边溜，18～34 号坝靠边溜；杨桥闸前水位表现 91.49～91.91m，预估杨桥闸门可能会出现闸门漏水一般险情，可采用闸门失控及漏水的一般抢堵方法进行抢护。预估抢险用料：编织袋 8 000 条，黏土 2 500m³。

(6)花园口站 15 000～22 000m³/s 洪水时河势、险情预估。根据对"96·8"洪水、"82·8"洪水在中牟辖区的运行情况及近几年河道淤积情况综合分析，当花园口站出现 15 000～22 000m³/s洪水时，主溜趋直居中，杨桥险工 1～17 号坝靠大边溜，18～34 号坝靠边溜；杨桥闸前水位表现 91.91～92.39m，预估杨桥涵闸可能会出现建筑物土石结合部渗水、闸基渗水等较大险情，可采用涵闸渗水及漏洞的一般抢险方法进行抢护。预估抢险用料：编织袋 15 000 条、黏土 3 500m³、土工反滤布 3 500m²、砂石反滤料 1 500m³。

(7)花园口站 2 2000 m³/s 以上超标准洪水时河势、险情预估。根据对"96·8"洪水、"82·8"洪水在中牟辖区的运行情况及近几年河道淤积情况综合分析，当花园口站出现 22 000m³/s以上超标准洪水时，大河主溜趋直居中，杨桥险工全线靠大溜，闸前水深 4m 以上，水位表现92.39m 以上，预估杨桥闸门可能会发生建筑物上下游坍塌、闸基渗水或管涌等较大或重大险情，可采用涵闸渗水、漏洞及上下游建筑物坍塌的一般抢护方法进行抢护。预估抢险用料：编织袋 21 000 条、黏土 3 500m³、土工反滤布 5 000m²、砂石反滤料 3 500m³。

(四)附件

(1)杨桥闸抢险现场平面布置图，见图 6-15。

(2)杨桥闸专业防汛料物运输图，见图 6-16。

(3)杨桥闸社会备料运输图，见图 6-17。

(4)杨桥闸一般险情料物、设备保障一览表(略)。

(5)杨桥闸一般险情抢护队伍组织保障一览表(略)。

(6)杨桥闸较大险情料物、设备保障一览表(略)。

(7)杨桥闸较大险情抢护队伍组织保障一览表(略)。

(8)杨桥闸重大险情料物、设备保障一览表,见表6-14。

(9)杨桥闸重大险情抢护队伍组织保障一览表,见表6-15。

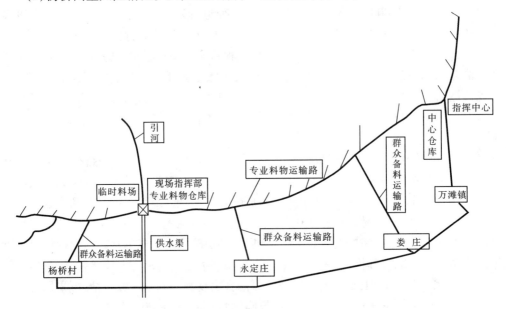

图 6-15　杨桥闸抢险现场平面布置图

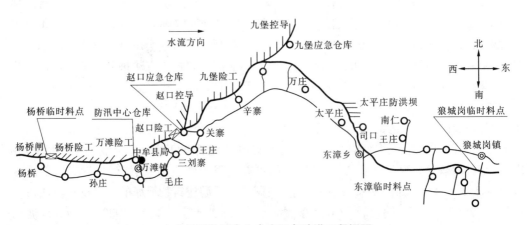

中牟县河务局中心仓库至各防洪工程运距

工程名称	杨桥闸	杨桥险工	万滩险工	中心仓库	赵口险工	赵口控导	九堡险工	九堡控导	平工段
公里桩号	32＋021	30＋968～ 35＋514	35＋514～ 40＋363	38＋240	40＋363～ 44＋820	43＋000	44＋820～ 49＋270	49＋300	49＋270～ 70＋250

图 6-16　杨桥闸专业防汛料物运输图

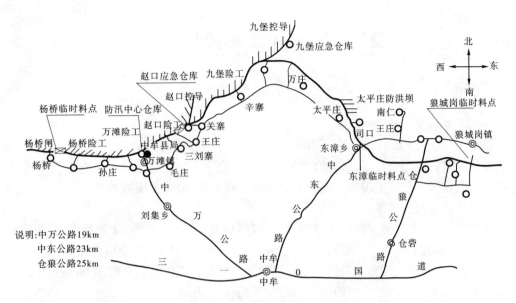

图 6-17　杨桥闸社会备料运输图

说明：中万公路19km
　　　中东公路23km
　　　仓狼公路25km

表 6-14　　　　　　　**杨桥闸重大险情料物、设备保障一览表**

名称		单位	数量	来源	储存地点	距工程距离（km）	集结时间（min）	负责人	通信联络
工程材料	石料	m³	1 500	国备	坝顶	0.05		邵××	
	土料	m³	7 500	国备	就近淤区里	0.15		李××	
	柳料	kg	11 520	群备	料场	0.15		李××	县防汛指挥部通知
	秸草	kg	2 000	群备	料场	0.15		李××	县防汛指挥部通知
	芦苇	kg	2 000	群备	料场	0.15		李××	县防汛指挥部通知
	土袋	kg	3 000	国备	6.5km 处	6.5	32	兰××	4193
	土工合成材料	m²	1 500	国备	局仓库	6.5	32	兰××	4193
机械设备	挖掘机								
	装载机	台	2	国备	局车库	6.5	10	朱××	4191
	自卸汽车	辆	3	国备	局车库	6.5	10	朱××	4191
	发电机	台	1	国备	局车库	6.5	10	朱××	4191
	推土机	台	1	国备	局车库	6.5	10	朱××	4191

表 6-15　　　　　　　**杨桥闸门重大险情抢护队伍组织保障一览表**

工程防守责任人：李××　　　　　技术责任人：王××

抢险队伍名称	人数	驻地	负责人	距工程距离（km）	到位时间（min）	通信联络
杨桥工程班组	10	杨桥涵闸	李××	0.02	10	4167
郑州机动抢险队	74	中牟县河务局	齐××	6.5	20	4156
亦工亦农抢险队	50	万滩镇杨桥村	李××	0.5	15	县防汛指挥部通知
群防队伍	304					
1. 万滩	84	万滩村	李××	6.5	30	县防汛指挥部通知
2. 杨桥	140	杨桥村	李××	0.5	15	县防汛指挥部通知
3. 孙庄	80	孙庄村	李××	5	25	县防汛指挥部通知
武警部队						
解放军某部	800	荥阳				待命

第三节　涵闸工程抢险实例

【实例 1】 京杭大运河江苏省扬州市通运闸整体倒塌抢险

(一)基本情况

1991 年 7 月 15 日,江苏省扬州市的通运闸(位于京杭大运河上)上有一段 4m 多长的桥闸顷刻间整体倒塌失事,洪水将沿岸树木、工厂、农田吞噬。决口处水流直泻,100 多公斤重的大石块乃至几个土袋捆绑成的大块体一丢到水里,都会很快被洪水冲走。

(二)抢险措施及效果

危急之际,将十几艘水泥船和驳船、两部汽车以及集装箱、土袋、巨大石块、砖块等抛入,次日在通运河上形成了一道新坝,才暂时解除了险情。接着,结合重建通运闸时的施工运输和围堰的需要,抢建二道坝。二道坝的戗台以土工织物土袋垒筑,下游坡铺土工织物粗砂袋做排水反滤。在戗台的上游面铺土工膜防渗,至坡脚处向上游水平延伸 7m,压土工织物土袋固定,然后在上游填黏性土坝体,形成新的挡堤。

【实例 2】 湖北省新洲县举水汪套堤底部一座涵洞抢险

(一)基本情况

1997 年 7 月 10 日凌晨,湖北省新洲县举水(内河)汪套堤底部有一涵洞门被洪水冲开。该涵洞是自来水厂取水用的穿堤建筑物,出险时举水河水位超过街道地面 4～5m,堤坝是宽 8m 的沥青路面。涵洞门被冲开后,河面上形成直径 1m 大小的漩涡,过洞流量为 2～3m³/s,流速为 2.6～3.8m/s,洞口两侧土体迅速垮塌,形成约 20m 宽的外脱坡。

(二)抢险措施及效果

当地群众乘船打木桩数次均失败。后用重约 90kg 的小麦包抛投也都穿洞而过,但探明了洞口。随后用铅丝将 3 包粮食捆在一起抛填,堵塞洞口,但当抢险物料用完时,漏水洞仍没有被完全堵住,外坡继续坍塌,洞口出水量又增大到 2～3m³/s。最终采取将油布拖到河边,其一侧在堤上,另一侧在船上,把粮包、砂袋、土袋都堆在油布两侧边上,让油布和压重一起沉入水底。沉第一块时效果不好,沉第二块时把压重堆放在油布中间,沉下后,洞口出水量立即减小到小于 1m³/s,水面漩涡也消失。此后又在迎水面筑起了一道长 30m、高 10m 的新堤,并在背水坡洞口做了反滤围井,用土工织物土袋修复已坍塌的堤身,才算排除了险情。

【实例 3】 湖北省汉川市汉北河堤民乐闸闸门变形漏水

(一)基本情况

1998 年 8 月 8 日,民乐闸在超历史最高洪水位 0.63m 时,在 18 时 20 分,闸门出现漏水,且漏水量逐渐加大并形成水柱射流,水雾弥漫,闸门桁架支撑突然失稳,双悬臂式结构闸门左右两侧变形脱槽,闸门中间顶部整体扭曲变形,造成汉北河洪水向内渠冲泄,估计初始流量 120m³/s。

(二)抢险措施及效果

险情发生后,有关部门立即组织力量在闸外以沉船、沉汽车等进行封堵,截至8月9日凌晨,已沉船5艘、汽车91辆及块石、预制板等大量器材,但险情仍未得到控制,进水量仍急剧增大,两侧闸门断裂加剧,最终使两侧闸门各宽4.5m的闸孔全断面过流,宽14m的中孔闸门周边射水量同步加大。12时左右,实测流量为450m³/s,流速4m/s左右,闸前、后水位差仍在5m以上。外抛堵闸抢护工作不得不暂停,另研究确定了下述抢险方案。

(1)以确保闸身安全为主,防止发生倒闸事故,在出水口(即内渠)建筑物底部边缘抛填钢筋石笼,消减水能,防止掏空底部,8月9日已抛石笼2 000余个。

(2)研究和寻求上游抢堵最佳方案,积极筹集封堵物料,调集部队1 000人。

(3)启用刁汊湖蓄洪区和调洪区。汉川泵站和分水泵全力抢排。

(4)用防汛土袋加高加固东干渠和民乐干渠东堤,确保城关和汉川电厂安全。

制定闸门全部冲走后内湖洪水调度方案。8月10日采用3 000个钢筋铁丝网石笼进行抛堵,形成透水战堤,再抛石形成坡面。然后依次抛防汛土袋堵水。11日16时正式开始抛笼堵口,24h共抛石笼1 700m³。石笼高出水面,平了闸顶公路,进水流量大为减少。当时上下游水头差也有3m多,流量93.5m³/s,流速仅为0.35m/s,决定不再进行抛填。封堵工作基本按预定方案完成。

【实例4】 长江苏南运河谏壁闸闸门崩毁抢险

(一)基本情况

谏壁节制闸位于江苏省镇江市东郊谏壁镇,是扼守苏南大运河的北大门,集挡洪、排涝、灌溉、调节苏南运河航运水位等多种功能于一体的重要水利控制工程。它与邻近的谏壁船闸、谏壁抽水站共同组成一个与长江衔接的大型水利枢纽。该闸始建于1958年,1959年汛前竣工投入使用。全闸计有15个闸孔,每孔净宽3.8m,闸总净宽57m。闸底板顶面高程-0.4m(吴淞基面,下同),闸孔净高10.6m。闸门为上、下扉结构,下扉门-0.4~4.4m,上扉门4.2~9.1m。工作桥面高程12.5m,桥宽4.0m。配备15台8t滚珠丝杆启闭机,内河侧设公路桥,桥面高程10.7m,桥宽7.0m,荷载等级为汽-10,拖-60。

该闸设计灌溉面积16.7万hm²,排洪面积7.3万hm²,设计灌溉保证率为95%,排洪标准为20年一遇,挡洪标准为100年一遇。设计最大引水流量为500m³/s,设计最大排涝流量为980m³/s。

1996年7月30日凌晨6时,谏壁闸8号孔发现轻微漏水。7月31日谏壁闸8号孔下扉门崩毁,咆哮的江水以超过120m³/s的流量涌入苏南运河,形势十分危急。

(二)出险原因

谏壁闸8号孔闸门崩溃失事,原因是多方面的,根据对原有设计文件、竣工图纸的分析和汛后排水后的全面勘查,主要原因如下:

(1)门体结构不尽合理。该闸原为木闸门,"文革"期间改为全钢丝网薄板叠梁式闸门。经查阅原来设计计算书,它既不是正规设计部门设计,也未经认真审核。这种形式的闸门整体性很差,叠梁和端柱仅依赖直径6.5mm螺栓连接,其构件未受破坏时是能够承受静水压力的,但一旦闸门形成局部破坏,极易引发闸门的全面崩溃。而8号孔闸门恰恰是从局部破坏开始的。经综合分析,8号孔闸门崩溃始于闸底止水木首先被撕裂,随后越来越大的底孔出流使闸门产生剧烈的抖动,继而导致闸端柱槽钢与钢丝网薄壳叠梁摩擦损坏后相互分离。

(2)闸门严重老化。经打坝抽水后对闸门残骸的检测,下扉门端柱锈蚀严重,10mm厚的端柱钢板平均锈蚀达3mm,端柱与叠梁的连接螺柱锈蚀更为严重,普遍呈针状,少数断为两截。空心钢丝网薄板叠梁表面混凝土碳化严重,多处发现露筋情况,闸底止水木严重腐烂,造成闸门严重老化失修。

(3)长江发生超历史高潮位。从7月23日开始,长江由于上中游来水量增大,下游高潮位顶托,谏壁闸外出现持续高潮位,8月1日最高潮位达8.34m,超过历史最高潮位(8.06m)0.28m。

(4)管理工作明显滞后。

当然,谏壁闸的出险是上述诸多因素综合作用的结果。全闸15孔中仅8号孔闸门出事,还有一个不可忽视的因素,即相对于其他各孔而言,8号孔闸门为中孔,启闭最为频繁,这在一定程度上也缩短了闸门的使用寿命。

(三)可能造成的危害

谏壁闸8号孔闸门的溃毁,其主要危害有二:一是影响闸身整体稳定,并可能导致整闸破坏;二是给太湖和湖西地区的防洪安全构成巨大威胁。

(四)抢险措施及效果

谏壁闸抢险主要分为三个阶段。

1.第一阶段

8号孔下扉门崩毁之前。从7月30日闸上值班人员发现8号孔闸门严重漏水至其彻底崩溃,先后实施了3套抢险方案。

(1)吊放检修闸门。该闸长江侧设有检修门槽,并备有一组检修钢闸门。7月30日凌晨6时发现险情,8时管理单位领导就组织人力用电动葫芦吊放检修门,但因闸门严重漏水后水压力过大,4扇检修门(每扇高1m)吊入门槽后无法继续下移到底板。

(2)抛投铅丝笼。9时左右,管理单位在向其上级主管部门镇江市水利局汇报的同时,开始实施第二方案,即用新棉胎卷囊黄砂,外套麻袋,再以铅丝扎成长3.8m、直径60cm的筒形笼子,于13时抛入8号闸孔,结果立即被湍急的水流卷走。

(3)抛投钢质框架。14时左右,抢险人员开始利用角铁、钢筋组焊长方体框架,20时,长3.7m、宽0.5m、高1.1m,内装水泥桁条和黄砂、棉絮的钢质框架被推入8号闸孔,但仍为激流吞没。

在对前3套方案失败原因认真分析的基础上,现场领导和工程技术人员研究提出了第4套方案,即用槽钢和角铁焊成方格形栏栅放入检修门槽,再以大量麻袋灌土抛入钢栏栅前封堵。但此方案未及实施,8号孔闸门已彻底崩毁。

2.第二阶段

7月31日晚8号孔闸门被冲毁后,抢险形势非常紧张。各级领导迅速赶到现场,听取汇报,组织技术人员和工人紧急磋商抢险方案并付诸实施。

(1)7月31日22时许,由经验丰富的起重工吊放钢栏栅。因此时闸门已破,闸孔内流速在5m/s以上,钢栏栅在沉离底板1m多时再也不能下沉,致使麻袋封堵无法进行。

(2)沉船杀流。8月1日凌晨,抢险指挥部决定紧急征调4艘60t钢驳,在8号孔闸墩前沉船截流。8月1日8时30分,第一艘装满块石的钢驳通过定位、灌水后准确地在8号孔闸墩前下沉,过闸流量迅速减小至60m³/s。10时30分,第二艘船准确沉叠在第一艘之上,流量减小到48m³/s,至当日19时,第四艘船下沉到位,流量减至不足20m³/s。

(3)钢管锚固。通过沉船措施,过闸流量虽明显减小,但险情仍未解除。为填补钢栏栅与闸底板之间1m多的空间,工程技术人员提出钢管锚固的方案,即以6根直径60mm的钢管,分别插入闸底,上端锚焊在钢栏栅上。20时许,6根钢管锚固结束。

(4)麻袋封堵。钢管锚固后,检修门槽上形成了完整的钢栏栅。不断地将装满黏土的麻袋抛填在钢栏栅前。为防止麻袋被冲走,开始抛填时先抛填了10余个钢丝网兜,每个网兜内装麻袋15～20个,重在2t以上。至8月2日0时,共抛填麻袋1 000余只,8号孔封堵取得成功。

3.第三阶段(巩固阶段)

8月2日开始,抢险指挥部组织对其他闸孔进行检查,发现3号、7号、9号孔闸门漏水量呈增大趋势,为防患于未然,当即请求省防汛指挥部调运方木、槽钢各200余根,紧急制作预备门5组并吊入2号、3号、7号、9号、13号孔的检修门槽,形成了第二道防线。至8月4日,抢险最紧张的阶段告罄,工作转入水下检查阶段。

(五)经验教训

1.主要经验

(1)指挥和保障有力。谏壁闸出险后,省委、省政府、市委、市政府和省水利厅领导十分重视,多次亲临现场指导抢险,思想明确,并专门成立了"谏壁闸抢险指挥部"。因此,抢险工作虽然紧张,但一个中心指挥,做到了忙而不乱。与此同时,抢险指挥部设立了专家组、后勤保障组、安全保卫组,职责明确,对科学决策和抢险方案的顺利实施发挥了保证作用。

(2)坚持科学决策、果断决策。一套方案失败后,迅速分析失败原因,制定新的方案。从技术措施看,谏壁闸抢险的成功,沉船截流和在检修门槽设置钢栏栅起了关键作用。

2.应吸取的教训

在抢险开始阶段对在动水状况下检修门无法沉底认识不足,发现险情后仍按常规吊放检修门,结果导致失败,贻误有利的抢险时机。事实上,检修门一般是为汛后在静水状态下维修主闸门配备的,其两端与门槽为面接触摩擦,动力状态下阻力很大,根本无法沉底。事后设想,如检修门亦设置滚轮,在适当外力作用下或许能在动水状态下顺利下沉。

【实例5】 洞庭湖民主阳城垸篙子港交通闸管涌抢险

民主阳城垸位于湖南省常德市,1998年7月遭受了历史罕见的洪水袭击,洪峰水位高出1954年2.25m,高出1996年0.8m。位于澧水大堤144+591处的篙子港交通闸附属工程1998年7月23日发生管涌,经及时抢护,化险为夷,保住了大垸安全。

(一)基本情况

篙子港交通闸是民主阳城垸 7 乡(镇)2 场工农业产品进出澧水的主要交通码头,兴建于 20 世纪 80 年代中期。结构型式为浆砌石墙、钢筋混凝土底板的开敞式交通闸,闸顶高程 41.40m,底板高程 38.20m,侧墙净高 3.2m,底宽 4m。大堤顶高程 41.40m,面宽 10m,迎水面平台高程 35.20m,堤内地面高程 33.00m,内坡坡比 1:3,外坡坡比 1:2.5,堤身为人工填沙黏土。1996 年高水位时,曾出现墙身底板渗漏险情,因水位不太高,仅作反导滤处理度汛。

1998 年 7 月 22 日,据市防汛指挥部的水情预报,预测该处水位将达到 40.70m,立即命令防守单位将闸门关闭,并安排 1 名干部负责,30 人重点防守。

7 月 23 日 0 时许,外河水位 38.60m 时,发现两侧墙闸首部有几处渗流;3 时许,水位达 38.90m 时,两侧墙和底板共有 22 处鼓水涌沙,大的直径 1.5cm,小的直径也有 0.5cm,涌水柱高达 0.7m 以上,并带有堤身泥土。渗水总流量在 0.5m³/s 以上,随着水位的增长,流量也逐渐加大。

(二)出险原因

建闸前这里历史最高水位只有 38.21m,堤面宽只有 8m,顶高程 40.8m,因此,在设计思想上对澧水可能出现的洪水考虑不足,闸墙两侧及底板未设防渗墙,随着洪水位逐年升高,大堤经过两次培修加固,闸体也相应加修。但工程质量较差,培埋不实,使墙身与土体结合不好,形成薄弱环节,加之对 1995 年、1996 年两次高水位造成的损伤未作彻底处理,而 1998 年水位更高,使险情扩大。

(三)抢险措施

23 日 3 时 15 分垸防汛指挥部的领导和工程技术人员赴现场勘察险情,分析了原因,研究决定采用"外堵内导"的抢险措施,迎水面用彩条布铺坡(总长 60m)以防渗,砂卵袋压实彩条布,厚 1m,闸内用土袋围堰,再用砂砾石导滤。施工中安排了近百名劳力水上作业,先将彩条布绑块石沉入坡底,上用人拉平,放到底,然后用砂砾袋压死,并在布上普遍压厚 1m 出水。闸内漏水处先铺砂厚 0.2~0.3m,后用砂石压 0.8~1m,四周用袋装土围堰。

(四)体会

(1)堤防建设要立足于抗大洪。穿堤建筑物,在设计上要依照防洪标准,充分考虑可能出现的高水位;在施工上要切实保证工程质量,已经出现的险情要及时作彻底处理。

(2)要贯彻抢早、抢好、抢了的方针。任何险情的发展,都有一个由量变到质变的过程,因此必须把险情处理在萌芽状态,汛期不能彻底处理的,也要在冬季作彻底处理,不能因小失大。

(3)要有足够的人力和物力,保证抢险的需要。

【实例6】 洞庭湖三合垸龙井闸闸底板管涌抢险

(一)基本情况

三合垸位于湖南省岳阳市新墙河中下游。1955 年建成,保护面积 1 140hm²,人口 1.1 万,垸内有 107 国道 8km 和京珠光缆。该垸防汛地位十分重要,列入岳阳市必保堤垸之一。龙井闸位于大堤 3+700 地段,1974 年 10 月建成,为预制混凝土砖拱形结构,宽

2m,底板高程 30.76m,表层土质为轻黏土,下部地质构造不明。

(二)险情概述

该闸管涌发生、发展分两个过程。

(1)第一过程从 7 月 4 日到 8 月 25 日。7 月 4 日晚 21 时,外湖水位 34.4m,内湖水位 29.2m,巡逻中,发现在距进口 5m 的地方出现管涌,管涌直径 18cm,流量 3L/s,并严重挟沙出流。随后,下水探查,发现周围水温低,通过对该点的压渗后,管涌范围扩大,约 21m²,管涌出逸点增到 4 处。

(2)第二过程从 8 月 26 日开始。外湖水位 35.7m,在第一次出现的管涌点位置,重新出现翻沙鼓水,直径约 15cm,挟沙程度一般。

(三)出险原因

形成该管涌的主要原因如下。

(1)出口消力池彻底破坏,将出口冲成深坑。根据潜水员探明的情况,坑深达 4m,高程约 27m,面积 30m²,在闸室出口形成陡坎。由于冲坑底板高程低于外河河滩沙洲高程,将透水性强的沙层裸露出来,在闸底板形成了强透水通道,使闸室底板渗径大为缩短。

(2)进口底板没有设带反滤层的浆砌石(或混凝土)底板,闸基础在扬压力作用下,在进口使土层破坏,形成管涌。第一次破坏时,当闸基透水通道形成后,忽略沙基水力坡降的损失,则水力坡降为 5.2/3=1.73。这样高的水力坡降容易使土体失稳。

(3)渗径太短。由于该闸靠近河床位置,下部沙基础高程较高,土壤保护层较薄,渗流网分布不均,主要由进出口土层控制渗流。一旦土层破坏,则易发生管涌。

(四)抢险措施

在管涌初次发生后,根据管涌形成的原因,在制订抢险方案时,按照轻重缓急,分两步组织抢险。

(1)第一步,采用卵石导滤,控制泥沙带出。管涌发生后,一方面立即向县防汛指挥部报告,一方面组织 10 余部拖拉机抢运卵石,100 余名劳力灌包装卵石,将管涌周围用卵石包垒起,然后,填压卵石,面积约 21m²,卵石厚度 1.3m。抢险工作从 7 月 4 日 21 时 20 分开始,到 7 月 5 日 4 时结束。

(2)第二步,作蓄水减压方案。在进水渠 30m 位置做土坝,土坝高 3.6m,坝面高程达 33.8m,长 9m,底宽 4m。从 7 月 5 日 8 时开始,到 11 时 40 分结束。土坝蓄水后,坝内外水位差降至 1.6m。

通过上述措施,险情得到控制,渗水量稳定,蓄水池水质清澈,管涌发生、发展第一过程结束。由于外河水位的持续上涨,8 月 26 日,当外河水位达到 35.7m 时,巡查人员发现在原管涌位置出现翻沙鼓水,为做到彻底控制管涌,迎战第六次洪峰的到来,一方面组织劳力继续用卵石导渗,控制泥沙带出;另一方面,在外湖进行封堵。首先,自卸船将冲坑用砂填平,高程 30.67m;再通过潜水员将油布铺平,完全遮住填平后的砂堆;尔后,在油布上面压砂。通过 6h 的战斗,外湖封堵结束,根据后来数日观察,管涌完全被控制住,出水流量也明显减少。

(五)体会

(1)病险涵闸处理一定要在秋冬修时抓紧扫尾。龙井闸消力池破坏已久,致使消力池变成深坑,冬季就发现它有可能威胁涵闸,但由于资金不落实,没能及时维修,致使汛期出现重大险情,耗费大量的人力物力。据计算,该处抢险共耗用木材 1.2m³、卵石 1 153m³、河砂 150m³、油布 1 张、土 136m³、编织袋 2 600 个,共计经费超过 1 万元。如及时处理,费用不超过 0.3 万元。

(2)抢险方案制订轻重有序。发生管涌先用卵石控制挟沙水流,以急、重优先,再做蓄水减压方案,抢险有序,有条不紊。

【实例 7】 洞庭湖安保垸大鲸港交通闸底板翻沙鼓水抢险

(一)基本情况

大鲸港交通闸位于湖南省安乡县大鲸港镇,安乡大桥以上 60m 处。该闸建于 20 世纪 80 年代中期,闸身宽 4m、高 4.5m、长 12m,钢筋混凝土结构;前后扩散段长各 4.5m,浆砌石结构,底板高程 37.1m。附近堤面高程 41.6m、宽 8m,内外坡 1:5.5。堤顶以下 5m 内坡设宽 5m 平台,堤脚防汛公路宽 7m,路面高程 35.0m。

1998 年 7 月 22 日下午,当外河水位 40.10m 时,在内扩散段与闸墙结合处底部发生翻沙鼓水。随着洪水位的升高,渗水时间延长,涌水量逐渐增大。在处理第一处后扩散段与底板接合处又连续发生了 3 处涌水点,涌水孔径 0.12m,水柱高由原来的 0.2m 增加到 0.8m。

(二)出险原因

险情出现后,安保垸防汛指挥部领导与技术人员共同研究认为,该堤段是 20 世纪 80 年代由内向外移筑的临洪大堤,基础原是坑塘,处理不够彻底,闸体石墙培箱不够密实。经查,90 年代几个大水年汛期都有较小量的翻沙鼓水,没有作大的处理,以致培箱与主体结合部被淘空而形成管涌。

(三)抢险措施

当对第一个险点用砂卵石按三级导滤处理后,接连出现 3 个险点,迅速决定按前堵内导的抢护原则分前后同时进行抢护。

(四)抢险施工

一方面组织 300 名劳力、30 辆手扶拖拉机从 600m 远的荒地取土封堵闸门,封堵墙高于洪水位 0.5m;另一方面组织 100 名劳力、10 辆手扶拖拉机在堤内修围堰,围堰高1.4m,灌水 1m 深减压;并将 3 个险点连片用砂、石导滤,控制了险情。本次抢险共出动劳力 2 000 人,用黄砂 120m³、砾石 200m³、编织袋 5 000 条、土方 1 500m³。

(五)经验教训

为了根除险情,洪水退后对闸基开挖,发现闸尾端基础填有 2.5m 厚的煤渣,同时在培箱中有直径 0.15m 的空洞,故决定对该闸实施废除处理。

【实例 8】 洞庭湖育乐垸北岭闸管壁外集中渗水抢险

(一)基本情况

育乐垸北岭闸位于湖南省南县中鱼口乡,建于 1960 年。孔径为 0.7m 的钢筋混凝土圆管,底板高程 29.1m,管身长度 42m,导墙高程 32m,导墙长度 3m,前八字墙长 2.1m,第一节管身长度 1.5m。闸门为钢筋混凝土结构。此处堤顶高程 38.30m、宽 8m,堤身填土为淤泥质土,外河滩高程 32m。该闸于 1984 年 3 月将闸门封闭后,前扩散段部分基本淤至河滩高程,内引水渠也淤塞。在 1996 年发生特大洪水时,该闸经受了最高水位 37.48m 的考验,没有发生险情。

1998 年 7 月 27 日 6 时 30 分,外河水位达到 37.50m,守闸队员检查发现,在其内引水渠与管道出口一字墙的结合部位突然鼓浑冒泡,在 5～6min 时段内,明显出现浑水,并很快形成高约 1.5m 的水柱,在不到 30min 内,水柱增高,达到近 2m,出水量约为 200mm 水泵的水量。通过潜水员对进口水下探摸发现,该闸北面的淤塞土方出现裂缝,宽约 0.05m,导墙底板沉陷,水从管道外渗入,险情继续发展,有可能造成大堤溃决。

(二)出险原因

(1)工程质量因素。由于该闸兴建年代较早,当初在管身分节上处理不当,第一节伸缩缝离启闭机台部分仅 1.5m,其余均为 5m 一节,经多年运行后,柏油杉板老化损坏,外侧填土在水压作用下,沿伸缩缝冒出,在管壁外围形成空洞。

(2)汛情因素。7 月 27 日水位 37.50m,超 1954 年水位 1.06m,超 1996 年水位 0.02m。由于水位高,渗透压力超过了土壤承受水渗透压力极限,使土体随渗水沿管壁流动。

(三)抢险措施

抢险采取了"外闭、内抬"同时进行的方案。

(1)外闭。即在堤防的临河侧,对建筑物的进口外侧用棉絮铺贴,并以启闭机台柱为中心,向四周各延伸 15m,采用黏土封堵。

(2)内抬。即在建筑物出口 10m 的渠道上,修筑土坝,抬高内水位,减少渗透压力并在出口处采用砂、石导滤,防止土体的过快流失。

(四)抢险过程

7 月 27 日 6 时 30 分发现险情后,迅速报告到乡指挥所,并向县防汛指挥部报告,乡防汛指挥部在极短的时间内组织 1 600 名抢险队员到达现场,实施抢险。至 28 日 1 时,在闸管进口处已填土 1 000m³,内围土坝 200m³,内抬水位 1.5m,砂、石导滤 30t 的条件下,险情基本得到控制。为进一步防止险情恶化,乡防汛指挥部继续组织劳力 4 500 人,历时 3 昼夜,外帮土方 4 500m³,内修土坝 800m³,内抬水位 2.1m,即达 33.10m,内外水头差仅剩 4.40m,砂石导滤 75t,至此,险情解除。

(五)经验及教训

(1)抢险成功的主要经验。一是防守、抢险组织得力,险情发现及时,没有恶化,同时在极短的时间内组织 1 600 名劳力抢险,抢在险情的初期,争取了主动;二是险情判断准确,决策果断,"外闭、内抬"同时进行,达到了良好的效果。

(2)吸取的教训。对于自然淤塞废弃的闸涵必须彻底根治,不能存在侥幸心理,由于涵闸已废弃,汛前检查不便利,难以发现隐患,就给防汛抗灾带来隐患。

第七章 涵闸除险加固

第一节 病险涵闸除险加固要点

目前,我国许多涵闸存在着防洪标准偏低,达不到有关规范、规定要求,以及工程本身质量差,工程老化失修等问题,形成了大量的病险涵闸,工程不能正常运行,严重威胁着下游人民生命财产的安全或不能充分发挥其兴利效益。有些病险涵闸下游是重要城镇、厂矿、交通干线,位置险要,急需抓紧除险加固。

为加快病险涵闸治理步伐,提高质量,宜从以下几个方面入手。

一、采取多层次、多渠道融资的办法,为病险涵闸加固提供资金保证

病险涵闸加固工程投资大、周期长、社会效益显著,应以公共投入为主。按照"分级管理,分级负责"的原则,各级政府都应建立相应的专项治理资金。但是,要加快病险涵闸的治理步伐,仅靠政府的投入是不够的,必须建立和完善多元化、多层次、多渠道的投资体系。为此,建议根据病险涵闸加固的现状和各地的实际情况,采取不同的融资政策:将大型险闸加固列入基建项目,由国家投资;对位于经济发达地区或涵闸加固后经济效益较好的中型险闸,可利用贷款、发行债券及股份合作等方式筹资加固;对经济欠发达地区或主要体现社会效益(防洪保安全)的中型险闸的加固,应以国家投入为主,地方或受益区配套投入为辅;至于小型涵闸的除险加固,则应以地方投资为主,国家可给予一定数量的补贴或采用以奖代补的政策。同时,结合病险涵闸治理,积极稳妥地搞好小型涵闸的产权制度改革。在防汛责任制得到切实落实的前提下,可采取拍卖、租赁、承包、股份合作等方式筹集治理资金。对病险涵闸较多且加固进展缓慢的地方,在除险加固任务未完成前,尽量少建或不建新涵闸,尽可能将资金投向现有病险涵闸的治理。

二、强化病险涵闸加固的前期工作,为搞好病险涵闸加固夯实基础

搞好前期工作是保证病险涵闸加固进度及质量的前提和基础。为此,要做好以下几方面的工作。

(一)做好涵闸安全鉴定工作

1998 年水利部颁发了《水闸安全鉴定规定》。在病险涵闸加固前期工作开始时,涵闸安全鉴定主管部门应组织设计、施工、运行管理等方面的资深专家,严格按此办法全面准确地查找出涵闸存在的各种隐患,实事求是地确定涵闸的安全类别,科学而又有针对性地提出加固措施或建议。只有这样,才能做到有的放矢。

(二)委托具备相应资质的专业机构对病险涵闸存在的严重隐患进行探查

病险涵闸的某些隐患,隐蔽性强,往往由于没有"对症下药",致使其历经数次处理,仍

未能彻底根治。这就需要委托具备相应资质的专业机构对这些隐患进行专题调研,找准隐患部位,分析产生原因,提出处理措施,为根治涵闸病害提供依据。

(三)除险加固应与增加和恢复适用功能同时考虑

许多病险涵闸因存在安全隐患,引水涵闸不能达到设计引水流量,分泄洪闸汛期达不到设计分泄洪量,适用功能大减;有些险闸前、后淤积严重,直接影响其效益的进一步发挥;有些险闸只要采取一些投资不大的工程措施,就可新增部分功能。在涵闸的病险得到有效排除的前提下,增加和恢复适用功能是提高涵闸自身经济效益和社会效益的一条费省效宏的途径。据初步测算,采取除险加固和排沙减淤等措施,恢复、增加或保持每立方米闸容所需投资仅是新修涵闸的1/5左右。因此,对于有增加或恢复适用功能潜力的病险闸,即使在投资受到限制的情况下,也应一次规划,分期实施。

(四)除险加固应与综合利用及管理设施的改善相结合

病险涵闸由于修建时客观条件的制约以及建成后投入的维修资金不足,普遍存在着观测系统、控制系统、防汛道路及防汛物资仓库等管理设施难以满足要求的问题。病险涵闸加固规划时,应考虑增设工程观测自动化系统、涵闸运用测控自动化系统等先进的管理设施。对不能满足需要的防汛道路及防汛物资仓库等管理设施一并予以改造。

(五)努力提高病险涵闸加固的科技含量

前期工作应思路新、起点高,广泛采用新技术、新方法、新材料、新工艺,力求体现先进性、科学性和经济性。在病险涵闸加固时,应通过各种途径收集这方面的信息,广泛依托科研、设计、施工、大专院校等方面的技术力量,加以推广应用。坚持加固与提高、加固与技术进步相结合,力求在病险涵闸治理的技术经济方面有所突破。

(六)除险加固前要进行效益分析

涵闸除险加固目的有两个,即增加涵闸的安全性和进一步挖掘涵闸自身潜力。因此,其效益主要有社会效益(防洪保安全)和经济效益。防洪效益主要体现在加固后防洪标准的提高,目前常用频率分析法,即通过涵闸修建(加固)前、后发生同频率洪水而引起下游淹没损失的比较,来计算涵闸的防洪效益。经济效益分析包括初估增加的引水量以及由此而增加的灌溉、供水等效益。同时还要进行费用(包括固定资产投资、年运行费和流动资金)估算和经济效益指标(包括经济内部收益率、效益费用比和经济净现值)分析。对投资少、见效快、效益好的险闸加固应优先安排实施,以此带动病险涵闸加固工作的大规模展开。

三、项目实施

(一)强化项目管理

项目管理的核心是合同管理。在项目管理上要形成以项目法人为主体,项目法人向国家和各投资方负责,咨询、设计、监理、施工、物资供应等单位通过招标、投标和履行经济合同为项目法人提供建设服务的建设管理新模式。项目法人负责按项目的建设规模、投资总额、建设工期,实行项目建设的全过程管理。项目主管单位要加强对项目法人组建、项目报建、招标投标、质量监督、主体工程开工、项目验收等各个环节的监管,严格执行基本建设程序。通过报建制度,避免工程盲目开工、拖延工期、浪费资金等现象,保证工程建设顺利进行。

(二)实行招标投标制

病险涵闸除险加固的设计、施工、监理以及设备材料采购等,一般情况下应由建设项目法人依法招标,择优选定。在招投标活动中,要充分发挥专家库评标的作用,坚决打破地方保护和部门保护的壁垒,杜绝行政干预,严惩腐败。禁止无水利资质和低资质单位承担与其资质不相适应的项目。抓好《招标投标法》的贯彻落实工作,强化招标、投标各个环节管理,建立公开、公平、公正的市场秩序。

(三)落实建设监理制

项目法人通过招标方式确定监理单位后,监理单位即可进行工程现场管理,依据合同从事进度、质量、投资控制,合同管理和信息管理,协调建设各方关系。应杜绝监理单位超越资格等级承揽监理业务及自己施工、自己监理的现象。

(四)建立良性循环的管理机制

目前涵闸产权虚置、管理不善、责任不落实的现象较普遍。为防止出现一边除险、一边出险,旧账未还、又添新账的被动局面,病险涵闸加固后,应从以下几方面入手建立良性循环的管理体制。

第一,要尽快建立起适应市场经济运行的责权明确、管理科学的涵闸管理新机制。在病险涵闸加固工程建设之初,应确定实行建设与管理统筹结合的新型建设管理体制。投资多元化、产权明晰化、供水价格商品化、涵闸服务有偿优质化,增加现有涵闸管理经费,逐步实现良性运营。第二,要加强对涵闸运用管理人员的培训,提高管理人员素质及涵闸运用水平。第三,建立并严格遵守涵闸管理的各项规章制度及细则,使其早日走上科学化、规范化的轨道。第四,积极利用自身优势,大力开发涵闸综合效益,以开发促发展,以发展促管理,逐步建立适应市场经济的良性管理运行机制。

第二节　穿堤病险涵闸除险加固设计

在我国河道堤防工程上,为满足工农业生产引水、排涝和交通需要,修建了穿堤涵闸,有些是由群众自建,其中不少是没有设计的。有的是标准太低,结构安全度太小,施工质量差,回填土不密实,年久失修,基础渗漏,闸身有裂缝。有的闸门开启困难,高水位时险情频出,甚至决堤。穿堤涵闸的加固整治是堤防工程加固整治设计中的重要环节,稍有差错就可能造成干堤的事故隐患,必须统筹规划,科学设计。一般是先对穿堤涵闸建筑物进行重新规划布置,并对所有涵闸情况在调查的基础上重新收集有关基础资料进行评估计算。在此基础上对老涵闸进行拆除、合并、改建、加固、重建、新建等措施。

一、按市区汇流的自然区合理设置排涝设施

对市区的排涝分区及排涝流量重新进行核算,根据核算现有排涝能力的大小,结合考虑现有涵闸工程状况,确定保留、增加或重建排涝设施的规模,并结合地形条件、城建要求,进行合理布局。

二、对规划保留的老涵闸设施进行除险加固处理

根据调查了解的实际情况对现有排涝设施所存在的问题进行评估,按本次设计所确定的设计水位及现行的规范标准提出涵闸设施的改造、加固方案,建立一个有效、安全、可靠的排涝设施系统。

三、对新建或重建涵闸结构形式与建筑材料进行精心设计

(一)进水结构

宜采用钢筋混凝土箱涵结构,这种结构在耐久性、强度等方面都优于其他结构,当为首选。箱涵均为现浇,分段长15m,接缝处设截水环及止水,以保证防渗效果。涵管断面由进出口控制水位及设计流量进行水力计算拟定,涵管底板高程由各汇流区的实际情况确定,一般低于汇流区的最低控制水位或最低地面2m左右,管道纵坡应满足不淤流速的要求。

(二)闸室结构

闸室结构是排涝涵闸的核心部分,在布置上既要满足其使用功能,又要满足大堤的安全要求。对于流量较大,闸后需建消力池的涵闸,适用于采用开敞式布置的结构形式;而对于新建或重建闸,大都采用稳定、防渗等条件都要优于开敞式闸室的竖井式闸室。

(三)消能防冲结构

消能防冲结构与闸室结构对应,考虑开敞式与涵管式两种形式。开敞式结构采用消力池接陡槽;而涵管式则为闸室后接涵管,然后至陡槽,流量较小的均采用此种形式,其优点是减少了出口段的挡土结构,同时对闸室有支撑作用,有利于岸坡、堤脚、闸室的稳定,也有利于岸滩的利用。

按各涵闸的设计流量确定池长及池深,池底板及边墙宜采用钢筋混凝土结构;闸后涵管断面尺寸同进水涵管或略大,长度视滩长确定,钢筋混凝土结构,陡槽部分采用混凝土或浆砌块石结构。

四、对地基加固处理做出设计

新建涵闸根据地形地质条件合理布置,尽量避开不良地质条件,减少地基处理工程量。对难以避开的软弱地基应根据不同的条件采用不同的加固处理措施,如淤泥地基宜采用深层搅拌桩进行加固。

五、认真进行渗流计算

设计渗径系数按下式计算

$$C = L/H \tag{7-1}$$

式中　L——渗径长度;

　　　H——堤内、外水位差。

六、稳定与基础应力计算

设计涵闸闸室的抗滑稳定计算公式为

$$K = F \sum W \Big/ \sum P \qquad\qquad (7-2)$$

式中　$\sum W$——闸底板基础底面以上的竖向荷载；

　　　$\sum P$——闸底板基础底面以上的水平荷载；

　　　F——闸底板与地基之间的摩擦系数,根据地质条件取 $0.35 \sim 0.40$。

根据下列地基应力计算公式计算比较地基应力：

$$\sigma = \frac{\sum W}{LB} \pm \frac{6 \sum W e_0}{L^2 B} \qquad\qquad (7-3)$$

式中　σ——闸底板上下游边缘处的地基应力；

　　　B——闸底板宽度；

　　　L——闸底板顺水流方向的长度；

　　　$\sum W$——闸底板以上竖向荷载；

　　　e_0——偏心距。

七、注意事项

(一)认真进行地质勘探工作

基础渗漏是出事的主要原因之一。我国大部分堤防建筑工程的建设一般对堤防建筑物高度、宽度等形象直观的断面尺寸是比较重视的,但对基础部分则考虑不够,很多基础不处理,直接将建筑物放在透水层上。当水位不高,或建筑物挡水时间短时,可能穿过建筑物的渗流还未穿透,洪水就过去了。但当挡水时间一长,加上水位高时,渗流就能绕过建筑物穿透地基,在堤背面形成翻沙鼓水,严重时造成渗流破坏,堤防决口,被保护区受淹。因此,建议对重点堤防的现有穿堤建筑物进行全面调查、评估、计算,在此基础上,对那些有问题的涵闸等考虑采取基础防渗处理或拆除重建等措施。

(二)精心规划布置

堤防工程是逐年建成的,穿堤涵闸等也是逐年随城市发展、人民生产、生活需要设置的大小不等、形式各异的排涝涵闸。由于缺乏统一规划,这些穿堤涵闸设置的位置和断面尺寸很不合理,有的建在地基基础不适合建闸的位置上,有的断面尺寸太小,导致涵闸数量太多。由于这些原因,导致增加防汛任务,有的在汛期还影响防汛抢险。因此,建议在重要堤防穿堤涵闸除险加固设计中要在调查分析并认真进行水文计算的基础上进行统一规划,该拆的要拆,该并的要并,有的可扩大规模,有的应加固,有的可重建,还有的可新建使穿堤涵闸的布局合理,方便防汛工作,确保防汛安全。

(三)设计计算要精细

有些人认为穿堤涵闸的设计是小工程,从思想上就不去重视。缺少资料时,不是积极收集,而是能简化就简化,不能简化的也简化,使计算精度不够,结构承受的应力过大,时间一长结构可受到破坏。另外,可能对建筑结构型式和建筑材料的选择也没有进行多方案比较,造成结构不合理,建筑材料不合适,投资大,建筑物还不稳定。建议今后要仔细进行设计比较,精心选择合理的系数,根据正确的计算公式,详细计算。

第三节　涵闸的水毁破坏与修复

一、涵闸的水毁类型及原因

(一)裂缝

1.不均匀沉降产生的裂缝

这类裂缝多发生在上下游翼墙、工作桥、人行桥、胸墙、底板、护坦及闸墩上。

上、下游翼墙的沉降裂缝主要是由于两岸防渗体被破坏，两岸绕渗比降过大，浸润线位置过高，地基被淘空、浸溶并产生不均匀沉陷而导致翼墙在重力作用下开裂。

工作桥、人行桥、胸墙、底板上产生沉降缝是由于土质地基长期在洪水浸泡下，一方面局部渗流过大而淘空地基，另一方面局部土质在水的浸泡下承载力降低，在外荷作用下产生沉降。涵闸闸室是一个整体结构，由于地基的不均匀沉陷而产生变形，当构件内的拉应力大于混凝土的抗拉强度时产生开裂。裂缝一般先在底板上产生，然后由下部逐渐向上部发展。

闸墩上的沉降裂缝大部分是设计及运行管理不善造成的。当闸墩上、下游端或两侧上所承受的外部荷载极不均匀时而产生局部地基沉降导致闸墩开裂。

2.超载裂缝

超载裂缝常发生在闸底板、闸墩、工作桥桥面及闸门门槽处。闸底板开裂是因外荷载过大引起地基反力过大，在底板内产生的弯矩值超过原设计值，导致底板开裂。门槽处的裂缝是由于受到过大的水平方向水压力作用，门槽颈口处断面抗拉强度不够而开裂。工作桥桥面的开裂是由过大的启闭力所造成的。闸墩上的裂缝是过大的局部外荷载作用而造成的。

(二) 冲刷、磨损、气蚀

1.上游段的冲刷和磨损

造成这一部分的冲刷和磨损的主要原因是行近流速过大和过闸水流紊乱产生的泡漩涡和立轴漩涡。对混凝土或浆砌石的铺盖和护底，会使其表面剥蚀、浆砌石勾缝脱落；对黏土铺盖会将其整体冲走，对干砌石防冲槽会将其块石冲掉。上游段的冲刷和磨损将最终导致上游防渗体失效。

2.闸室底板、护坦及消能工的冲刷、磨损与气蚀

造成这些部分的冲刷、磨损和气蚀的主要原因是过闸水流的单宽流量和流速过大，以及出闸水流不能均匀扩散或产生波状水跃。底板和护坦上的混凝土严重剥落、钢筋外露，消力池坎和消能工被冲毁，排水孔被堵塞，最终导致消能设施破坏和排水失效，危及闸室和护坦的稳定。

3.下游翼墙的冲刷和气蚀

造成这一部分的冲刷主要是过闸水流扩散角太大、过渡段太短而引起的折冲水流以及回流区的水流压迫主流。对混凝土翼墙，可以使其混凝土的表面剥蚀；对浆砌石翼墙可使水泥砂浆勾缝脱落，石块冲翻，破坏的部位大多数在下游翼墙和下游护坡交接处。

4.海漫及防冲槽的冲刷

造成这些部分破坏的主要原因是闸后水流产生波状水跃和流出消力池的单宽流量太大。对浆砌石海漫,可使水泥砂浆勾缝剥落,块石冲走;对于砌石段,可将整个块石冲走、掀底。根据调查资料,干砌石海漫和防冲槽冲刷严重时,绝大多数涵闸无法正常运行。

(三)渗漏及渗透变形

渗漏也是涵闸破坏症状之一。渗漏的途径一般有通过闸室本身构造和闸基向下游渗漏,也有通过闸室与两岸连接处的绕流渗漏。

渗漏分为正常渗漏和异常渗漏两种。不会引起土体产生变形渗透的称为正常渗漏,反之,称为异常渗漏。在涵闸的运行过程中允许产生正常渗漏,而异常渗漏会产生管涌或流土,淘空闸基或两岸连接处,危及闸室的安全。

涵闸在运行过程中发生异常渗漏的原因是很复杂的。如勘察工作深度不够、基础本身存在着严重的隐患,设计考虑不周、运行管理不当、长时间超负荷运行及地震等方面的原因而产生裂缝、止水撕裂,上游防渗体(如防渗铺盖、两岸防渗齿墙等)遭受冲刷和出现裂缝,下游的排水设施失效等。

异常渗漏产生的破坏性是很大的。首先是增大了闸底板的扬压力,减小了闸室的有效重量,对闸室的稳定不利;其次是缩短了渗径,增加了逸出坡降和流速,易猝发渗透变形和集中冲刷。从对实际工程的考察中看到:闸底板下的地基和护坦下的地基被淘空,沉陷比较多,更为严重的是造成闸室的倾斜和护坦的坍塌破坏。

二、涵闸水毁破坏的修复

(一)裂缝的修复方法

1.表层裂缝修复法

(1)表层涂抹法。对裂缝数量较多、分布范围较广且有微量渗水的细微裂缝,可在裂缝表面用1:1~1:2的水泥砂浆涂抹。此种涂抹方法适用于涵闸的底板、胸墙、闸墩下部的裂缝,也适用于上游防渗铺盖及下游护坦。

在水泥砂浆内加入防水剂,可以提高防水性能和加速凝固。防水快凝砂浆的配合比,见表7-1。

表7-1　　　　　　　　　防水快凝砂浆配合比

名　称	配　比（重量比）			
	水泥	砂	防水剂	水
急凝灰浆	1.00	－－	0.69	0.44~0.52
中凝灰浆	1.00	－－	0.20~0.28	0.40~0.50
急凝砂浆	1.00	2.20	0.45~0.58	0.15~0.28
中凝砂浆	1.00	2.20	0.20~0.28	0.40

防水快凝涂抹材料适用于上游防渗铺盖、底板和胸墙。

对不同环境中的裂缝可选用不同配方的环氧砂浆涂抹。如:工作桥和人行便桥上的干燥裂缝,可选用普通环氧砂浆;对上游铺盖、闸底板、胸墙、护坦及闸墩上的潮湿裂缝,则可选用环氧焦油砂浆。环氧砂浆的配方,可参考《水工建筑物养护修理工作手册》(水利电力出版社)的附录六表。

(2)表面粘补法。用胶粘剂把橡皮或其他材料粘贴在裂缝部位的混凝土上,可以达到封闭裂缝和防渗防漏的目的。工程修复常用环氧材料胶粘剂粘贴橡皮的夹板条法和划缝法。粘补材料的配制:环氧基液与环氧砂浆的配制参考《水工建筑物养护修理工作手册》;膨胀水泥砂浆配方为水泥:砂为1:0.8~1:1,水灰比不超过0.55。

(3)凿槽嵌填法。沿裂缝凿一条深槽,槽内嵌填各种防水材料,以防止渗水和渗漏(见图7-1和图7-2)。此法主要用于修复一般对结构强度没有影响的裂缝。如上游防渗铺盖、胸墙与闸墩和下游护坦等部位的裂缝。对于槽内潮湿但没有流水现象的情况,可用水泥砂浆填补;在干燥处的裂缝,可用普通砂浆或沥青环氧砂浆填补;在潮湿处的裂缝,可选用环氧焦油砂浆或酮亚胺环氧砂浆填补;处理不渗水的裂缝,主要用沥青(油膏、砂浆或麻丝)材料填补。

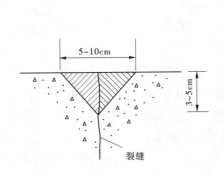

图7-1　缝口凿槽嵌填法示意图　　　　图7-2　嵌缝膏使用示意图

(4)喷浆修补法。该法是指在裂缝部位已凿毛处理的混凝土表面,喷射一层密实而且强度高的水泥砂浆保护层,达到封闭裂缝、防渗堵漏或提高混凝土表面抗冲能力的目的。

处理工作桥、人行桥及上下游翼墙的裂缝,可采用无筋素喷浆的修复方法。但其缺点是喷浆层易脱落,在一些重要部位不宜采用。在闸底板和闸墩上,以及在工作桥、护坦上的裂缝,均可采用有筋(挂网,并使用高强度水泥砂浆)喷浆修复的方法。

2.内部裂缝的处理

对于建筑物内部裂缝的处理,常用钻孔灌浆的方法。对一些浅裂缝,或只需作防渗堵漏、不需要提高构件整体强度的裂缝,也可采用骑缝灌浆处理。灌浆的材料有水泥和化学材料。对裂缝宽度大于0.3mm的情况,适用水泥灌浆;对裂缝宽度小于0.3mm的情况,或渗透流速较大(25m/h)或受温度影响较明显的裂缝,宜用化学灌浆。具体的施工要求和操作程序,参考《水工建筑物养护修理工作手册》。表面裂缝的修复方法,一般适用于超载裂缝。对沉陷裂缝,如裂缝终止,亦可以用上述方法;若裂缝仍在发展,则只能作表面处理(可选用粘补法),待裂缝终止,再进行内部处理。

(二)涵闸渗漏的修复方法

1.涵闸裂缝渗漏的处理

对裂缝进行修补以达到防止渗漏的目的,具体方法如前面所述。

2．基础渗漏的处理

（1）正常渗漏与异常渗漏的识别。从排水设施或闸后基础中渗出的水清澈，一般属于正常渗漏；闸下游混凝土与土基的结合部位出现集中渗漏，若渗漏水急剧增加或突然变浑时，则是基础发生渗透破坏的征兆。

（2）基础渗漏的修复方法。当沉陷缝止水断裂时，混凝土铺盖与底板之间沉陷缝中的止水因受到闸室的不均匀沉陷而破坏，造成渗径缩短、底板上的扬压力增大，逸出比降和流速加大，必须修复。修复的措施是重新补做止水设施。

下游护坦底部的排水设施，由于运行时间过长而淤积、堵塞，对闸室的安全不利，必须修复。其方法有：拆除护坦底部的反滤层，重新修复；在护坦下游的海漫段加做反滤排水设施；可适当加长上游的防渗铺盖。

当闸基板桩被破坏，无法满足防渗要求时，可在下游加做排水设施，或在上游适当延长防渗铺盖，同时对闸基可采用泥浆或水泥浆的灌浆处理。

对于在汛期已发生闸基渗透变形的涵闸，只要涵闸还能满足使用要求，可对闸基进行加固，其主要方法是在闸底板上钻孔对基础作灌浆处理。

（3）侧向渗漏的处理。对涵闸的侧向渗漏，应根据两岸的地质情况，摸清渗漏的成因，采取相应措施进行处理。具体做法有开挖回填、加深和加长防渗齿墙、灌浆处理。如因绕渗引起闸墙背后填土被冲走，而建筑物本身完好，则按所连接的堤坝要求，分层填土夯实。回填土应根据渗径要求，采用黏性土或黏壤土，不能使用砂或细砂土回填。

（三）涵闸的冲刷、磨损及气蚀的修复

1．防冲槽、护底与海漫冲刷的修复措施

上游防冲槽、护底及下游防冲槽、海漫主要是起保护河床免于冲刷的作用，一旦自身被破坏，只要将其破坏部位拆除掉，重新按原设计图纸进行修复即可。

2．闸室底板冲刷、气蚀的修复措施

将冲蚀的部位凿毛处理，清洗破损面并保湿。如受力筋被冲断，则重新更换钢筋，并将原钢筋头锯平，然后浇筑高一级标号的二期混凝土抹面。施工时，创面不允许流水。

3．消能设施的修复措施

护坦冲刷和磨损的修复方法与底板的一致，新护坦修复可应用中国水科院水利所成果（参见水利学报 1982 年 5 期《灌排渠系闸下新消能工》）。消能工冲毁，如原设计尺寸构造满足要求，则按原设计修复；如原设计尺寸不满足要求，则应按校核后的尺寸进行修理。要保持护坦的整体性，做好二期混凝土的养护工作，并在运行管理过程中，改善过闸水流条件。如护坦底部被水流淘空，应采取灌浆方法充填，以防止护坦断裂。

4．下游翼墙和护坡冲刷的修复措施

下游翼墙冲刷后，如原是混凝土材料，可按混凝土修补办法进行恢复；如果是浆砌石料，冲毁后，可更换混凝土材料进行修复。要注意翼墙的扩散角不得超过 10°，过渡段长度按设计规范要求确定。

下游护坡的修复措施：将已冲毁的部位清除干净，堤坡用土料回填夯实，再用混凝土或浆砌石进行护坡衬砌。

三、涵闸纠偏

由于荷载分布不均匀、闸基渗透破坏等引起闸基不均匀沉陷,从而导致闸室倾斜。若这种倾斜或偏移不是特别严重,可采取适当的纠偏措施,使涵闸恢复正常状态。涵闸纠偏方法可大致归纳为以下几类。

(一)地基土促沉

对闸底板沉降较小一侧的地基,采用掏土法、沉井冲水排土法、加载法和地基应力解除法等,促其沉降。

(二)地基土限沉

对建筑物沉降较大一侧的地基土进行加固,以限制其沉陷继续发展。加固措施包括静压桩法、旋喷桩法、石灰桩法及灌桩法等。

(三)调整荷载分布法

此类方法包括调整闸门及启闭台位置,调整侧墙回填土边荷载,调整进出口铺盖、护坦长度以改变闸底板扬压力分布等,通过这类措施改变闸基应力分布,使基础沉降趋于均匀,从而实现闸室纠偏。

(四)加强刚度法

通过改变闸底板结构型式,以减小和调整基底压力,最终达到控制和调整地基土不均匀沉降的目的,如将分离式闸底板联成整体式底板等。

第四节 涵闸工程除险加固实例

【实例1】 天津市屈家店枢纽永定新河进洪闸除险加固工程

(一)工程概况

屈家店水利枢纽位于天津市北辰区,永定河尾闾与北运河汇合处,距北运河筐儿港枢纽22.5km,距永定新河入海口62km。该枢纽包括北运河节制闸、新引河进洪闸和永定新河进洪闸。该枢纽设计行洪流量为 1 800m³/s,相应闸上水位 5.75m;校核行洪流量为2 200m³/s,相应闸上水位为 6.50m。该枢纽以防洪为主,担负着北运河、永定河泄洪任务,同时兼有灌溉、排涝、挡潮、供水等综合效益。屈家店枢纽是天津市北系重要防汛工程,直接保护天津市和京津公路、京山铁路安全。经过多年运用,屈家店枢纽在防洪、排涝、灌溉及供水等方面取得了显著的工程效益。永定新河进洪闸是屈家店枢纽的关键性控制工程,始建于 1968 年,其主要功能是泄洪排沥、挡潮蓄淡。原闸共分 11 孔,单孔净宽10m,设计行洪流量 1 020m³/s,校核行洪流量 1 320m³/s。闸室为分离式底板,灌注桩基础。平板升卧式钢闸门,卷扬机启闭,下游采用消力池消能。原闸受当时条件所限,工程质量较差,一些建筑物未按设计图纸施工,工程先天不足。1976 年曾遭唐山地震的破坏,更由于建筑物受下游强酸性工业污水的长期浸泡腐蚀,已造成严重破损,不能满足防洪安全要求,对天津市防洪安全构成严重威胁。

(二)加固论证

海河下游管理局在工程现状的调查分析、现场安全检测、工程复核计算等工作全部完成后,聘请了水利部水电规划设计总院、国家防办、水利部建管司、江苏省水利厅、河海大学、天津市水利局、水利部海河水利委员会、水利部天津水利水电勘测设计研究院等单位的专家、教授和技术负责人,组成了永定新河进洪闸安全鉴定专家组。专家组于1998年11月初在天津召开了安全鉴定会议,认真审查了《屈家店枢纽永定新河进洪闸质量检测报告》、《屈家店枢纽永定新河进洪闸稳定复核报告》、《屈家店枢纽永定新河进洪闸现状分析调查报告》、《屈家店枢纽永定新河进洪闸金属结构安全检测报告》等报告和有关材料,亲临永定新河进洪闸进行了现场查勘。通过认真的讨论和研究,专家组认为上述报告成果真实可靠,可以作为安全鉴定的主要依据,并按照水利部颁发的《水闸安全鉴定规定》的要求,对永定新河进洪闸进行了安全分析评价,得出鉴定结论为:

(1)该闸现状高程比原设计高程平均沉降了1.1m。现状闸门顶高程低于设计水位,闸墩顶高程低于校核水位,不能满足防汛调度和安全运行的要求,对天津市防汛安全构成严重威协。

(2)闸室抗滑稳定安全系数和边墩、高翼墙稳定不满足《水闸设计规范》要求。闸室、边墩和高翼墙不稳定。

(3)混凝土结构受强酸水长期浸泡腐蚀和碳化,严重影响工程安全运用。

(4)闸门及门槽锈蚀严重,局部锈损,闸门漏水。启闭机和电气设备老化,启闭力不能满足正常挡水工况安全运用要求。

(5)管护设施落后,不符合现代水闸管理要求。

专家组从工程运用指标、维修要求和运行状况等方面评定永定新河进洪闸的安全类别属于不符合国家防洪标准要求,混凝土建筑物和金属结构存在严重损坏,已经对工程正常使用和安全运行构成危害,应当采取除险加固措施,才能保证工程安全运行的三类水闸,即病闸。

鉴于永定新河进洪闸在永定河、北运河水系及天津市城市防汛中的重要地位,专家组建议工程主管部门应按工程建设管理程序尽快委托设计单位开展除险加固初步设计工作,提出加固方案,报请上级部门审查批准立项后,力争在1999年主汛期前完成对工程的除险加固,或采取应急度汛措施,确保工程安全度汛。

(三)建设实施概况

屈家店枢纽永定新河进洪闸除险加固工程由水利部天津水利水电勘测设计研究院设计。1999年1月通过初步设计审查,水利部以水规计字[1999]88号文批准初步设计。海河下游管理局为项目法人。1999年4月6日经批准屈家店枢纽永定新河进洪闸除险加固工程建设与管理局成立。本工程按照"一流的设计、一流的施工、一流的管理、一流的质量"的总体要求,严格按基建管理程序进行,实行项目法人责任制、招标承包制、建设监理制和合同管理制。招投标工作委托天津市普泽技术咨询服务中心在天津市水利工程建设交易管理中心进行,经招标确定天津市水利工程公司、黄河水利委员会黄河机械厂、天津市中海水利水电工程总公司为施工单位。监理任务委托天津市华朔水利工程咨询监理中心承担。该项工程于1999年6月1日正式开工,2000年5月31日前全部竣工,总工期一年。

（四）工程质量管理

永定新河进洪闸是屈家店水利枢纽工程的主要组成部分，其建筑质量是确保整个枢纽工程安全有效运行并发挥作用的最重要因素之一。工程开工以来，永定新河进洪闸除险加固工程建管局（下简称建管局）始终把加强质量管理作为一项中心工作来对待，认真贯彻落实"一流的设计、一流的施工、一流的管理、一流的质量"的工作目标，制定了严格按合同工期建成符合优良质量标准的水闸工程的工作方针，积极推行"建设单位负责、施工单位保证、监理单位控制、政府部门监督"的质量保证体系，加强全面质量管理。采用先进的质量管理模式和管理手段，推广先进的科学技术和施工工艺，依靠科技进步和加强建设管理，不断提高工程建设质量，努力创建优质工程。

1. 建立、健全质量管理体系

根据国家关于工程建设质量管理的要求，各参建单位对其质量管理的对象、性质等进行了研究，并结合永定新河进洪闸除险加固工程的特点，分别建立、健全了三个质量管理体系，形成了有机整体。

1）设计、施工单位的质量保证体系

设计、施工单位的质量保证体系是保证工程项目质量的主体。要创建优质工程，首先要有优质的工程设计；要将优质的设计变成现实的优良工程，还必须依靠施工单位严格按照设计图纸、技术规范和合同文件，精心组织施工。设计、施工单位对工程质量负有保证责任。

（1）设计单位的质量保证体系。设计单位实行院总负责制。设计单位派驻工程现场的代表组按规定参加监理工程师组织的技施图纸会审、设计交底、生产调度等会议，对施工质量进行巡查、收集施工管理和质量信息，确认施工成果是否符合设计要求，检验设计的正确性和合理性，参加各阶段施工质量检查验收和质量评定。

（2）工程承包商和制造单位质量保证体系。承包商按照合同规定和监理工程师的要求，建立以项目经理为中心，主任工程师牵头，各工区工长分工负责，现场质量监控、测试和试验室等职能部门监督、检查相结合的双重质量监督控制的质量保证体系，并结合 ISO 9002 认证，加强质量监督控制和管理。

2）建设、监理单位的质量检查体系

建设、监理单位的质量检查体系是依据国家有关法律、技术规范、标准和承包合同，对承包商在设计施工过程中的每一工序、每一环节进行检查认证，及时发现其中的质量问题，分析原因，采取正确的措施加以纠正，防患于未然。但是，建设、监理单位的质量检查体系并不能代替承包商的质量保证体系，它只能通过执行承包合同，运用质量认证和否决权，对承包商进行质量检查和管理，帮助、促进承包商建立健全和完善质量保证体系，并使之正常运转，从而保证工程的质量。

（1）建设单位的质量检查体系。建设单位建立了总工程师负责、技术处对工程建设全过程进行质量检查的体系。贯彻落实《水利工程质量管理规定》，并结合本工程特点制定了《永定新河进洪闸除险加固工程质量管理办法》，定期开展质量管理联查活动，以促进各参建单位的质量管理工作。

（2）监理单位的质量检查体系。监理单位实行总监理工程师负责制，按照统一管理、分岗负责的原则，进行岗位配置和职责分工，总监理工程师指派和授权工程师代表分别负责各专业监理工作，并向总监理工程师负责。全体监理人员共同对工程建设全过程进行监督、协调和服务，从而使工程施工和质量始终处于被监督、被检查状态。

3）水行政主管部门所属的质量监督体系

海河水利委员会水利基本建设工程质量监督中心站对工程质量进行监督，是政府部门的职能，代表政府行使工程质量监督权，对工程建设进行强制性监督。通过在工程现场设立的项目监督站，对设计、施工单位的质量保证体系，建设、监理单位的质量检查体系和工程质量进行监督。通过质量监督促使质量管理体系和措施进一步完善，工程质量得以保证。项目监督站人员参与工程建设的全过程，参与各阶段工程的验收，同时对工程质量问题的处理措施和效果实施监督。

2.工程参建单位的质量管理职责

1）建设单位的质量管理职责

建管局受项目法人委托代表国家组织工程的建设，对国家负责。建管局在质量管理上实行总工程师负责制，总工程师代表建管局对工程的质量管理技术问题的处理进行决策。下设工程技术处作为专职机构负责质量管理工作。其质量管理职责如下。

（1）严格遵循水利工程建设程序，实行项目法人责任制、建设监理制、招标承包制、合同管理制。

（2）遵守国家和水利行业现行的有关法律、法规、技术标准和批准的设计文件及工程合同，加强质量管理，不断提高工程建设与管理水平，努力创建优质工程。

（3）在工程开工前，向海河水利委员会水利基本建设工程质量监督中心站办理工程质量监督手续；建设过程中，主动接受质量监督机构对工程质量的监督检查。

（4）建立、健全施工质量检查体系和工程质量管理规定，以技术处作为专职检查机构，负责日常工程质量检查工作。

（5）与设计、监理、施工单位分别签订合同，明确图纸、资料、工程、材料、设备的质量指标及合同双方的质量责任。

（6）督促、检查设计、施工单位建立、健全质量保证体系，制定和完善岗位质量规范，落实质量责任制。

（7）必须参加隐蔽工程和关键部位的检查验收和质量评定。

2）建设监理的质量管理职责

天津市华朔水利工程监理咨询中心是服务于工程建设的独立法人单位。受建管局委托承担建设监理任务，在监理委托合同授权的范围内，向工程现场派出监理处，人员配备必须满足工程要求。按合同规定对工程建设全过程实施质量监督、管理和控制，并对建管局负责。其主要职责如下。

（1）必须严格执行国家法律、水利行业法规、技术标准、设计文件和招标合同规定技术条款，严格履行监理合同。

（2）针对本工程特点，制定详细、完备的工程建设监理规划、监理实施细则和工程质量管理与验收办法，并负责贯彻落实工作。

（3）从全面履行承建合同、保证工程质量出发，审查施工单位的施工组织设计和技术措施、技施图纸，组织图纸会审和设计交底。

（4）指导、监督合同中有关质量标准、要求的实施。主持生产协调会、工程质量检查、工程质量事故调查和各阶段工程验收工作。

（5）完成监理任务后，向建管局提交工程监理工作总结报告和档案资料。

3）设计方面的质量管理职责

水利部天津水利水电勘测设计研究院是除险加固工程的设计单位，对工程的设计质量向建管局负责，并协助监理对工程施工质量管理提供技术支持。其主要职责如下。

（1）必须建立、健全设计质量保证体系，加强设计过程质量控制，做好设计文件的技术交底工作。

（2）按合同规定和供图协议及时提供设计文件及技施图纸；向施工现场派驻设计代表，随时掌握施工质量情况，进一步优化设计，妥善解决有关设计问题。

4）承包商的质量管理职责

承包商依据工程承包合同对其承揽的施工任务的工程质量负有全部保证责任。其主要职责如下。

（1）必须遵守合同规定，严格按照图纸和技术要求进行施工，保证工程质量。

（2）建立针对本工程特点的质量保证体系，施工质量检查必须坚持"三检制"，并提交完整的质检签证表格。

（3）设立质检部门，按照工程规模和施工强度，至少配备2名专职质检员。

（4）按本工程规模和建筑物的等级，配备经过有关部门认定的工地实验室。

（5）凡合同明确规定或施工中必须遵照执行的国家和水利部有关规程、规范中规定的各种实验，应按时、保质、保量完成。

（6）应积极配合建管局、监理部门复验工程质量，无偿提供必要的劳动力、仪器、设备及运输工具等。

（7）定期向监理工程师提交工程进度计划和质量情况月报。

（8）发生质量事故，按《水利工程质量事故处理暂行规定》中有关规定进行调查和处理。

（9）某单项工程经验收合格后，在全部竣工验收前，负责维护并承担一切费用。

（10）要根据《档案法》有关规定，建立、健全工程档案。工程竣工后，向建管局提交完整的技术档案、实验成果及有关资料。

（11）建筑材料和工程设备的质量由采购单位承担相应责任，凡进入施工现场的建筑材料和工程设备均应按有关规定进行检验，经检验不合格的产品不得用于工程。

（12）建筑材料和工程设备应满足质量和施工要求。

5）水利部海河水利委员会基本建设工程质量监督中心站的质量管理职责

质量监督中心站与建管局签订了《永定新河进洪闸除险加固工程质量监督协议书》，在工程建设现场成立了永定新河进洪闸除险加固工程质量监督项目站，派驻管理人员代表政府对工程的质量进行监督和服务。

(五)工程质量评定

屈家店枢纽永定新河进洪闸除险加固工程监理处依据《水利水电建设工程验收规程》（SL223-1999）及《水利水电工程施工质量评定规程》（SL176-1996）等规范要求，并结合本工程特点，向各参建单位印发了《屈家店枢纽永定新河进洪闸除险加固工程验收和质量等级评定办法》。经建设、监理、设计、施工单位共同研究，并报请水利部海河水利委员会水利基本建设工程质量监理中心站批准，本工程分6个单位工程、40个分部分项工程和416个单元工程。2000年6月29日，本工程通过各单位工程验收，主体工程建筑、机电设备和金属结构安装、金属结构设备制造工程质量等级评定为优良，启闭机设计制造及围堰单位工程质量等级评定为合格。

【实例2】 江苏响水县海安闸除险加固工程

(一)工程概况

海安闸位于响水县海安集乡境内灌河南堤上，担负着南潮河流域157km² 范围内涝水分排任务。该闸于1981年建成，设计最大排涝流量140m³/s，为3孔钢筋混凝土结构，总净宽12m。中孔为通航孔，净宽6m；两边孔为排水孔，净宽均为3m。中孔底板为反拱式，厚0.6m，两边孔为平底板，厚0.7m。闸门均为钢筋混凝土框架水泥砂浆钢丝网面板结构，中孔闸门上、下扉联动，为2×7.5t弧门卷扬式启闭机，边孔为10t螺杆式启闭机。上、下游翼墙为圆弧形空箱连拱挡土墙，前墙采用混凝土预制块结构。该闸于施工时即产生反拱底板裂缝，经过16年的运行，隐患不断加剧，工程老化损坏严重，至1997年大修加固前，已经不能正常启闭运行。

(二)工程损坏情况与原因

1. 损坏情况

(1)反拱底板裂缝。工程竣工验收时即发现：由于施工时岸墙后填土过快过高，使反拱底板较长时间处于挑扁担状态，造成底板下游尾槛裂缝。根据1992年和1996年潜水检查结果并经施工时抽水清底后验证，反拱底板裂缝已从下游尾槛顺水流方向发展到上游闸门底槛。底板上游部分缝宽1.2cm、缝深5cm；下游部分缝宽5cm、缝深12cm。

(2)工程老化损坏严重。闸墩、工作桥、检修便桥、公路桥大梁、排架、胸墙、闸门等混凝土部位，普遍出现裂缝、剥落、露筋现象；下游翼墙在潮汐水位变化区裂缝，落潮时渗水严重；型钢活动门槽大面积锈蚀，部分紧固螺栓脱落；下游消力池斜坡中间止水缝被拉开10cm左右。

2. 损坏原因分析

(1)地基承载力低、岸墙边荷载大是导致反拱底板裂缝的主要原因。该闸地基持力层为15m厚的淤积泥土，贯入击数小于1击，含水量高达52%～54%，地基承载力仅为0.05MPa。岸墙后填土高达9.2m，边荷载大。因此，闸室地基，特别是边孔空箱岸墙部分相对于中孔部分，极易产生不均匀沉陷。经测量，闸身平均沉陷量为10.4cm，边孔平均沉陷量大于中孔1cm，下游平均沉陷量大于上游3.63cm。闸底板部分，东北角沉陷量最大，平均为12.407cm。其余部位平均沉陷量为：上游翼墙与铺盖8.05cm，下游消力池8.5cm，下游翼墙14.65cm。而反拱底板内应力对不均匀沉陷很敏感，势必产生裂缝。

(2)设计时在采取反拱底板形式时,对软弱闸基没有采取工程措施来提高其承载力,再加上当时缺少施工经验,致使在施工时反拱底板就产生裂缝,且未作处理,留下了工程隐患;上、下游圆弧翼墙的前墙为混凝土预制块砌筑而成,预制块之间未用钢筋卡连接,且砂浆砌筑和预制块施工质量差,导致前墙普遍沿砂浆缝开裂,预制块断裂破损严重。

(3)闸身混凝土设计标号为 200 号,抽检表明,由于施工质量差,实际强度仅达16.8MPa,且施工中采用了氯离子含量高的骨料。按照当时规范,各部位钢筋的混凝土保护层为 $2.5\sim3cm$,经检测,混凝土碳化深度都已超过钢筋的混凝土保护层。混凝土碳化和氯离子作用造成了闸身钢筋混凝土普遍严重损坏。

(三)工程加固方案选择

对下列两个工程方案进行了比较:①拆除重建;②在原闸基础上改建,即打坝抽空闸室,将反拱底板改建增厚为平底板,拆除重建工作桥、公路桥、中间闸墩,加固岸、翼墙面墙,增设公路桥引桥以减轻边墩荷载。拆除重建方案有成熟的施工经验,施工质量有保证,但投资大,工期长,需跨汛施工;改建方案投资少,工期省,可在当年汛前完成,但对施工方法和工艺要求高,施工质量控制难度大。根据工程沉陷资料分析,经过 16 年的运行,地基的沉陷已经稳定,经复核计算,工程改建以后,工程地基稳定性和过流能力均能满足要求,同时只要施工措施得当,完全能够保证工程改建质量。最后选定在原闸基础上改建的工程除险加固方案。

(四)工程施工

工程加固项目中爆破拆除、闸室底板改建、边墩(岸墙)和上下游翼墙加固等项目施工难度大、技术要求高,是工程质量和进度控制的关键环节。

1.爆破拆除工作桥、公路桥、中间闸墩

为节省工期、保证安全,确定用控制爆破方法来拆除工作桥、工作便桥、公路桥、中间闸墩。主要技术控制措施如下。

(1)分层拆除。采取自上而下分层控制爆破,以避免闸室底板遭受爆破后较大块体撞击而产生损坏。施工流程为:爆破工作桥两端—爆破工作桥两个中间排架—爆破工作桥两个边排架—清除坠落在人行便桥和闸门上的爆破后块体—爆破工作便桥—爆破公路桥—爆破两个中间闸墩—爆破已经放倒的闸门框架—清除闸室内爆破后产生的块体。

(2)合理确定药量。首先,根据爆破部分的厚度、高度和强度,分别计算各部分的单孔药量。既要考虑到能把施爆混凝土炸碎并脱离钢筋,施爆后块体便于人工搬运,又不能产生过多碎石飞散而影响安全。其次,为使施爆体破碎均匀以减弱碎石飞散能力,在水平穿孔厚度较大或垂直穿孔高度较大时,实行分层装药,用导爆索连接一次起爆。

(3)布孔合理。为穿孔方便,除工作桥墩因不便于垂直穿孔而采用水平穿孔外,其余施爆部分均采用垂直穿孔。除对外侧两个工作桥墩不对称部分布置两列孔,公路桥桥面布置多列孔外,其余施爆体因厚度较小(均在 0.7m 以下),且中轴对称,则均布置一列孔。施工实践表明,该布孔方法,破碎后块体大小适中均匀,无大块坠落在底板上,保护了底板不受损坏。

(4)防护严密。爆破前,用竹笆、木板、油布等对施爆体表面进行防护,特别是对易飞出碎石方向进行严密覆盖,有效地减少了碎石飞出的数量和距离。爆破时,在作业区

100m 范围外设立警戒,不允许人员进入。爆破拆除共施工 19d,比计划工期提前 2d 完成,且爆破后闸室底板、边墩等闸身保留部分完好无损。

2．闸室底板改建、中间闸墩新建

原中孔反拱底板拱顶面高程－3.0m(废黄河零点,下同),厚度 0.6m,两边孔为平底板,顶面高程－2.5m,厚度 0.7m。现均增厚改建为面高程为－1.9m 的平底板,增厚部分为现浇 200 号钢筋混凝土,新建中间闸墩为现浇 250 号钢筋混凝土。施工要点为:

(1)保证新、老混凝土结合完好。首先将底板面层凿毛处理,对中孔反拱底板裂缝沿缝凿成"V"形槽,深度凿至槽底。

(2)新浇底板的面层、底层受力钢筋(均为 $\phi22$)均需锚固入岸墙内。先用冲击钻在岸墙上相应位置钻直径 24mm 的孔洞,孔洞深度不小于钢筋锚固长度 77cm($35d$),将锚固砂浆压入孔洞内,随即将 $\phi22$ 钢筋插入至洞底,钢筋另一端和相应面层、底层钢筋双面焊接,根据构造要求,焊接长度不小于 11cm($5d$)。锚固砂浆成分重量比:水泥:苏水 Me 聚合物:环氧厚浆为 4:1:6。

(3)在浇筑底板前,及时将中墩纵向受力钢筋插入至底板底层。

3．边墩(岸墙)和上下游翼墙加固

为增强边墩(岸墙)和上下游翼墙强度,并校正倾斜,在其引水面增做 1 层平均厚度 19cm 的现浇 250 号钢筋混凝土,保证最薄处厚度达到 15cm,岸、翼墙平顺连接。由于加固层厚度小,为保证浇筑质量和新、老结构结合符合要求,采取了下列措施:

(1)将原边墩表面凿毛并露出面层钢筋;翼墙前墙打毛。

(2)用冲击钻在边墩和翼墙前墙上钻孔,孔径 16mm,孔深 15cm,清孔后注入锚固砂浆(材料同上),随即插入 $\phi12@120$ 纵、横向架立钢筋,24h 后即可点焊新浇混凝土的面层钢筋。

(3)架立钢筋兼做固定模板钢筋用,其长度适当加长,并在一端加工成丝杆。模板采用全新钢模,通过钢筋初步固定后,再在其外侧设置三角形钢管构架加固,确保其整体平整、稳定。

(4)采用细石混凝土。石子最大粒径不大于 2cm,黄砂细度模数为 2.7,混凝土坍落度为 7～9cm。

(5)立模、浇筑一次到顶,预留活动模板作为侧向分层振捣的窗口。为保证浇筑混凝土连续进行,立模一次到顶,由于施工单位采用的是老式普通标准模板,为确保薄壁结构振捣密实,每隔 1.2m 高度、1.8m 宽度预留活动模板作为侧向分层振捣的窗口。采用 1.2kW 附着式小功率振捣器、细管型泵管,每个窗口布置一个振捣器。一层振捣密实、窗口封闭以后,依次在其上一层振捣。振捣时做到快插慢振,避免过振、漏振,对门槽等振动棒难以触及的部位,用人工捣杆振捣密实。拆模后用草帘掩盖,养护时间不少于 7d。经检测,边墩和翼墙加固的内在和外观质量完全达到了设计要求。

(五)工程经济、社会效益分析

该改建工程总投资 160 万元,工期 90d,而新建同等规模的挡潮闸,拟定投资为 285 万元(含旧闸拆除经费 10 万元)、施工工期 150d。与新建工程相比,海安闸改建工程节省投资 125 万元、缩短工期 60d。特别是避免了跨汛施工,既保证了在建工程安全,又使工程在当年汛期即发挥效益。海安闸除险加固工程被评为优良工程,从1997年5月竣工至今已经5年多,运行良好。

【实例3】 江苏省新沂市王庄闸除险加固工程

(一)工程概况

王庄闸位于新沂市王庄镇境内,横跨总沭河,为双层结构,底板为长度500m的双孔箱式涵洞,涵洞顶部为节制闸,共45孔,每孔净宽8m。王庄闸作为一项综合性的枢纽工程,具有十分重要的作用。一是防洪保安作用。该闸是总沭河在新沂境内塔山闸以下的二级梯级控制工程,担负着稳定王庄闸以上河床和堤防安全的任务。二是灌溉作用。王庄闸底板下的涵洞可输送流量15m³/s,是新沂市沂北灌区惟一引用骆马湖水源的大动脉,可灌溉新店、王庄、邵店、时集、高流、阿湖6个镇2万 hm² 农田。三是农业生产和防汛抢险交通作用。总沭河塔山闸至邵店桥间距30km以上,中间只有王庄闸上的防汛桥可以通行,在汛期抢险期间,该桥是沭河两岸抢险物资调度和运输的主要通道;同时,也为沭河两岸群众的农业生产、生活和物资交流提供了交通便利。王庄闸自建成30多年来,为新沂市的工农业生产发挥了巨大的社会效益和经济效益。

(二)工程险情及加固方案

王庄闸建于1967年,由于当时工程材料、工程技术、施工条件等客观因素的制约,加之运行年久,下游河床下切严重,已成一座悬闸,直接威胁闸身安全,成为防洪保安的一大隐患。2000年汛期出现了重大险情,危及闸身安全。2000年8月28日,沭河上游普降大暴雨,山东大官庄南闸下泄流量400m³/s。9月2日凌晨5时,过闸流量380m³/s,王庄闸出现重大险情,消力池及部分溢流堰塌坍下切,严重危及闸体安全,经过干群日夜奋战,9月4日,险情得到了暂时的控制。此次水毁工程造成9~19孔宽约95m的消力池及护坦坍塌,8~20孔消力池下陷,毁坏面积逾4 000m²,消力池最大冲深4.5m,低于涵洞基础0.6m,闸基础被淘空;1~8孔、20~45孔消力池连接段出现下陷,涵洞侧墙开裂漏水,裂缝长约10m,缝宽12mm,同时,裂缝不断向下延伸,闸的维修加固迫在眉睫。

由江苏省水利厅、徐州市水利局和新沂市水利局组成的专家组,经现场反复察看,于2000年9月8日召开讨论会,就工程加固方案予以论证。在国家资金不可能及时批复到位的情况下,省水利厅同意将此项工程作为地方基建先期予以立项实施。设计加固内容为:拆除原闸下游消力池护坦、护坡等设施,紧靠老洞身下游新做2孔钢筋混凝土箱式涵洞,涵洞顶安装橡胶坝挡水,涵洞下游按现有工情做足消能防冲设施(主要包括消力池、下游护坦及防冲槽),同时原翻倒闸门拆除,老涵洞加固,原交通桥维修加固。工程计划总投资3 700万元,其中一期工程3 200万元,二期工程500万元(橡胶坝)。

(三)工程施工

王庄闸水毁加固工程有以下几个特点:一是工程量大。仅一期工程计需完成混凝土2.6万 m³、砌石1.5万 m³,另外还要完成老建筑物拆除的大量工程。整个工程需消耗钢筋超过800t、水泥超过1万 t、石子4万 t、块石4万 t。二是工期要求短。按照正常情况,这样的工程量需8个月才能完成。但时间不等人,工程不等人,整个工程要求箱式涵洞在2001年4月20日前完成,以保证沂北灌区农业用水;5月20日前完成王庄闸主体工程,以确保 5 月底全面具备度汛条件,必须在 110 天内完成全部的工程量。三是质量要求高。王庄闸作为一项枢纽性工程,任何一处都必须高质量地完成,否则将影响整个工程效益的发挥。

面对时间紧、任务重、质量要求高的特点,新沂市委、市政府进行了统筹安排,前期准备工作于 2000 年 11 月中旬展开,2001 年元月中旬完成了导流河的开挖,截流坝的填筑、拆迁,工程占用地的征用,施工供电线路的铺设,闸塘土方的开挖等工作,保证了主体工程的顺利施工。

王庄闸水毁加固工程严格按照国家基本建设工程的操作规程进行管理,实行项目法人责任制、招标投标制、建设监理制。经市政府批准,王庄闸建设管理处(以下简称建管处)作为工程项目法人,负责工程建设管理。建设监理由建管处委托徐州市水利工程建设监理部派出总沭河王庄闸水毁加固工程项目监理组承担。2001 年 2 月 7 日,经公开招、投标,新沂市河海建筑工程公司被确定为施工中标单位。2 月 9 日,主体工程全面展开。

百年大计,质量第一,质量是工程的生命。王庄闸水毁加固工程建设管理处的领导和技术人员始终把创建优质工程作为工程建设的中心任务,坚持从施工放样抓起,实行全方位、全过程质量控制。由于管理措施完善、得力,质检人员严格把关,使工程建设质量达到了较高的标准。

2001 年 4 月 18 日新扩建的输水涵洞及老涵洞加固工程全部完成,4 月 24 日通过了水下部分的验收,4 月 25 日向东部沂北灌区输送灌溉用水,及时发挥了工程效益。主体工程于 5 月 20 日全部完成。5 月 30 日,王庄闸水毁加固一期工程通过江苏省水利厅组织的竣工验收,工程质量被评定为优良等级,同意交付使用。

【实例 4】 天津市西青区西河节制闸护坡修复加固工程

(一)工程概况

天津市西青区西河节制闸的护坡修复工程,因为闸上游常年有水,如采取传统上下游修筑围堰排水施工的方法,不仅打坝、拆坝工程量大、费用高,而且断水时间长,影响农业生产。因此,采取了水上部分用浆砌石护坡,水下部分用土工膜袋混凝土护坡的方法。

(二)土工膜袋混凝土的主要技术特性

西河闸护坡工程所用膜袋由添加了抗老化剂的丙纶丝机织而成,为双层织袋。沿袋内面层纵横方向以 20cm 等间距缝上高 20cm 的垂向拉筋——尼龙绳,使袋内充填混凝土后,形成厚 20cm 的膜袋块。膜袋材料的主要技术指标见表 7-2。

土工膜袋泥凝土设计标号为 C20,抗冻标号为 D100。土工膜袋混凝土除必须满足设计强度和抗冻要求外,还要满足混凝土泵输送及充灌膜袋的工艺要求。即混凝土要有很好的和易性,能顺利地在膜袋中呈扇形扩散充盈袋体。因此,在混凝土中掺入了高效减水剂和引气剂。

(三)土工膜袋混凝土施工工艺

土工膜袋混凝土在正式浇筑之前,要进行现场混凝土配比试验,最终确定施工所用的混凝土配比。按设计要求平整护坡,坡基础要平整牢固。施工前要放线定位,挖好水上加固齿槽。

表 7-2　　　　　　　　　　　膜袋材料的主要技术指标

单层重量(g/m²)		200
拉伸强度 （N/5cm）	经	1 500
	纬	1 300
延伸率 （%）	经	14
	纬	12
撕裂强度 （N/5cm）	经	600
	纬	400
顶破强度 （N）		800
渗透系数 （cm/s）		0.028
单层厚度 （mm）		0.45

在齿槽处打固定钢桩,桩深 1m,间距 2m,在坡脚处打定位木桩,桩深 0.8m,间距 1m。展开膜袋铺平。膜袋上预留孔,水平插入钢管,用粗绳将钢管与钢桩固定,调整好距离,保证充灌后膜袋的尺寸位置与设计一致。

充灌混凝土采用西德生产的 BP－310 型混凝土输送泵,其最大水平输送距离 200m。混凝土输送管可根据输送距离不同进行调整,输送管最末端要安装一条软管,便于移动对准进料口。搅拌后的混凝土,输入混凝土泵,再经管道灌入膜袋。每次充灌前先拌制砂浆以润滑管道,防止堵塞,充灌完毕后,要清洗管道。

每块膜袋尺寸长 10～14m,宽 12m,厚 0.2m,等分为 3 条互不相通的水袋。每条自上而下分 3 个进料口,混凝土充灌自下而上进行。每个膜袋块均连续充灌,充灌时间大约为 3h,相邻膜袋之间分缝处用土工布作反滤料,并叠压 0.3m 膜袋。

（四）土工膜袋混凝土的质量控制

土工膜袋成品经天津市水科所检测,各项指标达到设计要求。土工膜袋安装平整牢固。混凝土严格按配比称量拌和。在混凝土的搅拌和泵送过程中,设有专职质量控制员,进行全过程的质量控制。混凝土坍落度控制在 22～24cm,掺气量为 4.5%～5.5%,每天随机抽查。为防止超径骨料进入混凝土泵,造成堵管故障,在混凝土泵口加设过滤网筛。土工膜袋混凝土厚度 20cm,允许偏差 ±2cm,局部不平整度应小于 4cm。

每个膜袋块混凝土都要充灌饱满,且终凝后要拆除进料口的多余混凝土,进行坡面清理,使膜袋混凝土护坡面清洁平整,进行养护,要保持 7d 的湿润。

经现场取样和试验,土工膜袋混凝土平均强度 $R_M = 25.84$MPa,离差系数 $C_v = 0.073\ 6$,强度保证率 $P = 99\%$。

（五）结论

该工程中土工膜袋工程量为 21 000m²,经国家有关部门验收评为优良工程。

土工膜袋混凝土在水闸护坡工程中的大面积运用,国内比较少见。在北方地区,由于抗冻等质量要求使其设计厚度较大,在工程造价上与50cm厚度浆砌石护坡相比,略高5%～10%。需要注意的是,在水下坡面开挖、平整和土工膜袋放线、定位、展布及混凝土充灌施工中,应请有一定施工经验的潜水员进行质量控制,以保证工程质量。

【实例5】 江苏省射阳县黄沙港闸反拱底板水下修补加固

(一)工程概况

黄沙港闸位于江苏省射阳县黄沙港镇,1972年6月建成并投入运行,共16孔,总宽96.6m,净宽83m。闸底板采用素混凝土反拱形式,厚度50cm(通航孔为70cm),底板与闸墩不分缝,系16跨连拱结构,闸墩采用混凝土与砌石混合结构。

黄沙港闸的闸基土质为灰色粉砂,夹有少量壤土,贯入击数$N=10～30$击,渗透系数$k=1.2\times10^{-4}$ cm/s。从1981年开始,潜水检查陆续发现7号孔、14号孔、1号孔、2号孔、16号孔反拱底板上发生弯曲状裂缝,裂缝的位置和走向为偏于拱顶顺水流方向。其中7号孔出现裂缝最早,长度贯穿整个底板,缝宽2～3 mm,缝口两侧有高差,1996年检查发现这条缝上有两段向上冒水。其他孔的裂缝缝宽较小,部分缝口有钙质覆盖。

反拱底板裂缝和渗水危及涵闸安全,修补加固考虑过以下3种方案。

(1)打土坝施工。因闸周围及上、下游河道两侧民房密布,无法取土,远处调土势必耗费巨大人力物力,且打坝排水产生的荷载变化对涵闸结构影响很大,有可能使裂缝扩展,故不可取。

(2)钢围堰施工。由于反拱底板表面形状复杂,为保持反拱受力特点,经计算需做7套钢围堰,且分块施工接缝处理工作量大,工期要2年以上,亦予以舍弃。

(3)水下施工。随着科学技术发展,各种新材料问世,且潜水作业技术不断进步,经过充分调研论证,水下施工的可行性较好,不需排水施工,节约工期,减少投资,同时对涵闸运行干扰较小。

为了克服多泥沙环境对施工的影响,确保反拱底板加固的质量和工期,实施中采取了循序渐进的谨慎步骤:先进行模拟试验,取样检测各种新材料的实际性能;再对有裂缝渗漏的7号孔和没有裂缝的8号孔进行试验性修补加固;然后逐步向其余各孔推广实施。施工中探索总结出的异型薄层钢筋混凝土水下施工技术,对混凝土水下病害整治有积极的指导意义。

(二)裂缝的修补方法

反拱底板裂缝破坏分为有渗水裂缝和不渗水裂缝两种。有渗水裂缝的修补方法如下。

1.修补材料的选择

黄沙港闸7号孔裂缝潜水检查发现有渗水现象,且缝开裂宽度较大,必须进行封缝和灌浆堵漏。封缝材料选用PBM聚合物混凝土(砂浆),它具有快速固化(固化时间为几分钟至几十分钟,可调)、早期强度高、粘结力强、可在水下施工的特点。经取样实测,PBM封缝力学性能试验结果为轴拉强度0.78MPa、剪切强度3.3MPa、抗弯强度1.59MPa。灌浆材料选用了HW和LW水溶性聚氨酯,这是一种既能防渗堵漏又能固结补强的灌浆材料,灌入裂缝后,在周边密封的水环境中发泡膨胀,能有效地形成弹性体而充实裂缝,两者可以任意比例互溶。黄沙港闸反拱底板为 50cm 厚的素混凝土,要求灌浆材料应具有较好的堵漏性能,同时必须具备一定的粘结强度,模拟试验时采用 HW：LW＝8：2,取样检测其劈拉强度为 0.22MPa,后在实际施工中调整为 HW：LW＝6：4。

2.施工工艺

(1)摄像检查。采用水下摄像机(浑水镜头)对裂缝的形状、走向、宽度进行摄像检查并进行标识。

(2)骑缝凿槽。沿裂缝走向用手风钻一个连一个地钻孔,再用风钻将孔与孔之间未凿通的部分修通,形成一条 4cm×4cm 的"U"形槽。

(3)钻孔插管。7 号孔上游裂缝长 1.96m,一次灌浆;下游裂缝长 9.1m,分为 4 段灌浆;5 个封边孔孔径 38mm,孔深 0.4m,21 个灌浆孔孔深 0.2m,门槛底部封边孔外再钻一个灌浆孔,以备对门槛下的裂缝灌浆。灌浆管采用硬质管加软木塞,外露约 10cm 长。

(4)封缝灌浆。将"U"形槽内的渣屑淤泥用高压水枪清理干净后,用橡皮泥嵌封裂缝,以避免 PBM 浆液流入封堵灌浆通道。就绪后将 PBM 聚合物倒入槽内和封边孔内,与底板面平即可,封缝完成 4h 以后即可进行灌浆。裂缝灌浆在上、下游两侧分别进行,在下游潮水位高于上游水位时灌下游侧;在下游潮水位低于上游水位时灌上游侧。灌浆时按顺序进行,当某孔灌浆时,待邻孔出浆后,将出浆管套上软管扎紧,然后保持压力 2～3min 即完成,灌浆压力控制在 0.1～0.15MPa 为宜。第一次灌浆完成后,间隔 1～2d 进行第二次灌浆,以保证密实(见图 7-3)。

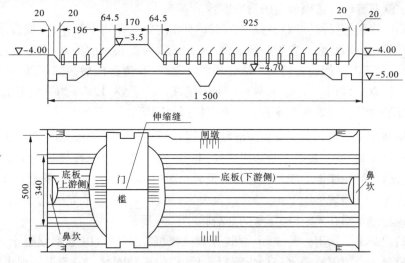

图 7-3 7 号孔裂缝灌浆示意图(单位:高程,m;尺寸,cm)

3.质量保证措施

反拱底板裂缝修补的每道工序均在水下作业,质量控制主要采取以下措施:

(1)在施工前制定周密的施工方案,对每道工序使用的工具、材料、作业方式都力求详尽、合理、可行,例如钻孔深度控制、"U"形槽成形检测、封缝灌浆材料来源及配比、灌浆顺序等都作出具体明确的控制要求。

(2)在施工过程中全过程进行水下摄像,由监理工程师实时监控。

（3）切实做好清淤。黄沙港闸河水悬移质较多，回淤较严重，在整个工期内，清淤工作贯穿始终。清淤工作使用各种方法综合进行，包括负压吸泥、高压水冲洗和开闸冲淤换水等。

对有裂缝但不渗水的闸孔底板，按设计要求仅需沿裂缝宽度20cm范围内用PBM砂浆涂层3遍。该道工序是在清淤后用水下录像确定缝隙位置后，在缝隙上做好标记（用细铁丝插入缝隙内），然后用风镐将沿缝隙20cm范围内混凝土表面打毛并清渣，这时即可进行涂层作业。涂层时，PBM砂浆在盆内拌制好后送到水下，由潜水员沿裂缝将PBM砂浆倒在底板上，再用刮板将其刮平，直到每层厚度为0.5～1cm即可。

（三）底板加厚补强方法

1. 设计要求

设计要求在原反拱底板上浇筑一层标号为C25、厚20cm的水下不分散混凝土（NNDC），内配$\phi20@60$长为40cm的锚筋，使新、老混凝土连成整体，提高反拱底板的受力性能。并要求新浇的混凝土成形后仍为反拱曲面，达到表里强度相等且与老混凝土之间结合良好。

2. 施工步骤

（1）打毛。由潜水员在水下用风镐将底板混凝土表面打毛，露出粗骨料。

（2）钻锚筋孔。用风钻水下钻孔，孔距60cm，孔深20cm，孔径40mm。

（3）安装锚固剂及锚筋。在锚筋孔内安放药卷式锚固剂，并插入$\phi20$长40cm的螺纹钢筋，注意控制好锚杆与底板表面的垂直度。

（4）钢筋网片制作安装。钢筋网片按$\phi12@500$的要求在陆上制作，完成后吊装至水下焊接到锚固筋上，钢筋网片置于新浇混凝土的上部，保护层厚度为6cm，下游部分分为两块浇筑。顺水流向的钢筋在接头一端先制成垂直弯钩，待拆模后凿除端部混凝土露出钢筋，在水下扳直后，与下一片钢筋网在水下焊接，搭接长度为12d。为方便施工，顺水流方向钢筋采用光面钢筋，垂直水流方向主筋采用螺纹钢筋。

（5）顶模制作与安装。为保证新浇混凝土的曲面形状，采用4mm钢板和L75×8角钢拼焊成顶模，每孔共3块，共制作两套周转使用。顶模的进料口设在模板的几何中心，位于拱顶的最低处，另在模板的四角（最高处）设4个溢出口。由于泵送混凝土入仓后，压力很大，顶模固定不牢会被挤压上抬，导致浇筑失败，所以顶模安装固定较为关键。实际施工中，采用螺栓燕尾锚孔固定、加压重的办法，如图7-4所示。

（6）浇筑混凝土。采用一台500L立式强制搅拌机搅拌，与HB30型混凝土泵配套供料入仓，待模板四角预留的溢出口溢出混凝土后，把溢出口封堵，3～5天后即可拆模，并水下割除露出混凝土表面锚固模板的螺栓（见图7-5）。

3. 新材料、新工艺

（1）药卷式锚固剂。锚固技术在底板加固中是提高新、老混凝土结合强度必不可少的施工技术，而目前常用的注浆式锚杆充填密实度差、固化速度慢、锚度强度低，且不适宜在水下作业。施工中采用了中国水利水电科学研究院研制的药卷式锚固剂，锚固力强，使用方便而且价格低廉，对安装好的锚杆，经任意抽样用配重法进行拉拔试验，每根锚杆在承受1～1.2t拉力时，无任何松动现象。在每块底板上使用180根锚杆，以保证新、老混凝

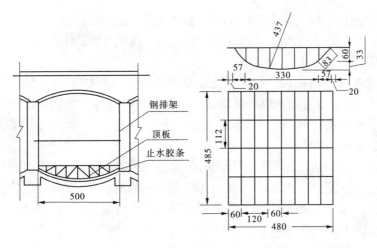

图 7-4　顶模示意图(单位:cm)

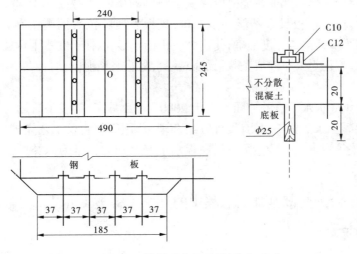

图 7-5　模板固定示意图(单位:cm)

土结合强度达到设计要求。

(2)不分散混凝土。为了有效地限制水下混凝土浇筑过程中分散和离析,避免水泥流失,提高混凝土的黏聚力,保证质量,在混凝土中掺用了南京水利科学研究院研制的NNDC-2型抗分散剂。这种混凝土有极好的流动性,可自流平、自密实,不需振捣,坍落度为20~25cm,塌落扩展度为48~58cm,泌水率为0.005%,即基本不泌水,且抗渗性能好,其钢筋握裹力达6.92MPa,抗钢筋锈蚀性能良好。

(3)泵送挤压浇筑混凝土工艺。混凝土浇筑入仓,吸取了泵送法、导管法和推移法的优点。由于浇筑厚度只有20cm,而且仓型是反拱型,所以混凝土向四周的推移力只有靠输送泵来完成。为了使导管口在一开始就被埋入混凝土中,又必须采用导管法的原理,先将竖向管装满混凝土后,再接上泵管,并连续将混凝土送入浇筑仓内,管口混凝土便迅速向四周摊铺,很快就抬高至钢顶模,管口被埋入混凝土内。随着混凝土陆续入仓,混凝土就向四周不断扩展范围,空箱内的水被混凝土挤出,通过排水孔排出仓外,空箱内水的位置不断地被混凝土占领,达到全部被混凝土置换,混凝土浇筑完成。拆模后,水下摄像检查混凝土表面光滑密实,无蜂窝、麻面现象。经检测,强度达到设计标准。

4.关键技术

(1)混凝土的标号与强度。底板新浇混凝土设计标号为C25,在模拟试验时,取样试验的水下混凝土试件强度较机口取样的试件强度损失约16%。为满足设计要求,实际施工中提高一个等级(按C30配制)。混凝土的配合比,由南京水利科学研究院按现场所用的原材料试配提供。

(2)新、老混凝土的结合强度。保证新、老混凝土的结合强度,关键在控制好打毛质量及浇筑前清仓干净,但水下打毛不可能达到陆上打毛的质量,顶模盖上之前,必须开闸放水冲淤,结合水下作业将底板表面彻底清理。模拟试验时取样试验结果显示单纯混凝土结合强度仅及整体强度的50%左右,锚固增强是有效方法之一。研究成果表明,锚筋能够提高劈拉强度70%左右,提高剪切强度50%左右。

(3)模板密封。顶模是保证新浇薄层混凝土强度的条件,因为是在水下架立钢模,加之底板表面形状复杂,模板尺寸不能一步到位,钢模安装就位后两侧留有5cm的间隙。模板两端的空隙为保证浇筑厚度准确,使用木板拼接成形,以便于在水下调整。在调整到位后,所有的间隙都用土工布卷成条状沿缝隙塞紧,阻止浆液泄漏。

(四)结语

黄沙港闸反拱底板水下修补加固工程于2000年12月完成,竣工后运行正常。采用异型薄层钢筋混凝土水下施工,具有设计方案合理、选用的材料及工艺先进、工序安排周密、技术关键明确等特点。黄沙港闸反拱底板水下修补加固技术为同类型工程的加固走出了一条新路。

【实例6】 海河防潮闸加固工程中的几个关键施工环节

(一)工程概况

海河防潮闸位于天津市塘沽海河干流的入海口处,始建于1958年,主要功能是汛期泄洪,平时挡潮御砂。防潮闸共分8孔,单孔净宽8.0m。公路桥布置在闸室的上游侧,设计荷载标准为汽-13、拖-60,桥面高程5.50m,桥面宽度9.0m。闸室下游侧布置机架桥和检修桥。闸门为双扉式平板门,原用8台2×250kN和8台2×150kN固定卷扬启闭机,本次加固改为8台2×400kN和8台2×250kN固定卷扬启闭机。该闸因长期运用、年久失修及海洋环境影响导致工程老化、碳化,闸门漏水严重,闸楼破坏,机电设备陈旧,已严重影响到工程安全运用,需要进行加固。

该工程地处塘沽交通要道,除吊装外整个施工期间不能中断交通。施工场地狭窄,物料等只能利用工作桥运输。因此,施工工艺不确定性及施工难度较大。

(二)关键施工环节的解决措施

1.新机架桥T梁安装

首先安装工作桥侧,最后安装公路桥侧。安装采用两台50t吊车联合作业,受桥宽限制,两吊车站位时各受力点支腿位于公路桥6号桥墩顶部位。为避免集中荷载过大,受力支腿下垫20mm厚、1m见方的钢板,每个受力腿设主副两个支点。然后,两吊车联合作业,将板车上的 T 梁吊起、转角、拔杆,放置在安装处,并对好安装线。放好后,用 2 个 5t 倒链将下游侧 T 梁用同样方法吊装,中间一根 T 梁对好安装线后,立即将两根 T 梁的次梁钢筋绑条焊接牢固。再按相同的方法安装上游侧 T 梁,这样一孔安装完毕。

2. 启闭机安装

(1)启闭机吊装粗略就位。每孔分 3 组安装,左、右机身各重 5.6t,中部机身 6.93t。采用 25t 吊车分两次站位在旧公路桥每孔的两端,避免集中荷载偏大影响原桥安全。

(2)启闭机精确安装。先进行机身精确位移,再进行机身整平。机身位移采用人工结合倒链拉曳完成。机身整平采用人工结合跨顶、千斤顶等工具整平后,调节好地脚螺栓并与金属锚板焊好,在锚板与机架间焊接垫块。机身安装完成后,再靠连轴器连接低速轴。

(3)新启闭机与旧闸门新钢丝绳连接。首先将闸门提出水面,闸门自重 15t,受淤泥淤积的影响,启闭力将有所增加,要用人工拉曳 4 台 10t 倒链,每侧两个来完成。倒链上部连接采用固定支架由两根 I 20 工字钢对焊拼装而成,下部与原旧钢丝绳用卡环连接牢固。闸门提升时两侧倒链同步拉起,每侧两个倒链交替使用,闸门提出水面锁定调平后,更换新钢丝绳。

3. 闸门主轮更换

(1)主轮的拆除。主轮因海水侵蚀已经锈死,拆除时采取轮轴割除,采用倒链将轮子吊出,烧烤轮轴周围腹板将轮轴从腹板孔顶出的拆除方法。

(2)主轮的安装。安装前,须将闸门连接鼻子割除,在闸门安装时间断提升,在水面上搭设临时脚手架来完成。首先用倒链吊起主轮装置,插入腹板孔,然后调正找平,使轮子踏面在一个平面上,焊好止轴板。

4. 工作门槽不锈钢座板安装

(1)施工挡排水。将叠梁橡胶止水换好后,用专用叠梁车将其安放在上(下)游门槽内,并随时调整各节叠梁支撑滑块承受面,使其在同一平面上。安装完毕后,用潜水泵抽水,同时潜水员用木楔和粗麻布等填缝材料填堵闸门和叠梁之间缝隙,且每孔附加一层与孔面积大小相同的塑料布加强封堵,将水位降至底板底部,并连续抽水,保证水面不再上升。

(2)不锈钢板的粘贴。采用灌胶法粘贴不锈钢方案。用固定卡将经过粗糙处理的不锈钢板按设计要求卡在相应位置上,两侧用胶封死。底部一角留一气嘴,形成一个空间体。在空间体中,灌入 JGN 结构胶(Ⅱ型)。灌至顶部后,轻轻敲击检查是否灌注密实。常温下 24h 后撤压。此方案工艺简便,它利用具有良好粘结性能的高强度结构胶,把钢板与混凝土牢固地粘结在一起,形成复合整体结构。

5. 闸楼控制室加固

闸楼控制室原柱梁结构为装配式,且梁柱表面碳化严重,为了达到补强加固目的,采用植筋、粘钢技术来加大梁柱断面及增设连系梁的施工方法。

(1)植筋采用以下步骤:钻孔—清孔—吹出灰尘—注胶—植筋。钻孔采用冲击电钻,其临界埋深(或锚固长度)为 10d(d 为钢筋直径)。用刷子及清洁的压缩空气清孔,孔深超过 20cm 时使用混合管延长器。胶体采用喜利得 HY－150 化学黏合剂,用手动注射器将其注入孔内后,立即将钢筋植入孔内,并留有足够的时间让黏合剂固化。通过进行钢筋拉拔实验,其粘结强度满足设计要求。实践表明,该工艺简便易行、可靠,尤其在加固补强工程中效果明显。

(2)粘钢。首先将原混凝土面打毛、磨平并冲洗干净,在经过除锈及粗糙处理的钢板上均匀涂刷上一层 JGN 结构胶(Ⅱ型)后(其另一面已焊好加固所用钢筋),用固定卡按设计要求卡在相应位置上即可,常温下 24h 后撤压。

(三)结论

海河防潮闸加固工程中几个关键施工环节的解决,反映了旧闸加固的一些特性,可供类似工程施工时参考。

【实例 7】 溢洪道闸室大梁裂缝的修补

(一)工程概况

某溢洪道为 5 孔,每孔均宽 12m、高 10m,为无底槛陡槽式,闸室上游侧为启闭台,下游侧为双车道公路桥。经检查,发现闸室启闭台、公路桥大梁混凝土有裂缝,裂缝总数达 1 700 多条,其中:缝宽小于 0.05mm、非常密集而又短小的横向裂缝约占 60% 以上,缝宽 0.05~0.8mm 的横向贯穿性或半贯穿性裂缝是少量的(个别最大缝宽达 1.5mm,缝深 5~30cm);纵向水平裂缝有 8 条,最大缝宽达 15mm,最长缝长 7.5m,最大缝深 45cm,比较严重的有 3 根大梁,其中一根梁的 $\phi 32$ 钢筋锈蚀剥落后的有效直径只有 16~20mm,梁体钢筋保护层成了疏松层,超声波检测其强度只有 10MPa(设计强度为 20MPa),梁体内部混凝土的质量仍然均匀良好,强度平均值为 19.6MPa。

(二)修复工艺及胶粘剂的选择

根据裂缝性质,提出对细缝用高分子材料做防碳化处理、对横向贯穿性与半贯穿性裂缝进行化学灌浆补强、对纵向裂缝补筋整形加固的处理方案。

对横向贯穿与半贯穿性裂缝的灌浆采用丙乳砂浆灌注。它是丙烯酸酯共聚乳液水泥砂浆的简称,具有优异的粘结性能,抗裂、防水、防氯离子渗透、抗冻、耐磨、耐老化,是一种新型的护面修补材料。

(三)施工工艺

(1)混凝土基底处理。用钢丝刷刷去表面浮层污物(有污漆等油脂污染部位用丙酮洗刷),特殊部位用钢钎打毛,然后用清水冲洗,润湿,使混凝土基底处于面干饱和状态。

(2)丙乳砂浆的配制。丙乳砂浆参考配合比:灰砂比为 1:1~1:1.5,灰乳比为 1:0.5~0.275,丙乳净浆(涂层用)的灰乳比为 2:1。其中:水泥为 425 号矿渣硅酸盐水泥;砂用河砂,细度模数为 1.6(砂子最大粒径为 2.5mm)。按照配合比称料,分别堆放,先将水和丙乳混合均匀,水泥和砂混合均匀后倒入拌和盘中,然后将混合液慢慢倒入水泥砂浆混合物中,人工拌和均匀,一次拌和量以水泥控制在 10kg 为宜。水灰比的控制标准是:在满足易和性要求的前提下尽量选用小水灰比。

(3)人工抹压。为保证质量,先用丙乳净浆打底,然后抹压砂浆(采用倒退法,加压方向与刚抹砂浆层前进方向相反),厚度控制在 5mm 左右。要求砂浆层密实,表面平整光滑。

(4)养护。丙乳砂浆抹压后 4h 便产生终凝。此时用农用喷雾器进行喷雾养护,养护

1 天后,再用毛刷在丙乳砂浆面层上刷一道丙乳净浆,要求涂匀、密封,待净浆终凝结硬后,再继续喷雾养护。养护标准为砂浆面层始终保持潮湿状态,养护时间为 7 天。

(四)修补效果

施工过程中的抽样试验结果表明:现场拌制丙乳砂浆的强度较高,7 天压缩强度为 36.3MPa,7 天拉伸强度为 4.22MPa,丙乳砂浆与老砂浆粘结牢固,粘结强度较高,一般在 7.00MPa 左右,超过老砂浆的拉伸强度。

第五节　涵闸工程除险加固新技术应用

【应用之一】　彩钢板房在旧闸改造中的运用

武定门节制闸位于秦淮河下游南京市武定门外,闸孔净宽 8m,共 6 孔,属二级水工建筑物。20 世纪 60 年代兴建时,由于当时条件所限,未能设置启闭机房,启闭机组长年置于室外,不仅加速了设备的老化,而且给日常的维修保养带来较大困难。2000 年 2 月该闸在二期加固改造时,对启闭机进行改造后增设了彩钢结构的启闭机房,彻底改善了启闭机工作环境。

(一)彩钢板结构的特点和材料性能

在旧闸改造中增设启闭机房,涉及到的重要问题就是原工程结构的承载能力是否满足要求。如采用通常的砖混结构,其自重大,施工难度大,当原工程设计的安全余地不大时,必须对原结构进行加固处理。同时,砖混结构施工周期长,操作环境差,极易损伤工作桥上的启闭设备。而彩钢结构是近年来发展起来的一种新型建材,它具有轻质、高强、隔热等优点,有良好的密封性能和抗腐蚀性能,施工便捷,外型美观,可长期保持色泽鲜艳,比较适宜运用在旧闸改造中增设启闭机房。

经调研比较,采用了国内质量最好的上海宝钢产的彩色钢板,表面镀锌。尺寸为宽940mm 的卷板。彩色钢板按施工工艺不同分为彩色夹芯板和浪板。

冷轧钢板经连续热浸镀锌合金而成,符合 ASTMA525M－87 的规定,锌合金附着量以面三点取样法,平均值为 180g/m² 以上。

(二)几个主要问题的处理及思考

1.彩板选型及应用

该工程原设计采用彩色夹芯钢板,但这将使彩色钢板骨架完全外露于内墙面,影响美观,如再在内墙做饰面,将大大增加工程费用。经多次方案比较,决定改用浪板工艺。该工艺如同将压好的夹芯板剥开,现场装配,与原设计夹芯板工艺比较,浪板工艺虽然施工难度较大,质量不易控制,但彩板钢骨架被全部包入两层浪板夹层内,不仅内、外墙面无需装饰,较为美观,同时也减少了彩板骨架维护工作量,使工程经费得到有效的控制。

原彩色夹芯板的钢骨架间距较大,墙面刚度由夹芯板本身刚度解决。在改用浪板后,单层钢板较薄,仅 0.6mm 厚,板本身刚度不足。为解决该问题,增加 30mm × 30mm × 1.5mm薄壁方管以加密钢骨架间距,确保浪板墙面整体刚度。同时,所有钢结构均预先作了防腐处理,解决了日后维护问题。此外,为增加每块板的刚度且为防止变形后反光不均,采用了带肋的单板。该板的使用既增加了板本身的刚度,又解决了反光不均的问题。

2．彩钢板房与原工作桥的连接

由于是旧闸改造,新建部分与原工作桥的可靠连接是一个主要问题,它直接影响到工程的安全性和可靠性。因原工作桥面狭窄,为尽量保证桥面宽度,启闭机房底脚最外侧的膨胀螺栓距工作桥边不足10cm,螺栓打入过程中有可能破坏工作桥边缘混凝土,并影响膨胀螺栓的有效锚固强度。在施工中还发现,由于在以往正常岁修中,原工作桥面已增厚了7～10cm的素混凝土,加之原工作桥面钢筋较密,原先设计的6根直径为20mm的膨胀螺栓无法按设计要求打入规定深度。在施工中及时与设计单位联系,在加大连接底板的同时,将原膨胀螺栓方案改为穿心螺杆的方案。在打穿心螺杆孔时,施工单位根据设计要求,使用地质钻探用静力钻,使钻孔时周边混凝土不受到冲击震动。采用加大连接底板、使用穿心螺杆和静力钻钻孔工艺后,不仅保证了彩板构架与工作桥面的连接,同时也有效地避免了工作桥边沿混凝土因受振动而失效的问题。

3．塑钢窗与彩钢板结合部防水构造

由于彩钢板不同于普通墙体与窗的连接,为防止雨水从彩钢板与塑钢窗的结合部渗入,我们在上部及两侧采用彩钢板压在窗边上,下部采用加一乙型板材排水的方法,并在所有接合处均打入玻璃胶。采用上述措施后,防水问题得到了较好解决,但由于乙型板材的内、外侧颜色不一,在窗台泛水部分形成墙面色差,影响美观,经补漆后使乙型板材内侧与墙面颜色一致。

4．铝塑板的运用

铝塑板系采用0.5mm铝合金结合可塑性塑料,经电脑控制高温、高压压合生产而成的质轻坚固、色彩丰富、有质感、平整性好、易于施工的复合材料。充分利用其裁剪容易、便于施工的优点,应用铝塑板制作了用彩钢板难以加工的锁石,并用该板作出一个非常圆滑的弧形,覆盖在彩钢板边沿。在资金有限的情况下,少量运用铝塑板进行修饰,使新建启闭机房与原闸的建筑风格形成有机的统一,达到了整体协调的效果。

(三)施工中的几点建议

(1)彩钢板这次用于武定门闸启闭机房,由于要求与原有节制闸的建筑风格相协调,所以在启闭机房中部,设计了一个较大的弧形造型,这样标准板材势必要进行现场切割,导致切割处封锌镀层被破坏,坡口粗糙,极易产生锈蚀,而接头又将被封入墙体内,日后无法进行保养,其耐久性将受到影响。同时,每块板还必须按整体弧度切成相应弧边,加上工作桥面比公路桥面高出约12m,这给施工增加了难度,影响施工进度,同时彩板利用率也不高。所以,在以后的运用中,应与二次加工厂家联系(因为像宝钢这样的钢铁企业只提供母材),尽量精确计算每块板的弧度,并要求在厂内加工完成。这样不仅解决了耐久性的问题,同时现场的施工进度可进一步加快。

(2)由于是旧闸改造,在老闸工作桥上新建启闭机房,这就涉及到模数不一的问题。武定门闸原工作桥面每跨宽度不一,中间跨度分别为6 990mm、6 370mm、3 370mm、3 260mm等,而彩钢板宽度为940mm,考虑每块板之间的搭接,长度应为900mm的倍数,这使得在施工中不得不现场切割标准板材,同样出现上面所提及的现场切割后所引起的弊端,在今后的施工中一定要慎重选择彩板的型号。另外,在立面处理上不宜过分复杂,否则彩钢建筑的优势无法充分发挥。

(3)彩钢板的定型尺寸与塑钢窗的规格不匹配。塑钢窗尺寸是按启闭机房设计要求定制的,这一尺寸的确定是依据启闭机房总体比例确定的,为 3 000mm×2 000mm 和 2 100mm×2 000mm。这样,在每扇窗的安装中均碰到搭接问题,尤其是采用浪板后,常遇到窗的两侧浪峰不对称。对此,我们采取就一侧浪峰,另一侧增设一浪峰造型的方法。采用这一措施后,虽从总体进行了弥补,但细部构造还是不能令人满意。因此,统一建筑模数在标准化建筑中显得尤为重要。鉴于目前彩钢结构尚无统一标准,所以在材料的选择上应进行认真分析,以减少施工中的矛盾。

(四)结语

通过武定门节制闸彩钢材料启闭机房的实践,证明该方案是成功的。增加荷载约 100kg/cm² ,而如使用砖混结构要达到约 1 000kg/cm² ,总重量明显减轻;虽然其单位造价为 1 200 元/m² ,如果仅单纯以此项与砖混结构启闭机房相比无优势,但综合考虑采用砖混结构尚需增加对排架及工作桥面的加固费用;另外,彩钢板房施工有效工日仅 41 天,而砖混结构施工至少需 3 个月以上,工期大为缩短。无疑,该方案的总造价仍然是较少的。

由于是在工作桥上施工,场地狭小,加上材料堆放,施工作业面很小,施工人员稍不注意,彩钢板表面极易被刮伤,须在施工组织中引起重视。

综上所述,采用彩钢结构的建筑为今后老闸加固改造增设启闭机房及类似结构提供了一个较好的可选方案。

【应用之二】 预裂松动爆破在闸室胸墙拆除中的应用

(一)工程概况

石梁河水库泄洪闸加固工程闸室胸墙拆除是工程实施改造的关键,拆除时要求对原闸墩及底板无任何破坏。

原泄洪闸共计 15 孔,闸孔净宽 10m,胸墙结构为钢筋混凝土梁式结构,固结在两侧闸墩上。上、中、下共 3 道胸墙梁,上、中梁宽 0.9m、高 0.8m,下梁宽 1.1m、高 1.2m,胸墙板厚 0.3m,胸墙总高 5.4m。胸墙拆除为高空作业,人工拆除困难,进度慢,价格高。经论证,采用爆破拆除。

(二)爆破参数的确定

1.爆破技术设计

依据《拆除爆破安全规程》及《爆破安全规程》,结合工程周围环境及拟拆除胸墙的结构尺寸,控制一次起爆药量,确定钻孔参数。在胸墙上、中、下梁上布置平行钻孔,3 道梁钻孔参数基本一致。梁间胸墙板高且薄,仅在中间钻一排孔,分 2 次完成。

2.装药参数、起爆方法和网路

按经验公式确定装药量:

$$q = K \times L \tag{7-4}$$

式中　q——单孔装炸药量,g/孔;

　　　K——单位炸药耗量系数,g/cm;

L——孔深,cm。

根据震动爆破要求,单位炸药耗量系数 $K=0.5\sim0.8$ g/cm,孔深 $L=60$ cm,计算单孔装药量为 $30\sim48$ g/孔,每道胸墙平均用炸药约 46kg,15 道胸墙共用 690kg 炸药。

起爆方法为非电导爆系统分段起爆,用 Ms 延期限 $1\sim10$ 段串联网路,用发爆器激爆笔起爆,每道梁上每次爆破 20 发电雷管,放小炮多次作业,每段最大起爆量为 100g(共用雷管 $15\times1\,680$ 发)。

3. 爆破安全技术的确定

(1)振动速度。地震波振动速度按下式计算:

$$V = K\left(\frac{Q^{1/3}}{R}\right)^a \tag{7-5}$$

式中　V——地震波振动速度,cm/s;

　　　K——系数,取 21;

　　　Q——最大一次爆破炸药量,kg;

　　　R——距爆破点距离,m;

　　　a——衰减指数,取 1.79。

根据计算得出单孔最大装炸药量 Q 为 48g,计算出距爆破点 5m、10m 处的振动速度。一段起爆为 $2\sim4$ 发雷管,最大一次爆破炸药量为 192g。经计算地震波振动速度 $V_5=0.44$ cm/s,$V_{10}=0.13$ cm/s,结果在 5m 处爆破地震波振动速度小于国家规定的 5cm/s,10m 内无震感。

(2)胸墙爆破地震安全距离。按下式计算:

$$R = \left(\frac{K}{V}\right)^{1/a} \times Q^{1/3} \times n\,(n_R) \tag{7-6}$$

式中　Q——最大一次爆破炸药量,kg;

　　　R——距爆破点安全距离,m;

　　　K、a——系数,分别为 150、1.5;

　　　V——爆破地震波振动速度,cm/s;

　　　n_R——装药点距地面高度,m;

　　　n——向下传播系数。

松动爆破控制最大速度 V 为 5cm/s,爆破装药距地面高度取 $n_R=1$ m、2m、3m、4m 时,向下传播系数 $n=0.8$、0.6、0.5、0.4。胸墙爆破地震安全距离 $R=\left(\frac{150}{5}\right)^{1/1.5}\times0.192^{1/3}\times0.8=4.46$ (m),距爆破处 5m 为安全距离,对建筑物无损坏。

(3)胸墙飞石防护距离。按下式计算:

$$R = K_R \times q^{1/3} \times K_1 \times K_2 \tag{7-7}$$

式中　K_R——圆型抛掷,取 96m;

　　　R——飞石防护距离,m;

　　　q——单孔装炸药量,kg/孔;

　　　K_1、K_2——不同防护可衰减系数。

单孔最大装炸药量为 48g,用水泥堵塞炮孔飞石可衰减系数 $K_1=0.4$,用草袋或胶皮覆盖飞石可衰减系数 $K_2=0.3$,K_R 圆型抛掷 96m,经计算,飞石最远距离 R 为 4.18m,不超过 5m。

(三)爆破施工

爆破手续齐全后,成立现场爆破拆除机构进行爆破施工。胸墙爆破拆除前,进行了试爆和地震波振动测试,测试结果 $V_5=0.43\text{cm/s}$,符合设计要求,10m 处无明显震感。拆除施工时采用交叉作业法,1 次拆除 5 闸孔,分 3 次完成。爆破施工前,先搭设好防护脚手架及人工操作台,周围加防护网及竹笆。

按分层爆破的高度,先切断胸墙与闸墩的连接部位,以减小爆破地震波对闸墩的影响。同时进行布孔、钻孔、装炸药、联线检查,然后防护、警戒、爆破。一次爆破后需进行爆后检查,如发现有瞎炮、盲炮,须进行处理后再行清渣或进行下一层布孔、钻孔等作业。

(四)结语

石梁河泄洪闸加固工程胸墙拆除采用在闸室内爆破的方法,经实践证明是可行的。全部胸墙拆除后,经对闸底板、闸墩等部位检查,未发现裂缝等破坏现象。爆破施工加快了拆除速度,保证了工程工期,节省了工程造价,取得了较为理想的效果。

【应用之三】 压浆锚杆技术在闸门改造中的应用

新疆维吾尔自治区玛纳斯县红山嘴电厂渠道枢纽工程始建于 1975 年,于 1978 年投入运行,设有进水闸 2 孔,冲砂闸 3 孔及泄洪闸 7 孔,最大过水能力 430m³/s。经 1996 年扩建,最大过水能力提高到 1 250m³/s(泄洪闸共计 22 孔)。玛河为多泥沙河流,每年造成渠道泄洪闸闸前、闸后淤积,闸前淤积达 2m 厚,闸后达 1.5m 厚,导致平板闸启闭困难。1999 年出现两次特大洪峰,高达 1 095m³/s,将 1、2 号泄洪闸部分冲刷出洪槽,闸前翼墙两侧边墙、闸后翼墙两侧边墙垮塌,局部基础淘空,安全没有保障。电厂经过多次考察论证后,于 2000 年 3 月对两闸门进行了改造,闸门改造采用了较先进的压浆锚杆技术。

(一)改造措施

(1)将手动操作的平板闸改为电动操作的孤形闸。

(2)改造闸门的同时对闸墙进行加固。

(二)施工方案

(1)在浇筑牛腿时,预留 $\phi30$mm 孔 6 个,在前、后面同时焊接 500mm×500mm×20mm 钢板。要求:①前后钢板孔相对应,必须同心,钢板焊接牢固无夹渣;②闸墙壁两侧牛腿必须用经纬仪找正中心位置,以便与闸臂正确连接。

(2)闸底与闸墙、牛腿与新闸墙、新闸墙与旧闸墙的接合要求:①闸墙、闸底及牛腿钢筋布设按设计图纸施工;②底板钢筋与闸墙钢筋搭接 500mm,与闸墙网片绑扎牢固;③牛腿与闸墙钢筋网连接按设计图纸施工;④压浆锚杆的施工工艺及要求为按间距 500mm 在旧墙上打梅花形孔若干,孔径为 30mm,孔深为 200mm,锚杆采用 $\phi10$mm 钢筋,长500mm,在头部焊倒刺状 $\phi6$mm 钢筋 6 至 3 根,刺长 2~2.5mm,倒刺应与桩焊接牢固,不能有夹渣及漏焊;⑤钢筋网片的绑扎与锚杆的焊接应根据图纸要求,校核钢筋的直径、根数、形状、尺寸及数量,准备绑扎钢丝,准备混凝土保护层的垫块。钢筋绑扎接头应符合下列要求:第一,搭接长度末端与钢筋弯曲处的距离,不得小于钢筋直径的 10 倍,接头不得在最大受力处;第二,直径等于或小于 12mm 的受压 I 级钢筋末端,可不作弯钩,但搭接长度不应小于钢筋直径的 30 倍,锚杆与网片焊接是把所有锚杆头部除锈后作成 180°弯钩,并将其包裹的钢筋作除锈处理,然后将两筋接触处全部焊牢,焊完后检查。

(3)闸底浇筑采用二级配,混凝土标号为 C30,水泥:砂子:石子(5~20mm):石子(20~40mm)为 1:1.32:1.5:2.25;闸墙及牛腿浇筑采用一级配,混凝土标号为 C20,水泥:砂:石子(5~20mm)为 1:1.6:3.6。

水泥采用 425 号硅酸盐水泥,拌制过程中按每斗量的 2% 加早强减水剂。

(4)达到拆模强度后方可拆模,发现有漏振、麻面及走模的立即处理。为保证其强度,留专人 12h 不间断养护,养护期不少于 15 天。

(三)结论

红山嘴电厂采用压浆锚杆技术对原平板闸改造后,通过 4 个多月的实际运行,闸门启闭灵活无阻卡,安全泄洪得到了保证,达到了预期的目标。

【应用之四】 涵闸穿堤涵洞衬砌混凝土渗水裂缝化学灌浆处理

涵闸穿堤涵洞混凝土裂缝进行化学灌浆处理的目的主要是进行防渗堵漏和补强加固。防渗堵漏要求缝面灌后具有较高的抗渗性和抗老化性能,能阻止外来水汽碳化混凝土和锈蚀钢筋,满足结构耐久性和安全运行的要求;补强加固要求缝面浆液固化后有较高的粘结强度,最终要求能恢复混凝土结构的整体性。目前裂缝处理一般采用高渗透改性环氧浆材,但均存在一定的局限性,需研究环保型、低黏度、无收缩、抗老化强、粘结强度高、能满足温度缝反复收缩开裂处理要求的弹性改性环氧浆材。裂缝处理方法主要有开槽埋管法、打斜孔埋管法和无损贴嘴法。开槽埋管法由于对原混凝土结构破坏较大、浆材损耗大,开槽处难以修复好等问题已普遍不再采用;打斜孔埋管法能解决开槽法的诸多不利,但存在管容耗浆大、微细粉尘易堵塞缝面影响灌浆质量的缺点,因其施工简单而被普遍采用;无损贴嘴法是目前处理裂缝最先进的方法,具有工艺简单、无钻孔、无孔容耗浆、易找准裂缝、对混凝土无损伤、成本低等优点,值得大力推广。无损贴嘴法处理裂缝的难点是渗水缝的贴嘴。采用 ECH 水下粘结胶进行渗水缝的贴嘴能最大承受 1.3 MPa 的压力,为贴嘴法处理渗水裂缝提供了条件。

(一)裂缝处理化学浆材的选择

选择化学浆材应掌握的原则:一是浆材的可灌性,所选化学浆材必须能够灌入裂缝,充填饱满,灌入后能凝结固化,以达到补强和防渗加固的目的;二是浆材的耐久性,所选用材料在使用环境条件下性能稳定,不易起化学变化,并且与混凝土裂缝有足够的粘结强度,不易脱开。对于一些活动裂缝和不稳定裂缝要特别注意耐久性原则。

涵闸穿堤涵洞衬砌混凝土裂缝的特点是裂缝开度较小、外水压力大、浆液较难灌入。一般处理要求既要满足补强又要防渗堵漏,灌浆材料一般采用高渗透改性环氧浆材,如 EAA、CW、LPL 等。

以上 3 种材料各有优缺点:EAA、CW 属糠醛、丙酮改性系列,具有亲水性、黏度低、可灌性较好,缺点是凝固时间长、脆性大,不适宜对变化的裂缝进行处理;LPL 浆材属活性稀释剂改性系列,具有亲水性、凝固时间快、脆性小、浆材本身不收缩的优点,但黏度大,对于细小裂缝的可灌性差。

(二)打斜孔埋管法处理渗水裂缝

1.工艺流程

打斜孔埋管法的工艺流程为:裂缝清洗→钻斜孔→清孔、埋管→表面封缝→通风检查→浆液配制→注浆→封孔处理→待凝检查→表面处理。

2.重要工艺技术要求

(1)裂缝清洗。对缝面用高压水进行清洗,直至清晰地露出裂缝为止。

(2)钻孔。在裂缝中心线 10~15cm 两侧钻斜孔,孔径 18mm,孔距 40cm,深浅孔交替布置。浅孔深 25~30cm,倾角约 50°。深孔孔深 40~45cm,倾角约 70°。

(3)清孔、埋管。用高压水将孔清洗干净,每孔分上、下两层埋设两根注浆管,一进一出。下层管径为 8mm,埋至距孔底 5cm,为主注浆管;上层管径为 8mm,埋入孔内 10cm 左右,为排水排气回浆管。埋管材料用速凝水泥。

(4)表面封缝。用玻璃丝布或堵漏灵剂进行封堵,应保证封闭密闭可靠。

(5)通风检查。待埋管材料有一定的强度后,在裂缝和管口处涂少量肥皂水,采用 0.2MPa 的风压进行通风检查,对于盲孔应在附近重新打孔埋管。

(6)浆液配制。根据灌前压丙酮试验的漏量大小配制浆液,配浆时将固化剂、表面活性剂缓慢注入 EAA(或 CW)主液中,边注入边搅拌。保持浆液温度在 25℃ 以下,以提高浆材的可灌性。

(7)化学灌浆。其工艺如下。

·注浆方式。灌前单孔压丙酮量≥10ml 者应单孔灌注,漏量<10ml 者则可多孔灌注;灌注过程中若有串漏孔,可在排出积水和稀浆后进行并灌,灌浆应由下而上进行。

·注浆方法。先灌深孔,从下层进浆管开始注浆,待上层回浆管排出孔内水、气后,封闭回浆管。根据吸浆量情况逐步升至设计压力,当吸浆率小于 1ml/min 时,应保持压力延续灌注 30min 即可扎管待凝。4~5h 后检查注浆效果,对管口不饱满的胶管进行第二次注浆直至饱满。

·灌浆压力。开灌压力 0.4MPa。当吸浆率小于 5ml/min 时,逐渐加压至 0.5~0.6 MPa。二次注浆孔压力可提高至 0.8MPa。

·注浆过程监控。加强结构的抬动变形监测,如出现异常应及时降压并采取相应措施。

(8)质量检查。裂缝化学灌浆结束 14 天后,采用压水和钻孔取芯相结合的方法进行。

·检查孔压水:采用单点法压水,压力 0.5MPa,孔径 28mm,孔深 30cm,合格标准透水率 $q \leqslant 0.1$Lu。

·钻孔取芯。孔径 89mm,孔深浅于灌浆孔 10cm,粘结强度应达到设计要求。

3.打斜孔埋管法施工存在的缺点

(1)温度裂缝走向是个曲面,在混凝土内的走向复杂,一般从钢筋边通过,钻孔时易碰到钢筋,造成的"废孔"较多,对原混凝土结构的整体性造成损坏。

(2)钻孔时的微细粉尘难以有效清理出来,粉尘易堵塞灌浆通道,浆液难以进入缝面,降低灌浆质量。

(3)渗水缝中不能有效地赶水,浆液和水混合影响环氧灌浆材料的固化,也不能满足浆液"从宽处往窄处灌浆最有利"的原则,一旦发现"死孔"无法及时采取补救措施。

(4)施工工序较多,施工工艺繁琐,管容、孔容大,浪费浆材(据统计孔容占58%以上);灌后的裂缝复灌量较大,且需多次复灌,增加了资金投入。

(三)无损贴嘴法处理渗水裂缝

1. 工艺流程

无损贴嘴法的工艺流程为:注浆嘴加工→打磨→冲洗→裂缝描述→贴嘴→封缝→压风检查→灌浆→注浆嘴清除→质量检查。

2. 重要工艺技术要求

(1)注浆嘴加工。在外径为6mm、长度大于6cm的铜管一端焊上边长为3~4cm、厚度为1.5mm左右的方形铁片,铁片中间开直径等于铜管外径的进浆孔,铁片周边钻排列规则的小孔。

(2)打磨。采用砂轮机沿裂缝的两边各打磨20cm的宽度,除去混凝土表面杂物,以免影响注浆嘴的粘贴及封缝效果。

(3)冲洗。冲洗是贴嘴法施工最重要的工序。用高压冲毛机沿裂缝开口向两边冲洗,以保证缝口敞开无杂物。

(4)裂缝描述。用刻度放大镜测量裂缝宽度,并对裂缝走向及缝长进行描述,用以调整布置注浆嘴间距及灌浆压力。

(5)贴嘴。根据裂缝描述进行注浆嘴的布置。规则裂缝缝宽小于0.3mm时按间距20cm布嘴,缝宽大于0.3mm时按间距30cm布嘴;不规则裂缝的交叉点及端部均布置注浆嘴。将ECH-Ⅰ型胶抹在注浆嘴底板上,贴嘴时用定位针穿过进浆管,对准缝口插上,然后将注浆嘴压向混凝土表面,抽出定位针,定位针未粘附胶认定注浆嘴粘贴合格。

(6)封缝。贴嘴3h后用堵漏灵胶泥将渗水缝口封堵住,2h后用碘钨灯将混凝土表面烘干并用无水酒精洗抹一遍;待干后刮抹一层ECH-Ⅱ型粘胶;当不粘手时再刮抹ECH-Ⅲ型面胶三遍,待ECH-Ⅲ型面胶基本固化后,用堵漏灵加固形成中间高、两边低的伞形封盖。

(7)压风检查。封缝完成并养护2h后即可进行压风检查各孔的贯通情况,压风压力<0.25MPa;对于不串通的孔应查明原因,进行分析和处理。

(8)灌浆。采用多点同步灌注方式,从下至上,从宽至窄,逐步推进,采用Lily CD-15双组分注射泵灌注LPL浆材,施工中采用稳压慢灌,每孔纯灌时间不少于90min,以保证灌浆质量。

(9)注浆嘴的清除。灌浆结束48h后铲除注浆嘴,混凝土表面采用环氧胶泥封堵平整。

(10)质量检查及验收。灌后质量检查在注射树脂LPL灌浆结束7天后进行。检查项目如下:

• 压水检查。现场布骑缝孔,冲击钻造孔(孔径 18～20mm,孔深 10～15cm)后,采用单点法压水,压水检查压力为 0.3MPa。合格标准为压水检查透水率 $q \leqslant 0.1$Lu。

• 钻孔取芯。取芯直径 89mm,并进行岩芯鉴定、描述,绘制钻孔柱状图。

3.无损贴嘴法的工艺特点

(1)不破坏混凝土的整体性,适合薄型结构的裂缝处理。

(2)由于从缝的表面进行打磨冲洗,可避免微细粉尘对灌浆的影响,从缝口进浆可灌性得到了保证。

(3)使"以浆赶水"、多点依序同步灌浆成为可能。

(4)贴嘴封缝、采用多点同步灌浆的无损灌浆工艺,可在不破坏混凝土结构的条件下极大地提高可灌性,裂缝的灌入深度也能满足要求,加上使用低黏度、低收缩的化灌浆材,取得了"堵水、保护钢筋、恢复结构的整体性"的效果。

(5)工艺简单,复灌率低,节约了昂贵的化学浆材,降低了成本,加快了施工进度。

4.特殊情况处理

(1)渗漏点的复灌。对有规律的渗漏点,即一段裂缝仍渗水,采用原施工方法进行复灌。

对单独的渗漏点采用打辅助孔的方法进行复灌。先在渗漏点贴嘴、封缝;然后用冲击钻在距渗漏点 10cm 沿原裂缝钻 3 个辅助斜孔(孔径 18～20mm,孔距 10～20cm,倾角 50°,孔深 25cm),并预埋外径为 6mm 的铜管;再用堵漏灵进行封堵埋管;在渗漏点贴嘴及封缝、辅助孔埋管及封堵完成后,其他工序按原方法进行施工。

(2)浆液配比出现问题时的处理。灌浆时如出现长时间不进浆,且浆液黏度增加,即浆液配比出现问题。处理方法是打开机箱盖,清理两活塞杆运行系统,直至两活塞杆运行同步后,排弃部分混合液,然后重新注浆。

(四)复灌后仍局部渗水的处理

(1)经复灌后仍有渗水的部位采用嵌缝措施。开槽槽深×槽宽为 5cm×5cm,并在槽内每 1.5m 用电钻打一个直径为 22mm 的排水孔,孔深>70cm;从孔底部埋一根铝管,在管口用堵漏灵封闭将水引出;将槽面清洗干净并尽量烘干,若无法烘干则在缝面用堵漏灵先堵水,然后涂环氧基液,再用丙乳砂浆锤填密实,并满足过流面平整度要求。

(2)嵌缝后再在表面粘贴玻璃丝布防渗,玻璃丝布宽 15cm。粘贴方法:先将缝面清理干净,均匀刷一层 1438 胶,再贴一层玻璃丝布,三胶二布。对于灌浆后延伸的裂缝,若渗水不大或不渗水,则直接在缝面粘贴玻璃丝布,并延伸 1.0m 左右。

(3)待丙乳砂浆封闭 7 天后,封闭引水管孔。先用干塑性水泥砂浆填充并用细钢筋捣密实,离孔口 5cm 时,改用预缩砂浆填充密实,对其表面涂刷环氧胶泥。

(五)结语

混凝土裂缝处理难度较大,对有渗水的裂缝处理难度更大。通过涵闸穿堤涵洞混凝土渗水裂缝的实际处理,认为在处理过程中主要应注意以下几个问题。

(1)灌浆材料的正确选择。应选择低黏度、低收缩的环氧浆材。收缩大的材料需多次复灌,不但增加投入,而且复灌成功率小。目前采用主要是两种系列的改性环氧浆材,各有优缺点,应根据缝的宽度、渗水情况及处理的结构要求,选择适宜的浆材。

(2)推广贴嘴无损法施工。混凝土温度缝一般较细,且不在一个平面上,裂缝很难找准,浆材难以灌入,最好是采用贴嘴无损法施工,既减少了钻孔量,又可减少孔容、管容的浆材耗用量,降低成本;结构的厚薄、裂缝的深浅对钻孔的要求较高,为了找准裂缝的深度以便准确地布置灌浆孔,不得不打大量的检查孔,对结构造成严重破坏。

(3)避免微细粉尘对化学灌浆的影响。混凝土裂缝内部极不规则,其宽度受骨料、钢筋等的影响宽窄变化复杂,当化学浆液夹着微细粉尘在裂缝中灌入时,碰到较窄处,就会累积阻塞浆液通路。因此,微细粉尘对化学灌浆的危害极大,但钻孔处理工艺无法避免粉尘影响。

(4)从宽处往窄处灌浆最为有利。"从上至下,从宽至窄,从一边至另一边",这是化学灌浆的基本原则。温度裂缝最先在混凝土表面形成,随着温度应力的作用持续向纵深方向发展,在混凝土表面的裂缝开合度最大,从缝口进浆对灌浆质量的提高极为有利。

(5)必须保证连续稳定的灌浆压力。稳定的灌浆压力是保证浆液能否使裂缝充填饱满的关键,采用手摇泵灌浆很难做到这一点,应采用双液气压泵进行施工。

(6)有效降低外水压力。裂缝中只要有水就会增加灌浆难度,应通过打排水孔的方法来降低外水压力,或采用封闭渗水岩体的方法减少裂缝的渗水量,提高浆材的粘结强度和灌浆效果。

(7)灌浆施工中有效地排水排气。裂缝灌浆时应通过有效措施把孔中及缝面的水气排出,来提高可灌性。采用在孔中埋双管或在裂缝的缝口处埋排气嘴的方法,可有效地排除裂缝中的水和气。

【应用之五】 土工膜在涵闸混凝土结构缺陷修补中的应用

土工膜是一类由高分子聚合物材料经加工而成的防水片材,其厚度一般为 $0.1 \sim 4.0$ mm。土工膜可被视为不透水材料,其渗透系数为 $10^{-11} \sim 10^{-14}$ cm/s。因此,广泛地应用于水利水电、土建、铁道、矿山、化工等行业的防渗漏工程中。土工膜在水利水电工程中的主要应用有土石坝上游面防渗斜墙或心墙、老土石坝的维修与加高防渗、围堰防渗工程、混凝土旧闸(坝)的防渗维修、水库库区防渗、碾压混凝土坝上游面防渗等。

(一)材料的选择

三元乙丙橡胶防水卷材,系以三元乙丙橡胶掺入适量的丁基橡胶、硫化剂、促进剂和补强剂等,经密炼、拉片过滤、挤出成型等工序加工而成。由于三元乙丙橡胶分子没有双键,当其受到臭氧、紫外线、热的作用时,主链不易发生断裂,所以它有优异的耐风吹日晒、耐老化性,而且抗拉强度高,加之重量轻、使用范围宽(在 $-40 \sim +80℃$ 范围内可以长期使用),是一种高效防水材料。它还可冷施工,操作简便,减少了环境污染,改善了工人的劳动条件。

(二)土工膜在涵闸防渗修补中的应用情况

某涵闸中孔胸墙内射水、渗漏现象严重,经认真检查,发现是由于施工时一次浇筑体积过大、振捣不匀,造成蜂窝、麻面、施工冷缝等施工缺陷,挡水后造成渗流。由于漏水面大且较分散,用一般堵漏方法处理施工较难、速度较慢,经研究,采用粘贴锚固土工膜(三元乙丙橡胶)技术对胸墙上游面进行处理。先后共进行了两次施工。左中孔和右中孔粘贴面积均为 1 440m²，中中孔粘贴面积为 1 340m²，三孔总粘贴面积为 4 220m²。施工程序：切除上游面钢筋，突出墙面的部分用手提砂轮磨平；用钢丝刷等用具清除表面污垢、浮土等，保证墙面清洁；较大的蜂窝、麻面用水泥砂浆抹平，墙面潮湿部位用喷灯烤干，保证墙面干燥；先刷底胶，然后刷粘结剂，同时粘贴三元乙丙橡胶。处理完成后，经现场运行检查，止漏效果明显，原有射水点全部消失，极大地改善了中孔闸门运行条件。

【应用之六】 水下不分散混凝土在涵闸修复中的应用

(一)课题的提出

广东省澄饶联圩工程始建于 1970 年，其挡潮、泄洪的功能，对当地的农业和渔业养殖做出了重大贡献。但由于当时的设计标准低、施工水平差，导致主要泄洪闸——三百门水闸的内外护坦破损严重，海漫被冲刷形成深坑，消能不足，急需进行修复。

潮州市水利水电勘测设计室根据水闸实际情况以及水文地质条件，决定采用水下不分散钢筋混凝土加固方案。加固工程是在原护坦面上直接浇筑 30cm 厚的水下不分散钢筋混凝土(强度等级 C20)。

水下不分散混凝土的应用在广东省尚无先例，且在水利系统内有着十分广泛的推广应用前景。为此，广东省水利水电第三工程局在承接三百门除险加固工程后，投入大量的人力、物力、财力对其进行研究，试图摸清水下不分散混凝土的性能特点，从而掌握水下不分散混凝土的配制工艺、施工技术及质量控制方法，为三百门水闸除险加固工程水下不分散混凝土的施工、验收提供可靠的依据。

(二)试验用原材料

1.水泥

广州水泥厂金羊牌 P.O 525 号水泥，28 天抗折强度为 9.6MPa，抗压强度为 56.5MPa。

2.细骨料

东莞桥头镇东江河砂，Ⅱ区中砂。细度模数 2.67，饱和面干密度为 2.58g/cm³，含泥量为 0.2%。

3.粗骨料

深圳平湖芙蓉石场 16~31.5mm 石灰岩碎石。质地坚硬，颗粒级配良好。饱和面干密度 2.71g/cm³，含泥量为 0.6%，压碎指标 4.0%。

4.水

饮用水。

5.外加剂

UWB-400 型絮凝剂，中国石油天然气总公司工程技术研究院生产。

(三)水下不分散混凝土配合比设计程序及配制流程

1.配合比设计程序

水下不分散混凝土的配合比设计程序如图 7-6 所示。

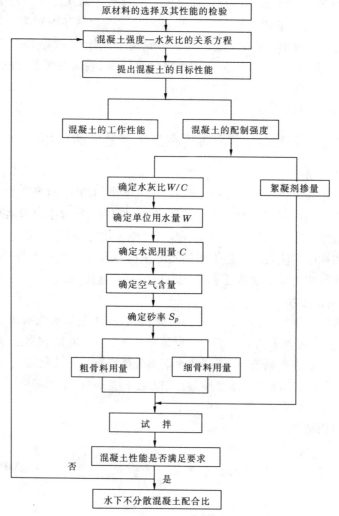

图 7-6　水下不分散混凝土的配合比设计程序

2.配制流程

水下不分散混凝土的配制流程如图 7-7 所示。

(四)水下不分散混凝土的性能

1.水下不分散混凝土强度特性

(1)水中成型抗压强度与水灰比的对应关系。由试验结果可得出,水下不分散混凝土水中成型抗压强度与水灰比的相关关系式如下,其相关图如图 7-8 所示。

$$f_{w,28} = -138.04 \frac{W}{C} + 84.692 \qquad (r = 0.997) \qquad (7-8)$$

式中　$f_{w,28}$——水中成型 28 天抗压强度,MPa;

　　　W/C——水灰比;

　　　r——相关系数。

(2)水下不分散混凝土强度发展特性。水下不分散混凝土的强度发展特性见图 7-9。

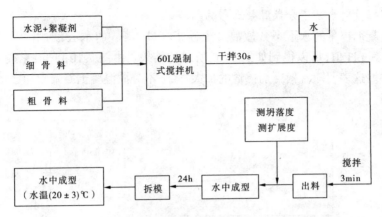

图 7-7　水下不分散混凝土配制流程

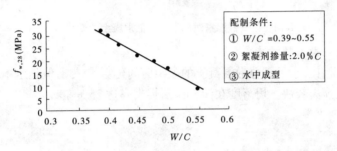

图 7-8　水下不分散混凝土的 $f_{w,28}$ —W/C 相关关系

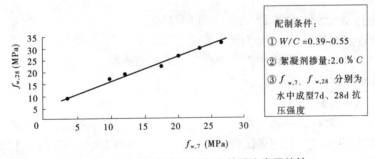

图 7-9　水下不分散混凝土的强度发展特性

2. 水下不分散混凝土的力学性能

对水下不分散混凝土的性能进行检验,可知水下不分散混凝土有着优良的力学性能及耐久性能(抗渗性能),如表 7-3 所示。

表 7-3　　　　　　　　水下不分散混凝土的力学性能检验

抗压强度 (MPa)		抗折强度 (MPa)		抗渗性能	轴心抗压强度 (MPa)	劈裂抗拉强度 (MPa)
7d	28d	7d	28d			
21.4	28.3	3.49	5.73	>S8	23.4	2.77

注:$W/C=0.40$,$W=180\text{kg/m}^3$,$S_p=40\%$,水中成型。

3.絮凝剂掺量对水下不分散混凝土影响

将不同絮凝剂掺量的水下不分散混凝土砂浆穿过 40cm 的水层,采用 WS 型袖珍数显 pH 值计测其 pH 值,可以得到如图 7-10 所示的结果。由图 7-10 可知:絮凝剂掺量越大,pH 值越小。这表明随着絮凝剂掺量的加大,水下不分散混凝土凝聚力随之增强,水中抗分散性增强。

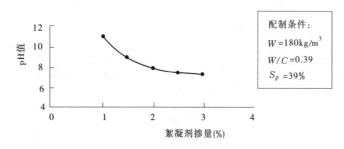

图 7-10 絮凝剂掺量对水下不分散混凝土的影响

4.水下不分散混凝土凝结特性

与普通混凝土相比,水下不分散混凝土的凝结时间延缓 1～3h,但是水下不分散混凝土拌和物的流动性损失较快。坍落度在 30min 后损失高达 25% 左右。

(五)应用

1.应用工程

三百门水闸护坦除险加固工程。

2.原材料

(1)元魁塔 P.Ⅱ525 号水泥,28 天强度为 54.6MPa。

(2)韩江中砂,$FM=2.86$,饱和面干密度为 $2.57g/cm^3$。

(3)坂上 20～40mm 碎石,饱和面干密度为 $2.67g/cm^3$。

(4)汕头市华能电厂Ⅱ级粉煤灰。

(5)UWB-400 型絮凝剂。

3.施工配合比及混凝土性能

结合试验室的试验成果及现场试验结果,提出了以下施工配合比:$C:FA:S:G:W:$
$UWB-400=1:0.18:1.20:2.22:0.51:0.020$。按本配合比配制的混凝土坍落度为 18.6cm,扩展度为 45.2cm,28 天水中成型,抗压强度为 25.5MPa。

4.施工情况

在本工程中,水下不分散混凝土采用吊罐法施工。在岸上生产出来的水下不分散混凝土由溜槽溜到吊罐中,运输至预定水域,再由起吊船上的吊机将吊罐沉放入水中离护坦面 40～80cm 处,打开吊罐门让水下不分散混凝土自由落下,而后由潜水员平仓。从混凝土出料至入仓历时为 5～10min,出料口混凝土坍落度控制在 16～22cm,扩展度控制在 40～50cm 范围内。生产出来的混凝土能较好地满足施工要求。同时,由现场观测可知,混凝土在水中的抗分散性好,流动性佳。

5.抽样情况

现场混凝土抽芯强度为 18.4～23.9MPa,平均值为 21.0MPa。这说明了水下不分散混凝土的质量得到了充分的保证。

6.结论

(1)水下不分散混凝土具有优良的抗分散性,即便在水中自由落下,亦很少出现由于水洗作用而引起材料分散现象。

(2)水下不分散混凝土黏稠,富于塑性,具有优良的自流平性和填充性。

(3)采用 UWB-400 型絮凝剂可配制出 C10~C25 等级的水下不分散混凝土。

(4)水下不分散混凝土的抗压强度与灰水比的关系和普通混凝土类似,均呈良好的线性相关关系。

(5)水下不分散混凝土具备优良的力学性能及耐久性能。

(6)水下不分散混凝土的凝结时间较普通混凝土稍长,但流动性损失较快。

(7)水下不分散混凝土由于絮凝剂带来的抗分散性,可有效地控制水下混凝土施工时产生的 pH 值及浊度上升,故具有基本不污染水质的特点。

(8)水下不分散混凝土经济可靠,应用范围广泛,可广泛应用于各种水下工程。

第八章 涵闸自动化监控新技术

第一节 概 述

近年来,随着微电子技术突飞猛进地发展,特别是单片机技术及工业控制 PC 机(IPC)的发展和广泛使用,使得各种智能化仪器仪表、自动装置、自动化系统层出不穷。现代数字通信技术、网络技术、多媒体技术、人工智能、专家系统亦日趋成熟,将自动化技术推向了更高层次。各行各业已形成了自身的自动化发展目标,有的已初具规模,产生了巨大的社会效益和经济效益。同样,水利行业也不例外。在水利施工、工程管理、防汛抗旱、水情测报、水闸监控、水库调度等方面,已有不少成功的自动化系统。水利工程远程自动化监控系统的基本结构见图 8-1。

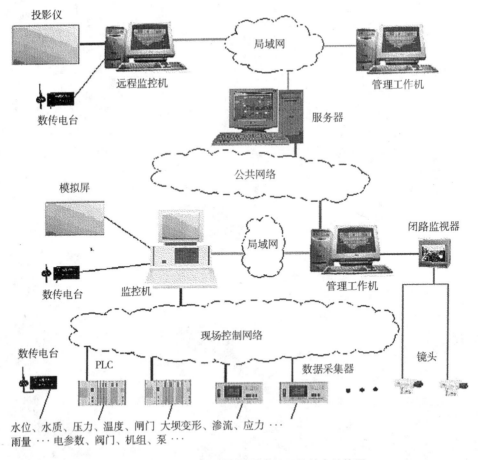

图 8-1 水利工程远程自动化监控系统基本结构图

一、水利工程远程自动化监控系统的设计原则和基本功能

(一)设计原则

水利工程远程自动化监控系统遵循以下原则进行设计:

(1)全面规划,分项目、分阶段结合工程建设逐步实施;

(2)采用技术先进、稳定性好、抗干扰能力强的自动化监测系统的仪器与设备;

(3)具有使用灵活、维护方便、功能及扩充性强的特点;

(4)分清项目的主次。

(二)基本功能

水利工程远程自动化监控系统应具备以下基本功能:

(1)数据采集功能;

(2)数据通信功能;

(3)数据管理功能;

(4)系统自检功能;

(5)系统显示功能;

(6)优秀的监控管理系统软件;

(7)防雷、抗干扰功能;

(8)监测数据外部接口。

二、涵闸自动化监控系统的结构与功能

(一)系统结构

一般的涵闸自动化监控系统结构简图见图8-2。

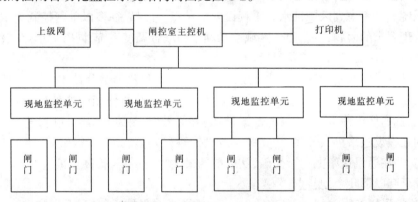

图8-2 涵闸自动化监控系统结构简图

(二)系统功能

涵闸自动化监控系统应具有以下主要功能:

(1)自动监测上、下游水位及各闸门的开度和运行状态信息;

(2)可实现近地控制、远程控制;

(3)根据设定模型自动控制启闭闸门;

(4)故障报警、越限报警功能及报警自动记录功能；

(5)显示/打印统计报表；

(6)动态图形显示闸门启闭过程和各类操作；

(7)建立当地实时数据库、历史数据库。

三、涵闸自动化监控典型

20 世纪 90 年代以来，国内涵闸自动化监控技术发展迅速，比较典型的有以下几种。

(一)水闸集中程控系统

该系统以可编程控制器为基础，采用分散控制、集中管理结构方式。它包括控制台、可编程序控制器系统、分控箱系统、闸门位置测量显示系统、闸前闸后水位遥测系统、配电柜。系统设有紧急备用、分布控制、自动声光报警、自动延时、自动失效等项功能，有较高可靠性和安全性。系统提供自动操作、半自动操作、混合操作、成组操作、单台操作等方式，并有闸门位置测量显示装置，自动化程度高，操作简单，效率高。闸门控制精度为 1cm。本技术已应用于广东省中山市东河水闸操作自动化系统等。

(二)群泵群闸自动控制系统

该系统包括中央控制室、3 个现场控制站、视频系统、数据采集监测系统及整个系统基于的光缆通信网络等。其作用是实现群泵群闸的自动控制及数据信息自动采集监测。实现圩区排涝运行管理的现代化。

群泵群闸自动监控系统通过集中管理，加强控制，不仅可以提高管理水平，发挥水利工程效益，提高圩区防洪除涝能力，还可保障农业生产，改善投资环境，具有显著的社会效益和经济效益。该系统已应用于上海市青浦胜利圩区。

(三)沿江(区域性)水闸管理自动化系统

该系统充分考虑到区域性水利工程设施的特点，针对以往多以单闸控制为主，不能适应现代管理要求的问题，研制出了区域性水利工程联合调度系统，同时对单点工作闸进行了一系列改进，使其走向实用化阶段。

沿江(区域性)水闸管理自动化系统由一个中心站和若干个分站组成，中心机与各分站间采用超短波无线数据通讯，工作站实测现场运行参数并作相应的处理。主要特点有高抗干扰、抗高低温冲击、农村停电数据维持、方便操作、易维护等。同时，充分考虑到区域性水利工程设施采集点较多，为克服无线电传输误码多、速度慢等缺陷，采取高抗干扰编码纠错，并在通讯速率上有所突破，从以前的最大1 200bit/s 提高至最大4 800bit/s。

该成果有以下几个创新点：

(1)分站采用专用大规模 PAL 编程技术，软硬件自保护，可实现无人值守；

(2)采用先进的无线通讯技术，高速自适应无线调制解器经超短波电台进行数传，实现无线联网调度；

(3)采用光电隔离、电压监示、Watch-dog 电路等抗干扰技术；

(4)具有实时监测、统计、分析、储存、数据停电维持等功能，具有"黑匣子"效果；

(5)采用 OLE 技术，结合多媒体实现声光报警；

(6)自制电子表格，储存日报、月报等历史资料，查询打印快捷；

(7)图文并茂,实时动态显示,具有动画效果。

该技术现已应用于张家港沿江水闸自动化管理系统及犊山枢纽水位、水量自动测量系统,情况良好,为当地工农业生产发挥了重要作用。该技术既满足了挡潮、航运、防汛、灌溉及城市用水防污等需要,又提供了水利工程的水文资料,社会效益及经济效益均十分显著。沿江水闸、涵洞、泵站数量大,管理难度大,实现自动化管理、调度前景广阔,推广意义很大。

(四)计算机水位监测及闸门自动控制系统

计算机水位监测及闸门自动控制系统由微型计算机、PLC可编程工业控制器、水位仪、闸位信号装置及专用软件组成。该系统可对水闸内、外(2km内)水位进行实时监测、自动记录、存储和打印,对液压启闭机类型的水工闸门运行的整个过程实现全自动控制(报警→开机→闸门开度按设定自动调节→停机),并可实现多水闸联网运行。该系统能适时、适度启闭闸门以调节内河水位或水库容量,达到合理利用水资源及提高防洪、排涝能力的目的。可用于水库及江河拦水坝水工闸门液压启闭机系统,及相似工业设备的自动控制系统。目前已用于福州鳌峰洲五孔水闸液压启闭机技术改造工程中,经受了当年"6·22"特大洪水的考验,系统工作状况良好。

(五)闸门远程控制系统

闸门的计算机远程控制技术已经成熟,完全可以满足工程运行管理的要求。为了保证闸门运行的安全和可靠,闸门控制运行方式有现地控制、集中控制和计算机控制3种,最高优先级为现地控制,其次是集中控制和计算机控制。闸门远程监控系统有以下基本功能。

(1)实时检测水闸上、下游水位和闸门开度,检测误差1cm。根据上、下游水位和闸位,自动量测瞬时流量。

(2)实时检测机械设备和电气设备的运行参数,发现实时数据超限或设备故障自动报警提示。

(3)根据调度指令,自动控制闸门开度(控制误差2cm),达到控制水位和流量的目的,并自动形成运行数据库和打印各类报表。

(4)异地计算机通过网络向计算机监控系统调用实时数据和数据库资料,通过计算机监控系统控制闸门开度。

(六)SZZ-II型水闸工程综合参数测控装置

1.用途特点

本系列产品是专为水利水电工程生产管理部门研制的集测量、显示、通讯、控制于一体的多功能多参数自动化测控设备,采用高精度、高可靠性传感器测量器件,对水位、压力、温度、流量、闸门开度、荷重等进行实时精确测量,并根据给定数学模型进行计算比较、修正,进行调节控制,达到保证设备安全、高效率运行,提高劳动效率减轻劳动强度,为用户实现全自动化调度管理提供可靠保证。适合大中小水电站、水库、泵站、引水供水工程、航运工程等单位应用。本装置功能齐全,组装灵活,可大可小,操作方便。

2.功能参数

(1)自动巡回检测水位、闸位、压力、流量、荷重等,点数不限。

(2)计算水头、拦污栅压差、闸前后压差、闸门两端升降差、过闸流量等。

(3)量程。水位、闸位:0~80m;温度: -50~+150℃;荷重:0~200t;压力:0~1 000 kPa。

(4)测控误差:0.2%S±1个字。

(5)显示方式。LED数字或CRT。

(6)控制功能。根据给定数学模型,控制闸门的升降高度、过闸流量、数据到限和超限自动报警及切断电源等保护控制。

(7)定时及报警打印记录功能。

(8)通讯接口。RS232/422,BCD码并行口,4~20MA模拟量等任选。

(9)结构特征。台式机箱、屏式或集控台式等任选。

3.技术方案

依据工程实现测控需要和资金状态,与用户协调可选定下列技术方案之一付诸实施:①组合逻辑功能模板积木式;②MCS-51单片机;③IPC/PLC/STD/BASE总线工控机。结构型式见图8-3~图8-6。

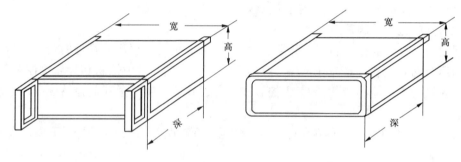

图8-3 台式/屏装式

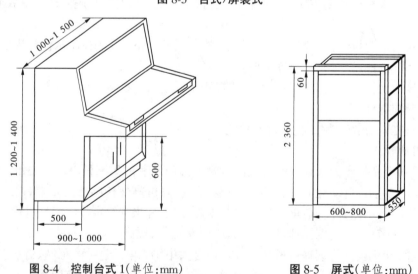

图8-4 控制台式1(单位:mm)　　　图8-5 屏式(单位:mm)

除以上各种结构型式外,还可按用户要求,设计加工各种标准及非标准开关屏、信号返回屏、集控台等。

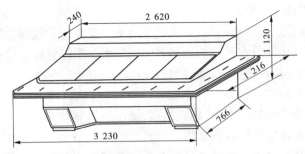

图 8-6　控制台式 2(TTL4 型)(单位:mm)

(七)灌区灌溉管理监控自动化系统

该系统以微型计算机、自动控制、数字通讯、多媒体等现代高新技术为支柱,将灌区多媒体管理信息系统和集散型闸群无线远程测控系统有机地融为一体,且在其中注入地图信息,具有工程信息库管理、涵闸运行工况历史数据库管理、涵闸运行工况实时监视、闸门定高度启闭远程遥控和人事档案管理等功能。系统远程数据采集包括各闸上下游水位、各闸门开启高度、当地日降雨量,且能进行过闸流量、日引排水量计算以及 8 时水位记录和上游高、低潮捕获。

该系统的主要技术指标为:数据采集采样周期 1s;数据采集分辨率为闸位 1cm,水位 1cm,降雨量 1mm;闸门定高度启闭远程遥控精度 <1cm;过水量计算时间间隔 100s;潮位捕获采样周期 1s;遥控命令响应延迟 ≤15s;通讯误码率(无线)≤10^{-12}。

该系统已在国家大型灌区——淮阴市洪金灌区投入运行,功能齐全,运行稳定、可靠、无需人值守,实用性强,价格适中,组态灵活,技术先进。该系统可在各类灌区推广应用,能有效地提高灌区管理人员的工作效率,减轻劳动强度,信息获取精度高、速度快,充分利用水资源,具有显著的经济效益和社会效益。

(八)引黄涵闸远程集中测控调度系统

1.系统简介

该系统是以"多功能综合数据采集与处理系统"为平台,以"黄河防汛通信集中监控系统"的开发经验为基础,以适应多泥沙河流为特点,研制开发的自动化水量调度及监控系统。

各地涵闸的闸前水位、闸后水位、含沙量、水流量、闸基房的动力及环境情况、现场图像及该地的开闸与闭闸请求等,均由本地涵闸控制终端进行实时采集并实时上传到水量调度指挥中心。

2.系统功能

指挥中心可依据各涵闸实时传送的数据、现场图像、前方请求等进行水量调度决策及授权,被授权的前方涵闸可在权限内对涵闸进行操作,操作过程及操作后的运行过程将实时上传到水量调度指挥中心。指挥中心可直接对各地涵闸进行远程操作,操作过程由前方回传的数据及图像信息进行引导。

3.主要特点

(1)各涵闸均备有应急手动备用系统,以适应防大洪水的需要。

(2)系统对现场闸门、闸基、启闭机、动力装置等均通过特殊的传感、连动、报警等装置进行严格的保护,以确保安全。

(3)将水费管理也纳入了本系统,用水单位需提供交费后有效的 IC 卡,并在该卡指定的获取水量调度指挥中心放水授权的涵闸上申请放水。系统将在放够用水单位的指定水量或 IC 卡上计存的水量用完后,自动将闸门关闭。

4.系统部分硬件

系统主要硬件为现地控制机柜,集成化高,操作简便易行。

(九)渠道闸门太阳能自动控制系统

渠道闸门太阳能自动控制系统是一种廉价的渠道自动化管理技术。它利用太阳能板将光能转化为电能,并用蓄电池存储能量,避免了为大量孤立偏僻且位置分散的斗口闸门供应交流电的不便,从而大幅度缩减工程造价。同时,它又可以使用公共电话交换网实现对闸门的远程测控。其系统简图见图 8-7。

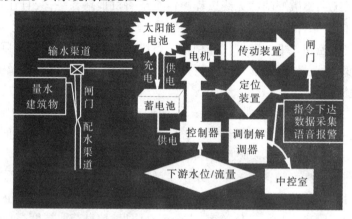

图 8-7　渠道闸门太阳能自动控制系统简图

1.主机及配套设备

(1)控制器(数据记录仪)。

(2)电动机及减速箱。

(3)水位、闸位传感器。

(4)数据通讯系统。

(5)电源(蓄电池＋太阳能)。

2.自动控制模式

(1)中心控制。中心控制室通过调制解调器下达下游取水流量或水位要求,就地控制器根据这些要求完成上游闸门的调整。

(2)就地控制。由水管员在就地控制器中设定下游取水要求,太阳能就地控制系统将自动完成这一过程,从而可以实现按照用水计划配水。

20 世纪 70 年代以来,黄河水资源匮乏逐年加剧。同时,经济和社会发展迅速,对水的需求持续增长,使得水资源供需矛盾日趋尖锐。要解决这一重大问题,惟有加强黄河水资源统一管理,实施黄河水量统一调度,实现黄河水资源优化配置,确保黄河不断流,使有限的黄河水资源最大限度地发挥社会效益、环境效益和生态效益。其关键所在是对黄河下游 94 座引黄涵闸进行科学有效的实时监测、控制与调度。

以下重点介绍几例已在国内部分涵闸成功应用的自动化监控新技术,以期达到提供借鉴、提高黄河下游涵闸运行管理水平的目的。

第二节 黄河水资源管理调度监控指挥系统

一、系统设计思想

遵循黄河水利委员会黄河水资源统一管理、水量统一调度、总量控制、分级管理、分级负责和系统科学先进、经济实用的原则,立足于现有黄河广域网系统和无线接入通信网系统,实现黄河水资源调度管理的远程监测与控制,确保黄河水量调度控制断面下泄流量不低于控制指标;根据黄河可供水量指标和引黄用水单位需水量,实现黄河水资源订单供水网络化管理,实时调配各个控制河段之间涵闸引水流量,达到可供水量的优化配置、合理调度;同时提高涵闸监控管理自动化水平,实现流量及预付水费水量自动控制、超量引水自动报警提示与调控,以及远程控制涵闸运行安全保护等功能。

(一)系统设计的科学性、先进性

以先进的调度系统、科学的调度手段作保证,提高水量调度的科学性、合理性、时效性。

(1)通过黄河计算机广域网、黄河通信系统和公网资源,实现对涵闸运行状况、运行参数的远程实时监测与监视。

(2)根据控制权优先级原则,实现对涵闸运行分级限权远程控制管理。

(3)改善涵闸管理条件,提高涵闸自动化管理水平。

(4)通过电子地图、电子表格,直观、动态、实时显示涵闸运行参数和运行状态,达到决策可视化效果。

(5)实现黄河订单供水申请、审批和引水的网络化管理。

(6)根据订单批准水量和预付水费水量,实现计算机自动控制引水。

(7)预留多种扩展接口,可以随时添加其他功能的传感器。

(8)系统具有较强的兼容性,可直接与有关控制中心网络系统联网,实现资源共享。

(二)系统运行的可靠性、安全性

系统的设计,充分考虑了涵闸本身的安全性、计算机网络和通讯系统的特点,以及水位、天气、人为等其他因素对系统的影响情况等,建立了自动报警系统,确保涵闸运行和远程控制万无一失。同时,系统数据的采集、分析、整理、存储、查询,也充分满足了实时监测和远程控制的需要。

(三)系统开发的兼容性、共享性

系统设计和所采集的数据资源具有良好的开放性和兼容性,能够较好地被其他相关网络系统查询和应用,实现水量调度资源的共享、共用,从而提高资源的利用效率。系统开发研制具有前瞻性,充分考虑系统的扩展和升级,始终保持系统的科学先进特点。

二、系统研制的主要内容

黄河水资源管理调度监控指挥系统,包含市河务局指挥中心、各县河务局监控中心、涵闸监控站。市、县河务局指挥中心主要包括监控计算机、打印机、管理软件和大屏幕投影设备,涵闸控制站包括监控设备、安全保护装置、计算机、运行软件和远程通信系统。市河务局指挥中心通过黄河广域网与县局监控中心联网,县局监控中心通过无线接入通信系统与前端控制站连接,从而实现对涵闸运行状态和运行参数的远程实时监测与控制,实现对黄河水资源订单供水的网络化管理。

三、系统工作原理

前端闸位控制器、信息显示屏、水位传感器、电压、电流传感器,分别有1片单片机与涵闸监控站的计算机,通过4芯电缆,实现远程多机串行通信。闸位控制器通过霍尔器件实时记录闸位变化,通过继电器等功率器件控制启闭电机,通过单片机与计算机通信,实现远程监测与控制。水位控制器实时采集闸前水位,并发送给计算机。计算机根据闸位、水位高度查找流量曲线,得到流量,并把闸门启闭高度、闸前水位和流量数据发送到闸房内的信息显示屏和远端控制计算机。县河务局的计算机通过调制解调器与涵闸值班室的计算机通信,市局计算机通过黄河计算机广域网与县局计算机通信,从而达到获取涵闸运行状态信息数据与远程监测、控制涵闸的目的。当闸前水位抬高,引水流量超过批准引水流量时,系统报警提示并自动调控。当水闸升降到设定的极限高度,接触到限位开关,自动切断涵闸电源,闸门停止升降。当涵闸降落过程中遇到障碍物,克服一定向上顶压丝杠力后,承重弹簧被压缩,接触到行程开关,自动切断涵闸电源,闸门停止降落。闸位控制器、水位传感器均安装备用电源和存储器,在通信中断或没有市电时,系统自动切换到备用电源,单片机仍然正常工作并自动记录闸位、水位,存到存储器里面,待市电和通信正常后再把这些数据自动写入数据库。

四、系统综合功能

实现黄河水资源的中央控制、限权管理、分级负责、科学调度、优化配置、实时监督、远程控制之目标,为黄河水资源统一管理、统一调度提供强有力的技术保障。

(1)实时监测。通过黄河计算机广域网和无线接入通信网,进行实时数据传输,各级水调部门实现对其所属供水管理单位执行水调命令情况、涵闸运行状况、运行参数进行远程实时监测。

(2)远程监视。通过闸前、闸室、前端监控站视频采集系统,远程监视涵闸运行过程。

(3)远程控制。根据中央集权和控制权优先级原则,实施分级限权管理,实现调度监控指挥中心的集中控制和上级对下级水量调度实施有效的远程控制与调节。当有权限的计算机控制中心实现对指定涵闸的控制时,该控制中心以下各级子控中心和前端控制站均无权启闭所指定的涵闸。

(4)电子地图、电子表格综合控制。

(5)黄河水资源订单供水网络化管理。县、市局网上申请订单用水指标,上级网上审核、网上下达批准的流量和水量,各级根据分配流量、水量,实时监控下级批准流量、水量引用情况,若引水超过批准指标,系统报警提示,并自动予以调整。

(6)预付水费水量自动控制放水。输入用水户预付水费数额和用水户需水时段,计算机自动计算供水量和平均流量,并在上级分配的用水指标范围内自动控制放水,任务完成后,计算机自动关闭涵闸,并计算出实时水费数额,通知用水单位。

(7)流量自动调整和控制。前端计算机依照市局分配流量,根据闸前水位变化情况,在实际引水流量超过分配流量5%时,自动调整闸门启闭高度,以控制流量不超标。

(8)安全运行保护装置。实现限位保护、断电数据保护、闸门运行(启、闭)异常保护等功能,确保涵闸远程控制安全、有效。

(9)自动报警系统。当引水量达到审批水量、引水流量超过批准流量、闸前水位超过警戒水位、涵闸在远程控制中遇到故障,系统自动报警,并采取相应的安全保护控制措施。

(10)水调命令网上公告栏。实现水调命令的网上发布,提高其实效性。

(11)自动生成、存储、打印各级、各类水资源报表,建立统一、完善、兼容性好的综合信息数据库,便于各级查询和调用。

五、系统主要技术指标

(1)工作电压:AC220V。

(2)前端计算机采集存储数据平均间隔时间≤10min。

(3)闸位传感器分辨率0.3mm,测量误差≤1mm。

(4)水位传感器测量误差≤5mm。

(5)流量测量误差≤5%。

(6)闸室显示屏显示数据无误差实时显示,闸位、闸前水位精确到厘米,流量保留两位小数。

(7)室外显示屏滚动显示闸位、水位、流量,10min变换一次实时数据。

(8)闸门运行异常保护装置在闸门正常启闭时不能出现动作。如闸门运行出现异常,异常行程≤3mm时切断电源。

(9)断电记忆装置应在断电的同时启动,后备电源能保证停电167h以上用电。

(10)值班室－前端控制器通信速率1 200bps、县局－涵闸值班室通信速率9 600bps。

(11)县局至前端网络连接中断,30s内自动重拨连接。

(12)系统平均无故障工作时间(MTBF):2 000h;涵闸前端平均无故障工作时间(MTBF):10 000h。

(13)最小维修时间(MTTR):1h。

(14)工作环境温度:－10～50℃。

(15)储藏温度:－30～70℃。

六、系统建设的实施情况

为保证本系统的科学合理、先进实用和安全可靠,研制单位河南省新乡市河务局先后多次组织人员对一些研制安装监测系统的单位进行了考察和学习,并查阅了大量国内外有关资料。在此基础上,应用计算机软硬件技术、先进的电子技术和传感器技术,在原阳县河务局柳园闸进行了"涵闸自动化远程实时监控管理系统"的研制开发。

经过几年来的不断实践和反复试验,并经过不断地完善和提高,2002年3月,体现"数字水调"思想的"黄河水资源管理调度监控指挥系统"的开发、研制、设计和试运行工作全部完成,系统的整体性能和综合控制功能,以及系统的科学性、先进性、安全性和可靠性已完全能够满足黄河水资源统一管理调度的数字化管理需要。

2002年4月29日,河南省科学技术厅组织的鉴定委员会的专家对该系统整体运行情况和各项功能进行了现场测试,并在郑州召开了成果鉴定会。经过认真的分析、研究和讨论,鉴定委员会一致认为,"该项成果达到了同类研究国内领先水平,经济、社会效益显著,推广应用前景广阔"。

系统鉴定后,已先后在原阳县黄河河务局韩董庄、柳园、祥符朱引黄闸推广,并投入了水资源调度管理应用,实现了省、市、县河务局对原阳3座涵闸的远程实时监控,在当年的黄河水量调度工作中发挥了积极作用,取得了十分显著效果,达到了系统设计的目的。

2002年6月13日,黄河水利委员会主任李国英等领导在专程考察该系统后指出:这是适应我们现在整个黄河下游目前微波通信条件下涵闸远程监控的一套系统,该系统是具有广泛推广意义的系统,适合在黄河下游推广应用。

七、社会效益和经济效益分析

系统推广应用后,各级领导和水调工作者坐在办公室,足不出门,通过电子综合显示屏和动态电子表格,实时了解辖区内水资源调度管理整体运行情况,且根据控制权优先级原则,实施远程调度与控制,较之目前督察组沿河督察,工作效率提高几十倍、上百倍,而且调控质量大大提高,较好地保证了有限黄河水资源优化配置和本地区黄河控制断面下泄流量不低于控制标准,为确保黄河不断流提供了可靠技术保证。系统设计过程中充分考虑了系统运行的安全性和可靠性,确保了远程控制安全有效,避免了供水工作中多引少报、少引多报、引水不报和有令不行、有禁不止、擅自开闸现象的发生,从而增强了各级水调部门的责任心,维护了水调工作的权威性和严肃性。由于系统的建设立足于现有的黄河计算机广域网和黄河无线接入通信系统,大大降低了系统建设成本,性能价格比远远优于其他同类系统,为系统的推广应用奠定了坚实的基础。

第三节　山东李家岸引黄闸计算机自动测控系统

一、工程概况

李家岸引黄闸位于山东黄河左岸李家岸险工段,轴线大堤桩号123+210,属于一级建筑物设计。防洪水位39.52m,校核防洪水位40.50m,设计灌溉水位28.10m,相应大河流量217m³/s,引水流量100 m³/s,灌溉最高引水位36.29m,设计地震烈度8度。该闸为钢筋混凝土箱式结构,三联九孔,每孔尺寸3m×3m,涵洞全长81m,分8节,首节长11m ,机架桥高程42.00m,胸墙顶高程32.88m,胸墙底高程28.88m ,底板高程25.88m。该闸担负着供给齐河、临邑、乐陵、宁津、庆云等地的农业、工业及生活用水的任务,控制灌溉面积为 19.87 万 hm^2。

二、系统设计思想

研究黄河高含沙水流各项特征值以及影响因素,找出规律,设计涵闸过流数学模型,编制计算机程序,安装调试各仪器设备,利用计算机进行控制和监测,实现李家岸引黄闸分层分布式计算机闸门自动监控,完成闸门开度、上、下游水位的自动测量,过闸流量的自动计算,并可进一步实现闸门的就地控制及远方集中监控,以全面提高李家岸引黄闸的科学化、自动化管理水平。

三、系统研制过程

(一)李家岸引黄闸实测水沙与闸门开启高度、水位相关关系实验研究

1.堰流及孔流的判别

判别堰流与孔流的标准,取决于闸门对水流的控制作用,当闸门全部开启或开启度大于 0.65 倍闸前水头时($e/H>0.65$),出流为堰流;当闸门开启度小于 0.65 倍闸前水头时($e/H<0.65$),此时出流型态则为孔流。

2.自由式及淹没式堰流的判别

对堰流而言,当下游水深 t 小于闸门开启高度 $e(t<e)$ 时,闸下水位没有漫过水跃,淹没收缩断面,闸孔出流为自由式;当下游水深 t 大于闸门开启高度 $e(t>e)$ 时,由于闸下消力坎和闸后渠道淤积,水跃发生在洞身内部,形成淹没式水跃,因而出流是淹没式。

3.孔流流量系数的推求

计算公式:

$$M = \frac{Q}{A\sqrt{Z}} \tag{8-1}$$

式中　M——流量系数;

　　　Z——闸上、下游水位差;

　　　A——过流面积,$A=be$,其中 b 为开启闸门总宽度。

4.堰流流量系数的推求

计算公式:

$$C = \frac{Q}{BH_0^{3/2}} \tag{8-2}$$

式中　C——流量系数;

　　　Q——实测流量;

　　　B——过流总净宽;

　　　H_0——上游水头,行近流速水头可忽略不计。

5.用实测流量资料计算确定流量系数

根据 1988～1995 年实测流量资料计算出各测次的流量系数,相同条件下流量系数都比较接近,绘制出的 e/Z—M、H_0—C 相关曲线比较有规律。

(二)选定数学模型

在流量系数已知的前提下,堰流的流量公式为 $Q = CBH_0^{3/2}$;孔流的流量公式为 $Q = MA\sqrt{Z}$。

(三)选定协作科研单位及仪器设备

为了找到适应黄河引黄涵闸测控的新技术、新设备,提高自动化管理水平,通过考察分析论证,选定了河海大学、南京水文自动化研究所、黄河水利委员会信息中心、黄河水利委员会水科院、中国水利科学研究院水利研究所5家科研单位为协作单位,同时在李家岸引黄闸安装仪器,应用德州市局试验研究的数学模型编制计算机软件,同时进行试验,择优选用,推荐推广。

(四)仪器设备安装和使用情况

1. 结构系统

仪器设备结构分为两大部分。第一部分为硬件系统,主要包括计算机、闸门上下游水位计、闸位计、无线电发射台以及实时监测、传输、记录分析的设备等;第二部分为用于流量计算、整理、数据存储、管理的软件系统,主要包括利用李家岸实测水沙与闸门开启高度、水位相关关系数学模型编制的软件,集信息传输、发送、管理控制于一体的实时流量计算系统。李家岸闸自动测流系统结构见图8-8。

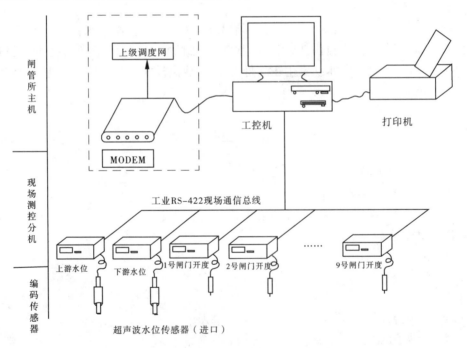

图8-8 李家岸闸自动测流系统结构

2. 主要硬件与软件

本次实验的主要硬件是超声波水位计、浮子式水位计、压力传感器和电子水尺4种类型。系统软件的情况是：5 家参试单位的自动测流系统均采用 Windows 平台技术，个别单位如河海大学采用目前流行的 Windows 98 平台技术；信息中心通信接受部分采用 MIS 系统广泛采用的先进开发平台 Power Builder 等。但软件开发语言及模型计算方法也有所不同。

3. 系统功能

本次实验，各参试单位的监测仪器系统功能如下：

1）河海大学监测系统功能

河海大学参试的监测仪器系统是一个典型的分层分布式控制系统。其特殊优点是集中管理、分散控制、扩展方便、维护简单。系统由一台 IPC586 工控机作为闸管所管理主机，负责搜索各闸门测控分机的闸门开度以及上、下游水位。在中文 Windows 运行环境支持下，实现动态图形实时显示、记录、打印等功能。其主要功能如下：

- 实时自动测量各闸门开度和上、下游水位，测量误差不超过 1cm；
- 可在线设置上、下游水位越线报警值，闸门开度越限报警值；
- 越限自动报警及记录；
- 按水力学计算公式及回归统计计算法，自动计算各闸门的过闸流量，并累计记录；
- 越限自动报警；
- 自动统计记录开、关闸次数及开、关时间；
- 能实现闸门远方自动启闭控制（可按开度启闭或按流量启闭）；
- 能任意组合闸门启闭顺序；
- 能任意屏蔽（禁止）某孔闸的启闭操作（在闸门检修或故障情况下）；
- 预留与上级调度网联网通信接口；
- 图形化的人机界面接口，使用简单；
- 系统设计合理、显目；
- 数据的管理、存储采用 Access 97 关系数据库方式实现，易于实现信息的加密、用户的授权分组、多用户、网络化资源共享；
- 系统实时性好，采样速度快，能实时显示出闸门上、下游水位及各闸门开度，并计算出瞬时流量；
- 能根据各闸门的实际开度动态显示闸门的启闭，形象直观；
- 建有历史数据库，能随时查看任何一天、任何时间各闸门的开度、系统流量。

2）中国水利科学研究院水利研究所监测系统功能

- 上游水位数据的测量、就地存储和发送；
- 下游水位数据的测量、就地存储和发送；
- 9 个闸门开度数据的读取、就地存储和发送；
- 自记历史数据的读取；无论系统处于实时或非实时状态，设定时间间隔的上下游水位及闸门开度数据都将就地存储在相应模块中；

- 数据的实时接受与存储；
- 信息管理及各类水量的计算；
- 文字资料的管理；
- 图片资料的管理；
- 影响资料的管理；
- 实测测流的录入；
- 实测历史资料的动态分析；
- 流态的判别及对应流量系统分析计算；
- 自记历史数据的流量计算；
- 实时流量的计算；
- 上下游水位、闸门开度、流量实时动态显示；
- 多种流量和水量的查询打印，各种报表的浏览及打印。

3）南京水文自动化研究所监测系统软件功能

- 定时自动测量闸位数据和上、下游水位数据，每分钟测量一次数据；
- 自动对测量数据进行数据库建立保存；
- 实时显示各个闸门的闸位值，上、下游水位值，闸门开启高度，当前实时流量值，放水总量值等参数；
- 设置和修改孔流流量系数和堰流流量系数值；
- 设置和修改上下游水位起始值和总量起始值；
- 随时显示和打印流量日报表，报表内可显示和打印上、下游水位，开启高度，流量及累计放水总量等参数，且输出时段间隔可任意选择；
- 具有对单台闸位进行跟踪显示的功能；
- 具有初步调度功能，当输入上游水位和放水流量值后，软件能自动给出多种放水方案，供操作者选择最佳放水方案。

4）黄河水利委员会信息中心监测系统主要功能

- 采用遥测电子水尺测量上游水位（即涵闸前河道水位）和下游水位（即涵闸的出口水位）；
- 采用遥感测闸位计测量各涵闸的开启度；
- 采用中继站完成数据的"接力"传递；
- 数据采集间隔分为6档：1.5min、3min、6min、12min、24min、48min，在本实验项目中设置为6min；
- 数据发送格式符合《水文自动测报系统规范》的规定；遥感电子水尺按"自报式"数

据终端机的固定帧结构发送;遥感闸位计按人工置数数据格式发送;

· 数据传输率:300bps;

· 调制方式:FKS;

· 副载频:传号 980HW,空号 1 180HW;

· 发送功率:遥测终端机 3W,中继机 20W;

· 数据处理中心接收遥测数据,并借用水力学公式换算成过闸流量;

· 把接收到的数据和换算成的数据送入网络数据库。数据规模选用 MS SQLServer 7.0 版本作为本系统的数据库管理系统;

· 在黄河水利委员会水量调度局、山东黄河河务局、河南黄河河务局可以通过黄河减灾计算机网随时查阅涵闸的运用和引水情况,包括涵闸上游水位、下游水位,各涵闸的开启高度、开启面积以及闸流量等。

4. 实验情况

按技术合同书有关要求,1998 年 12 月 20 日各家监测系统安装完毕开始运行。进入对比实验期后,按实验内容、方法和要求,各参试单位运用自己的监测系统对引水流量进行实时监测。监测的主要内容有:上、下游水位,闸门开启高度,平均开高,开启孔数、流态等,并据此计算过闸流量和日累计水量。其提供流量监测成果的时间分别为 1h、10min、1min3 种方式。鉴于 9 月份以前,李家岸闸管所每天对引水流量实施 4 次,一般情况下,上、下午各两次。经统计,实验期间共采集数据 237 万点次;李家岸闸管所实测流量数据 195 测次。

(五)实验资料审核整理与成果分析

1. 实验资料审核整理

此阶段主要是对 5 个单位仪器自动检测资料和李家岸闸管所实测资料进行审查整理。其主要内容有以下 3 个方面。

1)李家岸闸实测资料的审核整理

鉴于李家岸引黄闸实测流量资料将作为检验各测试仪器精度的标准,为了保证真值的可靠性,对李家岸引黄闸提供的实测原始资料进行逐项整理审核,对有异议的测次,经过认真分析,作出了合理取舍。

2)监测资料的摘录、审核与计算

由于李家岸引黄闸实测流量为一时段平均值,而各参试单位提供的监测流量资料为某一时刻的瞬时数据,根据资料分析要求,需将各参试单位流量资料按李家岸闸各测次流量施测的起止时间进行相应摘录。在对各单位流量监测资料摘录、分析、进行时段平均的基础上,共获得实测流量同步的平均流量数据 764 个。

3)分析数据的采用

根据水文水力计算分析数据必须满足一致性和代表性原则的要求,在经过分析后认定:实测资料和监测资料具备分析要求的只有 9 月 17 日~10 月 26 日期间的数据,因此,取其时段成果作为分析样本。

2. 实验成果分析

运用准确度、精密度、精确度 3 个指标对各参试单位的实验成果进行对比分析。

1) 准确度

准确度是由系统误差引起的测量值与真值的偏离程度,反映了监测系统量测结果的准确程度,系统误差越小,测量结果越准确,监测系统准确性较好。准确度一般用平均系统误差来描述,其公式为:

$$\delta_{系} = \frac{1}{n} \sum_{i=1}^{n} \delta_i \tag{8-3}$$

式中 $\delta_{系}$——平均系统误差,%;

δ_i——第 i 测次监测流量的相对误差;

n——总测次数。

从计算结果看,平均系统误差最小的为南京水文自动化研究所,只有 0.1%,其次是河海大学,为 -1.3%。黄河水利委员会信息中心、中国水利科学研究院水利研究所、黄河水利科学研究院相对较大,平均系统误差分别为 -9.4%、-14.0% 和 -19.3%。

2) 精密度

精密度是由随机误差引起的测量值与真值的偏离程度,反映了监测系统量测结果的精密程度,随机误差越小,量测结果越精密,监测系统的精密度就越高。随机误差一般用相对均方差表示,其公式为

$$m = \sqrt{\frac{\sum_{i=1}^{n} \delta_i^2}{n-1}} \tag{8-4}$$

式中 m——相对均方差,%;

δ_i——第 i 测次的随机误差;

n——样本容量。

从计算结果看,最小的为河海大学,其值为 $\pm 3.1\%$,黄河水利委员会信息中心、南京水文自动化研究所、中国水利科学研究院、黄河水利科学研究院分别为 $\pm 3.5\%$、$\pm 4.1\%$、$\pm 4.8\%$ 和 $\pm 18.3\%$。

3) 精确度

精确度又简称精度,是由系统误差和随机误差共同引起的量测值与真值的偏离程度。综合误差越小,量测结果的精度越高,监测系统的性能和监测水平也越好。鉴于综合误差大小反映了监测系统的精度高低,本次精确度分析从相对误差过程线、误差频率统计、综合误差参数 3 方面进行。

相对误差过程线反映了相对误差随流量监测时间(或测次)的变化过程,从分析情况来看,除黄河水利科学研究院监测资料连续性差,趋势不明显不好评价外,其余 4 个参试单位的误差(也即随机误差)波动情况相差不大。

累积频率 95% 的误差是一个直观反映一系列误差实际发生状况的指标。它通过对实验过程中所产生的误差进行频率统计而得出,反映了一个监测系统的性能和测试精度。通过对各家监测系统相对误差分布情况统计分析可以看出,河海大学、南京水文自动化研

究所、中国水利科学研究院、黄河水利委员会信息中心、黄河水利科学研究院累积频率95%的误差依次为：±6.5%、±7.8%、±15.9%、±20.4%、±36.8%。

综合误差参数评价采用相对均方差进行。经计算各参试单位的综合相对均方差分别为：河海大学±3.3%、南京水文自动化研究所±4.1%、中国水利科学研究院±14.9%、信息中心±10.0%、黄河水利科学研究院±26.7%。

4）分析结果

综合上述各参试单位监测系统准确度、精密度和准确度3方面的分析可知，河海大学、南京水文自动化研究所监测系统不仅有较高的准确度、精密度，而且也有较高的精确度；中国水利科学研究院和黄河水利委员会信息中心监测系统具有较高的精密度，但准确度相对较低。黄河水利科学研究院监测系统受对比监测资料连续性差限制，其准确度、精密度和精确度相对较低。

四、效益分析及推广价值

(一)涵闸科学管理技术水平的提高

涵闸使用计算机测控，改变了过去人工流速仪测流费时费力、测次少准确率低、不能随时准确反映涵闸的引水流量的落后局面，可以减少人力，能瞬时（几分钟测一次）监测流量，并自动计算打印资料，还可以通过网络进行远程监测，达到远程调度，真正实现涵闸管理智能化。

(二)直接经济效益

安装一套计算机测控系统共计需要16万元，实现计算机测控后，每座闸可减少管理人员2人，每年至少节省工资开支4万元，再加上水量监测精度可提高5个百分点，按每年平均引水7亿 m³ 计，每年可减少水量流失0.35亿 m³，可增加水费收入35万元（水价：0.01元/m³）。如果山东全河的涵闸都用计算机测控，仅此一项每年可节省工资开支200多万元，再如水量监测精度可提高5个百分点，按每年山东引黄河水60亿 m³ 计，每年可减少水量流失3亿 m³，可增加水费收入300多万元。以上两项每年的直接经济效益合计500多万元，直接经济效益显著。

五、结论

通过实验结果对比分析，得到以下结论：

(一)设计的技术方案可行

实验认为，在闸的上下游安装传感装置，在涵闸卷扬设备上安装闸位计，运用遥测手段，通过无线电发射机和有线电缆自动向中心站报送数据，最后由数学模型计算来实现涵闸实施流量监测的方案是可行的。因为，这一设计原理是按照水力学中涵闸出流计算公式，通过对公式当中计算参数的采集和对流量系数的率定而推算出涵闸流量的，所以设计方案是可行的。

(二)监测仪器自动采集可行

根据《河流流量测验规范》(GB50179－93)的规定和仪器测流的有关要求，通过对5家仪器实验结果主要误差（系统误差、相对均方差、随机不确定度）进行分析，中国水利科学研究院的系统满足一项误差要求(随机不确定度)。

(三)实现自动化测控条件可行

一是不用重新架设通信线路,黄河水利委员会已在下游的各基层单位(涵闸、险工)建成了"一点多址"无线通信,满足监测系统要求;二是建成的防汛网络可以满足信息传输需要,黄河防汛专用网络已在沿黄地市局开通,监测系统采集的数据可直接通过防汛网传至县局、市局、省局、黄河水利委员会;三是各个闸门都有电源控制开关,只要连接计算机就可以达到启闭闸门自动控制。

(四)实验的代表性

实验分析认为,在实验中取得的李家岸闸引水流量资料,95%的在 $60\sim80m^3/s$,基本能代表该闸的正常引水水平。因为,该闸设计引水流量 $100m^3/s$,设计灌溉面积 8.8 万 hm^2,引水渠道长,正常情况下引水都在 $80m^3/s$ 左右,小流量引水的时候很少。所以,用这个流量来对仪器进行评价应该说是满足要求的。

(五)实验软件移用

分析认为,黄河下游 90 多座涵闸 95%左右为涵洞式(其他为开敞式和扬水站),出流形式类同于李家岸闸。因此,监测系统的硬件设备可直接用于其他闸门,软件部分可针对各闸实际对流量系数作出修改后移用。

(六)仪器设备的选用

通过实验仪器对比,一是主控机(计算机)最好是工业控制机或商用机,而且硬件配置要高,要适应高温和低温环境下运行,保证长期运行不停机安全可靠,并配有高分辨率彩显和激光打印机。二是闸上下游最好采用超声波水位计,安装在水上,不受水流冲刷、冰凌撞击和泥沙淤积的影响,测量精度较高,而且不易人为破坏,安全可靠。三是闸位计采用齿轮传动的编码器,误差小,精度高,如南京水文自动化研究所和河海大学的较好。四是闸上下游水位和闸位计的数据传输电缆,有线比无线可靠。五是配备 UPS 不间断电源系统,保证主控机、上下游水位计、闸位计在停电的情况下监测数据不间断。

(七)渠道淤积影响问题

实验分析认为,黄河下游引黄涵闸进水口为喇叭形,水流进入涵闸后断面收缩,流速增大,出水口经消能后与渠道衔接,基本为不冲不淤的占多数,即使有冲淤变化大的涵闸,其影响系数可在数学模型中加以修正,对测量精度的影响不大;再者渠道正常引水时含沙量一般控制在 $5\sim10kg/m^3$,最大含沙量不大于 $35kg/m^3$,因此,对监测系统影响不大。

(八)推广应用面广

计算机自动测控系统不仅可在引黄闸上应用,也可在分洪闸上应用;涵洞式、开敞式水闸均可应用,还可以在引黄渠道上推广应用。

第四节　无线扩频技术在涵闸自动监控中的应用

一、概况

江苏省通榆河视频监控系统是远程监控系统,分别由设在现场的模拟监控系统、远程传输系统和监控中心组成。通过对射阳河闸和新洋港闸视频图像采集,在盐城市水利局能够远程控制现场摄像和万向云台,实时监控闸上和河面交通、水流情况以及水闸、仪表运行状况,便于防汛调度指挥。

现场模拟监控系统采用了架空明线的方式,摄像机安装在高杆上,以扩大监控范围;每座闸设置 7 台彩色摄像机,配 3 个可变镜头和万向云台,上、下游和工作桥各设置了 2 台摄像机,分布在河两岸的上、下游,摄像机位置距闸身约 150m,射阳河宽约 400m,新洋港宽约 200m;沿河两侧摄像机用于观察闸门是否开启及水流、水上交通情况;闸上安装的摄像机用于观察设备运行及交通状况;在控制机房安装的摄像机,用于观察控制设施仪表运行情况。远程遥控端具有多画面切换功能。

远程图像监控现场射阳河闸和新洋港闸距监控中心——盐城市水利局的直线距离分别为 49.5km、42km,相距较远,根据监控图像传输方案比较,采用了 2.4G 无线扩频传输方式。在射阳河闸新建 40m 高铁塔和利用新洋港闸住宅楼顶原有铁塔(总高达 35m)、盐城市水利局办公楼顶原有铁塔(总高 45m),保证了足够的传输余隙。在控制中心机房,能对远程端站的任一摄像机进行控制,实现对摄像机视角、方位、焦距、光圈、景深的调整,监视时间可选定,并且采用数码硬盘录像系统对远程图像进行捕捉存储。

二、相关技术问题

稳定可靠的数字图像监控系统需解决音频和视频编解码、网络传输、远端设备控制等技术问题,同时考虑系统软件的稳定性、易用性、实时性。

基于局域网的远程视频监控系统,还应考虑图像传输与摄像机云台、镜头控制动作的同步性、实时性。

由于数据流量大,实时性要求高,网络的稳定性十分重要。首先应保证网络的完整性,不应破坏原有的网络结构;其次,应采用相关新技术,避免网络出现拥塞,使网络原来的数据传输功能免遭破坏。

无线路由器的数据传输速率必须保证传输图像要求的 2Mbps 的要求。

远距离(50km)传输时,必须保证高速率数据传输及系统的可靠性和稳定性。

三、传输技术的选择

(1)无线扩频。它是一种数字微波,图像、话音需进行数字化处理,图像质量有损伤;但通讯带宽达到 2Mbps,能满足图像传输速率的要求。CIF(352×288)时为 25 帧/s,延时小于 0.1s。故图像传输较好。由于设备集成化程度高,小巧玲珑,安装、维护、管理方便,而且组网灵活,可以自成体系,无须占用邮电中继站,可实现本行业内的音频和数据业务的交换;可实现计算机网络的延伸,技术等级最高,但造价较低,频率资源丰富。由于采用数字压缩、编码技术,系统具有较高的保密性和安全性;可实现控制中心和现场的分级管理和控制。缺点是无线传输线路距离较短,难度较大,需要进行相关技术处理,方可完全达到指标。另外,受外部环境(如频率干扰)较大。

(2)ISDN(或 DDN)。图像数字化处理,图像质量有损伤,但通讯带宽仅达到 128 kbps,不能满足图像传输速率的要求。CIF(352×288)时为 10 帧/s,延时小于 1s,故图像传输较差。同时不能提供话音,而且因三点距离较远,无法自建,须向电信部门申请专用线路,涉及市、县、村三级管理体制,关系复杂,中间环节太多,所以造价较高。

(3)模拟微波系统。因图像、话音不需要进行数字化处理,而是直接传输,故图像质量不会损伤,传输质量较高,图像效果较好;尽管功能和性能与无线扩频相当,但因该系统容量较大,组网不灵活,适用于组建大系统,对于一、二个点来说,显得太浪费,性能价格比最低。

(4)卫星通信缺点十分突出,带宽受限,时延长,投资高,维护管理技术要求高。

通过上述几个传输技术方案的比较,经过对无线电波实际传输线路进行现场电路测试,电测数据表明,无线扩频方案具有可行性,最后采用了技术保障系数最大、性能价格比最高的无线扩频技术方案。

四、技术先进性

(1)无线扩频技术采用直扩序列(DSSS),保密性能好,抗干扰性能力强。

(2)无线路由器的传输速率高达11Mbps,符合国际标准IEEE802.11B。实际数据传输速率为3.125Mbps,超过图像传输数据速率2Mbps的要求。

(3)本系统传输电平余量大,适合于远距离无线通信的要求,保证系统在大雾、大雨、大雪、台风等各种沿海恶劣的天气条件下能稳定、可靠地正常工作。

(4)Cserver1.0数字视音频监控服务器包含了MPEG视音频压缩及传输软件、MPEG视频频解压软件及COMM组件,实现控制通道的复用,在图像传输的同时,传送摄像机解码器的控制命令,使图像传输、云台、镜头动作完全同步实时。

(5)Pcanywhere软件的使用,可随意控制远程端视频服务器的工作运行。

(6)使用无线扩频技术,无中继图像传输距离达到50km,图像实时传输,传输信号带宽超过2Mbps,技术领先于国内同行水平。

(7)压缩和网络延时小于100ms,网络用户控制动作和图像几乎完全同步。

五、质量保证措施

(一)50km远程无线扩频传输成功实施的技术措施

在电测过程中,充分使用了22GHz信号源、22GHz频谱仪、功率计等先进的仪器设备,保证了系统工作性能最佳。

新建40m高铁塔一座,增加电波传输余隙,减少传输损耗。

采用增益为30dB的高增益栅状微波天线,在天线两端各增加了30dB的功率放大器,增加系统传输余量。

采用输出功率达500μW、接收增益达7~9dB高功率和可达-82dB高接收灵敏度的无线路由器(扩频设备)。

无线路由器、放大器均安装在天线附近,可大大减少馈线损耗。

(二)提高系统的稳定性、可靠性、实时性的技术措施

选用频点多达13个的无线扩频技术,提供抗频率干扰能力。

用工控机,而且使用AGP显卡,可保证设备的稳定性。

UPS的使用,保证系统电源稳定可靠,从而使设备可避免农用电源突高、突低不稳定或停电、突然启动所引起的故障。采用具有传输速率自适应功能的无线路由器(扩频设备)。

铁塔全部采用钢结构,栅状天线结构轻,抗风性能好,可经受常年累月的台风。

定时器的使用,可延长系统的使用寿命。

Pcanywhere 1.0 软件的使用,实现了中心站可控制远程点计算机程序的运行。

系统实际工作时的传输电平余量达到 20dB,保证天气剧烈变化时系统能正常工作。

网络中断后可以自动检测、恢复。

(三)保证图像性能的技术措施

压缩和网络延时小于 100ms,控制动作和图像几乎完全同步。

对两个远程站的计算机进行 Ping 测试,在字节长度为 8 192 时,响应时间均为 400ms,即可计算出实际传输速率为:$8\ 192 \times 2 \times 80 \div (400 \times 10^{-3}) = 3\ 276\ 800$bps $= 3.125$Mbps。完全满足图像传输数据速率 2 Mbps 的要求。

中心站图像分辨率为 320×240,25 帧/s。

远程图像监控系统把远端的多媒体信息通过网络实时传送到本地的不同监控点,可使多个不同的部门同时查看远程点,也能使一个部门查看多个远程点。由于数据流量大,实时性要求高,网络的稳定性十分重要。

总之,本系统成功解决了数字图像系统的直序扩频 DSSS、音视频编/解码、长距离网络传输、远端设备控制等技术问题,同时也充分考虑了系统软件的稳定性、实时性、易操作性,在一定程度上处于国内同行领先水平,其远程监控功能及其较高的性能价格比在水利工程管理自动化方面具有较大的推广应用价值。

该系统自开通以来,图像传输在晴天、小雨、大雾、台风等恶劣天气情况下基本稳定、清晰,实现了远程图像实时传递。其硬件性能可靠,在野外条件下具有较高的稳定性、可靠性;图像质量良好,带宽超过 2Mbps,帧速达到 25 帧/s;在软件功能上,本系统画面自由切换,可远程控制、远程操作、位距调整,可实施录像监控及回放,完全达到了系统建设的预期目标,图像远程传输系统甚至超过了系统设计的指标。

第五节　引黄灌区信息化建设

应当认识到,涵闸自动化建设不能独立进行,从整体的观念出发,必须同步加快引黄灌区信息化建设的步伐,才能保证引黄涵闸效益的良好发挥。

现代化灌区是社会现代化和水利现代化的综合体现,用来表示的是一个复杂的长期过程。这一过程的实质,就是人们广泛利用现代的科学技术,不断增强对环境的控制能力,不断适应国民经济和社会发展的需要,达到水资源高效利用和灌区可持续发展,从而全面地改善灌区人民的生存物质条件和精神条件的过程。在这一过程中,灌区信息化建设是实现预期目标的重要手段。首先,信息化是社会经济发展的要求。信息化将提高灌区的决策水平和管理水平,使灌区为国民经济和社会发展提供可靠保障。一方面,灌区管理部门要向政府和相关行业提供大量的水利信息,包括旱情信息、水量水质信息和水工程信息等,为抗旱斗争和水资源综合管理服务;另一方面,灌区建设本身也离不开相关行业的信息支持,包括区域经济信息、生态环境信息、气候气象信息、地质灾害信息等。因此,加快灌区信息化建设,既是国民经济信息化的重要组成部分,也是灌区自身发展的迫切需要。其次,灌区信息化是灌区面临的新形势的要求。要建设现代化的灌区,必须要实现水利部汪恕诚部长提出的由传统水利向现代水利和可持续发展水利的重要转变,即:要从过去对水资源的开发、利用和治理,转变为在水资源的开发、利用和治理的同时,更为注重对水资源的配置、节约和保护;要从过去重视水利工程建设,转变为在重视工程建设的同时,更为重视非工程措施的建设。要实现水利工作的这些转变,必须由信息化来提供重要的技术支撑。

就山东位山灌区而言,随着灌区的不断发展,实灌面积由 20 万 hm² 逐渐增加到 30.7 万 hm²,灌区内工业、城镇生活及城市环境用水量也不断增加,而黄河水源却呈减少趋势,供需矛盾加剧;同时,引黄必引沙,泥沙处理已成为灌区进一步发展的制约因素之一。要解决这些困扰灌区发展的难题,就必须采用先进的技术及现代化的手段。信息化建设是实现位山灌区持续、快速发展的基础。

一、位山灌区信息化建设的发展历程

20 世纪 80 年代,位山灌区就充分认识到了运用现代化技术,提高预测、决策水平的重要性。1986 年灌区开始与清华大学、河海大学等高校进行合作,选题目、探路子,逐步使灌区的计算机应用水平提高到一个新的台阶。特别是 1987 年与清华大学水利系共同拟定的《位山灌区配水用水计算机管理系统研究工作大纲》(下称大纲),对以后的工作起到了重要的指导与推动作用。依据当时的科学技术发展水平和灌区实际,大纲制定了以下分期实施目标。

近期目标:实现灌区资料信息化,建立适应当前管理水平的配水调度管理系统。这个目标已基本实现。

远期目标:实现全灌区的信息采集和远端传输,建立考虑土壤—植物—大气连续体的较完善的配水调度及计算机管理系统和网络。

长远奋斗目标:实现全灌区数据自动采集和测报、集中控制、配水调度自动化。

经过几年的建设,取得了以下主要成果。

(一)开发、应用了配水调度模型软件

1989 年与清华大学合作研制成功了用水管理系统《位山灌区配水调度应用模型》,被鉴定为国内领先水平。该模型自 1991 年开始,一直应用于灌区生产实践,并不断加以完善。灌溉期间,运用模型可及时将已配水情况、黄河来水预测、下步调度计划和调度意见等报送有关部门和领导,为领导决策及配水调度提供依据,实现了配水调度由经验定性决策向科学定量决策的过渡,提高了用水管理水平。

(二)研制了水位遥测系统

自 1991 年开始与清华大学合作进行了水位遥测系统的研制工作。该系统不仅适合灌区实际,提高了观测精度,减轻了劳动负担,而且进一步配合了《位山灌区配水调度应用模型》的运行,初步实现了水位资料的自动采集与处理。

目前,灌区与清华大学在双方合作取得成果的基础上,正在进行《位山灌区管理现代

化信息与调度系统》的建设工作。

二、灌区信息化建设的原则和主要目标

灌区信息化建设一是要与国家信息化建设的方针和原则一致,二是要符合信息化技术发展的趋势,以保证技术的先进性。本着"立足当前、服务生产、适当超前、逐步发展"的原则,通过信息化建设,推进灌区设施的技术升级,提高灌区管理水平,加快灌区现代化建设,更好地为国民经济和社会发展服务。预计通过《位山灌区管理现代化信息与调度系统》的建设,达到以下发展目标。

(一)建立灌区信息采集系统

对渠道引水、灌区地下水、土壤墒情、降雨量、蒸发量及其他气象信息作动态监测,为配水调度提供基本依据。

(二)建立灌区通信及计算机网络系统

将信息采集系统采集到的信息及其他需要的信息及时传输到管理中心,同时中心下达调度命令;另外,通过建设联系灌溉处和各管理站的计算机局域网,方便数据和文本信息的传输,实现办公自动化,提高办公效率和管理水平。

(三)建立灌区综合数据库及数据库管理系统

建立包括实时水情、历史水情、灌区基本信息、渠系、灌溉制度、需配水方案、超文本信息、图像等在内的综合数据库系统,为灌区信息管理、用水决策和办公自动化系统提供数据支持;同时,建立综合数据库管理系统,实现灵活的数据定义、输入、查询和统计分析功能。

(四)建立灌区用水管理决策支持系统

运用先进的需配水模型,在综合数据库及综合数据库管理系统的基础上,确定计算机程序要求的常变量参数值,为作物灌溉节水增产提供科学依据;依据监测数据并结合当地的情况和实际经验,应用该系统确定作物各生长阶段的优化灌溉水量;做出渠系配水方案,进行适时调度。

(五)闸门自动控制系统

在有条件的干渠节制闸和支渠进水闸上安装闸门自动控制系统,对闸门实行自动控制,以实现闸门快速、及时、准确地启闭,提高系统运行的可靠程度,实现科学管理。

三、加快灌区信息化建设的主要措施

经过十几年来的建设实践,位山灌区的信息化建设已取得了阶段性成果。《位山灌区配水调度应用模型》投入运行并不断加以完善,建成了水位遥测站点40个,在近几年的用水管理工作中发挥了很大作用,进一步提高了工作效率,充分发挥了工程效益。灌区信息化建设工作已经有了一个良好开端,但从整体来看,水平相对不高。在今后的工作中,应从以下几方面加快灌区信息化建设步伐。

(一)提高认识,加强领导

信息化建设要紧跟时代步伐,努力实现思想观念上的转变。首先是转变经验定性决策管理的模式,增加依靠信息技术实施科学管理、现代化管理的自觉性;二是转变闭塞、保

守的习惯,树立在信息社会中信息开放、信息共享的全新观念。信息化建设的技术性、基础性、政策性都很强,必须切实加强领导。在建设应用过程中,领导从人员、经费、时间等方面都要给予大力支持,提高工作人员的科技创新意识。

(二)结合实际,分步实施

在信息化建设过程中,要正确处理"立足现实"与"适当超前"的关系,这项工作只有紧密结合管理工作实际,才具有生命力。开始不一定求深、求全、求高,可由易到难、由单项到综合逐步开发。研究成果应当及时投入到管理工作中,尽快转化为生产力,而不是仅仅停留在研究的水平上。实践证明,开发的软件只有具有实用性,才能及时投入生产;只有投入生产,才能产生效益;产生了效益,才能取得进一步的支持及应用范围的推广。同时,软件开发还要有一定的"超前意识",以促进管理工作的提高。

(三)加强与大专院校的合作

与大专院校合作是加快信息化建设、培养人才的重要途径。大专院校在人才、技术、精力等方面比灌区有优势,灌区在经济方面有一定保障。这样结合起来,既增加了工作的深度,又带动了灌区人才的培养与进步,达到"产、学、研"相结合的目的。这几年该灌区采取"请进来、走出"去的办法,与有关院校建立了较为融洽的合作关系,取得了良好效果。

(四)加大人才培养力度

加速人才的培养,是灌区信息化建设顺利进行的重要保障。良好的工作环境和先进的管理系统,关键还是需要人去实现。要充分利用多种途径、多种方式搞好计算机应用知识特别是信息知识和网络知识的普及和培训力度,要注意培养那些既有一定专业知识、又有事业心的人才,使灌区现代化建设健康稳定发展。

总之,灌区信息化建设是一项长期而复杂的任务,需要更新观念、求实创新、加大投入、逐渐完善,以灌区的信息化建设促进灌区的可持续发展。

第九章　黄河下游涵闸引水减淤技术

黄河下游涵闸担负着引黄供水、保证地方工农业生产和居民生活用水的重要任务,但由于黄河水含沙量高,在引水的同时,不可避免地带来了涵闸工程本身及闸后渠道和灌区的淤积问题。因此,研究黄河下游涵闸引水减淤技术,对于提高涵闸引水能力、减少泥沙淤积、充分发挥工程效益具有重要意义。

第一节　黄河下游引黄涵闸位置的确定

一、确定引黄涵闸位置主要考虑的因素

一般引水闸位置的选择应考虑引水闸的功能、运行方式、取水要求和地形地质条件。但根据黄河下游多泥沙的特点及游荡性和蜿蜒性等河道特性,还要特别注意以下两点。

(1)由于黄河下游涵闸引水必引沙,所以维护好生态植被、少破坏或不破坏良好的生态环境,将成为下游引黄涵闸位置选择不容忽视的特殊因素。故而引黄涵闸应尽可能利用已有的天然沟槽或多年运行稳定的人工渠口。

(2)泥沙问题和河床演变是影响引黄涵闸正常运用的最主要因素。应分析各种流量下泥沙运动和河床演变对引水闸正常运行的影响,避免以后引水闸被淤塞、冲刷甚至脱流作废。

二、不同特性河段选择涵闸位置应考虑的侧重点

(1)对游荡性河道,最易造成引水闸脱流或受大流顶冲而危及引水闸,故需要深入了解河道的历史演变过程,分析今后发展趋势。引黄涵闸应选择在河道藕节状的节点或较为稳定的汊口。

(2)对微弯顺直型河道,要注意分析边滩下移问题,选择引黄涵闸位置时要兼顾在上游河道和下游蜿蜒性河道上选择引水闸的思想

(3)对蜿蜒性河道,选择引黄涵闸位置时应着重分析凸凹岸的冲淤发展强度。弯道凹凸岸的冲淤变化发展强度与弯道的形状和曲率有关,也与河段的黏粒含量和植被条件有关。选择引黄涵闸位置时,必须依据各段河道中的土层黏粒含量和植被情况,并结合弯道形状来预估河段冲淤变化值。

三、布置引黄涵闸时需要注意的问题

(1)根据泥沙运动规律及环流理论,无坝引水闸的位置最好选择在凹岸顶点下游,离弯道起点的距离为河宽的 $4\sim5$ 倍或弯道长度的 $0.6\sim0.7$ 倍处。这样,不仅容易引水,而且可减少入渠泥沙。

引水口距弯道起点的距离可按下面的经验公式计算：

$$L = mB\sqrt{\frac{4R}{B} + 1} \qquad (9-1)$$

式中　　m——系数，$m = 0.8 \sim 1.0$ 时，入渠含沙量少，引水条件最好；

　　　　L——从河弯起点至取水口中线的距离，m；

　　　　B——河道水面宽，m；

　　　　R——河弯平均曲率半径，m。

河道水面宽与来水有关，所以还要注意洪、中、枯不同来水时主流的顶冲范围，通盘确定引水闸位置。

(2)尽可能减少引水角度(引水渠轴线与河道主流的交角)，目的是平顺水流，减少阻力损失，避免因水流过度弯曲而导致含沙量较高的底流流向引水渠，带进泥沙。

(3)闸前引水渠的长度在满足水闸与堤防统一布置的前提下力求短一些。如引水渠过长，一是易产生难于控制的变形，二是口门附近常会有回流淤积和引水渠异重流淤积。

(4)按照引水、冲沙及防汛需要，水闸建成后要科学制定水闸运行管理制度。

(5)由于弯道及其演变的复杂性，要完全消除水流对引水闸的冲淘、顶刷或淤积是不现实的。因此，应尽可能加强在引水闸上下游一定范围内的河道整治措施，以调整和稳定引水闸附近河道。

第二节　黄河下游渠首工程要素配置及引水防沙效能

以黄河山东段为例。黄河进入山东，河道兼有游荡型、过渡型、弯曲型3种形态。从山东段选出37处渠首涵闸工程(占山东河段渠首涵闸工程总数的61%)，通过对渠首位置、引水角度、口门形状、河闸底高差、河道溜势、防沙设施及分流比等工程要素的不同配置的研究，探讨其对引水防沙效能的影响。

一、渠首位置配置

在无坝引水条件下，引水口位置的配置对渠首工程引水防沙效果起着决定性作用。按渠首工程位置与河道形态的关系，大体可分为弯道凹岸引水、弯道凸岸引水、汊流引水三种类型。渠首工程位置配置见表9-1。

表9-1　　　　　　　　　　　黄河山东段渠首工程位置配置

引水方式	弯曲型河段	过渡型河段	游荡型河段
弯道凹岸引水	旧城等4处(顶点区以上) 刘庄等21处(顶点区) 打渔张等8处(顶点区以下)	谢寨1处	
弯道凸岸引水	大崔1处		
汊流引水			大阎潭等2处

弯曲型河段中，在弯道凹岸设引水口，利用弯道环流"正面引水，侧面排沙"的原理引水防沙。根据试验和观察，引水口的最佳位置在弯道顶点以下至末端处，此处弯道环流作用强，水位高、低时水流均能靠溜，引水防沙效果好。打渔张渠首引水口选择在弯道凹岸顶点以下 700m 处，位置最佳。许多渠首工程口门建在弯道顶点区险工段的坝垛之间，如苏泗庄等，险工坝垛对河流整治及防洪虽起了很大作用，但坝垛顶冲水流，迎水面和顶部产生漩涡，翻沙大量入渠，背水面淤积，使引水口过水断面减少，不利于引水防沙。

在游荡型河段中，河势不稳，建渠首工程则汊流引水，供水无保障。

二、引水角度配置

引水角即引水口前大河水流与引水渠轴线的夹角。通常采用河道岸堤与引渠的夹角标定引水角。37 处引黄渠首工程的设计引水角状况：45°及以下的有打渔张等 5 处，60°左右的有刘庄等 10 处，75°左右的有潘庄等 13 处，90°左右的有张桥等 6 处，不固定的有大阎潭等 3 处。

一般引水角应尽量减小。根据动量定律，单位体积水流离心力为：

$$F = \frac{2\rho v^2}{B\tan\dfrac{\theta}{2}} \tag{9-2}$$

式中　F——单位体积水流离心力，N；

　　　ρ——河水的密度，kg/m^3；

　　　v——河水的平均流速，m/s；

　　　B——渠宽，m；

　　　θ——引水角度，(°)。

由式(9-2)知，引水角 θ 在 90°内减小，F 增大，竖轴环流增强，引底流增多，进沙量增大。θ 大于 90°时，随着 θ 的增大，$\tan\dfrac{\theta}{2}$ 减小，F 也减少。但是，引水角也不宜过小，因相同渠宽 B 时引水角过小，引水口单宽流量、流速分布不均匀，易产生漩流及淤积。一般引水角选 30°～45°都能取得较好的引水防沙效果。1986 年潘庄闸引水角度与引水含沙量（S_1）和大河含沙量（S_2）之比的关系见表9-2。

表 9-2　　　　　　　　　潘庄闸引水角与引水防沙效果关系

日期	引水流量 (m^3/s)	大河流量 (m^3/s)	引水角 (°)	$\dfrac{S_1}{S_2}$
1986-05-10	106	330	35.20	0.71
1986-05-20	106	440	46.70	0.95
1986-05-29	50	200	53.30	0.95
1986-07-07	105	1 500	60.50	1.14
1986-07-08	53	1 500	67.70	1.05

三、引水口门形状配置

黄河山东段渠首口门的形状，大体分为 3 种类型：以原刘庄为代表的轴线基本垂直岸线的"勺"形口门,以潘庄、张桥为代表的轴线基本垂直岸线的"基本对称喇叭形"口门,以打渔张为代表的轴线夹角较小的"上长下短非对称喇叭形"口门。

通过对不同形状的引水口门的水沙流态、垂向水沙结构、口门水下地形及引水防沙效能的综合分析,得出"上长下短非对称喇叭形"引水口门引水防沙效能最高,"基本对称喇叭形"引水口门次之,"勺"形引水口门效能最差。

四、河、闸底高差及河道溜势配置

据 1981 年 5 月黄河断面实测资料,32 座引黄闸底板高程平均低于闸前黄河主槽平均高程 3.72m,闸底板高程平均低于闸前大河深泓点平均高程 0.98m。

同一渠首工程河、闸底高差不同,渠河含沙量比亦有差别。如李家岸闸 1983 年春低孔运行,闸底板高程比大河主槽平均高程低 4.35m,比大河深泓点高程低 2.36m,5~6 月份渠河含沙量比为 99%。1984 年春该闸高孔运行,闸底板高程比大河主槽平均高程低 3.26m,比大河深泓点高程低 1.45m,5~6 月份渠河含沙量比为 81%。高孔运行较低孔运行闸底板抬高 1m,渠河含沙量比降低了 18%。从弯道横向看,存在着"主溜引水"和"边溜引水"之分。"边溜引水"的防沙效果优于"主溜引水"。如陈垓闸位于弯道顶点区,1984 年春主溜远离引水口 380m,属"边溜引水",引水含沙量较"主溜引水"时减少 30%。

从弯道纵向看,有"顶溜引水"和"顺溜引水"之分。"顶溜引水"的防沙效果较"顺溜引水"差。刘庄新闸 1982 年春以来"顶溜引水",主溜直冲引水口,据 1982 年 4 月实测,入渠含沙量为大河含沙量的 163%,闸后泥沙 d_{50} 为 0.05mm。打渔张渠首"顺溜引水",引水口置于弯道末端,水流畅顺入渠,20 世纪 50 年代运用初期,渠河含沙量为 80% 左右,渠河泥沙粒径相比,悬移质、推移质、床沙质垂线平均粒径分别减小 4%~27%、13%~68%、2%~78%。

五、防沙设施配置

(一)防沙闸

在大阁潭、小阁潭、谢寨、张桥、韩墩渠首临堤大闸前均建防沙闸。如阁潭渠首两临堤闸前建防沙大闸和防沙小闸,对有效地防止底沙入渠发挥了重要作用。1975 年 8 月至 9 月,防沙闸关闭失灵,每天仍引水 30~40m³/s,临堤闸至防沙大闸和防沙小闸分别设 9.2km 和 6.4km 的引渠,平均淤高 2m,清淤量达 60 万 m³。

(二)叠梁闸板

在宫家、潘庄、葛店、土城子、胜利、韩刘、小豆腐窝等渠首进水闸门上加装叠梁闸板。如 1976 年潘庄闸底板在低于大河主槽平均高程 3.76m、低于大河深泓点高程 0.03m 的条件下,加装叠梁闸板,防沙效果提高了 12%。

(三)拦沙潜堰

打渔张渠首建固定拦沙潜堰,堰顶高于闸底 1.0m。据 1957 年 11 月 5 日至 16 日实测,堰内侧主流线垂线平均含沙量为同一断面堰外侧主流线垂线平均含沙量的 81.3%~93.3%,即有 6.7%~18.7% 的悬移质泥沙被拦在潜堰之外。

(四)渠首橡胶坝引水防沙工程

1991年和1993年,分别在张桥、刘庄渠首口门前沿修建了橡胶坝引水防沙工程,橡胶坝长分别为30m和81m,坝高2m,建坝后实测防沙效果提高了24%～26.2%,防粗沙效果提高了30%～37%,干渠清淤量减少74%～84%,并连续多年不用沉沙池沉沙。

六、分流比配置

分流比即入渠流量与大河流量之比。37处渠首工程设计分流比的状况是:分流比为0.1及以下的大阁潭等22处,分流比为0.1～0.2的刘庄等8处,分流比为0.2～0.56的潘庄等7处。

分流比对渠首工程引水防沙影响显著。从图9-1所示的分流比 K_Q、含沙量比 K_S 关

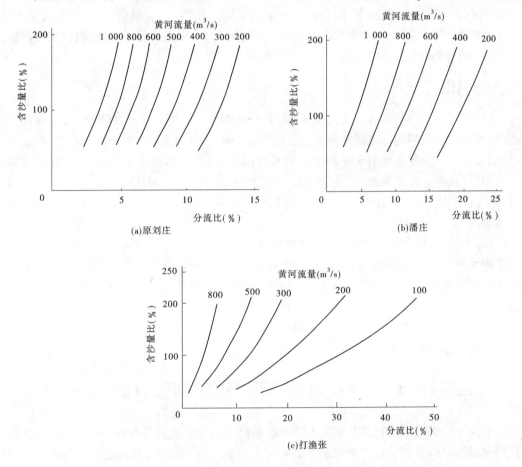

图9-1　渠首工程引水防沙综合性能曲线

系曲线看出:随分流比的较小变化,含沙量比呈显著变化。原因是当分流比增加时,进入渠首底层流的宽度 B_d 比表层流宽度 B_s 增加幅度要大得多,故进沙量增加很大。根据刘庄、潘庄、张桥、韩刘等引黄口门的25次分流边界的观测结果,得出表层分流宽度 B_s、底层分流宽度 B_d 与分流比 K_Q、口门宽 b 之间经验关系公式:

$$B_S = 2.4 + 3.86K_Q^{0.69}b^{0.82} \tag{9-3}$$

$$B_d = 7.5 + 21.8K_Q^{0.66}b^{0.5} \tag{9-4}$$

式中，K_Q 的施测范围为 $0.01\sim0.35$。

由于各渠首工程要素配置不同，该曲线也不尽相同。前面分析的 6 种工程要素对引水防沙效能的影响最终无不反映在该曲线上。因此，该曲线应视为检验渠首工程引水防沙效能的综合曲线。在此之前，国内外所有研究都把分流比、含沙量比关系线描绘为一条与大河流量级无关的单曲线。通过对刘庄、潘庄、打渔张等渠首与大河流量、含沙量的多年资料分析，发现无大河流量级条件下的分流比、含沙量比关系点非常散乱，在加入不同大河流量级后，分流比与含沙量比的相关就很有规律，表现为大河不同流量级条件下的分流比与含沙量比关系曲线组。由图 9-1 可看出：渠首工程的引水防沙效果，随着分流比的增加而降低；在同一分流比下，随着黄河流量的增加引水防沙效果降低；在同一级流量下，分流比越大，含沙量越大；曲线斜率越小，防沙效能越好。由此看出，原刘庄闸引水防沙性能最差，打渔张闸引水防沙效能最好，潘庄闸介于两者之间。

七、结语

(1)黄河山东段的渠首工程建设，注重了工程要素的合理配置。在选址上，一般在弯道凹岸设引水口，利用弯道横向环流"正面引水，侧向排沙"的原理，利于引水防沙；在工程布置上，注意了合理选择引水角和优化引水口门形状；在引水规模上，20 世纪 70 年代以来向多口门、小分流比发展，改变了 50 年代少口门、大分流比的状况；同时，注意了防沙闸、渠首橡胶坝等防沙设施的配套。上述工程要素的合理配置。无疑对提高工程引水防沙效果起了重要作用。

(2)今后，在渠首工程的建设上，仍要注意"三避、两控、一配"问题。"三避"即避开在险工坝垛间、翻沙严重处建渠首工程，避开在冲刷切滩、河势不稳的河段选择引水口，避开在大溜顶冲处引水。"两控"即控制引水角度，控制设计分流比。"一配"即渠首工程建设的同时，配备行之有效的防沙设施，对引黄河底沙严重的渠首工程，要进行渠首橡胶坝引水防沙工程技术改造。这一技术改造措施，对黄河小浪底水库建成后清水冲刷期间防止过量的粗沙入渠具有重要的意义。

第三节　新衬砌技术在黄河下游灌区工程中的应用

黄河下游灌区渠道衬砌是实施灌区节水灌溉工程的一项重要内容，其工程量大，投资比例重，机械化程度低，且对渠坡和渠底的防护功能有较高要求，尤其是在石料缺乏区更成为制约灌区建设质量的关键问题。山东省滨州市小开河引黄灌区的输沙干渠衬砌工程在建设中全部采用混凝土预制板与土工合成材料相结合的新衬砌技术，取得了良好的效果。

一、基本概况

滨州市小开河引黄灌区地处山东省北部，黄河三角洲腹地，设计引黄流量 $60\text{m}^3/\text{s}$，设计灌溉面积 7.33 万 hm²。区内土地资源丰富,沿海工业正在崛起。工程建成后,沿线 5 县(区)23 个乡(镇)500 多个村庄的 8.23 万 hm² 土地得到灌溉,开发草场 1.93 万 hm²,解决 30 万人的饮水问题,可为沿海、沿线的综合开发提供可靠的淡水资源。

该工程自 1993 年开始动工兴建。1998 年完成一期工程开始通水灌溉。1999~2000 年完成下游输水渠及配套工程,达到干渠全线贯通,灌区已具雏形。2001 年又完成了小开河引黄灌区续建配套输沙渠二期衬砌工程。至此,共建成输沙渠土渠及渠道初砌51.3 km、沉沙池 4.2km、输水渠 33.8km,累计投资 2.3 亿元。截至 2001 年底,小开河灌区的输沙干渠已全部衬砌,共计全断面衬砌 20.7km、半段面衬砌 30.6km,累计完成混凝土预制板 5.2 万 m³、复合土工膜铺设 64.5 万 m²、塑料薄膜铺设 110 万 m²。

二、新衬砌技术的应用

小开河引黄灌区输沙渠道断面为梯形,边坡均采用 1:1.75。衬砌渠道断面表面采用厚 6cm 的预制混凝土板作为防护层,护坡防护层下铺设复合土工膜,护底 50cm 细土下铺设一层塑料薄膜,渠底两侧坡脚设高 60cm 砌石混凝土封顶齿墙,渠底塑膜在齿墙底部翻向渠坡,在渠坡处与复合土工膜搭接使渠道形成整体封闭式防渗体。为避免不均匀沉陷造成裂缝,横向每隔 12.4m 设置伸缩缝一道,纵向在两渠坡自底部向上第 4 行板或渠底两侧设伸缩缝,伸缩缝用 PT 塑料胶泥填充。

(一)改进混凝土预制板的生产工艺

1. 改脱胚式加工为翻转模板或震动平台加工

以前渠道衬砌用的混凝土预制板,多为脱胚式加工,水灰比大,振捣不充分,内部结构不密实。小开河干渠衬砌用的混凝土板,吸取以往灌区衬砌的经验,全部用翻转模板或震动平台架空振捣加工生产。钢板底模按梅花型排列,每隔 3cm 有一个直径 3mm 的排气孔,并在底模上铺一层中长纤维布。拌和混凝土时将水灰比控制在 0.47~0.48 之间,仓口坍落度在 0.5cm 以下。为改善混凝土和易性、均质性,在混凝土拌和时采用二次投料法,即先将水、外加剂加入拌和机;再投入水泥、砂子搅拌 2min,成为水泥砂浆;最后加入石子再拌和 2min,共计拌和 4min。在加工过程中加强振捣,每模振捣时间不得少于 4min,且速度适宜,使混凝土内部多余的水和气泡排出,使成品内部密实。成型的混凝土板及时进行人工压光,使表面平整光滑。

2. 使用外加剂

为确保混凝土预制板质量,达到防渗抗冻的目的,并节约水泥降低工程造价,在混凝土板预制加工时掺用了木质磺酸钙(木钙)减水剂和 PC-2 型松香热聚物引气剂。木钙的作用是减小水灰比,增加混凝土密实度,提高其强度及防渗性能,实验证明,木钙与PC-2 相容性良好,在混凝土中掺入后,减水率达 17% 左右,节约水泥 1.1% 左右,且拌和物和易性良好。

经多次试验,木钙掺用量为水泥用量的 0.25%,PC-2 的掺用量为水泥用量的 0.005%,效果比较理想。木钙的使用方法是:按日用木钙粉剂＝日用水泥量×0.25% 和木钙:PC-2:水 = 1:0.2:30 的比例,将固体 PC-2 溶化在 70~90℃、浓度 50%~70% 的 NaOH 溶液中配成 3.2 引气剂溶液,待凉后再加入拌和使用。注意配制引气剂溶液时要使用较纯净的饮用水,如水中杂质较多,则溶液可能出现沉淀,影响其效果。

预制生产过程中,每个预制厂都设专职质检员,进行全面质量管理,并且成立了工地实验室,按要求对原材料、拌和物、预制混凝土板进行检验,保证了产品质量。经山东省水科所抽样切块试验,其抗压强度为21MPa,渗透系数 2.23×10^{-8} cm/s,抗冻性能可以满足150次冻融循环、强度损失低于25%的设计要求。

(二)分渠段应用土工合成材料防渗

由于渠道是均质土壤,渗透系数为 10^{-5} cm/s,渗透量较大。为减少渗透,降低水头损失,提高渠道水利用系数,输沙渠全线采用土工合成材料进行全断面防渗,结合防渗及经济要求,边坡采用复合土工膜,渠底采用塑料薄膜防渗。

1. 复合土工膜的应用

以往本区内其他灌区的渠坡衬砌是用塑料薄膜防渗,在上面铺砌2cm厚的素土垫层或麦秸泥作为介质,保护薄膜不被破坏,但在实际施工中不易操作,且渠道放水时极易冲坏,渠道维修率很高。小开河灌区衬砌吸取其他灌区的经验,护坡采用了复合土工膜防渗,去掉防渗膜与混凝土板之间的介质,具有施工简单、质量可靠、提高工效、节省投资等优点,真正起到了护膜防渗的效果。

复合土工膜属非孔隙介质,渗透系数一般为 $10^{-11} \sim 10^{-13}$ cm/s,具有良好的防渗性能和良好的抗拉、抗撕裂、抗顶破、抗穿刺等力学性能,且具有一定的变形量,对坝坡的凹凸具有一定的适应能力,应变力较强,与土体接触面上的孔隙压力及浮托力易于消散,能满足护坡结构的力学设计要求,并且复合土工膜具有很好的耐化学性、抗老化性能,满足了护坡耐久性。根据有关资料介绍,将复合土工膜埋在土中或水下可安全使用60年。

经过理论计算,考虑实际应用的安全系数,小开河引黄灌区采用的复合土工膜,规格为一布一膜,其中:上面一层为 150g/m^2 的土工布,其表面摩擦力大,防滑效果好,便于安砌混凝土预制板;下面一层为 0.22mm 塑膜,是主要防渗材料。

为确保混凝土预制板直接铺设在复合土工膜上构成防渗体的施工质量,其具体施工工序及基本要求如下。

(1)清理坡面。复合土工膜的支持层土坡一定严格按要求切削平整顺直,以标准坡度面(1∶1.75)为基准面,清除一切杂物,使坡面平整密实。要求垂直坡面的凹凸高差不得大于±2cm,连续面积不大于 5m^2,总量不超过5%。

(2)土工膜的搭接。改简单的搭接及黏合剂粘结为机器焊接。为减少坡面纵向焊接,在平整场地先将一幅4m宽和一幅2m宽的复合土工膜焊接成整体。焊接时的搭接宽度不得小于10cm,由厂家负责焊接施工,并采用双焊缝焊接法。

(3)上坡铺设。将焊接好的土工膜顺水流方向滚动式沿坡铺设。

(4)混凝土预制板安砌。在复合土工膜上安砌混凝土预制板时,工作人员严禁穿带钉的鞋,不准在膜上卸放混凝土板及用带尖的钢钎作为撬动工具,以保护土工膜。铺设时要严格选材,轻装轻放,仔细安砌,自上而下,左右均衡,使砌块间结构缝均匀。

2. 塑料薄膜的应用

为降低工程造价,在小开河输沙渠衬砌工程中,渠底采用塑料薄膜防渗,塑料薄膜与复合土工膜在齿墙以上边坡处搭接。在塑料薄膜的选材上,经过对省内各主要厂家进行考虑筛选,择优选用了强度高、延伸率大、耐久性好的 0.22mm 聚乙烯塑膜。

在塑膜的铺设工艺上,借鉴已有的成功经验,采取上游接头段压下游接头段,即按顺水流方向搭接,搭接长度不小于 30cm,与复合土工膜的搭接不得小于 40cm,以避免冲刷破坏。在此基础上进行折叠搭接的改进,保证塑膜搭接严密,防止静水压力造成沿接缝的渗漏。塑膜铺设时须在渠底平整、干燥无水的前提下进行。施工中严格执行操作规程,采用滚动铺设方式,严禁展开拉伸铺设,且滚动要自然均匀,不得用力拉,尽量减少皱纹,非搭接处不得有折叠现象。固定塑膜一律用土压和光滑重块压固,严禁用木桩树枝等钉固,以保证铺膜质量。

3.复合土工膜与土工布结合使用

在小开河干渠衬砌中,由于东支流渡槽(38+664)至沾无公路桥(47+878)的半断面衬砌段属地下渠,挖深大,地下水位高。护坡底部水位变动区以梅花型布置三排有无砂混凝土过滤孔的衬砌板,其下铺设有反滤作用的 $400g/m^2$ 土工布。因土工布没有防渗作用的塑料膜,具有良好的透水性和过滤性,土壤中的水分经过土工布的孔径排出,同时阻止土壤颗粒的流失,以免造成空穴,是较好的滤体材料。这样可以通过土工布及无砂混凝土的反滤作用,减少渠坡的水压力,对增强边坡的稳定性具有很好的效果。

三、应用新衬砌技术的优势

(一)技术优势

(1)混凝土预制板与复合土工膜、塑料薄膜三者结合的衬砌防渗技术与以往的单独混凝土或砌石衬砌相比,变形适应性强,在地下不易老化,寿命长,隔水效果好,施工操作简便,速度快。

(2)复合土工膜与塑料薄膜是比较理想的防渗材料,只需混凝土预制板面层加以保护,易于施工,便于维修管理。

(3)复合土工膜护坡起防渗作用时,将水压力几乎全部传给了支撑它的那部分渠坡,土工膜本身的变形和应力不大,远未达到其极限伸长率和抗拉强度,其受力状况是非常安全的。

(4)采用新衬砌技术,渠道的水利用系数大大提高,减少了水头损失。经输水运行测试,总干渠水的利用系数可提高至 0.95,防渗效果显著。这对于淡水资源缺乏的黄河下游地区具有非常重要的意义。

(二)经济优势

(1)采用混凝土预制板与复合土工膜、塑料薄膜三者结合的护坡结构,可延长工程使用寿命,大大节省维修工程量和费用。运行 3 年来,没有出现土工膜、塑膜被撕裂和混凝土板损坏现象。

(2)用混凝土板代替块石,简化施工,缩短工期,减少运输量和劳动消耗,节省投资,特别是对于缺少石料的黄河三角洲地区具有特殊意义。

(3)在渠底采用塑膜代替复合土工膜防渗,既便于施工,又节约投资。

(4)混凝土板预制施工与渠道衬砌施工可分阶段进行,这样可以有效地避开农业用水高峰期,将衬砌施工放在用水淡季,既有效地保证了灌区群众用水,发挥了灌区效益,又确保了工期。

　　滨州市小开河引黄灌区建成运行 3 年来的实践证明,通过正确的设计及精心的施工组织,采用混凝土预制板与复合土工膜、塑料薄膜三者结合的衬砌防渗技术是非常可行的,也是合理的。尤其是在石料缺乏地区,更有效地节约了投资,保证了工期,可在黄河下游引黄灌区中推广应用。

第四节　小浪底水库对黄河下游引黄灌区泥沙淤积的影响及治理

　　黄河是中华民族的母亲河,又以高含沙量著称于世。以处于黄河最下游的山东省为例。黄河对山东省沿黄地区社会经济的发展起着重要作用,但引黄渠道的泥沙淤积又给开发利用黄河水资源造成极大困难。

　　在《黄河治理开发规划纲要》中,黄河干流上布置了龙羊峡、刘家峡、大柳树、碛口、古贤、三门峡、小浪底 7 座综合利用的水利枢纽工程,期望利用这 7 座综合利用水库调节径流,控制洪水、泥沙,作为全河水沙调控的主体,提高黄河的治理开发水平。目前,龙羊峡、刘家峡、三门峡水利枢纽工程已经建成并投入运用,大柳树、碛口、古贤 3 座枢纽工程还没有开发,位于黄河最后一段峡谷出口处的小浪底水利枢纽工程已于 1997 年截流,2001 年全部建成并投入运用。小浪底水库运用后将对黄河山东段的泥沙淤积产生重大影响。因此,深入研究小浪底水库投入运用后山东引黄灌区泥沙淤积规律,有利于引黄供水、生态环境的改善及经济社会发展。

　　黄河下游河道情况见图 9-2。

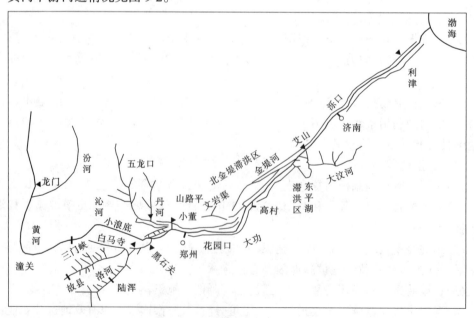

图 9-2　黄河下游河道示意图

一、山东引黄灌区泥沙治理的严峻形势

小浪底水库总库容 126.5 亿 m^3,最大坝高 173m,有效库容 50.5 亿 m^3,装机容量 180万 kW,年发电量 58.4 亿 kW·h。小浪底水库位于河南省洛阳市以北 30km 处,2001 年小浪底水库建成运用后,黄河下游山东河段的泥沙淤积形势及引黄灌区泥沙治理的形势值得我们深入研究。

(一)"冲河南,淤山东"的形势已成定局

文献报道:"专家数年研究表明,当小浪底水库水位达到 205～215m 时,按每秒下泄 2 630m^3 的水量,就可以把河南和山东段的沙子冲至大海,而在 800～2 600m^3/s 之间运用,则会出现'冲河南,淤山东'。通过反复试验,小浪底建设管理局制定了 800m^3/s 以下或 2 630m^3/s 以上泄流的调度方案"。但从黄河下游河道输沙特征来看,此报道的结论和依据有待商榷。因为 800m^3/s 以下的小水淤槽不可避免,800～2 600m^3/s 的调度方案,"冲河南,淤山东"是社会各界公认的,而 2 630m^3/s 以上的泄流调度方案,实施的概率是极小的。据此,从总体上说,小浪底水库运行后泥沙的多年调节,黄河下游将面临山东高村以上河段大量塌滩与山东艾山以下河段较严重的淤积问题。

近年来,对黄河下游河道的输沙特征的认识及治理对策的研究取得了重大突破,对黄河小浪底水库运用后清水冲刷期,黄河下游河道"冲河南,淤山东"的认识是一致的,各界专家提出了各种治理对策。齐璞等提出高村以上近 300km 河槽按 700m 河宽布设新的护滩工程和挖槽填滩,以塑造窄深河槽;而艾山以下 300km 多河槽,不管水库如何运用,小水淤槽问题无法控制。

齐璞指出,下游艾山—利津弯曲性河段的实测资料表明,在比降 0.000 1 的窄深河槽中,当单宽流量大于 5m^3/(s·m)时,可以顺利长距离输送含沙量 100～800kg/m^3 的高含沙洪水而不淤积。如何塑造并保护窄深河槽,成为黄河下游河床整治的热点。

茹玉英等指出,小浪底水库进行泥沙多年调节运用,在下泄清水期,河南段河道将发生较强烈的冲刷,不仅破坏了水库排沙期塑造的具有极强输沙能力的窄深河槽,同时 800～15 00 m^3/s 清水冲刷还会造成艾山以下河道的严重淤积,为此,提出通过修桃花峪水库分走多余的清水,减弱河南段河道冲刷强度和塌滩量以保护窄深河槽,并减少艾山—利津河段的淤积量。

崔树彬提出渠化黄河达到窄深化,用南、北两条渠道输水和输沙,渠化河道排洪,按不冲不淤设计,设法降河。

杨力行、侯杰提出"黄河下游右岸垂直定岸降河"的治理方案,该方案利用科氏力,对右岸以垂直桩板定岸实现过水断面三角形化,达到提高流速 24%、窄深河槽永久定岸降河、排洪输沙于一体、大小水或浑清水都不淤积、河床逐步稳定下降的目的。

(二)淤渠及渠首沙害更加严重

有人认为,小浪底水库的淤沙库容能使下游河道 20 年内不淤积抬高,2001 年小浪底水库建成运用后的清水冲刷期,黄河水含沙量少了,灌区再也不用沉沙池了,再也不必担心渠道淤积了。

1998 年在济南召开的"引黄灌区新型渠首橡胶坝引水防沙工程研究"项目技术鉴定

会上,中国水利水电科学研究院院长、教授级高级工程师张启舜预言:"黄河小浪底水库建成运用后,清水冲刷期,黄河粗沙入渠问题将更加严重。作为渠首橡胶坝引水防沙工程这一措施,将对小浪底水库清水冲刷期间的防止粗沙入渠起到特殊作用。"并把这一观点写入技术鉴定意见。

张启舜院长这一观点的依据有以下几个方面。

(1)正确认识山东引黄灌区渠系泥沙输移规律,在一定条件下,制约引黄渠道泥沙淤积的重要因素不是泥沙量的多少,而是泥沙颗粒的粗细。据1992~1993年对张桥引黄灌区干渠渠首、2.5km处、12km处、尾水(比降为1/6 000~1/10 000),4个典型断面床沙质及退水泥沙的取样分析,引水泥沙粒径除沿程逐渐变细的规律外,还可看出淤积在干渠里的泥沙粒径大于0.025mm的平均为90%,而尾水小于0.025mm的则平均为92.5%。据此,把0.025mm泥沙粒径作为淤渠与非淤渠泥沙分界粒径。就是说,在山东引黄灌区干渠现有比降及输水条件下,粒径小于0.025mm的泥沙即使含沙量稍大些也不易淤积,而粒径大于0.025mm以上的泥沙即使含沙量小些也必然淤积。

(2)黄河小浪底水库运用后的清水冲刷期,黄河下游水体的泥沙构成将发生重要变化,水体泥沙量减少,泥沙构成粒径粗化。据黄河中下游多年平均悬移质、床沙质泥沙组成级配资料,自高村站至利津站,悬移质泥沙粒径小于0.025mm的占50%~53%,以粒径0.025mm为粗、细沙分界标准,粗、细大致对半。自花园口站至利津站床沙质泥沙粒径小于0.025mm的占2.2%~7.2%,基本上是粗粒径泥沙。黄河小浪底水库运用后的清水冲刷期,由于水库中的泥沙淤积,无疑将使下游黄河水的泥沙量呈减少趋势,但黄河水泥沙的构成将呈粗化趋势。这是因为黄河中游水的含沙量减少,水流挟沙能力得不到满足,势必使部分中游床沙质泥沙交换为悬移质泥沙,以达到水流挟沙能力新的平衡。这就造成了黄河小浪底水库运用后黄河水悬移质泥沙粒颗粗化,粒径大于0.025mm的粗沙将大大超过50%。据2001年4月25日至30日济南水文局在黄河泺口段实测的黄河水悬移质泥沙粒径资料,粒径大于0.025mm的粗沙已达67%~74%,较多年平均增加了17%~24%。此时,小浪底水库尚属部分运用,若正式运用后,黄河水悬移质泥沙粒径将更加粗化。

(3)据1981年黄河断面资料分析,山东省引黄涵闸前黄河河床深槽溪点已高出引黄闸底板1.0~1.5m,近期将继续抬高,粗沙入渠量将更大。不断增大的河底与闸底高差,加大了引黄口门的纵比降及输送河道底部粗沙入渠的能力。山东引黄渠首口门水下地面的纵比降一般为1/30~1/90,输送黄河底部粗沙的能力极强。该水体进入平缓的渠道后,纵比降一般1/6 000~1/10 000,为引水口水下地面纵比降的1/100左右,这样的渠道输送粒径0.025mm以下的泥沙能力是可以的,但输送粒径0.025mm以上的泥沙就困难了。于是大量粗沙沉积于渠道,增大了清淤及泥沙处理量。

(三)山东引黄灌区泥沙治理的难度将更大

自1965年引黄复灌以来,山东省已累计开辟沉沙池约4.7万hm²,干渠清淤占压土地2万余hm²,共6.7万余hm²,55%被沙化,沙化治理和还耕治理难度很大,且渠首沉沙洼地已基本用完,再欲开辟新池难度很大。

沉沙池与干渠的弃土高度已由以往的2.5m提高到5.0m,个别灌区已达到6.0m。

弃土高度的不断增高,也加大了清淤的难度。

山东省 20 世纪 90 年代年均引黄河水 71.6 亿 m^3,引进泥沙 6 200 万 m^3,灌区每年清淤及处理泥沙量 4 000 万 m^3。2001 年小浪底水库运用后,在灌区同等引水量的条件下,每年清淤及泥沙处理难度将会增加。

二、治理对策

黄河小浪底水库建成运用后,清水冲刷期山东引黄泥沙治理将面临新的严峻形势,有关部门应引起足够重视,并采取切实有效的措施,重点抓好引黄泥沙治理八大体系的建设。

(一)搞好引黄灌区分级水沙监测站网体系建设

20 世纪末,山东引黄灌区已建成世界上最大的多口门连片的县、乡、村级水沙监测站点 1 426 个,使引黄灌区的全部 53 个县(市),236 个乡(占总乡镇数的 30%),385 个村实现了分级计量供水。今后,要继续扩大、完善水沙监测站网建设,实现监测技术与手段的现代化,在节水减沙方面发挥更大作用。

(二)搞好引黄灌区渠首引水防沙体系的建设

20 世纪末,山东省成功地在邹平县张桥和菏泽市刘庄引黄灌区建成两处渠首橡胶坝引水防沙工程。渠首较前少引黄河泥沙 24%～26%,干渠清淤量较前减少 74%～84%,并已完全弃用沉沙池。2001 年 6 月,高青县刘春家引黄灌区渠首又建成橡胶坝引水防沙工程一座,除农业灌溉外,还向淄博市城镇大量供水,达到源水含沙量 2.5kg/m^3 以下、入库水浊度不超过 100 度的工业供水标准。今后,在部分引黄河底层粗沙特别严重、丧失沉沙条件及汛期高含沙量期间承担工业及城市供水的灌区,可有选择地进行渠首橡胶坝引水防沙工程的技术改造,同时,因地制宜地搞好防沙闸、叠梁闸板、分层进水闸等各种防沙设施的配套建设。

(三)搞好引黄灌区沉沙池及平原调蓄水库体系的建设

自 1965 年引黄复灌以来至 20 世纪末,山东引黄灌区累计开辟沉沙池 4.67 万 hm^2,除还耕外,每年正在运用的约 0.67 万 hm^2。至 1997 年底,山东引黄灌区建平原调蓄水库 82 座,总库容 6.3 亿 m^3。上述工程设施对引黄灌区的泥沙处理及供水资源的丰枯调节发挥了重大作用。今后,沉沙池沉沙和平原水库调蓄仍然是泥沙处理和供水资源丰枯调节的主要工程措施之一,要重点搞好沉沙池优化运用、沉沙池大面积堆高、沉沙池最优覆淤还耕土层结构、平原水库优化调蓄运用、平原水库防渗及周围防碱的研究和推广。

(四)搞好引黄灌区渠系输水输沙体系的建设

20 世纪末,山东引黄灌区进行了大量的渠道衬砌和管道灌溉,减小了输水糙率,提高了输水输沙能力。今后,要进行渠道衬砌优化断面、大口径浑水管道灌溉、汛期高含沙量粗颗粒泥沙的输沙减淤研究及推广工作。

(五)搞好引黄灌区机械清淤技术质量监督体系的建设

20 世纪 90 年代,山东引黄灌区实现了由人工清淤向机械清淤的历史转折,各种清淤机械社会保有量发展到万余套,年均机械清淤量 4 000 万 m^3。经山东省技术监督局和山东省水利厅批准,在山东省水利高级技工学校建立了"山东省水力清淤机械性能测试中心",首次对国内典型的水力清淤机械的性能及质量进行了全面测试,为水力清淤机械技术性能、质量的改进提供了技术依据。今后,要进一步健全引黄灌区机械清淤技术质量监督体系,搞好法规建设,实行清淤队伍资质等级制度,进行清淤机械产品结构调整,抓紧搞好新型高效清淤机械的研制及现有清淤机械产品的更新换代,努力降低清淤成本。

(六)搞好引黄灌区泥沙综合利用体系的建设

20 世纪 80 年代,菏泽市刘庄灌区利用清淤弃土加工水泥土;20 世纪 90 年代,聊城市位山灌区利用清淤弃土加工灰沙砖,用于水利工程建设和民用建筑;部分地方组织村民利用清淤弃土进行村镇建设和家畜棚圈垫土积肥,效果都很好。今后,引黄泥沙利用的主要途径仍然是沉沙池和清淤弃土的大面积堆高还耕。利用清淤弃土要大力开发研制新的建筑材料,并要继续推广以往行之有效的利用弃土加工建筑材料的科研成果,形成一个新的泥沙综合利用产业。

(七)搞好引黄灌溉节水、减淤优化工程体系建设

构筑引黄灌溉节水、减淤优化工程体系的目的,是创建节水、减淤型社会。

山东省引黄灌溉自 1950 年首次在黄河利津县綦家嘴建闸引水,至今已有 50 多年的历史。20 世纪 50 年代至 80 年代末是山东省引黄灌溉的初期阶段,引黄灌溉工程模式属于简陋型灌溉工程体系。其特点是:①工程简陋、灌排合一,基本上仅修建了简陋的骨干输水工程,多数是通过河道、排水沟提水灌溉;②骨干渠道控制、分水建筑物配套工程差,基本缺少末级渠道建筑物工程;③利用洼地临时沉沙,不少灌区不经沉沙浑水入河,骨干河道泥沙淤塞严重;④引黄灌溉投入少,1949 年以来至 20 世纪 80 年代末,国家用于山东省引黄灌溉工程的累计投资仅 270 元/hm^2 左右。

20 世纪 90 年代以来,随着水资源的紧缺,引黄灌溉的地位不断提高,各级政府、外资及社会对引黄灌溉工程多渠道的投入增加,山东省引黄灌溉工程的体系出现了质的变化,由以往的简陋型灌溉工程体系发展为功能型灌溉工程体系。其特点是:①引黄灌溉工程初具规模,灌溉工程供水系统中的取水工程、输水工程、用水工程、节水工程等子系统,泥沙系统中的渠首防沙、沉沙池沉沙、渠系输沙、浑水入田等子系统均已逐步形成,并通过技术改造和配套,使各子系统具备了各自的功能;②在引黄灌溉工程的规划设计上,已由以往的灌、排合一发展到灌、排分设;③各级政府、外资及社会的多渠道对引黄灌溉工程的投入猛增,投入量较 20 世纪 80 年代以前翻了几番。进入 21 世纪,随着山东省水资源的更加紧缺和黄河小浪底水库运用后清水冲沙期引黄泥沙处理难度的加大,迫切要求创建优化型灌溉工程体系,即节水、减淤优化型灌溉工程体系。该工程体系的内涵包括以下几个方面。

(1)必须把灌溉对环境和生态的影响放在首位,强调社会、经济发展与资源、环境相协调的观点,做到引黄灌溉工程和产业的可持续发展,既能满足人们当前需要和发展,但同时不会损害到下一代人的生存需要和发展。

(2)强调工程系统优化组合的观点,通过节水、减淤工程系统的各子系统工程型式和结构的优化组合和各子系统工程投资的优化组合,达到工程总体技术经济指标的历史性和爆炸性突破。

(3)适应我国财力匮乏的国情和山东省沿黄地区经济的实际情况,通过提高工程的科

技含量及不同工程方案的技术经济指标的比较、竞争和优选,用有限的投资建设更多、更好的工程,以大幅度地提高经济、社会、环境、生态效益。

(八)搞好引黄灌溉泥沙治理资金投入体系的建设

引黄灌溉泥沙治理工程量大,耗资高,目前资金筹措很困难,治理标准低。今后,应根据"谁受益,谁负担"的政策,在搞好治理规划的前提下,实行引黄泥沙分级治理。各地都应加大引黄泥沙治理的投入,并建议山东省设立"引黄泥沙治理开发基金",由国家财政、地方财政、各引黄灌区和工业用水单位的水费提成、社会的捐资等多方渠道筹集资金,有偿滚动使用。该基金主要用于引黄泥沙治理技术的研究、示范、推广,集中连片建设好引黄泥沙治理和开发的样板工程,通过科技加市场的路子,搞活引黄泥沙治理,使引黄灌区的泥沙治理进入良性运行的轨道。

第五节　黄河下游引黄灌区泥沙淤积原因及处理对策

一、黄河下游引黄灌区泥沙淤积概况

黄河下游引黄灌区耕地面积 445.6 万 hm²,灌溉面积 286.3 万 hm²,总人口 5 472 万人,涉及河南、山东两省的 80 个县(市、区)。自 1985 年至 1990 年底,累计引水 2 333 亿 m³,引沙 38.65 亿 t。其中,约有 33.22% 的泥沙沉积在沉沙池内,35.32% 淤积在灌溉渠系,22.9% 被输入田间,8.56% 进入排水河道。这就是说,除了被输入田间的约 23% 的泥沙成为资源,其余近 80% 的泥沙需要进行处理。这种长期采取的泥沙处理方式(沉沙池集中沉沙,渠系两岸堆积清淤泥沙),造成了引黄泥沙在平面上分布不合理的状况,给沿黄两岸的经济、社会和环境带来了严重的负面影响。引黄泥沙已成为制约引黄灌溉发展的主要因素。

二、泥沙在渠系中淤积的主要原因

由于黄河是举世闻名的多泥沙河流,引水必引沙,造成渠系淤积特别严重,更影响到运用的年限。泥沙在渠系中淤积的主要原因有以下几方面。

(一)渠道比降缓,渠床糙率大

黄河下游灌区由于受地形地貌的制约,渠道比降较缓,输水流速慢,挟沙能力低,是造成渠道淤积的主要原因。因沉沙池口门淤积,壅水顶托,造成输沙渠自下而上的溯源淤积。灌区渠道床面土质多为砂壤土,土质松散,波动较大,糙率大,也是影响流速的重要因素。渠道设计面积过大,又多处借用原废弃河道,弯道多,渠道为宽浅式,也是造成渠道淤积的主要原因。

(二)引水流量小,流速慢,挟沙能力低

引黄灌区各干渠引水流量实际上多数时间都不能在设计状态下运行,达不到设计引水流量就必然使流速减缓、挟沙能力降低,从而导致泥沙的淤积。

(三)高含沙汛期引水

引黄灌区设计引水条件是黄河含沙量低于 20kg/m³。近年来,灌区汛期连续出现干旱,持续时间较长,严重制约着农作物的生长。为了保证农业丰收,灌区即使在黄河汛期最大含沙量高达 $150kg/m^3$ 之多的情况下,也被迫大量引水,由此带来大量的泥沙淤积。

(四)工程原因

很多引黄干渠位于弯道较多的河段,渠底比降小,造成严重淤积。

(五)沉沙区地面普遍淤高

引黄灌区经过长期运用,虽经逐年以挖待沉,位于上游的沉沙区地面仍普遍淤高,淤高的结果导致引水闸至沉沙地区间的输沙渠段比降减少,增加淤积,也降低了渠道衬砌后效益的发挥。

(六)管理不善

在需水季节,特别是黄河枯水时期,上游渠道两侧群众不按轮灌顺序提闸放水,从渠中随意引水是常见现象,特别是旱期更甚,这种乱引水的结果是使主渠道中的水势减弱,含沙量增高,从而促使渠道淤积。再加上各县、市用水时间不同,引水量大小变化较大,也造成渠道淤积。

三、泥沙处理对策

(一)远距离输沙

(1)渠道衬砌。渠道衬砌后渠槽被硬化固定,断面缩窄,糙率减小,相应加大了输水流速,提高了挟沙能力。

(2)干渠兴建提水泵站。引黄灌区在干渠沿岸兴建提水泵站,可缩短灌溉周期,改变自然输水形态及水面比降,加大输水流速,提高挟沙能力,减少骨干渠道的淤积,达到远距离输沙、分散沉沙、输沙到田间的效果。

(3)高水位、大流量、速灌速停。高水位、大流量是指在输水渠道能够承受的前提下,尽量加大输水流量,以便提高输水挟沙能力,远距离输沙,并输沙入田。速灌速停,即提倡集中用水,短期用水,缩短灌溉周期,避免长期引水引沙。

(二)集中处理沉沙区泥沙

(1)自然沉沙。自然沉沙多用于低洼地和土壤不好的地方。这种沉沙方式的特点是用工少、施工简单但占地多。根据地形条件和需沉沙数量确定面积,筑一围堤即可运用。沉沙池入口一般不做工程,出口需建拦沙闸,保证泥沙淤积厚度。

(2)以挖待沉。以挖待沉是指在沉沙区自然沉沙淤平失去沉沙作用后,再用人工或机械清淤造田,一般高出地面 7m 左右,形成人造高地。这种沉沙方式的特点是占地少,但用工多。为了减少占用土地,充分利用沉沙空间,根据沉沙规划,要有计划地对废旧沉沙池进行以挖待沉,达到相应的沉沙作用。

(三)分散沉沙

分散沉沙处理措施是利用干渠、分干渠两侧的较小低洼地,进行泥沙处理。这些洼地生产条件差,产量低而不稳,极易做分散沉沙处理,以便改造土地。

(四)节水减淤

实行适时引水、集中引水、短期引水,节约灌溉用水,充分利用水资源,减少灌区的总淤积量。既能减轻灌区清淤负担,又可解决下游地(市)用水矛盾,起到了事半功倍的效果。

四、泥沙开发利用技术措施

(一)输沙渠与干渠的泥沙开发利用

(1)坚持输沙渠和干渠清淤土达到一定高度后不要再加盖新弃土,而是将计划内待占耕地的表土移盖于弃土之上,然后整平,开发利用弃土高地,主要用于农业种植。

(2)利用弃土于林、粮间作,根据弃土高地顺渠延伸的特点,原先的植树都是顺渠为行,对下次清淤造成不便,为此改为垂直渠道为行,并加大行矩,缩小株矩,使总植株基本保持不变,减少对下次清淤通行的影响。同时,在树木成林产生遮荫影响之前的三年中,仍可种植农作物,实现利用效益的长远结合,增加农民的收入。

(3)有计划地实行堤外弃土,在确保堤防安全的前提下,允许当地群众有计划地在指定地点取土。这样,既解决了当地村民及地方工业建设的用土,也减轻了清淤的占地损失。

(二)沉沙池区人工高地的开发利用

(1)盖土压沙,减小环境沙化的影响。堆积高地颗粒组成粗、地势高,冬、春季大风来临容易扬起沙土,引起大范围的环境沙化。所以,沉沙池清淤时必须按标准,将高地垫平,盖厚 $0.3 \sim 0.5$m 的黏性土,防止起沙。经过数年的耕种,不断施用有机肥,土壤逐渐熟化,团粒结构增加,土层才能固定不起沙。

(2)解决好水利灌溉条件,促使旧池还耕。引黄灌区沉沙池清淤泥沙堆成的高地,一般土层结构松软,具有漏水、漏肥严重的特点,适合发展喷灌和滴灌,也可用"小白龙"软管浇地,黄豆、花生、白薯都能获得较好产量,其他如棉花、玉米、果树都可以种植。经试验,高地上种植优质苹果不但长势好,且起到固土防沙作用。

(3)建设防风林带,改善人工高地区域小气候,起到防风固沙作用。灌区输沙渠、沉沙区必须兴建防沙林带,改善人工高地区域小气候。林带必须乔木、灌木、草类按比例发展,且与果树、种植业配合,起到防风固沙作用,从根本上改善生态环境,才能获得满意的效果。

(三)泥沙的综合开发利用

引黄灌区每年都要引进大量泥沙,不仅给灌区人民造成沉重的劳务、财政负担,同时也带来严重的环境问题,特别是不断侵占耕地。对引黄灌区输沙渠、沉沙池淤积泥沙取样化验结果表明,二氧化硅的含量在 70% 以上,利用此种沙掺和一定的石灰等物质后制成的灰砂砖模块其抗压强度为 $95.9 \sim 176.5$kg/cm^2,抗折强度为 $25 \sim 40$kg/cm^2,均符合JC135-75 部颁标准。由试验结果可看出,利用引黄淤沙制作建筑用材是可行的。

第六节 黄河下游引黄灌区防沙减淤工程措施

【工程措施1】 试验优化沉沙池设计方案

赵口引黄灌区位于河南省黄河南岸,分布在郑州市中牟县和开封市尉氏、通许三县境内,是水电部批准兴建的大型放淤试点工程。目的是通过工程实践,探索引黄泥沙的合理处理方法,利用肥水灌田,改变农业低产落后状况。

灌区一号沉沙池由Ⅰ号至Ⅳ号条渠组成,沿引黄总干渠左侧依次布置,进口离赵口闸1.6km,平面呈湖泊形,为自流式沉沙池,见图9-3。一期工程确定先使用第Ⅰ条渠,其位于池的南部,长约9.865km,宽265~785m,总面积5.2km²,沉沙池容积约600万m³。为了充分发挥沉沙池的工程效益,要求条渠具有沉粗排细的功能。

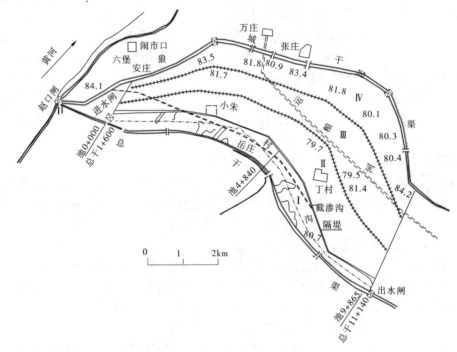

图9-3 赵口引黄灌区沉沙条渠平面布置图

由于泥沙运动的复杂性,需进行整体泥沙模型试验论证原设计方案,并寻求经济合理的优化布置方案和科学易行的运行方式,尽可能利用条渠的有效容积,沉粗排细,既延长其使用年限,又能使含有一定数量细沙的肥水排出沉沙池灌溉农田。

(一)工程概况

1.工程布置

黄河河水由赵口闸引入,流经1.6km的总干渠,通过节制闸的调节,进入沉沙池的进水闸,流入第Ⅰ条渠。进水闸引水角65°,共六孔,每孔孔径4m×3m,设计引水流量110m³/s,闸底设计高程81.79m,闸前设计水位84.17m,闸后设计水位83.97m。出水闸和总干渠交角56°,设计流量及闸孔尺寸和数量同进水闸,闸底设计高程79.40m,闸前设计水位81.19m,闸后设计水位81.17m。

由于第Ⅰ条渠上段地势较高,在进水闸下游3.3km范围内,地面高程大多在82m以上,高于进水闸底高程。其中散布着多处放淤形成的滩地,高程在82.5~86.9m之间,且大多横向分布,给自流引水造成了困难,拟在条渠内开挖引水渠使水流得以通行。

为便于沉沙条渠两侧的村民生产交通,条渠内筑3条横隔堤,并架设桥梁,由进出水闸和3条隔堤将条渠划分成4部分,从下游至上游分别称为A区、B区、C区和D区。

2.水沙条件

赵口闸位于三门峡水库下游,来水来沙受水库调度影响较大。为此,采用三门峡水库改建后 1974～1986 年,距赵口闸上游约 25km 的花园口水文站的实测水文泥沙资料,作为沉沙池的设计依据。

赵口引黄灌区引水期在每年的 3 月、4 月、5 月和 12 月,每月引水天数分别为 20、10、30 天和 10 天,总计每年 70 天。模型采用 3 月份的多年平均悬移质粒径,泥沙颗粒级配见表 9-3,中值粒径为 0.049 8mm。引水期选用 3 月份多年平均含沙量 6.46kg/m³。

表 9-3 花园口站 3 月份多年平均悬移质粒径级配

泥沙粒径(mm)	0.50	0.25	0.10	0.05	0.025	0.01	0.005
小于某粒径重量(%)	100	99.8	91.6	50.2	17.6	7.1	5.2

条渠设计流量 110m³/s,进口最高限制水位 83.97m,如条渠进口超过该水位,将不能引足设计流量。条渠出口水位控制在 81.91～82.40m。为使条渠具有沉粗排细的功能,要求出口含沙量控制在 2～4kg/m³,小于 0.03～0.05mm 的细颗粒泥沙能排出沉沙池。

(二)模型设计

1.几何比尺

根据沉沙池的平面布置及所要研究问题的性质,确定模型平面比尺为 $\lambda_L = 150$。在确定水深比尺时,考虑到模型水深不应过小,同时考虑糙率不宜过大和有足够的测量精度,模型宜做成变态。变态模型应使模型水流运动仍与原体基本相似,出现的偏差应在允许范围内,其变率的大小主要依赖于原体的宽深比。模型宽深比 $(B/H)_m$ 可由下式确定:

$$(B/H)_m \geqslant 6 \sim 10 \tag{9-5}$$

取水深比尺等于 20,对条渠中宽深比最小的断面进行校核,结果满足式(9-5)。因此,可确定模型的水深比尺 $\lambda_h = 20$。

2.水流运动相似

重力相似:

$$\lambda_v = \lambda_h^{1/2} = 4.47 \tag{9-6}$$

阻力相似:

$$\lambda_c = 1 \ 或 \qquad \lambda_n = \lambda_h^{1/6} \times \sqrt{\frac{\lambda_h}{\lambda_L}} = 0.602 \tag{9-7}$$

式中 λ_v、λ_c、λ_n——流速比尺、谢才系数比尺和糙率系数比尺。

3.泥沙运动相似

由总干渠引入沉沙条渠的水流,含沙浓度较高,大多处于超饱和状态。由于条渠过水断面增大,流速减小,水流的挟沙能力大幅度降低,造成条渠内泥沙淤积。条渠内泥沙淤积形式主要为缓流淤积,也可能出现局部回流淤积。随着泥沙的累积性淤积,池中水深减小,水流流速和流路将发生变化,在出口水位作下降调度时,水面比降和流速也将增大。上述情况均有可能使已淤泥沙发生部分冲刷。为此,模型设计首先必须满足泥沙沉降条件相似,同时尽可能满足冲刷条件相似。由此进行模型设计。

沉降相似：

$$\lambda_{\omega} = \lambda_v = 4.47 \qquad (9\text{-}8)$$

挟沙能力相似：

$$\lambda_{s*} = \lambda_s = \frac{\lambda_{\gamma_s}}{\lambda_{\gamma_s-\gamma}} \qquad (9\text{-}9)$$

式中　λ_{γ_s}——泥沙容重比尺；

　　　$\lambda_{\gamma_s-\gamma}$——泥沙容重与浑水容重之差比尺。

起动或扬动相似：

$$\lambda_{vf} = \lambda_v \qquad (9\text{-}10)$$

冲淤变形相似：

$$\lambda_{t2} = \lambda_{\gamma_0} \cdot \lambda_L / \lambda_v \cdot \lambda_s \qquad (9\text{-}11)$$

式中　λ_{γ_0}、λ_{ω}、λ_s、λ_{vf}、λ_{t2}——清水容重、沉速、含沙量、扬动速度和冲淤时间比尺。

由于沉沙条渠中各级粒径的泥沙颗粒都存在沉降问题,所以应考虑全部粒径都满足沉降相似来计算粒径比尺。显然,λ_{ω} 不是常数,随原型沙粒径变化。

4.模型沙的选择

原型沙特性试验表明,沙粒重度为 26.8kN/m³,淤积物干重度平均值为 12.1kN/m³。沉降试验表明,原型沙絮凝现象很微弱,在模型沙选择时可不计絮凝的影响。经过比较,选用粒径广泛的电木粉作为模型沙,其重度为 14.1kN/m³,淤积物干重度 4.41kN/m³。

在沉沙条渠运行后期,随着泥沙的累积性淤积,水流流速增大。出口水位下降调度时,可导致已淤泥沙的局部冲刷,模型沙应满足泥沙起动(扬动)相似。因此,对模型沙的起动(扬动)流速相似条件进行校核计算。按窦国仁起动流速公式,对几个典型水深条件下的原型沙和模型沙进行计算,结果表明:其起动(扬动)流速比尺略小于流速比尺,而使模型淤积物偏于难冲,在模型中形成的沉沙条渠淤积面比降将较天然情况为陡。

由上述各相似条件可算出各模型比尺 $\lambda_{s*} = \lambda_s = 0.482$,$\lambda_{t2} = 180$。

(三)方案优化试验和分析

1.原方案试验

由于条渠上段地势较高,在进水闸至池桩号 3＋940 处挖有引水渠一条,渠宽43m,纵向底坡 1:5 000。引水渠沿池中心线偏左侧布置,在池桩号 2＋630 以下与丁村沟汇合。条渠内筑三条横隔堤,每条隔堤上有两座桥,其分别位于总干渠桩号 5＋376、6＋941 和 9＋498三处,沉沙水流通过桥孔流向下游,见图9-4。

开始引水时,含沙水流自进水闸沿引水渠进入沉沙条渠。由于引水渠底坡比降较大,渠内流速在 2m/s 左右,泥沙基本不落淤。强烈的淤积首先发生在引水渠下端(池3＋000～4＋000),形成三角形淤积体,并不断向下游延伸。当淤积体高程接近水面时,形成淤沙滩地和主流沟槽。随着淤沙的不断堆积发展,沟槽变动较大,有的呈横向流动,有的可绕过右侧的原淤沙高地,使泥沙横向淤积分布趋于均匀。沟槽的发展受横隔堤和桥孔的影响较大,到条渠使用末期,沟槽大多沿左右桥孔分成两条,既有交汇,又能各自流向下游。

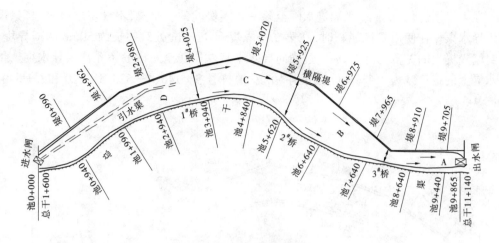

图 9-4 原方案工程布置

试验表明:泥沙淤积从上游逐渐向下游发展,中下段在较长时间内处于水深大、流速小的状况,水流经此段至出口,含沙量大大降低,泥沙粒径较细,大部分泥沙落淤在池内,无法满足设计的沉粗排细要求,大大缩短了沉沙条渠的使用时间。

2. 修改方案试验

鉴于原设计方案中存在的问题,在修改方案中提出加筑导水堤、分期分区淤积的工程措施,以达到沉粗排细、有效利用沉沙池容积、延长使用时间的目的。应当指出,只要合理调整每个淤积区的大小,就可使出口含沙量和粒径不致过高或过低,以满足设计要求。为此,进行了两组优选方案试验。在第一组方案中,将条渠内的第一条隔堤上移至总干渠桩号4+776,在第一条和第三条隔堤之间的右岸设导水渠,第二条和第三条隔堤之间的左岸设退水渠,设计渠底宽60m,底坡1:5 000;为了使条渠能分期分区淤积,以达到设计要求的出口粒径和含沙量的指标,在导水堤上开六个拢口,每个拢口宽75m,分别位于沉沙池桩号 3+140、4+520、5+140、5+820、6+640 和 7+140 处;第一条和第三条隔堤的右岸各设一座桥,第二条隔堤的左、右岸设两座桥,其宽度皆为60m。见图 9-5。

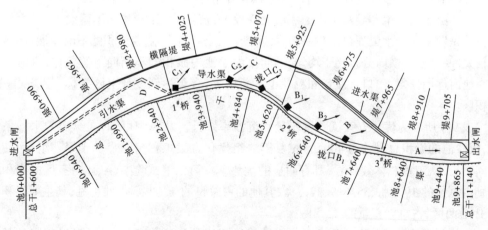

图 9-5 第一组修改方案工程布置

在第二组优化方案中,平顺进水闸至第一条隔堤间的引水渠,不设左岸退水渠,只设右岸导水渠。在使用 C 区淤积时,在第二条隔堤上游 60m 处筑一长约 500m 的横导堤,并封堵隔堤上的左桥孔,使水流通过横向导水渠从左岸转至右岸的桥孔流入导水渠。将导水堤上的拢口减为 4 个,其位置分别为沉沙池桩号 3 + 140、4 + 520、5 + 820 和 6 + 640,见图 9-6。

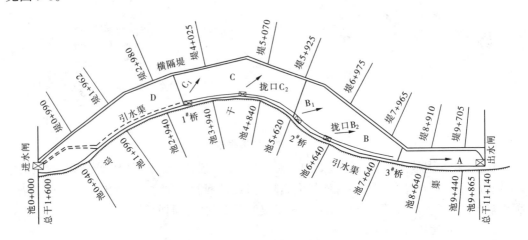

图 9-6　第二组优化方案工程布置

两组方案的操作程序如下。

(1)封堵导堤上的所有拢口,由导水渠引水至池末的 A 淤积区,出口以低水位控制。

(2)当淤积区内已有滩地形成,且出口含沙量和粒径即将达到设计上限指标时,逐渐抬高出口水位至最高限制水位运行。

(3)沉沙条渠在出口最高限制水位状况下运行,出口含沙量、粒径增大至设计上限指标时,需在导水堤上打开一拢口,放水入 B 淤积区。

(4)按上述步骤依次使用 B、C 淤积区,直至条渠淤满。

开始引水时,进入沉沙条渠的含沙水流集中在引水渠内往下流动,经导水渠流入 A 淤积区。由于引水渠和导水渠内的底坡比降较大,流速大,泥沙基本不落淤,所以大量的淤积首先发生在导水渠拢口出口一带,并不断向下游发展。随着淤积的不断发展,沟槽变动较大,使泥沙的横向分布趋于均匀。同时,由于池内淤积的不断向下游延伸,水流挟沙力在池内逐渐恢复,出口含沙量和粒径也不断增大,直至达到设计上限指标,开辟另一个淤积区。

表 9-4 所示为优化方案试验淤积量和沉沙率统计。从表中可知,在给定的水沙条件下,沉沙池的淤积总量约为 400 万 m³。第二组优化方案工程量明显少于第一组,而使用时间略长,从工程总体效果看,具有明显的优势。在第二组试验中,A、B、C 三区的淤积量分别占总量的 19.6%、35.6%、37.2%,其他的占总量的 7.6%。由此可见,其主要淤积区为 B、C 两区,占总淤积量的 72.8%。

图 9-7 所示为第二组试验进出口含沙量过程线。与原方案相比,由于淤积区的长度大大缩短,使得出口含沙量和粒径在开始时就较大,大量的无害泥沙能够排出沉沙池,节

省了条渠的有效沉沙容积；同时，由于分区淤积，出口含沙量并不随运行时间单向增加，因而沉沙效率也不随时间单向减小，其大小主要取决于所开辟淤积区沉沙容积的大小和形状等。另一方面，分区淤积使得条渠在纵向上淤积高差减小，淤积物分布更趋平坦，在第二组试验中，A、B、C三区的淤积面比降约为1:7 000，可达到延长沉沙池使用寿命的目的。

表9-4 优化方案试验淤积量和沉沙率统计

组次	区域	历时 (d)	进口平均含沙量 (kg/m³)	出口平均含沙量 (kg/m³)	沉沙率 (%)	排沙比 (%)	淤积量 (万 m³)
一	A	27	6.281	2.089	66.8	33.2	81.27
	B	41	6.450	2.031	68.5	31.5	120.64
	C	44	6.514	2.041	68.7	31.3	134.89
	其他						17.21
	Σ	112					354.01
二	A	26	6.559	2.141	66.5	33.5	81.96
	B	52	6.431	2.095	67.4	32.6	148.74
	C	52	6.605	2.141	67.6	32.4	155.47
	其他						32.39
	Σ	130					418.56

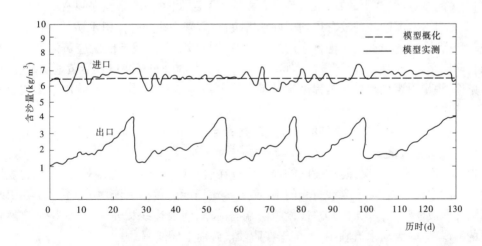

图9-7 第二组方案试验进出口含沙量过程线

由于原方案改变泥沙沉排比的手段较弱，沉沙池在大部分时间处在沉沙效率较高的状态，较多的细沙不能排出而被拦蓄沉淀在条渠内，使得条渠的使用年限大为缩短。第二组优化方案由于增加了调节淤积区大小的手段，使沉排比例控制在要求范围内，在设计流量为110m³/s时，条渠的使用时间可延长至130d，约合1.86年。

由于B、C两区的淤积量占总量的72.8%，在设计水沙条件下，可运行104d，约合1.49年，为充分利用土地资源和节约工程费用，可考虑采用"以挖代沉"的使用方式。即以

第Ⅰ条渠代替1号沉沙池,在A区淤满还耕后,只考虑B、C两区轮换使用,周期为1.49年,则整个沉沙池的平面面积由30km²减小为3km²,将大大地节约土地资源。

(四)结语

试验结果表明,沉沙条渠要达到沉粗排细的目的,应限制其淤积区的平面尺度,增大水流流速,缩短水流流程,使泥沙沉排比例控制在适当范围内。这将有利于充分利用沉沙池的容积,增加条渠的使用时间,节约土地和费用。

优化方案采用加筑纵、横向隔堤的方法,将条渠分隔成若干区域,通过引水渠分期分区合理地开辟新淤积区,使池内泥沙淤积分布基本均匀、平坦,使用年限达到1.86年。若以第Ⅰ条渠代替整个一号沉沙池,采用"以挖代沉"的方式,将第Ⅰ条渠的两个淤积区轮换使用,周期为1.49年,而整个沉沙池的平面面积由30km²减小为3km²,将大大地节约土地资源。

由各组试验资料的比较可以看出,沉沙池的使用寿命与进池泥沙的含沙量、粒径级配及引水流量有很大的关系。在复杂多变的天然情况下,应根据实际情况确定引水条件,避开过高含沙量、过大粒径的水沙期,避免引进小流量,科学合理地使用沉沙池。

以上试验成果不仅对赵口沉沙池的设计、施工、管理有指导性意义,对所有黄河下游涵闸沉沙池的设计、规划也有重要借鉴作用。

【工程措施2】 引黄涵闸前设置不倒式拦沙潜堰防沙设施

黄河以含沙量大闻名于世。新中国成立后,黄河下游的水沙资源得到了初步开发利用,在引黄灌溉、放淤改土、城市供水等多方面发挥了巨大的作用,取得了可喜的成绩。但是,由于在引水时泥沙处理没有得到很好地解决,也带来一些问题。引水防沙有许多成功的经验和措施,有的引黄渠首也曾采用过,并取得明显效果,但因不能适应黄河的特点而不能长期使用。为适应黄河下游河道特点、泥沙在水中的分布规律以及沿黄地质、地形等自然条件,提出引黄涵闸防沙工程设施设置及其结构特点和在引水口处使用不倒式拦沙潜堰进行拦沙。

(一)引黄涵闸防沙工程设施的设置及结构特点

1.工程设施的设置

根据河道的自然情况,防沙设施的设置应选在引水口门前河底边缘处,以保证将表层含沙量小的水流引出以后,含沙量大的中、底层水流仍能随黄河大流而去,不至于在引水口门以外形成淤积。停水时,其防沙设施两端与河岸、河底边线相连接,形成接近自然状态下的河岸底边,大河水流顺畅,不至于在防沙设施前形成淤积。

2.工程设施的结构特点

(1)活动结构。为适应黄河下游河道游荡多变和河底逐年抬高的特点,防沙工程设施应是活动的,可随河道的游荡和河底逐年抬高而迁移。无论河道如何变化,都能保证防沙设施经常处于引水口门的合适位置,以减少入渠泥沙的淤积和防止引水口门被淤死。

(2)轻型的柔性结构。黄河岸滩土壤为近代经水力筛选后淤积的粉、细沙,为适应其颗粒均匀、沉积时间短、空隙率大、承载低、易发生沉陷变形和不均匀沉陷变形、易液化和施工困难以及便于迁移等特点,防沙设施应具有轻型、柔性、装配式结构。

(3)引取表层水的结构形式。以往所修建的引黄涵闸都为涵洞式或有胸墙的形式。闸门为提升门，所引进的水流全为含沙量大、颗粒粗的中、底层水流，以致造成"弃优取劣"的不合理引水状况。因此，需采用引取表层水的结构形式。

(4)可调节高度的结构形式。所有的河流水位都随着流量的变化而升降。为保证任何情况都能引取表层水流，其防沙设施的高度也必须能随时调整，以适应水位涨落变化。

(5)工程材料。防沙工程的目的是防止泥沙(严格讲是防止泥沙中的粗颗粒)进入引水渠道，其材料可以是不透水的，也可以是透水的，但不允许粗颗粒泥沙通过。

(二)不倒式拦沙潜堰

不倒式拦沙潜堰工作情况见图9-8。

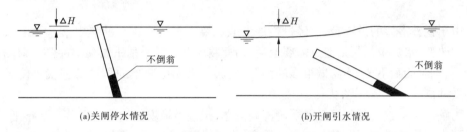

(a)关闸停水情况 (b)开闸引水情况

图9-8　不倒式拦沙潜堰工作情况

1.结构特点

不倒式拦沙潜堰是用复合材料制成的上轻下重的不倒翁单元板块，每板块上配以可调整浮力的浮子，各单元连接组成一道拦沙坎，置于引水口处所要求的位置，直立或倾斜置于水中，起拦沙作用。每单元板块有相对固定的几何形状，其竖向边可以人工调节伸缩以适应大河水位的变化。各单元间为有限的柔性连接，以防止在工作过程中有过大的不同步倾斜，又能适应较大的变形。

2.工作原理

关闸停水时，拦沙潜堰近似直立于引水口静水之中，隔断河道与引水渠之间的水流交换，防止引水渠及引水口门的淤积。在开闸引水时，由水的流速及上、下游水位差所产生的水平力的作用将拦沙潜堰推向下游，倾斜置于水中，又因有浮力的作用使拦沙潜堰顶没入水面以下一定的深度，处于力的平衡状态，表层水流越堰而过，含沙大的中、底层水流被阻于大河之中顺流而下，从而起到拦沙作用。

3.制造与安装

(1)制造。不倒式拦沙潜堰根据设计图纸和要求在工厂制造，每个单元板块长2～4m。

(2)安装。首先确定拦沙潜堰的轴线位置并在两端打定位桩和施工桩，拉过河索，准备施工船，将各不倒单元、拉锚及其附件装到施工船上。准备工作完成以后即可关闸停水进行投放。投放自一岸开始沿轴线前进，相邻单元的相邻边逐个在船上连接后投放，也可以投放后再连接，视情况而定。船至对岸投放工作即告结束。

安装工作完成后即可开闸放水，检查拦沙潜堰顶没入水面以下的深度是否达到要求，达不到要求则需进行调整。如相差不大，仅需调整浮力即可满足要求；相差过大，则需调整不倒单元竖向边的长短,以使其达到要求。

当大河变迁,引水口位移需要改变拦沙潜堰位置时,先在拦沙潜堰两端打下施工桩并拉过河索,然后关闸停水。待拦沙潜堰处基本成为静水时,自一岸开始将拦沙潜堰单元及其附件收到船上,运至新的位置重新安装。

4.拦沙潜堰基础处理

不论何种防沙设施,均存在着结构物与渠底、渠坡的接触问题和冲刷问题。河底表面不可能像结构物边缘那样平整,因此就存在着结构物与渠底、渠坡局部不接触而留有空隙的现象。当结构物与渠底、渠坡不完全严密接触而留有微小的空隙或漏洞时,这些缝隙或漏洞内即产生集中水流,对基础产生局部冲刷,并使之越冲越大而导致拦沙潜堰工程的失败。

由于拦沙潜堰的设置,水流经过拦沙潜堰也要形成一个很小的集中落差并引起水流方向的改变,水流中的剩余能量需要消耗,由此将引起拦沙潜堰下游局部冲刷。但因其落差较小,剩余能量不多,不需做很强的消能工程,只需做些简单的防护工程就可使天然基础不受冲刷。

为解决结构物与基础接触和下游冲刷问题,拦沙潜堰安装的第一步首先是整平基础,即把引水口拦沙潜堰所涉及范围内的渠底、渠坡、河底依照设计要求进行整平。整平工作可在水下进行。在整平好的基础上铺设保护膜。保护膜材料可用玻璃丝布、聚丙烯扁丝编织物(即化肥袋材料)和塑料薄膜,也可以先铺塑料薄膜,其上再覆一层编织布,以保证拦沙潜堰附近的渠底、渠坡不被冲刷。其保护范围以拦沙潜堰轴线为起点,向上游 5～10m,向下游 10～15m。保护膜周边和面上用重物压在渠底、渠坡上,以防被水流冲刷起来,也防止水流紊动将保护膜掀起。铺设保护膜以后,即使拦沙潜堰结构物和保护膜间有空隙和漏洞而有集中水流产生,也不涉及基础土壤,就不会造成基础被局部冲刷。

5.拦沙潜堰上游可能的淤积与清理

拦沙潜堰在工作过程中,其结构本身将部分或全部倾向下游没入水中,水中悬浮泥沙有淤积在结构物上的可能。由于淤积泥沙的重量将会影响拦沙潜堰在水中的形状和高度,在浮力太小或拦沙潜堰位置不当(太靠下游)的情况下其至会将拦沙潜堰压入河底,失去其拦沙作用。对此可分两种情况考虑。

(1)关闸停水的情况。拦沙潜堰下游为静水,上游为大河内流动的水流,由于引水渠道内水量的损失,拦沙潜堰前的水位总是高于引水渠道内的水位(相差很小),故拦沙潜堰总是倾向下游。由于拦沙潜堰和引水口两边河岸组成平顺的河岸,在拦沙潜堰前不会形成回流,所以拦沙潜堰前不会发生淤积。再者,由于水流脉动和风浪的作用,拦沙潜堰结构不会是静止的,它时刻在作轻微的抖动,即使在结构物上落一些泥沙也会随时被抖掉。

(2)开闸放水的情况。由于过闸水流的流速和水流的脉动作用,泥沙更不会沉积在拦沙潜堰的结构物上。即使有泥沙落于拦沙潜堰结构物上影响了拦沙潜堰的正常工作,需要清理时,也只需将拦沙潜堰附近的水流加以扰动,使沉积于拦沙潜堰上的泥沙重新浮起,即可随大河水流而去。

(三)结语

引黄灌溉防沙问题是影响引黄灌溉发展的重要难题,人们对它的认识在不同时期也有所不同,处理办法也各异,并为此做过不少工作,花了大量的人力、物力,用各种办法来处理利用引进的泥沙。从黄河泥沙的特点来看,它有其有害的一面,也有其有益的一面。如何"趋利避害,变害为利",是我们解决引黄泥沙处理利用的方针,目的是以最小的代价取得最大的效益。

第十章 涵闸工程新技术

20世纪90年代以来,随着水利科技的不断进步,涵闸工程在设计、施工、管理、病险研究等方面有了很大的创新与发展,对于新技术、新工艺、新材料、新设备的应用积累了一些成功的经验。本章根据国内外有关涵闸工程的理论研究成果和典型工程实例,就上述方面的涵闸工程新技术有重点地进行总结,希望能为以后的工程实践提供有益的参考和指导。

第一节 涵闸工程设计的创新与优化

当代的涵闸工程设计理念正在向形式多样化、结构轻型化、施工装配化、操作自动化和遥控化的方向发展,并在一定程度上补充和完善了部颁设计规范。

【技术成果1】 自动开关水闸

自动开关水闸包括框架、挡墙、转轴、扇形斗。其特征是框架左侧装有立式转轴,后面左侧固定有水闸、右侧固定有闸板,闸板前面有挡墙。闸板与挡墙之间的空腔为储水腔。该专利的优点是结构简单,成本低,安全可靠,能达到按水位高低自动控制开关水闸的目的,适合水渠、河流、水库等使用。

【技术成果2】 一字型涵闸

一字型涵闸取消了一般涵闸的边墙、闸底、翼墙,同时将铺盖、消力池、海漫全部改为干砌石下衬塑膜式,启闭机墩、梁闸门、工作桥采用集中预制或钢框架型,实行装配施工。这样做使得整体结构严谨简单,增强了抗冻胀性能,刚度大、强度高,减少工料、降低了工程造价。同时,一字型涵闸变水平防渗为垂直防渗,增大了渗径。与同规模的一般涵闸比较,单座一字型涵闸节约砌体 $5.85m^3$,节约钢材 $18.2kg$,多用混凝土 $0.25m^3$,省工 102 工日(斗农渠),每座平均节约投资 453.8 元。

【技术成果3】 感潮河网地区挡潮闸设计水位组合探讨

平原感潮河网地区挡潮闸工程上、下游(内、外河)水位差随潮位变化而变化,它不同于丘陵,山区河道上水利工程的上游水位总是高于下游水位。因此,平原感潮河网水闸工程设计有一个水位组合问题。目前,水闸工程设计,在考虑最不利的水位组合方面没有统一规定,特别是水闸引排水工况的水位组合更加有一些任意性,而设计考虑的水位组合关系到工程的运行安全和经济合理,所以是一个值得注意的问题,有必要进行一系列探讨,使得在水闸工程设计中的水位组合方面有一个相对统一的标准。

(一)水闸挡水的水位组合

水工建筑物荷载设计规范将荷载分为永久作用荷载、可变作用荷载和偶然作用荷载3类。结构自重和土压力等为永久作用荷载;静水压力、扬压力、外水压力和风浪压力等为可变作用荷载;地震作用和校核洪水位时的静水压力为偶然作用荷载。由于可变作用荷载主要是各种水压力,而水压力又直接与水位有关,所以设计研究可能的各种水位组合等于研究可变作用荷载的组合。如果该工程有校核洪水位的规定,则在各种水位组合中等于还考虑了偶然作用荷载。

水闸设计规范对结构稳定性和强度规定的安全系数,由荷载组合中的基本组合与特殊组合而规定不同的允许值。多数水闸工程设计荷载组合中的特殊组合只考虑正常荷载组合遇到地震的工况,并无校核洪水位的特殊工况。对于挡潮闸而言,千年一遇高水(潮)位是一个控制水位,另一个控制水位可能是千年一遇低水(潮)位,然而规范并无低潮位设计频率的规定。因此,设计还应考虑出现历史最低潮位的工况(历史最低潮位的静水压力属于可变作用荷载还是属于偶然作用荷载并无统一规定)。

根据规范规定作判断,只要存在偶然作用荷载就应在考虑水位组合时分为基本和特殊两种荷载组合情况。在遭遇设计频率风暴潮的河道水位产生的水压力定为可变作用荷载,用于基本荷载组合;超过设计频率风暴潮产生的水压力为偶然作用荷载,用于特殊荷载组合。但是《城市防洪工程设计规范》(CJJ50-92)和《堤防工程设计规范》(GB50286-98)都没有校核洪水位的规定,所以规范对稳定安全系数的规定,即对特殊荷载组合或非常运用条件下的安全系数主要用于地震工况。

设计挡水建筑物须考虑各种可能的水位组合,并从中选出最不利的组合工况。为此,先要汇集和分析研究主要的特征水位,如历史最高水(潮)位、历史最低水(潮)位、多年平均大潮高水(潮)位、多年平均大潮低水(潮)位以及主要特征频率(千年一遇、百年一遇等等)的高水位等,还有工程建成后闸内河道规划拟定的正常水位、最高水位、最低水位等,并需考虑水闸工程建成后闸内河道可能尚未按规划断面整治完成,这时闸内河道的正常水位、最高水位、最低水位可能并非规划拟定的数值的情况。

在拟定基本荷载组合时,首先要确定各种可能的可变作用荷载。若将水闸工程两侧命名为内河与外河,两侧的可变作用荷载有其相应的水位,按水工建筑物荷载设计规范推论,外河侧应该有设计高水(潮)位和校核高水(潮)位两个数据,但对校核高水位、外河侧的设计和校核低水位没有明确的规范。内河侧的正常水位、最高水位、最低水位也没有划分用于设计抑或校核,所以在拟定基本荷载组合与特殊荷载组合时需要加以分析研究。

基本荷载组合必须考虑的水位组合根据常识推论,包括:第一,外河侧的设计高潮位与内河侧的正常水位组合;第二,内河侧的设计最高水位与外河侧的多年平均大潮低水位组合;第三,内河侧的最低水位与外河侧的多年平均大潮高水位组合。水工建筑物荷载设计规范条文说明中提到"由于偶然作用在设计基准期内出现的概率很小,两种偶然作用同时出现的概率必然更小,因此在偶然组合中只考虑一种偶然作用。如校核洪水位时的静水压力就不应与地震作用同时参与组合"。据此规定,考虑到校核洪水位无明确的规定,所以第一项基本荷载组合加地震并非就是必须考虑的特殊荷载组合,因为设计高水位出现的频率很小,实际上与校核洪水位一样是偶然出现的水位,只是出现的频率低一个档次。因此,遭遇地震的特殊荷载组合需考虑的水位建议定为:外河侧的多年平均大潮高水(潮)位与内河侧的正常水位组合;内河侧的正常水位与外河侧的多年平均大潮低水(潮)位组合。由于受水闸控制的内河正常水位有时并不固定,在水位组合中应按不利的组合选用其上限或下限。需要考虑的另一种特殊荷载组合是没有地震但是外河遭遇历史最低潮位的情况,这时取内河最高水位与外河历史最低潮位组合。

(二)验算渗透稳定的水位组合

验算渗透稳定按理要考虑渗流过程中的作用水头随着潮位涨落而变化,是不稳定渗流,问题比较复杂,目前还没有简单实用的计算方法。从工程的安全可靠考虑,一般设计计算都直接用最大水位差按常规方法验算渗透稳定。因此,验算渗透稳定的水位组合与计算抗滑稳定和地基应力的水位组合完全相同,不需要另外拟定水位组合。

(三)引、排水消能建筑物的水位组合

引、排水建筑物(节制闸、船闸、涵闸等)关门不泄水时按挡水建筑物设计,并不涉及消能工,开门泄水才涉及消能工设计。考虑消能的水位组合与水闸挡水工况的水位组合不一定完全相同,所以水闸引水和排水的消能工设计需另外考虑最不利的水位组合。

内河处于正常水位时的引水是调水(水资源调度)的需要,也就是在引水时河道的另一头同时进行排水,河面仍基本保持正常水位,内河最低水位时的引水就不一定另一头同时进行排水。引水使内河水位有逐渐升高的变化,同时外河水位随涨、落潮有逐渐升降的变化。因此,在引水过程中内、外河水位都不断变化而且没有同步规律,所以设计拟定的水位组合不一定正好符合实际情况,主要是拟定一种控制性工况作为设计依据。引水的基本水位组合以往考虑内河最低水位与外河某一种特征潮位组合,规定水位差超过1m时只允许闸门局部开启或必须关门停止引水。一般暂停引水不会产生严重后果,所以这种带有一些任意性的水位组合不无道理。同样的道理,建议先按常规构造设置引水的消能工,据此反算运行允许的水位差和水深两项限制条件。

内河集水范围普降暴雨是最需要排水的时刻,理论上只要外河水位低于内河水位就要开闸排水。以往对引水和排水都拟定水闸两侧水位差小于或等于1m才允许闸门全开,意味着不论过闸流量是否大于河道的允许流量,只要水位差超过1m就必须关门成孔口出流或停止泄水。按理在正常水位时发生暴雨就需开闸排水,并非内河达到最高水位时才开启闸门,相反还可能在降雨前为了增加河道容蓄量而开闸排水预降内河水位。内河的最高水位是规划通过河网不稳定流水力计算确定的,在计算中有一定的标准和边界条件,消能工的设计水位应取该水力计算中出现的闸内外最大水位差和闸外最低水位时的水位差,也就是设计需要的规划数据不仅仅是内河的最高水位、最低水位和正常水位,还需要水闸排水时的特征过闸流量及相应的闸前、闸后水位。

如果缺乏设计消能工需要的规划计算中的水位、流量数据,则从工程安全出发,设计考虑的基本情况宜取内河最高水位与外河大潮平均低潮位组合,同时根据河床的不冲流速计算该水位下河道的允许流量确定闸门开度;设计考虑的特殊情况是内河最高水位与外河历史最低潮位组合,同时也有其相应的允许流量,超过允许流量的排水造成河床冲刷不是水闸消能工所能解决的。

为了降低消能工造价,设计上或许可以考虑改变闸门局部开启的方式。常规的局部

开启是提起闸门成孔口泄流,消能工的作用除了消耗部分动能外,主要是将较大的底流速转向面流,假如过闸水流并非从闸门底下通过,而是从门顶翻水,将过闸水流从水平方向改成接近垂直水面方向,则消能工或许可以作较大改变而降低造价。为此建议,将不少工程曾采用过的双扉直升门在启闭方式上加以改变,不是先提起下扉闸门成孔口泄流,而是先将上扉闸门下降从门顶溢水,待消力池水位上升到一定程度后才将下扉闸门连同上扉闸门提升至全开。对双扉直升门的这种改革,使闸门既可以局部开启下扉闸门从门底泄水,又可以局部开启上扉闸门从门顶溢水,为任何高水位的引水、排水创造有利条件。

(四)水闸翼墙的水位组合

水闸翼墙的水位组合是河道水位与地下水位的组合,其最不利工况出现在河道水位最低而地下水位又最高时;某些工程施工期间河道无水,可采取临时降低地下水位的措施,避免施工工况成为控制工程设计的工况。

外河侧的翼墙工程,在设计中应考虑水位骤降因素。它是护岸工程整体稳定的最不利工况。这时应取大潮平均低潮位和最高地下水位组合为基本情况,历史最低潮位与最高地下水位组合为特殊情况。

直立式挡墙设置排水设施降低作用于墙背的地下水压力时,可考虑排水有效是基本情况,排水失效或部分失效为特殊情况;设计通航河道的护岸工程,在允许通航的水位幅度内,应考虑船行波的作用。

【工程实例1】 钢板桩在涵闸基础防渗中的应用设计

涵闸一般坐落在河流冲积平原上,闸基层次和岩性变化复杂,主要由河流泥沙输移和湖、海相沉积形成。各层分布着不同程度的沙壤土、壤土、粉土和黏性土夹层等,土质含黏量低,渗透系数大,汛期高水位作用下易发生渗水、管涌等险情。涵闸建设在基础处理时采用钢板桩防渗墙工程,以闸基下的相对不透水层为依托,截断闸基浅层的粉细沙层,可大大增强涵闸抵御洪水能力。

(一)钢板桩防渗墙设计

钢板桩防渗墙的工程等级与所在涵闸的工程等级相同。

1.钢板桩防渗墙总体布置

钢板桩以闸轴线为中心,向上、下游侧布置,钢板桩轴线在闸前距原防渗板前约10m。沿闸上下游轴线走向,从防渗板前沿渐变段走向布设,然后再沿堤脚前的轴线延伸到设计长度。一般可采用FSP-ⅣA型桩长20m的钢板桩,在轴线的转折处设转角异形桩。

2.钢板桩防渗墙的结构设计

在闸基上实施的钢板桩防渗工程,是将钢板桩打入闸基透水层下的相对不透水层中,拦截透水层的渗水,形成半封闭的防渗墙,从而起到闸基防渗作用。钢板桩间均以锁扣连接,有效地防止水流渗透。

钢板桩防渗墙先沿钢板桩轴线开挖施工沟槽,安装施工样架,沿样架插打钢板桩至设计高程,然后,在钢板桩顶浇筑钢筋混凝土锁口梁,锁口梁顶贴复合土工膜,膜上覆盖黏土,与堤防形成防渗整体。

(二)工程主要施工技术要求

钢板桩用做涵闸工程的基础防渗处理,属于实用新技术,1998年以前我国尚无这方面的应用先例。由于国内水利行业没有现行的关于这类钢板桩施工的规程规范,有必要借鉴国内已有的施工实践经验。钢板桩防渗工程包括钢板桩插打、土方开挖、土方填筑、锁口梁浇筑、土工膜防渗和高喷灌浆等主要分部工程,其主要设计指标与要求分述如下。

1. 钢板桩插打

钢板桩插打分部工程包括异形钢板桩的制作和钢板桩插打就位。

异形钢板桩焊接的制作标准为:钢板桩弯曲度(轴线方向)不大于$1.1L/1\ 000=22$mm,翘曲(法线方向)不大于$2.25L/1\ 000=45$mm(L为钢板桩的长度)。

钢板桩插打的主要施工技术有如下要求。

(1)采用单根打入法插打钢板桩。相对桩长的垂直度允许偏差一般不得超过2%,闸前段不超过2.5%;钢板桩上部吊孔需进行处理,使之不漏水;桩顶高程允许偏差为+5cm、-10cm。

(2)对距离堤坡及已有建筑物较近的位置,单根钢板桩打桩持续时间应小于20min,打桩的顺序首先从距建筑物最近点附近开始。

(3)工程施工过程中应加强施工监测,为钢板桩施工及工程验收提供依据。

2. 土方开挖

土方开挖分部工程主要是指沿钢板桩轴线的沟槽开挖。主要有如下要求。

(1)按设计开挖线进行开挖,施工过程中应确保边坡稳定,防止坍塌。

(2)开挖料应运至指定堆场,避免二次转运。

3. 土方填筑

土方填筑分部工程是指锁口梁顶部高程以下的沟槽回填。主要有如下要求。

(1)设计要求填筑土料应满足:土料黏粒含量大于15%,塑性指数大于10;填筑土料含水率与最优含水率的允许偏差为±3%;土料不得混有植物根茎、砖瓦垃圾等杂质。

(2)黏性土填筑之前应检验其含水量是否在控制范围内。如含水量偏高,可采取翻松、晾晒、均匀掺入干土等措施;如含水量偏低,可采取预先洒水润湿、增加压实遍数或压实荷重等措施。

(3)铺筑厚度及压实遍数应根据土质、压实系数和机具性能确定。

4. 锁口梁浇筑

该分部工程是指沿钢板桩轴线包裹钢板桩顶部的钢筋混凝土锁口梁的浇筑。主要有如下要求。

(1)混凝土入仓温度控制不低于5℃。入仓坍落度控制在6~8cm。

(2)钢筋采用搭接焊接方式。钢筋加工、焊接、架设等要求,参见现行规范。

(3)模板、支撑应架设牢固,可以利用结构锚筋作为模板拉筋,模板制作、架设的允许偏差值,参照规范办理。

(4)振捣作业应严格按有关规定执行。振捣器距模板的垂直距离不应小于振捣器有效半径的1/2并不得触动钢筋及预埋件。浇筑的第一坯混凝土以及两罐混凝土卸料后的接触处应加强振捣。

5. 土工膜防渗

该分部工程包括土工膜的铺设、覆盖土的填筑等。主要有如下要求。

(1)施工前应对 PE 土工膜的主要指标进行检验。

(2)铺膜前应平整场地,达到平整光滑,土质基底干容重大于 $1.5t/m^3$,清除石块、铁丝、树根等一切可能损伤复合土工膜的尖棱硬物。

(3)铺设时,应力求平顺、松紧适度,留足余量,不能出现扭曲、折皱和重叠,以便拼接和适应气温变化,而且应与地基土表面紧贴,不得留有空隙。

(4)当复合土工膜铺设至周边建筑物拐角时,应注意裁剪适当,并保证复合土工膜与周边建筑物的妥善连接,形成完整的防渗系统。

(5)复合土工膜与周边结构物的连接,采用膨胀螺栓和钢板压条铆固。

(6)结构物上与复合土工膜连接的部位应洗刷干净,并将局部凹凸不平处用水泥砂浆找平,以便与复合土工膜连接密实。

(7)复合土工膜与结构物连接的部位应涂刷一层乳化沥青(厚 2mm),以防该处发生渗漏。

(8)钢板条和螺栓头应涂刷一层乳化沥青,以防水从螺栓孔周边渗漏。

6. 高喷灌浆

考虑到有的堤防已采用临河垂直铺塑等措施防渗,当遇到钢板桩与各种防渗形式接头的情况时,应对接头处进行灌浆处理,以便形成完整的防渗体系。主要有如下要求。

(1)高喷灌浆施工在钢板桩就位后、锁口梁尚未形成前完成。

(2)高压喷射注浆方案确定后,应进行现场试验、试验性施工或根据工程经验确定施工参数及工艺。

(3)施工前应根据现场环境和地下埋设物的位置等情况,复核高压喷射注浆的设计孔位。

(4)高压喷射注浆三重管法高压水射流的压力宜大于 20MPa,低压水泥浆液流压力宜大于 1MPa,气流压力宜取 0.7MPa,提升速度可取 0.1~0.25m/min。

(5)高压喷射注浆的施工工序为机具就位→贯入注浆管→喷射注浆→拔管及冲洗等。

(6)钻机与高压注浆泵的距离不宜过远。钻孔位置与设计要求的偏差不得大于 50mm。实际孔位、孔深和每个钻孔内的地下障碍物、洞穴、涌水、漏水等情况,均应详细记录。

(三)结语

(1)通过实际工程汛期观测资料分析,工程的防渗效果显著,说明钢板桩作为永久性的防渗材料可应用于适宜闸基条件下的闸基防渗加固,以排除闸基渗漏破坏引起的险情。

(2)采用钢板桩进行闸基防渗加固处理,具有处理深度大、防渗效果好、施工时对相邻建筑物影响小、施工速度快等优点,但工程总体造价较高。

(3)钢板桩插打施工技术性要求高,必须对钢板桩的轴向、法向倾斜度严格加以控制。否则,不仅会增加标准钢板桩和异形钢板桩的用量,增加合龙的难度,而且会损坏钢板桩,影响打桩速度,甚至影响工程的防渗效果。

(4)钢板桩防渗工程是由钢板桩、闸基相对不透水层和土工膜及其上覆土层共同形成的半封闭或全封闭防渗体系。应加强工程的运用管理,严禁在工程实施范围进行植树或修建建筑物等活动,保证工程(如防渗土工膜)不被破坏。若汛期上覆土层遭水流破坏,汛后应及时恢复。在工程范围附近新建工程设施,需经技术论证后实施。

(5)制定管理规章制度(如工程安全监测工作管理条例等),使管理工作规范化、制度化。

【工程实例2】 不同堰型选择水闸断面模型试验研究

庙子头水电站位于汉江支流南河的下游,地处湖北省谷城县盛康镇西 5km 的庙子头村,距谷城县城 20km。坝址控制流域面积 6 134km², 坝址多年平均流量 75.3m³/s,多年平均径流总量为 23.7 亿 m³。多年平均输沙量 345 万 t,多年平均含沙量 1.45kg/m³。

该电站是以发电为主,兼有灌溉、养殖、旅游等综合效益的四等小(1)型工程。电站装机容量 3×3.4MW。枢纽主要建筑物有拦河泄水闸坝、左岸河床式电站厂房、左岸上游防护堤等。泄水闸共 15 孔,孔口净宽 12m,最大闸高 19m,闸顶高程 123.5m。水库正常蓄水位 119.5m;设计洪水标准 50 年一遇,相应洪水位 120.6m,洪峰流量 9 680m³/s,下游水位 118.64m;校核洪水标准 500 年一遇,相应洪水位 122.62m,洪峰流量 13 200m³/s,下游水位 119.76m。

(一)模型制作

1.总体布置

庙子头水电工程泄水闸堰型选择试验在二元玻璃水槽中进行。整个水槽由进水段、工作段及退水段 3 部分组成。由于泄水闸单孔工作宽度为 15.5m,根据现有玻璃水槽(长约 15m,宽 0.5m,深 1.2m)拟定模型比尺 $\lambda_L = 31$。根据重力相似准则制作模型,在模型长度比尺为 $\lambda_L = 31$ 的条件下,相应流速比尺为 $\lambda_V = \sqrt{\lambda_L} = 5.567\ 8$,流量比尺 $\lambda_Q = \lambda_L^{2.5} = 5\ 350.622$,糙率比尺 $\lambda_n = \lambda_L^{1/6} = 1.772\ 4$。泄水闸混凝土原型糙率一般为 $0.015 \sim 0.017$,根据糙率相似准则,要求模型糙率应为 $n_m = n_p/\lambda_L = 0.008\ 5 \sim 0.009\ 6$,而有机玻璃与抛光上漆后的木板糙率分别为 0.008 5 和 0.009 8,因此泄水闸闸墩与闸底板采用有机玻璃和抛光上漆后的木板为模型材料。

从闸室往上游桩号闸上 0－043.55m 至下游桩号闸下 0＋050.0m 为模型试验工作段模拟范围。宽顶堰、驼峰堰及消力池底板均用木料制作,精细磨光后,涂刷防水清漆。闸墩采用厚 8mm 的有机玻璃制作。断面模型试验工作段布置如图 10-1 所示。

2.流量及水位控制

模型试验首部进水段采用全宽矩形薄壁堰控制进水流量。引用雷白克(T.Rehbock)堰流公式计算流量:

$$Q = \left(1.782 + 0.24\frac{h}{P}\right)B(h + 0.001\ 1)^{1.5} \tag{10-1}$$

式中 P——堰高;

$\qquad B$——堰宽;

$\qquad h$——堰上水头。

闸室上、下游分别采用测针量测水位。根据设计单位要求布置上、下游水位测点,其

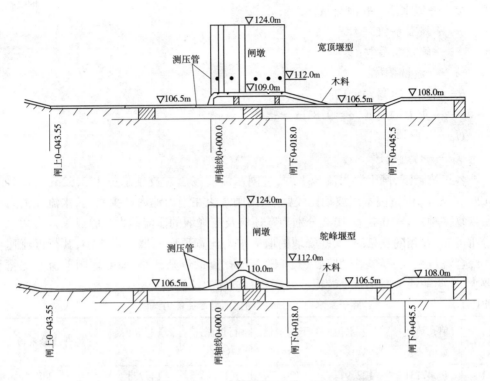

图 10-1　庙子头水闸断面模型试验两种堰型布置

水位测点距闸室有足够的长度,满足断面模型试验测量精度要求。水槽末端退水段设置尾门调节下游水位。

(二)水工模型试验成果

1.试验条件

根据试验任务书的要求,通过泄水闸宽顶堰断面模型试验与驼峰堰断面模型试验的比较,为设计单位提供两种堰型选择的模型试验依据。具体内容如下。

(1)各种频率洪水条件下的泄流能力。

(2)在设计与校核洪水时,测量冲沙闸内的水面线。

(3)测定泄水闸闸墩、溢流面、消力池的沿程压力分布。

(4)观测流速、流态并作相应描述。

(5)比较两种堰型及泄水闸尾墩的不同体型方案。

(6)在上游正常高水位 119.5m 条件下,测量不同下游水位的泄流能力。

根据坝址水位—流量关系,按照试验任务要求,逐级调节流量及相应下游水位达到试验目的。

2.泄水闸泄流能力

泄水闸单孔泄流能力按以下公式计算:

$$Q = \sigma \varepsilon mb \sqrt{2g} H_0^{1.5} \tag{10-2}$$

$$H_0 = 上游水位 - 堰顶高程 + \frac{v_0^2}{2g} \tag{10-3}$$

式中　Q——泄水闸单孔泄流量,m^3/s;

σ——淹没系数;

ε——侧收缩系数;

m——流量系数;

b——闸孔净宽,$b=12m$;

g——重力加速度,$g=9.81m/s^2$;

H_0——堰顶总水头,m;

v_0——行近流速,m/s。

在各级流量下,闸上游水流较平顺,进闸水流流畅。在校核水位122.62m及设计水位120.60m下,闸室内水流波动比较剧烈,出闸水流在消力池内产生紊动,水流在消力池下游恢复平顺。表10-1、表10-2分别为宽顶堰及驼峰堰的泄流能力试验成果。由两表比较分析可知,在相同流量级下,驼峰堰的堰上水头比宽顶堰的堰上水头小,其行近流速反之。综合流量系数驼峰堰比宽顶堰大。随着单孔流量逐渐减小,驼峰堰闸前流速比宽顶堰要大,说明驼峰堰对闸前上游泥沙淤积具有较好的拉沙效果。

表10-1 庙子头水电工程泄水闸宽顶堰泄流能力试验

序号	单孔流量 (m^3/s)	上游水位 (m)	下游水位 (m)	行近流速 (m/s)	堰上水头 (m)	综合流量系数
1	1 047.31	122.91	120.5	4.118	14.773	0.347
2	934.83	122.06	120.0	3.876	13.825	0.342
3	823.98	121.07	119.5	3.649	12.749	0.341
4	714.22	120.17	119.0	3.371	11.750	0.334
5	483.93	118.39	118.0	2.626	9.742	0.299
6	332.67	117.25	117.0	1.997	8.453	0.255
7	209.33	116.38	116.0	1.366	7.475	0.193
8	123.58	115.22	115.0	0.914	6.263	0.148
9	92.29	114.62	114.5	0.733	5.647	0.129
10	68.42	114.19	114.0	0.574	5.207	0.108

图10-2为两种堰型水位—流量关系比较曲线。图10-3所示为两种堰型水位—综合流量系数比较曲线。由试验成果可知,在闸前水位相同的条件下,驼峰堰比宽顶堰的泄流能力大,驼峰堰的综合流量系数也比宽顶堰的综合流量系数大,这说明驼峰堰堰型可使泄流能力增大,减少闸孔数目,节省开挖方量和投资。

3.流态分析与压力分布

通过宽顶堰及驼峰堰模型放水试验比较,在原型流量4 990m^3/s(单孔原型流量332.67m^3/s)以上各级工况下,两种堰型闸室内均产生水跃,水跃跃首位置如表10-3所示。在校核水位及设计水位下,驼峰堰闸室水流跌落比宽顶堰大,闸室水流波动也较剧烈。在设计水位下,检修门槽均有立轴旋涡。在原型流量4 990m^3/s以下各级工况下,闸室上、下游水流较平顺。

表 10-2　　　　　　　　庙子头水电工程泄水闸驼峰堰泄流能力试验

序号	单孔流量 (m³/s)	上游水位 (m)	下游水位 (m)	行近流速 (m/s)	堰上水头 (m)	综合流量系数
1	1 047.78	122.54	120.5	4.214	13.445	0.399 8
2	934.83	121.66	120.0	3.978	12.467	0.399 6
3	823.98	120.99	119.5	3.669	11.676	0.388 5
4	715.05	120.15	119.0	3.380	10.733	0.382 6
5	503.75	118.64	118.0	2.677	9.005	0.350 7
6	332.06	117.34	117.0	1.976	7.539	0.301 8
7	208.93	116.19	116.0	1.391	6.288	0.249 3
8	123.37	115.14	115.0	0.921	5.183	0.196 7
9	68.59	114.06	114.0	0.585	4.077	0.168 9
10	37.51	113.03	113.0	0.371	3.037	0.138 1

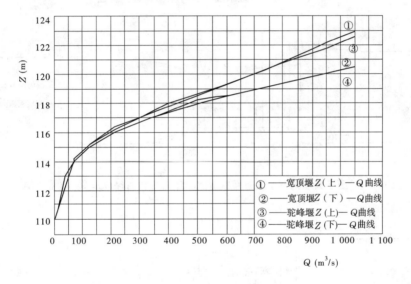

图 10-2　两种堰型水位—流量关系比较曲线

表 10-3　　　　　　　　　两种堰型闸室水跃跃首位置比较

堰　型	驼　峰　堰				宽　顶　堰			
工况流量(m³/s)	1 047.80	934.83	823.98	715.05	1 047.31	934.83	823.98	714.22
距工作门槽(m)	5.84	5.53	5.22	4.60	6.46	6.15	5.69	4.91

　　从闸室堰面进口至下游消力池尾坎,闸室底板均无负压产生。闸墩测压管测试资料表明也均无负压产生。图 10-4 所示为庙子头水闸宽顶堰断面模型试验压力分布曲线,图 10-5 所示为庙子头水闸驼峰堰断面模型试验压力分布曲线,图中工况流量为单孔原型流量。

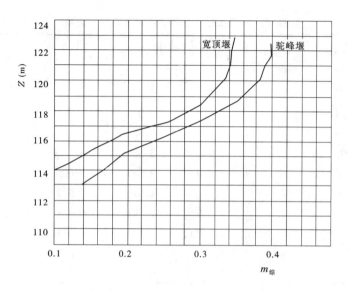

图 10-3　两种堰型水位—综合流量系数比较曲线

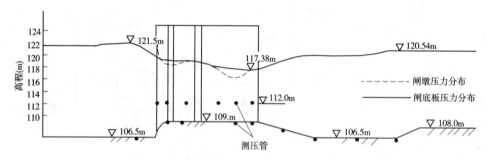

图 10-4　庙子头水闸宽顶堰断面模型试验压力分布曲线($Q=823.98\mathrm{m}^3/\mathrm{s}$)

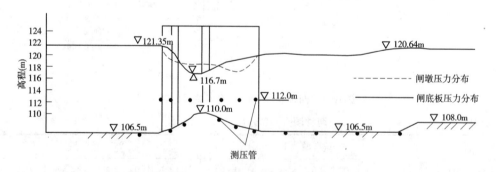

图 10-5　庙子头水闸驼峰堰断面模型试验压力分布曲线($Q=823.98\mathrm{m}^3/\mathrm{s}$)

(三)结语

(1)通过两种堰型模型试验比较分析,驼峰堰综合流量系数比宽顶堰综合流量系数大。虽然驼峰堰堰顶高程比宽顶堰堰顶高程高 1.0m,由于其泄流能力较大,在相同流量级下,上游水位仍然较低,最大水位差约 0.5m。

(2)由于驼峰堰堰顶高程比宽顶堰堰顶高程高 1.0m,其收缩断面水深较小。驼峰堰闸室水流跌落比宽顶堰大,闸室水流波动比较剧烈。

(3)在原型流量 4 990m³/s 以上各级工况下,两种堰型闸室内均产生水跃,水跃跃首距工作门槽均有一定距离,驼峰堰的跃首距工作门槽均稍近一些。

(4)驼峰堰堰型可使泄流能力增大,减少闸孔数目,节省开挖方量和投资,建议工程中采用驼峰堰型式。

【工程实例3】 液控同步双驱动水力自动翻板闸设计

水力自动翻板闸是利用水压力及闸板自重完成闸门的自动开关运行的一种闸门,其发展历程经过单铰、双铰、多铰、曲线铰、渐开式等门型。上述各类翻板闸普遍存在振动、拍打、撞击、启闭不灵等现象,而且大都不能人为控制。有的虽然加设了辅助动力,但其同步问题没有解决。近年来出现的液控同步双驱动水力自动翻板闸,有效地解决了上述存在的一系列问题,使闸门既能在水力作用下平稳地自行开关,也可借助同步控制系统随意启闭闸门。

液控同步双驱动水力自动翻板闸门主要技术特点是:采用液压同步双驱动控制系统与双铰水力自动翻板闸的有机结合,具有运行同步、油路管道布置简单、控制设备精巧、水力组合优良等特性。

(一)双铰水力自动翻板闸设计

翻板闸主要由闸门板、转动铰、支墩及底板组成,利用水压力和重力的作用自动启闭,其所需要解决的主要技术问题是闸门的自动开启与关闭。根据文献及闸门与启闭机相关理论,闸门的开启与关闭计算按力矩平衡方程式计算(图 10-6)。计算公式如下:

开门计算:

$$K_k = \frac{P_1 y_1 + P_2 y_2}{(W_1 + W_3) x_1 + W_2 x_2 + M_{fk}} \geqslant 1.05 \tag{10-4}$$

闭门计算:

$$K_b = \frac{W_2 x_2 + P_3 x_3}{W_1 x_1 + W_3 x_3 + M_{fb}} \geqslant 1.05 \tag{10-5}$$

半开(倾角为 α 时)计算:

$$K_k = \frac{W_1 x_1}{W_2 x_2 + P_1 z_1 + P_s z_2 + M_{fk}} \geqslant 1.05(开门) \tag{10-6}$$

$$K_b = \frac{W_2 x_2 + P_1 z_1}{W_1 x_1 + P_t z_2 + M_{fb}} \geqslant 1.05(闭门) \tag{10-7}$$

式中　K_k, K_b——闸门的自开和自闭系数;

W_1, W_2——闸门自重和配重重量;

W_3——门顶水重;

P_1, P_2——闸门上、下游水压力;

P_3——闸门底浮托力;

P_t, P_s——闭门时的上托力和启门时的下吸力;

M_{fk}, M_{fb}——开门时和闭门时转动铰及封水的摩阻力力矩;

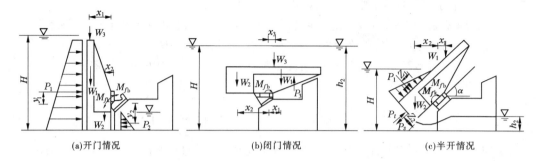

|(a)开门情况|(b)闭门情况|(c)半开情况|

图 10-6 双铰水力自动翻板闸设计原理

$x_1,x_2,x_3,y_1,y_2,z_1,z_2$——各荷载对转动铰中心的力臂。

设计过程中,为了使计算更接近实际,除考虑了上述因素之外,还考虑了底止水上的水重以及油缸的阻尼力。

闸门的开关门计算是一个比较复杂的过程,要通过反复的试算,不断改变闸板的结构型式及铰的尺寸,直到最后确定出最合理的闸板结构、铰的大小和符合要求的开、闭门系数。这几项要求是有机地联系在一起的,任何一项的改变,都会影响其他几项。翻板闸的开关门计算是一个繁琐而细致的工作,计算正确与否,对闸门在实际应用中的安全起着至关重要的作用。

根据上述理论,研究设计 4 种规格的双铰翻板闸(均为等跨双悬臂结构,所用材料均为钢筋混凝土),见表 10-4。

表 10-4   4 种规格的双铰翻板闸

规格类型	开门水头 (m)	开门系数 K_k	闭门系数 K_b	应用地点
4m×4.5m	0.5	1.06	1.23	姜庄湖拦河闸
2.6m×4.5m	0.5	1.07	1.06	姜庄湖拦河闸
2.5m×5m	0.4	1.06	1.06	三盆河拦河闸
2m×5m	0.3	1.06	1.06	薛庄拦河闸

在上述 4 种规格的翻板闸中,4m×4.5m 和 2.6m×4.5m 翻板闸已通过山东省水利科学研究院水工模型试验,其余 2 种经过实际运行,表明各项性能均符合设计要求。

(二)减震问题及液压缸设计

各类翻板闸如没有减震装置,都不同程度地存在震动、拍打、撞击现象,要解决这些问题就需增设减震装置。对于减震装置,起初考虑使用的是油压减震器。闸板在翻转过程中,由于减震器的阻尼作用,能有效地降低或消除震动、拍打及撞击现象。这一作用在山东省水利科学研究院所做的水工模型试验中得到验证。在设计开发了液控同步双驱动水力自动翻板闸后,油压减震器被液压缸所代替,在正常运行时,液压缸就起减震器的作用。而且由于控制系统中液压阀的作用,油的流动更均匀,液压缸运动更平稳,从而使闸板的翻转也更平稳。

液压缸设计时,主要确定以下因素。

(1)闸门静止挡水时,油缸初始长度(安装距)L_1。

(2)闸门全部翻倒时,油缸终止长度 L_2。L_1、L_2 可由翻板闸原理图按几何关系计算求得。

(3)最大行程 $\Delta L = L_2 - L_1$。

(4)推力、拉力计算。根据闸门运行时可能出现的最不利情况,确定推力、拉力的大小。

(5)油缸推力、拉力确定后,可由式(10-8)和式(10-9)确定油缸内径 D 及活塞直径 d。

$$d = 0.63D \tag{10-8}$$

$$D = \sqrt{4F/(\pi P) + d^2} \tag{10-9}$$

式中　F——活塞上的有效压力,N;

　　　P——液压缸的工作压力,Pa。

上述计算完成后,结合油缸外形安装及连接尺寸即可选出合适的油缸。

(三)控制台——油泵站的设计

油泵站设计的关键是液压阀的选择。根据翻板闸的工作特点,在液压回路设计中设置了"Y"形和"O"形电磁换向阀各1台。在电磁换向阀均失电情况下,翻板闸处于自由翻动状态;当两位阀通电时,又可通过三位阀两个电磁铁的通断电,实现翻板闸的开启、关闭或锁定。电磁换向阀型号的选择,由回油路最大流量和系统工作压力确定。而回油路最大流量取决于闸门的设计开、闭门速度。因此,当开、关门速度设计确定后,根据油缸的行程以及内径 D 即可计算出最大流量,结合系统工作压力即可确定电磁阀的型号。

为使闸门运行同步,确保运行安全,在系统回路中,必须加设同步装置。同步阀的选择方法与电磁阀的选择相似。

上述液压阀是油泵站中的关键部件,闸的运行方式取决于阀的功能。因此,当液压阀确定后,油泵站设计的主要任务也就完成了。

(四)液压系统设计应注意的问题

翻板闸液压系统的工作环境在野外,其工作环境的相对湿度、风沙、粉尘污染较大,且夏季环境温度较高。因此,在系统设计时应采取以下措施。

(1)液压系统的主油泵应选用齿轮泵。该种泵成本低,抗污染力强,对液压系统的清洁度要求低,所以该泵最适合于翻板闸液压系统。

(2)电磁阀应选择电磁线圈全塑封式结构的电磁阀,以便适宜在各种潮湿的工作环境下工作,从而延长其使用寿命。

(五)结语

液控同步双驱动水力自动翻板闸在山东省费县已投入应用,并在其他县、市也得到广泛的推广,使用效果良好,运行中无振动、拍打、撞击现象,开门时间为3min,关门时间为1.5min,自动启闭,控制启闭灵活,实际运行效果与设计结果相符,达到设计要求。该种翻板闸的应用,极大地提高了工程的自身安全性,便于管理,使用寿命长,投资省,较同等规模的提升闸节约投资30%,较橡胶坝节约投资20%。因此,该产品的应用具有较高的经济效益和社会效益,推广应用前景广阔。

第二节　涵闸工程施工新工艺

【技术成果1】　沿海港闸水下异型薄层钢筋混凝土加固技术研究及应用

该成果针对水闸反拱底板受力特点、复杂的结构形状以及沿海多泥沙水下施工环境等情况,采用新材料、新工艺,由潜水员水下作业,完成对水闸水下结构的修补加固工作。其主要工序为封缝灌浆、裂缝涂层、底板补强。

封缝灌浆是指对有裂缝且裂缝有渗水的反拱底板采用 PBM 聚合物混凝土嵌缝后,向裂缝内灌注水溶性聚氨酯,使之在周边密封的水环境中发泡膨胀,有效地形成弹性体而充实裂缝,达到封缝堵漏和灌浆防渗的目的。

裂缝涂层是指对有裂缝但无渗漏现象的反拱底板涂刷 PBM 砂浆进行封缝堵漏。

底板补强是指在反拱底板原表面上浇筑一层 20cm 等厚度的钢筋混凝土,并用锚筋使新、老混凝土形成可靠结合,提高新、老混凝土的结合强度和反拱底板受力性能。

整个施工过程使用水下摄像机(带有浑水镜头)录像,进行跟踪检测监控。研究应用过程分为仿真模拟试验和实体施工两个阶段。该技术具有不影响工程运行、工期短、节省投资、质量有保证等优点,为水工建筑物类似底板、护坡等水下部位混凝土的维修开创了新途径。同时,对那些难以修筑围堰、受力状况不宜改变或无法停止运行工程的修补加固,提供了较为理想的方法。该技术能使新浇混凝土达到异型、薄层、等强度的要求,在涵闸、隧洞等水工建筑物水下工程中有比较广泛的应用领域。

【技术成果2】　修补混凝土结构裂缝的新方法

混凝土结构广泛用于多种工程,开裂问题是决定混凝土结构物能否满足使用要求和耐久性的关键。

日本 SHO‐BOND 建设株式会社提出的"壁可"注入法(BICS)在注入方法上突破了传统方法。它利用合成橡胶管状注入器的自然弹性所产生的压力,将高分子树脂修补材料缓慢持续地压入裂缝中。橡胶管在整个注入过程中始终保持大约 0.3MPa 的压力,使材料可注入到 0.02mm 裂缝的末端,同时,缓慢均匀的压力可以有效防止裂缝中积存的空气产生的气阻,从而保证修补质量。

BICS 法所用的修补材料也与传统的环氧树脂材料有明显的区别。它具有如下特点。

(1)良好的柔韧性。固化后仍保持良好的韧性,在裂缝受到冲击和震动时不会脱离。

(2)良好的渗透力。SHO‐BOND 公司开发和生产的灌注胶黏度为 0.3~0.5Pa·s,具有良好的渗透能力。能够保证该材料注入后的结合强度和一体化效果。

(3)良好的抗收缩性。这种超低黏度的注入材料不含稀释性溶剂,固化后材料不发生收缩。

(4)瞬间固化。SHO‐BOND 公司的注入材料固化过程分两个阶段:在达到临界温度前,材料以液态存在;当达到临界温度后,材料在极短的时间内迅速固化,可达到最终强度的 70%。

(5)出众的耐久性。材料硬化后具有极强的抗水性和化学稳定性,不会受到雨水、海水、酸溶液、碱溶液、二氧化碳的破坏,其寿命远大于混凝土结构本身。

【技术成果3】 混凝土表面麻面及返砂处理技术

(一)概述

在混凝土工程施工过程中,有时由于使用水泥泌水或配料不当,造成混凝土表面出现返砂;有时由于振捣不充分或漏振,使混凝土表面出现蜂窝和麻面。另外,混凝土工程多为室外作业,施工中有时恰遇降雨,使混凝土刚压光的表面出现麻点,影响混凝土外观质量。如何解决这些问题一直是人们研究的课题。以下介绍一种混凝土表面质量缺陷处理施工技术。

(二)混凝土表面质量缺陷处理技术

根据混凝土表面缺陷情况,用 NT－2 粘结胶与水泥按不同的配比调配出浆液,再用专用工具对混凝土表面处理,使表面平整光洁,同时增加混凝土表面强度。

1. 施工工序

混凝土表面处理工序:清洗、打磨、修补表面缺陷、刮抹试验、刮抹、打磨表面、二次刮抹。

2. 施工主要机具

施工中需用的主要工具有:磅称、铁锹、水桶、水勺子、橡胶刮抹或钢片刮抹、钢丝刷子。

3. 施工主要材料

主要材料有:NT－2 粘结胶(无色液体)、与混凝土相同标号的水泥、与混凝土相同或高一标号的白水泥。

4. 施工方法

(1)清洗、打磨。混凝土表面出现麻点和返砂时,用钢丝刷子刷除后再用清水冲洗,把附在混凝土表面的泥皮、尘土或浮砂等杂物刷洗干净,尤其是麻点内杂物必须清洗干净。面层返砂时,可用纤维刷清扫,或用纤维刷沾水刷洗。对混凝土表面由于模板连接形成的模板缝进行打磨,使之平整光滑。

(2)修补表面缺陷。用 NT－2 粘结胶与水泥按一定比例拌制成水泥素浆(或加入适当的砂子配制成水泥砂浆),调配比例视混凝土表面麻点、凹陷和返砂程度而定,一般采用1:7～8调配。在施工中为了保证修补颜色与原混凝土颜色一致,采用同标号白水泥进行调色。修补时应使混凝土表面平整,补料干硬后用细砂纸进行打磨。对混凝土表面缺陷较严重的可采用分层法进行修补。

(3)配料及刮抹试验。配料时 NT－2 与水泥按 1:5 进行调配,调配时先将称量好的粘结胶倒入搅拌容器内,再将称量好的水泥倒入其内搅拌,使混合物搅拌成均匀胶体即可放置备用(成品料在 1～2h 内用完为宜)。在非外露混凝土面做涂刷试验,根据试验情况调整白水泥用量,使涂浆颜色与墙体颜色一致。

(4)刮抹。刮抹时采用倒退法施工。按试验好的配比进行配料,使用橡胶刮抹(或钢片刮抹)时一定要刮抹均匀,且一段墙体(或地面)要一次施工完成,避免颜色不一致。

（5）表面打磨。混凝土表面刮抹一次后，待水泥达到一定强度后用砂纸对表面进行打磨，使之平整，同时把表面浮尘清理干净。

（6）第二次刮抹。混凝土表面打磨后，对混凝土表面进行二次刮抹。采用1:3~4的比例配料进行刮抹，使混凝土表面平整光洁，与墙体（地面）颜色一致。施工中如表现出现少量气泡可适当增加刮抹次数，气泡即可消除。如两次刮抹后效果不佳，可再增加一至两次面层刮抹。一般气温在18~25℃时，刮抹间隔时间为1~2h。

（三）应用效果

用此项技术处理的混凝土，不但表面平整光滑，且表面强度增加1~2倍，耐磨及抗酸碱腐蚀度增加2~3倍。由于用胶体配料可使混凝土表面形成一层致密的水泥胶膜，防水性能好。

常规情况下，对于混凝土表面凸凹在1~5mm时，NT-2平均用料为50~80 kg/100m²。经估算，每100m²表面处理成本为195~311元。

此项技术曾在欧麦八达麦芽车间应用。由于麦芽车间内酸性物较多，混凝土地面及部分墙体受到腐蚀产生麻面和返砂，采用此项技术处理后效果良好。同时，此项技术可以通过改善配比和增加彩色颜料对混凝土面层进行彩色修补和装饰。另外此项技术中所用的NT-2粘结胶亦可用其他干硬后不溶于水的无色胶体替代，使用中要根据实际情况调整配比。

【工程实例1】 闸底板混凝土补强灌浆施工技术

（一）概述

白禅寺电航工程位于四川省遂宁市涪江干流上，为Ⅳ级挡水建筑物，坝前水头小于30.0m，电站装机容量4.8万kW。主体建筑物由拦河大坝、引水明渠、发电厂房、尾水渠4大部分组成。拦河大坝自右至左依次为引水明渠进水口、两孔冲沙闸、11孔泄洪闸、连接坝段、左非溢流坝（混凝土面板堆石坝）及左非溢流坝左端挡墙。

该工程属河床式开发，分两期导流。一期导流为4孔闸和引水明渠进口，二期导流为9孔闸。由于二期围堰闭气不理想，漏水量比较大，在7号闸墩底板混凝土浇筑过程中存在着积水，未能清除干净底板上的积渣和淤沙，混凝土的水泥浆液被漏出的流水带走，形成混凝土骨料架空，相当于第四系覆盖层。为了保证7号闸墩底板混凝土的质量和防渗，设计单位要求对7号闸底板混凝土进行补强灌浆处理。

（二）混凝土补强灌浆方案和质量要求

1. 混凝土补强灌浆方案

（1）布孔首先按2m×2m进行。处理完毕后进行初步检查，若不符合要求，必须再按2m×2m进行内插，从而使7号闸底板混凝土补强灌浆布孔达到1m×1m，见图10-7。

（2）下入锚筋。7号闸墩底板混凝土补强灌浆后，下入9×3φ25的钢筋束，深入基岩5.0m，混凝土内4.0m，锚筋分布按1束/10m²。

（3）补强灌浆顺序。先施工7号底板上、下游各两排防渗灌浆孔，形成两道隔离墙，以达到防渗、堵住明漏水流的目的，然后再施工整个底板。

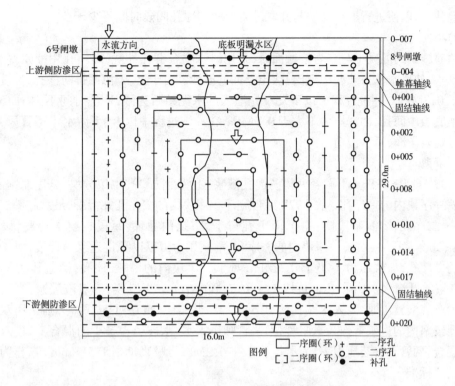

图 10-7　7 号闸墩混凝土补强灌浆平面布置示意

2.混凝土补强灌浆质量要求

(1)灌浆后对混凝土进行压水试验:$q<1.0$Lu,近似于 0,混凝土与基岩接触面 $q<5.0$Lu。

(2)灌浆处理后,对混凝土进行声波测试;单孔纵波波速 $3\,000$m/s$\leqslant E_P\leqslant 3\,300$m/s,两孔对穿纵波波速 $E_P>2\,750$m/s;

(3)灌浆处理后,混凝土取芯率不低于 60%,能看见混凝土骨料与水泥结石有效胶结并充填。

(三)施工及施工分析

1.混凝土补强灌浆施工

1)混凝土补强灌浆施工原则

(1)灌浆施工面高程为 246.5m,补强灌浆处理高程范围 238.0m 至基岩下 0.5m。整个 7 号闸底板布孔按 $2m\times 2m$ 呈梅花型布置。

(2)补强灌浆次序。先施工 7 号闸墩底板上、下游各两排防渗灌浆孔,形成两道隔离墙,以达到防渗的目的,然后按由外到内分圈、分序、分排、加固,整个施工方案都按小范围内分块原则进行。

2)钻孔

(1)钻孔设备。混凝土补强灌浆采用阿特拉斯液压钻、XY－2PB 地质岩芯钻钻孔。

(2)钻孔按图 10-7 进行,钻孔孔径 ϕ76mm。钻进过程中若遇塌孔不能继续钻进时即停钻,并进行灌浆处理;若钻进顺利,则可一直钻到基岩下 0.5m。一般把相邻序孔 4～5

个一起钻出,以便进行群孔冲洗与并联灌浆,一、二序孔间隔时间不少于72h。

3)冲洗

钻灌施工到混凝土与基岩接触面时,采用风水联合群孔冲洗,即一孔用灌浆塞卡住,通入风水,使风水从另几孔中返出,吹出下面的淤沙。对于上、下游两排防渗孔,冲洗压力不大于0.3MPa。冲洗过程中以不发现先灌入的水泥结石为限,冲洗时间不少于15min。对于闸底板中间孔,冲洗压力不大于0.5MPa,在冲洗过程中以上、下游水中不冒风为限,冲洗一定要干净,返水澄清。

4)灌浆

(1)7号闸墩底板上下游各两排防渗孔灌浆:①两排防渗孔也按分块、分序原则灌浆,先施灌一序块内的一序孔,待凝72h后再施灌一序块内的二序孔并待凝,最后施灌二序块内的一、二序孔;②灌浆段次:自上而下孔口卡塞,孔内循环,每段按要求待凝,段长为1~2m;③灌浆压力:对于一序块内的一序孔,灌浆压力可以以孔口返浆为标准,对于一序块内的二序孔,灌浆压力不小于0.5MPa,对于二序块内的一、二序孔,灌浆压力不小于0.1MPa;④开灌水灰比采用1:1,按1:1、0.7:1、0.5:1三级变换;⑤双液灌浆:当上下游水坑内有浆液冒出时,灌入水灰比为0.5:1的浓浆,耗灰量超过5t/段时,则采用双液灌浆。灌浆塞内的进浆管作为送浆管,回浆管则送入水:水玻璃为5:1的混合液,使双液在孔内混合,两管上各装压力表,表压均控制在0.2MPa。吸浆量小于5L/min时,作为双液灌浆结束标准。

(2)7号底板中间混凝土补强灌浆。①采用分圈、分块、分序加密的原则施工;②采用纯水泥浆灌入(尽量多灌入水泥);③一序孔开灌水灰比1:1,二序孔开灌水灰比2:1;④灌浆压力为0.3~0.5MPa;⑤灌浆结束标准:达到设计灌浆压力后,吸浆量小于1.0L/min,灌注30min后结束。

5)施工分析

(1)钻孔灌浆过程分析。钻上游两排防渗孔时串孔严重,靠近6号闸墩底板的两个孔还出现过塌孔。灌浆结束后,又在两排防渗孔间插入两排补充孔,钻进时各孔基本上不互串风水,而且大部分能较好地成孔,从而说明通过灌浆使架空的混凝土骨料得到了填充,水泥浆与混凝土骨料能达到初步胶结。补充孔灌浆结束后,在帷幕灌浆施工过程中,混凝土钻孔部分能很好地形成孔并至基岩,且钻至基岩后,原本不返水的孔出现涌水,说明混凝土与基岩接触面部分的防渗问题已解决,才能有库区高水头地下水通过含水层涌至孔口。

钻下游两排防渗孔时,钻至7~8m时就塌孔,但仍钻至基岩0.5m,灌浆时吸浆量较大,未见上、下游有浆液冒出。灌浆达到标准结束时,待凝24h,两排间再补加两排孔,虽然部分能形成孔,但串孔仍严重。灌浆时,下游抽水坑内有气泡大量冒出,混凝土表面出现大量气泡和涌出清水。在进行固结灌浆施工时,既不塌孔,也不串孔,但在混凝土与基岩接触段的钻孔时,有细沙和水被风吹出,冲洗完毕后灌浆,除1~2孔被串外,不再有其他异常情况出现。通过以上施工情况说明,7号闸底板的混凝土的骨料架空部分已被水泥液填充密实,骨料与水泥能有效胶结并形成结石。

(2)耗灰量的分析,见表10-5。

表 10-5 混凝土补强灌浆成果

序号	孔序	孔数 （个）	钻孔量 （m）	灌浆孔深 （m）	耗灰量 （kg）	单位耗灰量 （kg/m）
1	1	84	924.1	308.95	130 310.73	421.78
2	1	49	565.8	184.00	53 853.71	292.68
合　计		133	1 489.9	492.95	184 164.44	373.60

从表 10-5 看出,一序耗灰量为 421.78kg/m,二序耗灰量为 292.68kg/m,二序的耗灰量在一序的单耗灰量的基础上下降 30.6%,符合总灌浆原则。个别二序耗灰量较大,是该序孔因工期或场地原因比一序孔先施工或同时施工所致。从其单位耗灰量来说,其质量是能够得到保障的。因混凝土补强灌浆的原则是尽量多灌入水泥浆,以确保架空部分得到填充和胶结。补孔本应作为第三序来分析,但补孔均先于二序孔施工,故在表10-5中把补孔作为一序孔来分析。总的来说,灌浆效果是好的,质量得到了保证。

2.7 号闸底板锚固

1)锚固施工

(1)锚固范围。引 0＋004～0＋022m,7 号闸墩两边 247.0m 高程底板上。

(2)布孔按 3m×3m 梅花型进行。

(3)钻孔采用阿特拉斯液压钻全断面进行,孔径 φ65mm,深入基岩 5.0m。

(4)全孔采用一次性灌浆,开灌水灰比 2:1 或 1:1,灌浆压力 0.5MPa。结束标准为:吃浆小于 1.0L/min,屏浆 30min 结束。

(5)对有塌孔或掉块的孔,采用 0.6:1 的浓浆从孔口注浆的办法成孔。

(6)灌浆结束后,待凝 48h,用地质岩芯钻扫孔到要求深度。

(7)锚筋的制作:9m φ25 的钢筋 3 根,用焊机加工成一束即 9×3φ25 锚筋束。

(8)下锚筋前要测量孔深,孔深不够的用地质钻进行扫孔到设计深度;孔深超深的用豆石、砂封填到要求深度。

(9)锚筋下入采用吊车吊装。锚筋下入孔后,用钻杆测量下入的位置,不够深度的用钻杆顶到要求的设计位置,否则作为废孔处理。

(10)封孔。每个孔一般要封 2～3 次。封孔前测孔深,先用 0.6:1 的浓浆把孔灌满,待凝 24h 后,用水泥砂浆把孔封填密实。

2)施工分析

(1)共下入 26 束 9×3Φ25 锚筋,均按要求深入基岩 5.0m,能满足 7 号闸墩洪水期的稳定要求。

(2)耗灰量分析见表 10-6。

从表 10-6 中可以看出:①单位耗灰量为 56.1kg/m,混凝土还比较吃浆,说明混凝土还有架空现象;②从施工情况看:大部分孔吃浆量小于 1.0kg/m,在闸墩深槽附近有几个孔吃浆量较大,说明 7 号底板闸墩深槽混凝土还没有被水泥浆灌密实。

表 10-6   耗灰量分析

部位	钻孔数 (个)	钻孔进尺 (m)	灌浆进尺 (m)	总耗灰量 (kg)	单位耗灰量 (kg/m)
7 号底板	26	431.5	388.6	21 814.84	56.1

3. 初步质量检查

初步质量检查方法为钻孔取芯、压水。

(1)钻孔取芯。由于常规下浇筑的混凝土凝期不够,取不出岩芯。

(2)压水试验结果见表 10-7。

表 10-7   压水试验成果

孔 号	第一段(Lu)	第二段(Lu)
检 1 号	5.3	0.57
检 2 号	8.3	0.44

从表 10-7 中可以看出:混凝土检查孔压水试验吕荣值最大的为8.3,大于 1.0Lu。在检查孔中混凝土与基岩接触面有掉块现象。

对于以上检查情况,专家组认为:通过灌浆,防止了 7 号闸底板的明漏水,混凝土处理初步达到要求,但灌浆孔排距为 2.0m×2.0m,相对较大,浆液不能完全相互渗透。要使混凝土完全达到常态下浇筑的要求,必须再进行按 2.0m×2.0m 布孔内插加密施工。

4.7 号闸底板进一步灌浆施工

1)灌浆施工

此次施工是在电站蓄水后进行的,其处理范围为整个 7 号闸墩、闸底板部分为检修门槽以后。布孔按 2.0m×2.0m 进行,所有的孔深入基岩 5.0m,并下入 9×3Φ25 锚筋束。

(1)施工次序。闸墩、底板同时进行,闸底板分 4 块进行,工作门槽以后的两块底板分二序灌浆,两门槽之间闸墩上的孔分一序进行。

(2)施工工序为布孔→钻孔→注孔口管→孔壁与基岩接触面冲洗→灌浆→封孔。

(3)每个孔深入基岩 5.0m,采用孔口封闭,自上而下分段分序循环灌浆。

(4)钻孔。混凝土部分采用阿特拉斯液压钻,基岩部分采用地质岩芯钻造孔。

(5)闸墩上的孔分 5 段进行灌浆。基岩,基岩~247.0m,247.0~274.0m,底板上的孔分两段灌浆。

(6)灌浆压力。闸墩上的孔:$P \geqslant 0.5MPa$;底板上的孔:$0.6MPa \leqslant P \leqslant 0.8MPa$。

(7)开灌水灰比。以 2:1、1:1、0.8:1、0.6:1 的浓度进行。

(8)结束标准。耗浆量小于 0.4L/min、屏浆 30min 结束。

(9)特殊情况的处理。①对于混凝土与基岩接触的淤沙,根据情况采用单孔风水冲洗、水冲洗、群孔并联冲洗,直到返水澄清;②对于掉块或塌孔,采用先镶注孔口管,钻孔至塌孔部位以下 0.5m,上孔口封闭器灌浆,灌浆结束后待凝48h,再扫孔灌浆;③对于涌水的孔,采用加大灌浆压力,提高水灰比浓度并屏浆,停止灌浆前,查看是否返水,若返水需继续灌浆,直到不返水为止,起塞后,用木塞塞住,待干48h后再行扫孔;④吃浆量大的孔段灌入水泥大于5.0t/段时,待干24h后扫孔复灌。

(10)封孔。下锚筋同上。

2)施工分析

(1)从钻孔情况看,当出现混凝土与基岩接触面涌水、返沙、塌孔现象,采用特殊情况处理办法解决了这些问题;在闸底板相当部分用潜孔钻造孔时,从基岩钻出的粉尘都是干的,说明7号闸底板大部分坐落在基岩上,从而证明通过上次处理后,大部分混凝土架空渗漏和淤沙已被处理好。

(2)耗灰量分析,见表10-8。

表10-8　　　　　　　　　　　7号闸底板耗灰量统计数据

工程部位	孔序	孔数(个)	钻孔进尺(m)	灌浆进尺(m)	总耗灰量(kg)	单位耗灰量(kg/m)	下铺筋(束)
7号闸墩	4	23	992.2	992.2	31 016.37	31.26	19
闸门槽之间靠8号闸底板	4	15	282.5	282.5	8 179.56	28.95	13
闸门槽之间靠6号闸底板	4	16	302.0	302.0	3 190.62	10.56	13
工作门槽后底板	1	16	297.5	297.5	32 543.28	109.39	15
	1	29	364.1	364.1	28 711.25	78.86	16
合　计		99	2 238.3	2 238.3	103 641.08	46.3	76

从表10-8中可以看出:①这次处理时7号闸底板混凝土单位耗灰量为46.3kg/m,说明混凝土还能灌入一定的水泥浆;②工作门槽后底板单位耗灰量109.39kg/m、78.86kg/m,相对比较大,主要是由于个别孔太靠近闸边缘和返水,浪费了大量浆液所致;而二序孔单位耗灰量为78.86kg/m,比一序孔单位耗灰量109.39kg/m下降了27.9%,说明7号闸墩及底板混凝土大部分空隙已被上次灌浆充满,此次灌浆对上次进行了补充。

(四)质量检查

1.质量检查采用压水、取芯及声波测试

(1)压水试验成果见表10-9。从表中可以看出,混凝土压水14段,其中:$q<1.0$Lu的有13段,占92.8%;$q>1.0$Lu的为1段,占7.2%。混凝土与基岩接触面压水合格率为100%。

(2)取芯。混凝土取芯率达60%,特别是400号水泥取芯率达90%以上。在混凝土岩芯中,可明显看见灌浆水泥结石。

(3)声波测试成果见图10-8。从图中可以看出:7号闸底板混凝土声波测试单孔E_p都达到3 000m/s,最大的E_p达3 500m/s以上,两孔穿透E_p都大于2 750m/s,整个7号闸底板混凝土声波E_p都达到了评定标准中的尚可阶段。

2.质量评价

(1)检查孔压水符合要求,混凝土取芯率达60%以上。混凝土岩芯中明显可以看见水泥结石与混凝土骨料有效充填与胶结,混凝土的质量RQD达到要求。

表 10-9　　　　　　　　　　　　　　　压水试验成果

孔号	第一段 (Lu)	第二段 (Lu)	第三段 (Lu)	混凝土与基岩接触段 (Lu)	工程部位
HJ7 HJ7-5	0.38 0.08	0.16 0.15	4.92 0.91	2.36 0.24	7号闸墩
HJ7-1 HJ7-2 HJ7-4	0.12 0.22	0.00 0.09 0.07	0.53 0.40 0.30	0.36 0.33 0.87	7号底板

注:混凝土检查标准 $q<1.0$Lu;基岩接触面 $q<5.0$Lu。

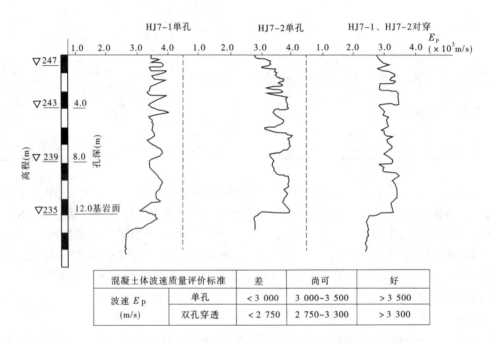

混凝土体波速质量评价标准		差	尚可	好
波速 E_p (m/s)	单孔	<3 000	3 000~3 500	>3 500
	双孔穿透	<2 750	2 750~3 300	>3 300

图 10-8　7号闸底板混凝土声波测试成果剖面图

(2)在钻进检查孔时未出现塌孔现象。混凝土与基岩接触面的淤沙经过冲洗,大部分被冲出孔外,少部分与水泥浆形成结石,使7号闸底板混凝土被有效胶结成整体,达到常态下浇筑混凝土的要求。

(3)压水、声波测试成果经设计计算,能满足大坝防渗和稳定要求。

(五)结语

7号闸墩底板流动水下浇筑混凝土,通过灌浆处理达到设计要求,这在国内尚属首次。电站蓄水后,通过对7号闸墩底板进行的变形、位移、防渗观测结果显示,没有发生异常,完全符合要求。由此说明:7号闸墩闸底板混凝土补强灌浆的施工方法、技术措施和施工工艺正确,取得了预期的效果。

【工程实例2】 取水口工程水下灌注桩施工技术

(一)工程概况

萧山南片供水工程取水口工程位于浦阳江河段许贤乡传雅沙附近,此处最高水位8.37m,最低水位1.3m,平均高潮位4.48m,平均低潮位4.06m,水流速度快,受潮水影响较大。取水口头部地质情况如图10-9所示。设计共有27根灌注桩,最外排灌注桩离岸75m,灌注桩顶高程为−3.12～2.76m,桩长28.8m,桩径800mm。由于灌注桩需在水下9～10m施工,水流速度快,技术要求高,施工难度较大。

(二)施工方法

采用400t船两艘作为水域作业平台,以安放打桩机械设备、起吊设备和混凝土拌和设备,同时配备发电机、空压机、电焊机各1套。灌注桩水下施工工程序为:放样定位—钢护筒设置—成孔—清孔—水下割钢护筒—安放钢筋笼及导管—水下混凝土浇筑。

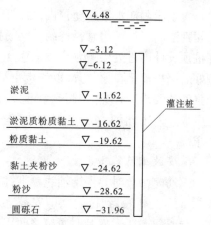

图10-9 取水口头部地层分布图
（单位:m）

1.放样定位

放样定位是整个施工的关键,桩的准确定位直接影响预制混凝土承台梁的顺利安装。本工程测量定位采用全站仪根据岸边控制点定位。

2.钢护筒设置

钢护筒位置设置准确与否直接影响水下灌注桩的桩位准确性。在钢护筒中心用红漆画一细线作控制垂直度标志,并在打桩机上设置两弧形卡口,以固定护筒防止其左右偏移,保证护筒入土时垂直压入土中。船只定位牢固后,钢护筒垂直架设在打桩机上,岸上测量人员用全站仪控制打桩机定位完全准确后开始打设护筒。在打设过程中,护筒露出水面至少1m以上,以随时观测护筒偏移情况,并纠正其垂直度。根据水文地质特征,先在灌注桩设计位置用柴油打桩机将DN800钢护筒打入土中15m,确保在钻孔及混凝土浇筑过程中钢护筒牢固,桩位准确。打设好后,护筒顶部应露出水面1m,以便船只准确定位,确保钢筋笼及混凝土灌注导管的顺利安放。

3.成孔

本工程灌注桩长28.8m,其中入土深度约26m。地层中有淤泥、粉质黏土、粉沙和2～4m厚的圆砾石层,黏土中还有零星飘石,故采用冲抓锥成孔。冲抓锥高2m,底部直径76cm,略小于护筒直径,为有利于锥击圆砾石层,冲抓锥底部刀刃由十字型布置改成梅花型布置。冲抓锥冲孔时,为保证成孔垂直度,用悬锤每隔0.5h校准冲抓锥中心与孔位中心是否相吻合。每次提升高度要均匀,且不应过大,以确保成孔轴线偏差在100mm以内,同时控制冲抓锤摆幅,防止冲孔时扩孔和缩孔现象。为保证成孔时不坍孔,护壁泥浆起着极其重要的作用。同时,泥浆还起着悬浮钻渣作用,可加快钻孔速度。由于护筒内有水,故不用专门制备泥浆,在施工过程中,采用优质黏土倒入护筒内,用冲击锤边冲击边拌制泥浆,根据掏渣筒掏出泥浆情况,判断泥浆的稠稀度,以决定倒入的黏土数量。成孔工序所需时间较长,每孔约需12h,其中桩底2~4m厚的圆砾石层需8h,故冲孔关键在于最底层的圆砾石层,施工时采用勤掏渣法,以加快冲孔速度。

4.清孔

当冲孔至孔底标高时,通过清孔工序排出孔底浮渣,使其达至灌注前的设计标高且沉渣厚度不大于10cm,清孔时泥浆密度控制在1.2~1.3g/cm³。一般采用掏渣筒掏渣清孔法;当出现孔深低于设计标高时,采用空气吸泥机清孔法。

5.水下割钢护筒

由于浦阳江水流速度较快,为保证桩顶平整,利于承台安装,采用潜水员入护筒内静水切割法。根据护筒直径特制一钢筋托架,潜水员站在钢筋托架内用水下专用电气割刀在桩顶设计高程处沿着预定方向缓缓切割。切割时在护筒四角有意留1cm不割除,保证割好后钢护筒仍在原位置,以作水下灌注混凝土时超灌50cm高混凝土的模板。待混凝土强度达要求后,割除护筒剩余部分,钢护筒吊离原位,凿除桩顶超灌混凝土,以保证灌注桩质量。采用此种方法切割的钢护筒平整度在1cm范围内,满足预制承台梁的安装要求。

6.安放钢筋笼及导管

钢筋笼吊放时要保持轴线顺直,位置居中,严禁碰撞孔壁,以免产生坍孔。钢筋笼应徐徐下降至孔底,到位后立即安放 ϕ25cm 混凝土浇筑导管,导管底部应距孔底40cm左右。导管每节1m,安装时每节之间用3mm橡皮圈密封,以保证导管内不进水。

7.水下混凝土浇筑

灌注前严格检查混凝土拌和系统和起吊机械设备的工作情况,以保证混凝土灌注能连续进行。首批混凝土量必须满足导管的初次埋置深度和填充导管底部间隙的需要,以平衡水压,确保导管内不进水。

首批混凝土量的计算可参照以下公式:

$$V \geq \pi d^2 h_1 / 4 + \pi D^2 H_c / 4 \tag{10-10}$$

式中符号意义见图10-10。

因灌注桩桩长为28.8m,平均水位4.48m,所以 $h_1 = \gamma_w h_w / \gamma_c = 1 \times 34.5/2.4 = 14.4$m,$H_c = 1.5 + 0.4 = 1.9$(m),代入式(10-10)得:

$$V = 3.141\,6 \times 0.25^2 \times 14.4/4 + 3.141\,6 \times 0.80^2 \times 1.9/4 = 1.66(\text{m}^3)$$

混凝土需保持连续浇筑。当导管埋深达3m左右时开始提升导管,并取出第一节导管,直至完成此根灌注桩的浇筑。

8.混凝土浇筑过程中应注意的问题

(1)首批混凝土的量必须满足导管埋入深度不小于1.5m,并保持混凝土持续下灌,直到埋入3m左右,才开始提升导管。在整个灌注过程中,导管均衡提升保持轴线竖直,位置居中,防止挂卡钢筋笼。

(2)导管埋入混凝土深度控制在不小于3m,不大于6m,并做好导管提升记录,杜绝导管拔空的质量事故发生。

(3)灌注开始后,必须保持连续工作,防止混凝土在灌注中造成导管堵塞;混凝土灌注

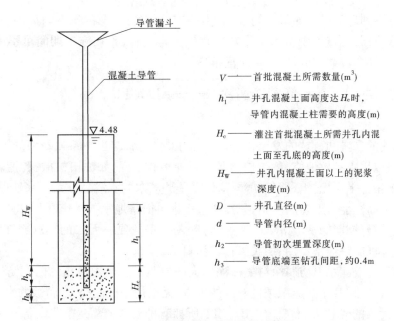

图 10-10　首批混凝土灌注量计算图

V —— 首批混凝土所需数量(m³)

h_1 —— 井孔混凝土面高度达 H_c 时,导管内混凝土柱需要的高度(m)

H_c —— 灌注首批混凝土所需井孔内混土面至孔底的高度(m)

H_W —— 井孔内混凝土面以上的泥浆深度(m)

D —— 井孔直径(m)

d —— 导管内径(m)

h_2 —— 导管初次埋置深度(m)

h_3 —— 导管底端至钻孔间距,约0.4m

到桩顶标高时,应再超灌 0.5m 左右,在施工上部结构时给予凿除。

(三)结语

萧山南片供水工程取水口工程水下混凝土灌注桩施工涉及水下作业,并受钱塘江潮汐影响,施工难度较大,确保施工安全是顺利成桩的关键。桩位放样定位、护筒设置、成孔、清孔、混凝土浇筑等施工工序均对成桩质量影响很大,在受潮汐影响河道上施工时,应把好每道工序的质量关,才能确保成桩质量。

目前,该工程灌注桩施工已全部完成,经超声波探测和水下摄影检测,灌注桩质量完全符合设计要求。

第三节　新材料、新设备在涵闸工程中的应用

【技术成果1】 H 系列环氧厚浆涂料在水闸防腐补强中的推广应用

该成果针对目前水工建筑物混凝土老化和钢结构锈蚀日趋严重的现象,采用已被国内专家鉴定通过的 H 系列环氧厚浆涂料及其配用材料作为水闸防腐补强涂料,创新地选取了 YJ－302 界面处理剂和补偿收缩砂浆以增加新、老混凝土或砂浆的粘结强度和防裂破壳,对老化部位进行全面清理和涂刷、刷抹。另外还采用无碱方格玻璃布进行局部补强,以提高水工钢筋混凝土结构的整体强度,从而延长水工建筑物的寿命。

H 系列环氧厚浆涂料已在南通市沿江沿海 24 座水闸和桥梁上推广应用。已完成防护面积 14 600m²,加固补强面积 2 280m²,钢结构防腐面积 4 480m²,推广面达 90%,其中最早修复补强的掘苴闸公路桥迄今已达 11 年仍然完好。全市防腐补强投入仅占大修费用的 1/9,已节省工程维修经费 1 458 万元。该成果推广应用的优点是:①可延长工程使

用寿命;②H 系列环氧厚浆涂料中的 HZ 涂料具有装饰性,色彩的选取与周围工程设施相协调,美化环境;③在施工中基本不影响工程的正常运行;④在施工期间可不中断交通。其经济效益和社会效益十分显著,可全面推广。

【技术成果2】 新型涵闸防腐涂料——ALOCIT 产品

(一)性能

随着时代的前进和科技的发展,英国 ALOCIT 公司研制出一系列新型的工程防腐涂料产品,它可以用来有效地修复、防护和保养各种水底工程,如油田机械、贮油罐、码头起重机械、海上钻井平台、舰坞、船舶和浮标,以及一些淡水的水塔、水库、污水处理厂等。

ALOCIT 高性能水下防腐涂料,只需通过潜水员简单地水下操作,便可将油腻的混凝土或被腐蚀的钢铁建筑,完全清理、遮盖,向世人证实了独一无二的 ALOCIT 是最先进的、最利于环境的、最经济实用、切实可行的涂料系统。

ALOCIT 高效能水下防腐涂料是一项伟大的发明。它运用最新的防腐防锈技术,提供有效的解决方法,甚至在施工条件有限的地方,无论是保护被盐、水腐蚀的水底工程,还是被化学品污染的管道等,都需要 ALOCIT 所拥有的优秀产品、先进设备和上乘服务。它耐久性的化学组合对盐、水、油及轻酸的腐蚀具有很强的抵制作用,产生稳定性,有很强的粘合性,耐低温,抗磨损,对基体具有有效地长久地保护作用。它被广泛地使用在各种各样的潮湿、高温、化工污染或水下的环境中。简便的使用方式及表面材料的节省可大量减少投资预算。

ALOCIT 高效能水下防腐涂料具备牢固的黏附力、持久的稳定性和卓越的抵制恶劣环境破坏和抗磨损的能力,可经得住最高标准之考验。

ALOCIT 系列产品经过多年的实践,取得了杰出的成果,已被各国的各行各业广泛应用,如美国、德国、英国、马来西亚、瑞士、法国、荷兰、巴西、韩国、澳大利亚、台湾、新加坡等国家或地区的石油工业、水下管道、近海码头、海上钻井平台、海军基地、桥梁、隧道等领域,均起到了前所未有的实施效果。

ALOCIT 涂料产品一般可保持 10～15 年的使用寿命。

(二)用途

作为一种对混凝土、钢铁化合物既卫生又易清洗的涂料,能提供一个坚硬的防磨损表面。对下列物体具有很强的防腐作用,如钢结构、工业地板、地下室、码头、洗衣房、板桩墙、水闸、船坞、港口、石油装置、石油管道、船的外壳及底舱、桥梁、自来水管、雕刻物、工厂里潮湿或含油层的表面、火车轨道或地下轨道、地下通道、游泳池等。

【技术成果3】 小型灌区楔形止水闸门应用与推广

1987 年南通市研制出"小型灌区楔形止水闸门"并投入使用,基本上解决了渠道上各级闸门漏水问题,达到了省水节能、提高渠系水利用系数和降低成本的目的。该闸门采用楔形自止水结构,设计合理,结构简单,投资省,安装方便,启闭自如,控制灵活,止水效果好,是灌区节水的重要环节。自 1988 年开始,南通市即在各县(市)区推广使用该成果。通过统一思想、加强领导、以点带面、实行目标管理、严格检查考核、保证质量和优质服务等一系列措施,目前已实现了工厂化、系列化、规格化和商品化,具备了大批量生产能力,十几年来在乡镇灌区的推广面达到90%。

与老式闸门相比,楔形止水闸门制作费用减少12%,漏水量减少86.2%。南通市推广使用该闸门的效益为:①节省提水费用,年节水1.67亿m^3,节电340万kW·h,节约电费170万元;②节约建设投资48.45万元。节电可新增工业产值2 720万元,增加利税272万元。其经济效益和社会效益十分显著。

【技术成果4】 水闸门偏心铰链装置

该装置特征在于水闸门上有一个铰链,铰链的上下端面固定在栏柱上,中间有一转轴套,铰链转轴套连接水闸门,令其旋转开、关水闸门。当水闸门关上时,水闸门周边的橡胶闭合凹孔恰与门框凸出片体会合,使偏心铰链之凸朝向水闸门内部;若再用力关上,则水闸门前移迫使橡胶闭合凹孔和门框突出片体密合在一起,加强水闸门的挡水功能。

【技术成果5】 液压接力式启闭机

该启闭机是在闸门两侧的闸坝上对称安装两个活塞杆和能交错升降的油缸,油缸沿闸门升降方向设置,在油缸侧安装有顶簧和回挡扶正装置,上侧部还安有升降导向装置,在闸门两侧对称固定设置与两侧油缸活塞杆对应配置的两排顶耳。该实用新型启闭机通过两对油缸交替接力的方式来完成闸门的升降启闭,具有结构简单可靠、适用范围广及油缸负载小等特点。

【技术成果6】 新型双向台车在涵闸闸门上的应用

新型双向台车布置于闸门两测双腹式端竖梁内,每只滚轮都接触上下游轨道,支承双向水压,并上下行走。一扇闸门用4只台车,比老式台车节省一半,具有结构稳定、简单轻巧并保留原有受力合理等优点,提高了运行可靠性,不仅给设计、制造、安装及维修等带来了方便、节省了工时,而且提高了引水保证率。具有节省材料费、制作费、启闭设备吨位投资,缩短闸室长度等直接效益,并具有巨大的潜在经济效益和社会效益。

【技术成果7】 涵闸混凝土材料改性研究

混凝土作为涵闸工程的重要构成材料,其抗裂、抗渗、耐久等各种性能直接涉及到能否保证涵闸工程长期安全正常运行。为此,对涵闸混凝土材料进行改性研究是十分必要的。

(一)涵闸混凝土材料改性机理和途径

1.改性机理

现代材料科学的核心是材料内部结构与性能之间的关系。材料领域内的进展主要在于认识材料的各种性质是由其内部结构决定的,材料性质可以因适当地改变材料的结构而予以改性。混凝土具有高度不均匀性及复杂的内部结构,因此混凝土面板材料改性的关键在于改善混凝土的内部结构。

(1)混凝土界面过渡区。从宏观上看,混凝土是由骨料颗粒分散在水泥浆体中所组成的两相材料。从微观上看,则显示出混凝土内部结构的复杂性。对微观结构的研究表明,在贴近大颗粒骨料表面的硬化水泥浆体结构,与系统中水泥石或砂浆的结构非常不同。在应力作用下混凝土的许多性能,与水泥浆—骨料界面结构的特性关系极大。因此,混凝土内部结构存在第三相,即界面过渡区相。

界面过渡区的形成是由于混凝土浇筑时产生泌水,沿粗骨料周围形成水膜,骨料底面的水膜更厚。因此,在贴近大骨料处比远离大骨料的基体中所形成的水灰比要高得多,水膜中即使有水泥颗粒也是极少量的。当基体中水泥颗粒溶解时,绝大部分迁移性离子如钙离子、氢氧根、硫酸根和铝酸盐离子等首先扩散于水膜中,并结合形成氢氧化钙和钙矾石。由于水膜中的高水灰比,在水膜中晶体生长不受限制,形成的晶体很大,结构疏松,孔隙很多,强度极差,极易产生微裂缝。界面过渡区犹如一根链条中最弱的一环,成为混凝土中的强度极限相,是最容易开裂、水最易渗透和最易受溶蚀的区域。

(2)混凝土的孔结构。混凝土的孔结构是影响混凝土各种性能的另一重要因素,混凝土的强度、抗裂性、抗渗性和耐久性与混凝土的孔结构密切相关。混凝土的孔结构受混凝土原材料及其配合比、施工工艺和环境温湿度变化等诸多因素的影响。

孔结构包括水泥水化形成的凝胶孔、毛细孔、自然吸入和引入的气孔、由温度湿度变化形成的微裂缝以及由施工不良形成的大孔洞等。凝胶孔在固体硅酸钙水化物中孔隙率约占 28%,孔径为 $0.5 \sim 2.5nm(1nm = 10^{-9}m)$。由于该尺寸太小,不会对水泥水化浆体的强度和渗透性起不良作用。毛细孔为未被水化水泥浆固体组分所充填的空间,毛细孔的尺寸和体积由水灰比和水泥水化程度所决定,毛细孔绝大部分为开放孔,大于 50nm 的毛细孔会危害强度和抗渗性,而小于 50nm 的孔则对干缩和徐变有显著的影响。气孔一般呈圆形,而毛细孔呈不规则形状,施工操作过程带进去的自然气孔孔径可大至 3mm,引气剂引入的气孔为 $50 \sim 200\mu m$,自然气孔比毛细孔要大得多,对强度和抗渗性等产生不良作用。微裂缝是由泌水、浆体沉降、分层以及温湿度变化形成的,对抗裂性、抗渗性、耐久性都有不利影响。大孔洞是由施工操作不良形成的,尺寸最大可达几十厘米,对混凝土性能产生极大危害。对混凝土面板材料改性而言,重点在于减小毛细孔和微裂缝对混凝土的危害作用。

2.改性途径

从以上对混凝土改性机理的分析,可确定涵闸混凝土材料改性的途径,即采取措施缩小界面过渡区的不利影响和减少毛细管孔径及数量,可能使涵闸混凝土抗裂性、抗渗性、抗溶蚀耐久性等一系列性能得到明显的改善和提高。

研究结果表明,界面过渡区和毛细孔都与混凝土水灰比密切相关。水灰比越大,两者的不利影响也越大。因此,涵闸混凝土材料改性所采取的措施,应能显著减小水灰比或用水量,或者能产生物理化学作用,可显著改善界面过渡区和毛细孔的内部结构,或者二者兼而有之。

根据以上对涵闸混凝土材料改性的思路,可采用技术上可靠、经济上合理的各种材料,进行涵闸混凝土材料改性的探索性试验研究。

(二)涵闸混凝土材料改性试验研究

1.改性材料之一——三复合外加剂

传统涵闸混凝土采用的普通减水剂和高效减水剂,其减水率一般为 10% ~15%。为混凝土材料改性而研制的三复合外加剂,混凝土减水率高达 26% 左右。掺三复合外加剂的混凝土水泥用量和用水量,比不掺的分别减少 $120kg/m^3$ 和 $48kg/m^3$,试验结果如表 10-10 中编号 1 和编号 2 所列。当掺与不掺三复合外加剂的混凝土水泥用量保持相同 $(335kg/m^3)$ 时,则不掺三复合外加剂的混凝土水灰比需要由 0.40 增至 0.54(182/335)。在此种情况下,对表 10-10 中编号 2 与编号 8 两者进行比较,掺三复合外加剂可使混凝土抗压强度增加 67%、抗拉强度增加 84%、极限拉伸增加 31%,混凝土抗裂性得到显著提高。上述结果表明,减少混凝土用水量和降低水灰比都可有效改善界面条件和孔结构、对提高涵闸混凝土性能具有明显效果。

三复合外加剂曾用于福建万安溪面板堆石坝,浇筑的约 $20\ 000m^2$ 混凝土面板,施工期没有发生一条裂缝,取得显著抗裂效果。

表 10-10　　　　　　　　　混凝土中掺各种材料的性能比较

编号	改性材料		水灰比	水泥 (kg/m^3)	水 (kg/m^3)	坍落度 (cm)	含气量 $(\%)$	抗压强度 (MPa)	抗拉强度 (MPa)	抗弯强度 (MPa)	极限拉伸 (10^{-4})	相对渗透系数 $\times 10^{-11}$ (cm/s)
	名称	用量 (kg/m^3)										
1	—	0	0.40	455	182	5.9	1.1	41.8	3.35	6.60	0.96	68.50
2	三复合外加剂	2.38	0.40	335	134	8.5	4.3	35.3	3.46	5.77	1.02	5.38
3	2+Ⅰ级粉煤灰 20%	62	0.40	248	124	8.5	4.0	42.1	3.50	6.48	1.02	1.03
4	2+Ⅱ级粉煤灰 20%	67	0.40	268	134	8.0	4.5	36.4	3.39	4.82	0.97	1.18
5	2+硅粉 4%	13.4	0.40	335	134	7.9	4.7	46.0	3.97	8.20	1.25	0.54
6	合成纤维	0.9	0.40	335	134	6.0	4.3	45.1	3.45	6.44	1.05	
7	2+钢纤维	60	0.40	335	134	6.0	4.3	45.4	3.93	7.58	1.09	
8		0	0.54	335	182	5.9	1.0	21.2	1.88	—	0.78	
9		0	0.73	248	182	5.8	1.0	12.4	1.37	—	0.68	—

注:编号 3~5、编号 7 中皆掺用三复合外加剂。

2.改性材料之二——Ⅰ级粉煤灰

粉煤灰的质量不同,对混凝土性能的影响相差极大。采用Ⅰ级粉煤灰作为涵闸混凝土改性材料的目的,是由于Ⅱ级粉煤灰基本不减水,Ⅲ级粉煤灰则需要增加混凝土用水量,而Ⅰ级粉煤灰由于颗粒粒径微小,绝大多数为球形玻璃体,表面光滑微孔较小,可使混凝土用水量减少 5%~15%,并具有优良的形态效应、活性效应和微集料效应,使混凝土中毛细孔明显"细化",尤其使其界面过渡区得到显著改善,粉煤灰细粒与界面过渡区中疏松、易溶于水的大晶体 $Ca(OH)_2$ 发生化学反应生成结构密实稳定的水化物,从而使混凝土抗裂性、抗渗性及抗溶蚀耐久性得到改善。

表 10-10 中编号 3 列出了掺用Ⅰ级粉煤灰的试验结果。从表 10-10 可以看出,Ⅰ级粉煤灰和三复合外加剂双掺(编号 3)比不掺的(编号 1),其混凝土减水率高达 32%。当使两者水泥用量保持相同 $(248kg/m^3)$,不掺粉煤灰和外加剂的混凝土水灰比需由 0.40 增

至 0.73。编号 9 列出了水灰比为 0.73 的试验结果,将双掺(编号 3)与不掺的(编号 9)进行比较,其抗压强度增加 2.4 倍,抗拉强度增加 1.5 倍,极限拉伸增加 0.5 倍。

对双掺与单掺三复合外加剂(编号 2)试验结果进行比较,掺 I 级粉煤灰后使水泥用量和用水量分别减少 $87kg/m^3$ 或 $10kg/m^3$。当使两者水泥用量保持相同($335kg/m^3$)时,双掺比单掺三复合外加剂的混凝土水灰比由 0.40 降至 0.31。

从以上分析可知,掺用 I 级粉煤灰可使混凝土性能得到较大的改善和提高。

3. 改性材料之三——硅粉及其增强密实剂

硅粉颗粒极细,比水泥和粉煤灰的平均粒径细 100 倍。因此,硅粉在混凝土中具有极为优良的微集料效应、火山灰活性效应和改善界面过渡区效应。混凝土中的毛细孔和凝胶孔的孔结构更加密实、更加细化、大孔消失、孔隙率减少。硅粉能大量减少内部泌水,硅粉颗粒密实堆积在骨料表面,从而消除水膜"墙壁"隔断的影响,防止了 $Ca(OH)_2$ 大晶体的定向生长,界面过渡区内的 $Ca(OH)_2$、钙矾石和孔隙数量均大量减少,内部结构主要组成是密实的硅酸钙水化物凝胶,界面过渡区内的结构与基体的密实度近于相同,保证了骨料与基体之间的有效粘结,使混凝土大部分性能都可得到很大的改善和提高。

掺硅粉混凝土的各种性能试验结果列于表 10-10 中编号 5。从试验结果可以看出,混凝土中掺入三复合外加剂和 4% 的硅粉,使混凝土各种性能都有显著提高,极限拉伸达到 1.25×10^{-4}。

增强密实剂是以三复合外加剂和硅粉并加入其他辅助材料复合而成的一种特高效能的混凝土改性材料,可充分发挥各组分在混凝土中的效能,极大地改善了混凝土的性能。

表 10-11 列出了掺增强密实剂的试验结果。在水灰比基本相同的条件下,比不掺增强密实剂的混凝土,抗压强度增加 78%,抗拉强度增加 84%,混凝土泌水率降低 96%,仅为 0.2%,基本不产生泌水,混凝土抗渗性能也大幅度提高,干缩率降低了 20%。

综合以上分析,增强密实剂对涵闸混凝土改性效果十分突出。

表 10-11　　　　　　　　　掺增强密实剂混凝土性能试验结果

增强密实剂(%)	水灰比	泌水率(%)	抗压强度(MPa)/(%)	抗拉强度(MPa)/(%)	抗弯强度(MPa)/(%)	弹性模量(MPa)/(%)	钢筋粘结强度(MPa)/(%)	干缩($\times 10^{-4}$)/(%)
0	0.56	5.5	20.7/100	1.57/100	4.00/100	29 400/100	1.98/100	3.60/100
10	0.55	0.2	36.9/178	2.9/184	5.67/142	28 400/97	2.72/137	2.90/80

4. 改性材料之四——钢纤维与合成纤维

混凝土是一种脆性比较大的材料,通过掺入能吸收断裂能量的材料取得防裂效果,是对涵闸混凝土材料进行改性的一个重要方面。应力在多组分的混凝土中分布是不均匀的,尤其在界面处更为严重。混凝土中含有许多微裂缝,在应力作用下这些微裂缝会迅速扩展,将大大降低抗拉性能。混凝土中掺入纤维材料是在裂缝形成之后立即保持一个横跨缝口的拉力,起到限制裂缝的微钢筋的作用,可提高涵闸混凝土的抗裂性,减少较宽裂缝的发生。试验研究成果表明,掺入纤维的混凝土另一最大特点,即涵闸的断裂韧性成倍甚至几十倍增加,这对于涵闸在很高水头作用下或是由闸体沉降引起结构产生较大的弯曲变形时,更能显示出纤维混凝土的独特功能。全部或部分掺用纤维材料可作为涵闸混凝土改性的增强增韧措施。

表 10-10 中编号 6 和编号 7 分别列出了合成纤维与钢纤维对混凝土力学变形性能的试验结果。

（三）主要结论

混凝土内部结构中的界面过渡区和孔结构,是影响混凝土各种性能的重要方面。涵闸混凝土材料改性的途径,应是可以明显改善界面过渡区和孔结构的各种有效措施。涵闸混凝土中掺用三复合外加剂、Ⅰ级粉煤灰、硅粉及其增强密实剂都可大大提高涵闸的抗裂性、抗渗性和抗溶蚀耐久性。在涵闸工程建设中,要结合工程实际情况,进行全面的技术、经济比较,采用适合工程的一种或几种混凝土结构改性材料,保证涵闸混凝土结构更加优质、安全、耐久。

【工程实例 1】 合金网件系列柔性块体新技术在涵闸防护中的应用

在某些恶劣的自然环境中,如在急流的冲刷和暴雨、波浪的拍击之下,涵闸工程的防护是一个不容忽视的问题。近年来研制开发的合金网系列柔性块体产品(包括合金网石兜(箱)和合金网互连混凝土柔性板块等)经在部分水利工程上应用,证明用来解决这一问题可取得良好效果。

（一）合金网件柔性块体系列产品的防护机理、性能及技术优势

1.合金网件柔性块体系列产品的防护机理

水工防护产品的防护效果,关键取决于防护产品在水流冲击下的稳定性。科研部门经过水能动床试验,得出块石在水流冲击下的牵引切应力可用下式计算:

$$\tau = c(\gamma_s - \gamma_w)d_m \tag{10-11}$$

式中　c——防护系数;

　　　γ_s、γ_w——块石和水的密度;

　　　d_m——块石的当量粒径。

由上式可知,在块石和水的密度不变的情况下,防护系数和块石当量粒径与抗漂移能力成正比。此外,块石铺设厚度与块石当量粒径的关系是 1.5～2 倍。经试验,网石兜(箱)装填块石时防护系数约为散抛块石防护系数的 2～2.1 倍。散抛块石按一定(2 个 d_m 以上)厚度堆放,其初期漂移具有一定的极限性,一旦基本的结构被水流冲垮,铺设厚度改变,随后便出现递增式毁坏,而用网石兜(箱)装填的块石具有良好的透水性、透气性和柔韧性,经急流波浪冲击后以柔克刚,可以减小负压,缓解冲击强度,同时产生蠕动,但基本结构仍保持不变,并达到新的平衡。综合以上两方面的原因,采用相同规格的块石和铺设厚度,用网石兜(箱)装填块石能够承受的水流速度是散抛块石的 4 倍左右。

2.合金网件柔性块体系列产品的性能及使用

特种合金材料以蜂窝状的形式编织各种规格的网件,在强涌潮地区、大江、大河、沿海等各种恶劣环境中的应用获得成功。柔性块体合金网件系列制成各种规格兜(箱),网眼大小及丝径可根据使用要求选定产品和材料,有关设计参数见表 10-12。

表 10-12 　　　　　　　　　　　　　　　　　**特种合金材料主要技术参数**

钢丝直径 （mm）	平均网眼边长 （cm）	抗拉强度 （N/mm）	海水环境中腐蚀程度 （mm/年）	承载强度 （kN/m^2）	网兜荷载 （t）
0.1~5.0	7~40	大于 1 400	小于 0.01	20~120	0.2~25

合金网件柔性块体安装后和闸体、河床融为一体,凝结成一个透气、透水、具有柔韧性的整体。网石兜为圆形筒状,装填块石后可直接吊装实施抛投,施工方便快捷,适应在深水、浅水施工,也适应露地施工。网石箱外形为矩形箱体状,施工方式可分为以下两种。

(1)先在施工现场定位后将网箱展开,然后装填块石并封口。

(2)使用开底箱辅助吊具吊装抛投,在开底箱内先装填块石,再实施抛投。合金网板块是以合金网为基体,分隔浇筑混凝土形成合金网柔性板块,每组用同一种材料柔性连接形成更大整体,可用于护坡、护趾、护底,辅设方便快捷,具有防冲防急流适应性、稳定性效果好、造价低、使用寿命长等优点。

3.合金网件系列柔性块体产品的技术优势

合金网件系列柔性块体产品与传统的水工防护产品比较,具有如下性能优势。

(1)由于采用特种合金材料,与竹笼、钢筋笼相比,具有更优良的整体物化性能,使得网兜整体抗冲、抗剪切、耐磨,在海水环境的耐腐蚀性能更强,使用寿命是传统产品的十几倍,可有效地减少防护工作的重复施工,简化工程维护,降低维护费用,综合经济效益十分可观。

(2)网石兜的使用,使相互独立的块石构成一个整体,在实施抛投后,可在兜与兜之间进一步串接,从而形成更大的整体,有了这种整体的凝结力就可以增大单个块石的重量,块石的间隙增多,块石凹凸不平的表面,起到分解波浪、减缓流速和降低冲击强度的作用,达到防冲、消能、促淤的目的。此外,这种"以小拼大"的方式,整体深水吊装,整体露地安装,使得施工快捷、安全、省力和便利。

(3)网石兜所构成的整体,具有极高的柔韧性、透气性、透水性,以柔克刚,可有效地缓解水流的冲击,提高网石兜本身的抗冲击能力。这种柔软性和整体性能够自动适应和补偿基础的塌陷,充分密实网兜之间的空隙,从而有效地阻止水流对基础的淘刷,保证闸趾基础的稳定。

(4)在溪滩治理中,可把河道中的鹅卵石作为网石兜(箱)的填充料,实现就地取材,既节省块石费用,又可以疏浚河道,一举两得。

(5)使用网件系列产品用于涵闸防护,可获得很好的综合经济效益。用散抛块石护趾,虽然单次施工费用相对较低,但当水的流速较大时,散抛块石极不稳定,容易被水流冲失,需要不断重复抛投,累计抛投费用就相当高。改用网石兜系列产品护趾,施工综合费用相当于散抛块石护趾每年维护费用的 60%,随着使用年限的增加,其综合经济效益将更为可观。在水流速度不是很大的涵闸防护中,采用网石兜系列产品护趾,只需用散抛块石量的 1/3,就可达到更好的防护效果,减少石料费用和施工的填筑方量,同时减小边坡长度和占地面积,扩大泄流断面,降低工程造价,阻止水土流失。采用合金柔性板块护趾、护坡、护底,可省去块石垫层和基础开挖,避免构筑围堰,减少排水费用,简化施工工艺,其工程造价相当于浆砌块石护坡造价的 50%,而且可获得更好的防护效果。

(6)合金网柔性块体系列产品如果采用不同的填充料,或以不同的形式组合、连接,可以适应各种复杂的水文条件和地形,实现导流等其他各种不同的防护用途。在施工中,可以带水作业,减免围堰和排水费用,降低工程综合造价,目前已在各种不同环境条件下使用,均获得了满意的效果

(二)涵闸工程应用实例

温州市瓯北镇新建的新桥涵闸、温州乐清红卫涵闸、台州椒江霞子闸,特别温州苍南朱家站金清新闸属于浙江大型涵闸之一,并且闸下冲刷严重,冲刷坑较深,最大流速 7~10m/s,均成功地应用网兜、网箱用于涵闸工程和除险加固。该地区低潮位时,采用网箱抢潮露地施工,深水位时采用网兜吊装施工,采用网石兜除险治理。

采用这种合金网石兜(箱)施工,方便、高效、快捷、经济性好,且合金网丝在海水环境中耐腐蚀性能强,整体柔软性和稳定性好,是一项在水利工程和抗洪抢险中值得推广使用的水工防护新技术。专家建议,应进一步做好该项技术的试验研究和完善提高工作。

【工程实例 2】 土工合成材料在船闸航道工程中的应用

近年来,土工合成材料在铁道、水利、交通、市政、海岸防护和隧道等工程领域中有了广泛应用。在船闸和航道工程中,无纺土工布和土工网的应用就更加广泛,它主要起反滤、加固地基、排水和护坡的综合效应。至于土工网,则主要应用于软土地基加固处理。土工织物与塑料排水板在码头工程中也被用做地基处理和护坡。土工合成材料在码头、航道、船闸等水运工程中的实际应用,充分体现其良好的经济效益和使用价值。

(一)土工合成材料在航道工程的应用

1.苏南运河无锡西段护坡工程(化纤模袋布的应用)

根据苏南运河总体设计的原则,以四级航道标准进行设计,并考虑三级标准规划,可通航千吨级船舶;在沿线集镇段整治采用半直立式驳岸结构,而在农村段航道为斜坡式护坡,为防止水土流失和经受船行波的作用,沿线坡面一般采用了无纺土工布上覆混凝土(7~9cm 厚的现浇或预制块混凝土)的护坡结构。在施工阶段,经建设单位向设计人员反映,本航段比较宽阔,如采用常规的混凝土护坡方案,则要先修筑围堰后施工,为减少修筑围堰对船舶安全航行的影响,提出不筑围堰而在坡面上进行水下浇筑混凝土的模袋(法布)护坡方案,后经设计调查研究,根据该段地形及土质情况,同意采用法布水下混凝土护坡结构。

无锡西段堤顶高程一般在 5.2~5.7m,土质情况是:除地表 0.5m 为耕植壤土外,下部至河床底均为黄灰色或灰黄色黏土或亚黏土,其主要物理力学指标值均为上限。经边坡整体稳定 (条分法)计算,可采用水下 1:2、水上 1:1 的施工坡比进行开挖。混凝土浇筑(包括水下部分)利用机织土工模袋作为柔性模板进行施工,该模袋采用高强化纤长丝机织而成,柔性机织模袋能适应工程地形条件,并能保证混凝土由下而上填充成形,适应水上、水下施工,不需修筑围堰。在充填料未达到设计强度时,模袋面层能对水流与风(波)浪变化起到过渡性的保护作用。

土工模袋的施工应注意以下几点。

(1)由于运河中水的流速较小,该段土质较好,且高度不大,分段模袋采用搭接方法,下压 0.4m 宽的土工布;在基脚处进行水下清槽、挖沟深埋和固定压脚;顶部端头为防止雨淋、水渗或其他可能产生的机械性位移,必须采取压顶(≥0.5m)措施。

(2)护坡泄水孔设置于坡面 3.6m 高程处,其施工是与模袋的高压喷灌混凝土同步进行,塑料管内填塞化纤透水材料。模袋内采用泵车自下而上从灌口喷送 15 号小石子(瓜子片)混凝土(坍落度 15～20cm)。

土工模具有占地少、开挖土方量少的特点,对于经受船舶冲撞而言,它比斜坡式混凝土铺板(或浆砌)护坡的抗损能力强,可减少修筑围堰的费用,且有利于施工期通航,以整体造价来说,比浆砌块石墙造价要省 10%～15%。

2.吴江市三里桥驳岸软基处理(土工网格与有纺土工布应用)

苏南运河流经苏州吴江市进入浙江省。该段航道地貌属长江下游平原水网地区,地质属新构造运动沉降区,第四系沉积较厚,其浅部以湖—沼相沉积为主,故淤泥质黏土相当发育,厚度大,埋藏浅。吴江三里桥软土段,土质表层为 0.5m 左右的耕植土,其下为灰黄色的亚黏土土层,层厚 2.0～3.5m;中等压缩性灰黄色亚黏土的下部为灰色淤泥,含大量腐殖物,局部并夹有泥炭层带粉细沙,含水量较高,高压缩呈流塑状态。土质甚差,允许承载力仅为 30～ 50kPa。

三里桥集镇段采用了半直立式驳岸结构方案。由于地处平原水网地区,水位变幅很小,驳岸的建筑高度仅为 3.4m,但地基受力仍超过允许承载力,要求选择既经济又方便的施工方案。设计中考虑一方面加强开挖基础的排水设施,另一方面按软土深度和物理力学指标的差异,采用不同的地基处理方案(包括不同长度的木桩加固地基的方案)。这里,仅介绍试验段运用土工材料的加固方案。对于基础以下有 2～3m 厚度的软土地基($W_0 \leqslant 50\%$;$I_p = 0.95～1.20$),采用一层 CE131 木工网格或 LDHF－1 防滑有纺布方案;厚度较大、物理力学指标较低的软土地基段基础,采用 2 层土工网格方案。上述两方案使用固结快剪指标进行整体圆弧滑动计算,其抗滑安全系数为 1.02。

由于抗滑安全系数较低,实施中必须控制施工速度,对墙身砌筑与回填土进行分层逐级加载(60d 完成压顶混凝土浇筑和墙后回填土),并对底板进行墙身沉降、变形观测,以控制施工速度和检验设计成果。

该方案的特点是通过逐级加载压实,不断加速基础下土体的排水,提高其固结度,防止施工期基础的破损,同时通过土工聚合材料具有较好的扩散(受拉)性能,提高了基础的承载力。

两试验段(各 30m 长)施工后,检查底板顶面沉降的最大值为 45mm(两层土工网),在墙身竣工后 15d 沉降基本稳定,沉降值为 3～5mm,沉降速率接近于零,检查墙身未见侧向位移,使用一年后也未见墙身发生变形,说明处理方案是成功的。该方案的造价比采用碎石桩或粉喷桩加固地基节省 10% 以上,而且施工方便。

3.镇江丹阳陵口航道(无纺土工布应用)

在苏南运河丹阳陵口航道的"难工河段"整治中,设计人员针对该段航道地质以极细沙为主,且夹有亚黏土、泥炭、淤泥和杂填土等多种土质互层的第四层系全新统(Q_4)现代沉积层的情况,选取了在临河边采用轻型井点排水以降低地下水的施工方法,设计采用

400g/m²规格的土工布,其厚度3.5m,断裂强度≥600N/5cm,伸长率≥80%,梯形撕裂强度≥400N,圆珠顶破强度≥900N,等效孔径O_{95}≤0.1mm,渗透系数≥5×10⁻²cm/s,土工布的空隙率为90%。经过施工,应用土工布比传统的砂石滤层单位造价节省15%～20%,本工程共耗用土工布76.7万m²,合计节约投资约70万元,现已交付使用6～7年,不仅经济效益显著,而且工程质量也优良,是我国内河航道使用土工织物最多的航段之一。

与传统的砂石滤层相比,土工织物除了"透水"、"保砂"的作用外,还具有"固坡"的特点,即土工织物将土质坡面捆成一个整体,可防止护坡坍塌,起到比较重要的作用。

(二)船闸工程

无论在船闸的引航道护坡工程还是在其闸墙后的排水设施中,土工织物都是主要起反滤和排水作用。土工织物的反滤作用不是直接依靠它自身的多孔结构,实际上,当单向水流流过时,土体内部分极细土颗粒仍然会流失,其水质浑浊,但经过一段时间后,水质逐渐变清晰,邻近未流失的较粗土粒自行架空,形成了"天然的级配滤层",说明被保护土体内的细颗粒不再流失,达到平衡状态,土工织物起到了滤层的作用;对于波动水流(往复水流)冲击护面的情况,波峰及波谷的压力绝然相反,不论产生何种压力,土工织物都得具有一定的厚度作滤层,才能保护住土坡或在波动压力下不致发生土体变形。

土工织物的滤层标准应为:

$$O_e/d_{85} < 1(保砂性要求) \tag{10-12}$$

$$O_e/d_{15} > 1 \text{ 或 } K_g/K_s > 100(透水性要求) \tag{10-13}$$

式中　O_e——土工织物的有效孔眼尺寸,mm;

　　　d_{15}、d_{85}——土的粒径,mm,小于该粒径的土的质量分别占土总质量的15%和85%;

　　　K_g、K_s——土工织物和土的渗透系数。

土工织物倘若还需承担排水作用(除反滤作用外),则还需检验织物的透水能力。即先按适当方式估算所需的排水量,由此计算要求土的透水率ψ_r,将它与土工织物的透水率ψ_a作比较,只有当$\psi_a > \psi_r$时,织物才是适用的。

用做滤层及排水的土工织物,虽不要求承担建筑物等外加荷载,但应能安全经受住施工等应力,美国AASHO–AGC–ARTBA曾提出有关土工织物强度的要求,见表10-13。

表10-13　　　　　　　　　　**土工织物用于反滤及排水时强度的最低要求**

要求强度	未保护土工织物	受保护土工织物
握持强度(ASTM D–1682)	820N(910)	370N(410)
刺破强度(ASTM D–751–68)	370N(370)	120N(190)
胀破强度(ASTM D–751–68)	2 000kPa(2 300)	1 000kPa(1 100)
梯形强度(ASTM D–1117)	230N(230)	120N(140)
破坏应变(ASTM D–1682)	(20%)	(20%)

注:(1)受保护土工织物是指其用于排水沟放在混凝土块之下或铺在细砂砾层之下的情况;

　　(2)括号内数字为防护工程中土工织物的最低强度指标,因为在防护工程中,除了经受施工荷载和自重作用外,织物也需抵抗地基及坡面变形以及水流、波浪冲击引起的荷载。

1. 京杭运河邵伯复线船闸工程（无纺土工布的应用）

该闸闸室墙为轻型扶壁式结构。在闸室墙的分段接头处，墙的总厚度仅为60cm，当布置铜片止水装置后，两侧的净厚度均小于20cm。由于紫铜片止水槽的活动端采用现场浇灌沥青，而沥青又受温度的影响，往往发生不密的现象，致使墙后水土由槽内流入墙前。按以往的设计只能加大接头的厚度，这次由于在墙后的迎土面上加铺了60cm宽（两侧墙各30cm）的400g/m²的无纺土工布，既起到了滤层作用，也消除了水土流失。

2. 南通九圩港船闸及刘山复线船闸工程

南通九圩港船闸闸室墙后的排水暗管是为了降低墙后的地下水位，确保墙体在完建期和检修期安全的重要措施。为适应墙后回填土的变形，船闸闸室墙后的软体排水结构采用了 $\phi50$ 的PVC聚氯乙烯双螺纹透水管外包一层规格为400g/m²的无纺土工布，作为支管集水，而在 500mm×400mm 的排水棱体中应用了规格为500g/m²的无纺土工布做包体，中间设3根 $\phi50$ 透水管作为集水的主管，螺纹管与排水棱体的连接段使用了一种手工制作的土工布套，为的是防止排水棱体外的土颗粒穿过螺纹管与土工布之间的空隙而带入排水体中，造成排水设施失效，土工布套与土工布滤层密贴，提高了渗水保砂的效果，土工布搭接的长度为300mm。

南通九圩港船闸中应用土工布的包层达 1 380m²。由于排水体能适应新填土的变形，使用可靠安全。

刘山复线船闸闸室墙后设置的软式排水管中使用了聚氯乙烯（PVC），这种第三代软式加劲透水管的应用，可以达到强化透水的效果，加强管体结构，增强过滤功能，使各种细石、黏土、细沙土、有机物质皆能过滤，让吸水、透水、排水一气呵成，达到排放清水的目的。同时，该管施工简便，接头处理安全可靠，并能适应填土的不均匀沉降，受到施工与使用单位的好评。

按照水力学计算，支管的内径为5cm，横向间距为10cm，主管为15cm。该管由于采用高强小弹簧硬钢丝作为主骨架，且钢丝外包裹PVC（聚氯乙烯）作保护，不仅能承受高强压力，埋土可较深，能适应回填土产生较大的不均匀沉降，且不受地下水侵蚀与锈蚀的影响。另外，管衬上的各种不同功能的滤布及加强合成纤维，过滤、透水效果显著。

3. 高良涧复线船闸工程

高良涧复线船闸的上游面临洪泽湖，风浪大的概率很高。为此，上游设置了500m长的防浪堤，在防浪堤的护坡下设有土工织物垫层，其上现浇C20混凝土，土工织物采用规格为400g/m²的土工无纺布。防浪堤的混凝土护面下的土工织物拼缝的搭接长度不小于10cm，堤头部分的拼缝搭接长度不小于100cm，其余部分的拼缝搭接长度不小于50cm，每次缝合时必缝合两道。连同上、下游引航道护坡的土工织物用量在内，全闸用量达12.6万 m²。

根据美国陆军工程师团1977年的标准，防止管涌及堵塞的标准为：

防止管涌：$EOS \leqslant D_{85}$（适用于小于0.074mm颗粒含量＜50％）；

防止堵塞：$EOS \leqslant 0.149mm$。

EOS为等效孔径，其值相当于 O_{95} 或 O_{98}。

如在船闸工程的防浪堤及引航道中，因为土工织物均铺设于迎水面，应使用混凝土或块石覆盖,以便吸收风浪的能量,避免由于周期波浪压力的抽吸作用,使土工织物下方的块石及土粒产生土粒移动,以致土工织物失去作用。

由于目前土工材料种类繁多,且新产品不断涌现,使用范围日益广泛,我们在实践中体会到,在使用各种土工材料时,一方面要吃准土工材料的技术指标与功能范围,另一方面要重视应用条件。为此,在材料到达工地时,要进行必要的抽样检验,确认土工材料的各项技术性能是否符合要求,以避免出现工程质量事故和不必要的经济损失;在条件许可的地方,进行一些工程中土工材料的实测,以便积累经验数据,为今后经济合理地应用土工合成材料创造有利的条件。

【工程实例3】 浮箱式闸门的应用

浮箱式闸门是近几年涌现出来的一种适合于运河或沿海地区水利枢纽工程建设的新型闸门。随着我国水利建设的深入开展和水资源的开发利用,这项先进的闸门技术,正逐步引起工程界更多的关注。

(一)浮箱式闸门简介

1.浮箱式闸门的特点

水利水电工程的闸门种类很多,按构造特征可分为梁式闸门、平面闸门、屋顶闸门、弧形闸门、扇形闸门、鼓形闸门、圆管式闸门、拱形闸门、球形闸门、浮箱式闸门等。各种闸门由于结构上的差异,都有各自不同的特点。

浮箱式闸门一般只能在静水中或流速较小的水域中操作运行,除在船坞上作为工作闸门外,还可以用在船闸、溢洪道和水闸上作为检修闸门。此外,在一些中小型水利工程、清淤工程中,浮箱式闸门还可以作为临时围堰或挡水闸。其主要特点如下。

(1)可以封闭相当大面积的孔口。

(2)不要求特别的启闭设备。门叶可以在水中自由浮动,运输方便。对河道上有多级闸孔宽度相同的水闸,作为共用的检修闸门更为有利。

(3)门叶刚度较大。由于具有中空闸室,闸门的重量相对较轻。

(4)当布置在水闸或溢洪道闸墩的上游时,可不设门槽,有利于泄水。

(5)作为防洪设施时,由于本身的结构特点,过水和泄洪不需其他辅助设施。

(6)不能在动水中操作,应用范围受到一定限制。

(7)工程的整体造价偏高。

(8)需要有一定的吃水深度闸门才能运转,启闭操作比较费时。

2.浮箱式闸门的组成和工作原理

浮箱式闸门一般由闸室(可充放水箱体)、闸坞、转动中枢、坝槛、推进装置、基础部分、控制系统等组成,主要利用水的浮力和重力作用启闭。需要关闭时,闸门利用水的浮力和推进装置的推进,运动至既定关闭位置,闸室进水,闸门下沉至关闭。开启时,闸室内的水被抽干、利用水的浮力闸门升起,在推进装置的作用下,闸门复位于闸坞。

3.浮箱式闸门的作用

浮箱式闸门作为闸门的一种,基本作用也可概括为用来控制水位和调节流量的低水头水工建筑物。一般情况下,它既可挡水,又可泄水;可以在农田灌溉、水力发电、防洪排涝、挡潮、城镇供水等方面,得到广泛的应用,也可与其他水工建筑物(如堤坝、船闸、鱼筏道、水电站、扬水站或其他水闸等)组成水利枢纽。

4.浮箱式闸门的设计原则

(1)设计浮箱式闸门和设计其他闸门一样应掌握基本资料,如水工建筑物的情况、下游水情、河道水质、冬季情况、通航要求、气象和地震资料。

(2)做好闸门的选型设计工作。选定的形式首先技术上是可行的,其次经济上是合理的。一般来说,选型时首先要考虑水工建筑物对闸门提出的各种运行要求,如对水流的控制程序、运行的概率、安设的位置等;其次,要考虑制造安装方面的条件,如当时当地可能获得的制造材料、可能达到的制造安装技术水平等;最后,还要考虑所选门型在经济上合理,不仅包括造价,还包括运行和维护费用、使用年限以及邻近或附属建筑物的相应造价等。

(二)浮箱式闸门在国内水利工程中的应用情况

近年来,国内如浙江省富春江水电站,利用浮箱式闸门作为溢洪道检修门;安徽省宿县闸,利用浮箱式闸门作为水闸、船闸等合用的检修门,而且可拼拆组合成跨度分别是10m、7.4m、6m的闸门。

浮箱式闸门在国内应用比较有代表性的工程是中运河浮箱闸门的建造。中运河浮箱闸门由水利部淮河水利委员会规划设计院设计,安徽省水利科学研究院负责检测和监理,由安徽省疏浚工程公司船舶修造厂承建,于1995年5月中旬建造竣工。

该浮箱式闸门是中运河临时控制设施,位于江苏邳州市境内,是整个沂沭泗洪水东调南下工程的重要组成部分。闸门总长51.5m,最大宽度5m,最大高度7.5m,全部重量409.51t。该浮箱式闸门除具有平面闸门的一般特征外,很大程度上具有内河钢质船舶的特点。其结构形式介于闸门与船舶之间,门体尺寸之大,结构之复杂,均为国内之首创,被誉为“世界第二,亚洲第一”。

该闸门启闭方式与门枢相仿,闭门时利用拖轮牵动门体,使门体基本就位,再向调节水舱充水使门体慢慢下沉,使门体与闸墩紧密结合。开门时,开启水泵抽排调节水舱内水位,使门体浮起,然后利用电动铰链或拖轮牵动门体,回复到门库内,并使门体下沉。再将门体固定在门库内的带缆桩上,从而使该闸不仅具有闸门挡水性能,还具有船舶的浮游稳定性。

(三)几点建议

(1)浮箱式闸门在我国水利工程上的应用还处于初级阶段。我国有许多防洪工程、小型河道截流改道、清淤和调水工程以及城市防洪工程等,修建临时围河堰都可以考虑建造浮箱式闸门。在一些水电站建设和船坞建设中,更可以广泛应用这种闸门。尽管一次性投资较大,但周期短,可重复使用,效益明显。

(2)为了使浮箱式闸门这项技术更好地服务于我国的水利建设,在施工建造过程中确保质量,做到技术先进、经济合理、运行安全,各类施工、设计、研究部门应加紧对该技术进行专题研究工作。

(3)由于浮箱式闸门目前应用并不广泛,还没有成熟的设计标准,所以应组织有关部门制定专门的标准规范,使设计、制造、检测具有科学的依据。

第四节　涵闸工程病险研究新技术

本节主要介绍涵闸工程病险的检测、分析、修补选材、效果评价等方面的新技术。

【技术成果1】 超声法探测混凝土结构物水下裂缝

工程混凝土结构物常因各种原因产生裂缝。裂缝的存在危害结构的安全和耐久性。为此，对已出现的裂缝应进行调查检测，以根据裂缝的部位、状况对结构的安全性进行评估并制定对裂缝的处理方案。对于结构物水上部分存在的裂缝，通常用肉眼外观检查即可发现。裂缝的宽度可用读数显微镜或裂缝宽度卡测量。裂缝的深度可采用超声法或钻孔压水法进行探测。对于结构物水下部分存在的裂缝，通常的外观检查无法进行。潜水检查或水下电视发现细微裂缝较困难，特别是水浑时更是不可能。对此，国内采用超声法进行探测试验获得成功，并已在工程上实测运用。

(一)测试原理及方法

根据声学原理可知，声波在传播过程中如遇到不同介质的界面将产生反射和透射。垂直入射到界面的声波声压反射量的大小可以用反射率 R 表示。

至于裂缝，它属于夹层对声波的反射。声波在夹层中往复反射，如图 10-11 所示。

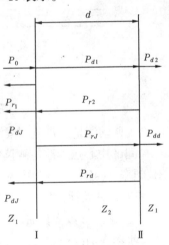

这种情况下声波声压的反射率 R 由下式计算：

$$R = \sqrt{\frac{\frac{1}{4}\left(m - \frac{1}{m}\right)^2 \sin^2 \frac{2\pi d}{\lambda}}{1 + \frac{1}{4}\left(m - \frac{1}{m}\right)^2 \sin^2 \frac{2\pi d}{\lambda}}} \qquad (10\text{-}14)$$

式中　d——夹层的厚度；

　　　λ——声波在夹层中的波长；

　　　m——两种介质声阻抗之比，$m = z_2/z_1$，z_1 为夹层两侧介质的声阻抗，z_2 为夹层中介质的声阻抗。

从式(10-14)可看到，声波反射率的大小取决于裂缝宽度、裂缝中充填物(空气或水)的声阻抗以及声波波长(频率)的大小。

图 10-11　声波通过夹层的反射与透射

图 10-12 表示反射与这些参数的关系。图中横坐标是夹层厚度与声波频率的乘积。

由于裂缝对声波的反射，当超声发、收换能器之间存在裂缝时，接收换能器所接收到的声信号将大大减小。通过与结构正常部位接收信号幅度的比较可以发现裂缝的存在。当然，如果裂缝被水充填，则发现裂缝就困难一些。

为了探测水下裂缝，南京水利科学研究院研究采用了一发双收的探测方法。如图 10-13 所示，将一只发射换能器 F 与两只接收换能器 R_1、R_2 组成换能器组。换能器组平行于结构表面。当发射换能器 F 以扩散角 q 发出超声波时，其中有一束超声波以水与混

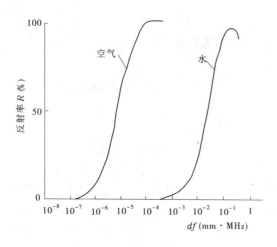

图 10-12　混凝土裂隙反射率

凝土的第一临界角入射到混凝土表面并沿混凝土表面滑行传播。滑行波传播一定距离后为接收换能器 R_1、R_2 所接收。用超声仪测量接收信号参数(声时 t、振幅 A、频率 f)。这些参数反映了滑行波传播路径上混凝土的情况。

　　将这一组换能器沿结构表面平行移动,当换能器跨过裂缝时,接收信号将产生变化。

　　为研究这种方法的可行性,进行了模拟试验。如图 10-14 所示,在一混凝土底板上有一条裂缝,在地板上砌一水池,池中灌满水。选择两条测线(1、2),将换能

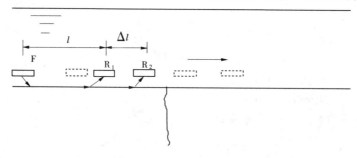

图 10-13　超声探测水下裂缝

器组沿测线移动测量。每条测线测量 11 个测点[图 10-14(a)]。测点位置以两接收换能器 R_1、R_2 间的中心点为准。测读每个换能器所接收到的信号参数,包括声时 t(ms)、振幅 A(dB)、频率 f(kHz)。试验中发现,对于裂缝,声时测值没有明显的规律性变化,故只将参数 A 和 f 为纵坐标,以测距为横坐标绘制参数变化图。另外,还增加($A_1 - A_2$)、($f_1 - f_2$)两条线。这些参数变化曲线如图 10-14(b)、(c)所示。

　　从这些参数的变化可看出以下几点。

　　(1)当接收换能器一跨过裂缝,该换能器所接收的上述参数就有变化。这和预想的情况一致。

　　(2)频率测值的变化较凌乱。这可能是对接收波取样长度太长(1 024 点),经 FFT 分析得到的主频率已不能敏感地反映裂缝的存在。根据以往的研究,接收波前一、二周期的频率是可以反映混凝土中缺陷的存在的。

　　(3)振幅的变化能反映裂缝的存在。A_1 在 6 点,A_2 在 5 点都明显减小。但仅以单个接收换能器接收的振幅来判断裂缝的存在有两个问题。一个问题是由于发射换能器与接收换能器间有一定距离,当接收换能器一跨过裂缝,接收波振幅即减小,但只要发射换能器还没有跨过裂缝,这种减小就将继续下去。本次测量中 5、6 两个测点的 A_1、A_2 值均低就是这种情况造成的。这种情况给裂缝的准确定位带来一定困难。另一个问题是由于发

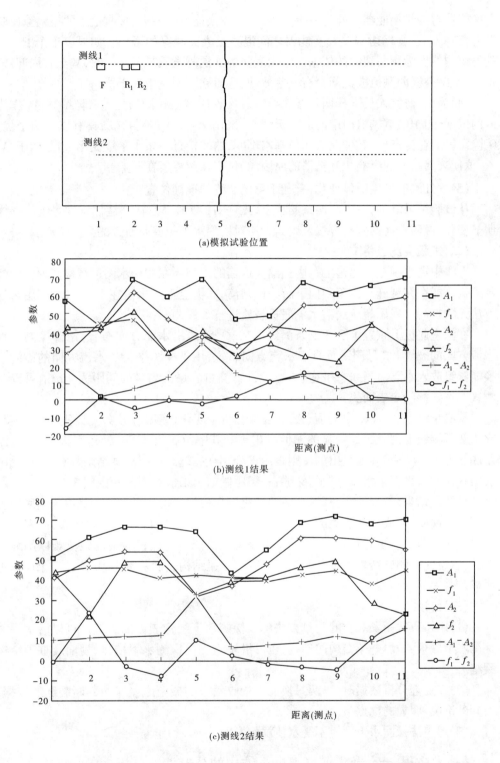

(a)模拟试验位置

(b)测线1结果

(c)测线2结果

图 10-14　超声测裂缝模拟试验

射换能器与接收换能器之间有一定距离,在接收换能器跨缝后,接收信号的振幅除反映裂缝的存在外,也受发射与接收换能器之间混凝土表面状况的影响。如果以单个 R_1 或 R_2 的振幅测值作为判断裂缝的依据而结构表面各处混凝土质量又不一致,甚至有局部破损,那么,不跨裂缝的测值彼此间会有一些波动,这对判断裂缝带来干扰。

(4)为此,研究人员选择两只接收换能器接收信号振幅测值之差,即 $A_1 - A_2$ 作为判断的依据[图 10-14(b)、(c)中的加粗折线]。采用 $A_1 - A_2$ 测值判断具有以下两个优点:①除裂缝所在测点外,其他测点测值基本不变,曲线接近一条水平线变化,这是由于 $A_1 - A_2$ 值使表面状况的影响相互抵消的原因;②仅仅在裂缝所在测点。

(5)一处测值发生明显变化,有利于确定裂缝的准确位置。

从试验结果看到,在 1、2 两条测线上,$A_1 - A_2$ 测值都是在裂缝位置发生尖峰一样的明显变化,说明上述的探测方法及判断方法对发现水下裂缝是有效的。

(二)工程实测应用

上海中港水闸是东海边上一座挡潮兼运输的水闸。在对该水闸进行检测评估中怀疑闸底板可能存在裂缝。由于闸门下游为杭州湾,底板上常年水位在 1.5m 以上,用常规的方法无法检测。采用超声法对水下底板裂缝进行了探测。

在闸室底板上布置 1、2、3 三条测线。1、2 号测线沿水流方向布置,用于探测垂直于水流方向的裂缝。3 号测线垂直于水流方向布置,用于探测平行于水流方向的裂缝。将换能器组放入水下沿测线水平拖动,逐段进行测量。每次测量的间距为 40cm,可以覆盖测线上每段混凝土表面。

据测量结果,3 号测线测值($A_1 - A_2$)无明显变化,表明在该条测线上不存在裂缝。在 1、2 号测线上则有 3 处明显的测值峰出现。其中距底板 4.8m 处是底板的分缝,而在距底板 1.1m 和 3.0m 处突出的峰则表示该处存在裂缝。根据测试结果判断,左边孔闸室底板存在两条垂直于水流方向的裂缝:一条距闸门 1.1m,另一条距闸门 3.0m。

据测量结果,裂缝处测值($A_1 - A_2$)变化不如模拟试验明显。估计是由于闸底板表面长期遭受冲刷,形成坑塘一类的破损,这类破损不一定在底板各处均匀分布,而表面破损又将影响测值的大小。另外,表面的不平整也使换能器与底板表面的距离难以始终保持一致,这也使得测试结果出现一些波动。相信如果结构表面基本平整,测试结果应当更为明显。

(三)结语

(1)用超声波一发双收的测量方法可以探测水下结构表面的裂缝。可以沿水平方向探测水下底板、护坦一类结构的裂缝,也可沿垂直方向探测水下墙体、坝面及桩等结构的裂缝。

(2)在处理分析数据时,以两只换能器接收信号的振幅之差作为判断裂缝的依据,具有判断准确、明显的优点。

(3)超声法探测水下裂缝不受水清浑的影响,一样使用。

【技术成果 2】 老化钢筋混凝土结构的分形性质分析

老化使用期的钢筋混凝土结构会出现混凝土碳化、钢筋锈蚀、混凝土开裂及承载力下降等一系列变化,影响到结构的安全性、适用性与耐久性。混凝土均匀性对混凝土碳化及钢筋锈蚀均有不同程度的影响,它应是结构耐久性分析中需要考虑的一项内容,也应是研究老化期结构材料性能的一项指标。在钢筋混凝土老化期,各种性质的裂缝充分发展,裂缝也应成为评价结构老化程度的一个方面。运用分形理论对老化期钢筋混凝土的混凝土均匀性和表面裂缝进行分析,可揭示它们具有的分形现象以及其与钢筋混凝土老化程度的内在联系。

(一)混凝土均匀性的分形性质分析

1.混凝土均匀性的度量

工程中评定混凝土均匀性的方法可采用超声波测试与回弹测试。一般情况下,混凝土超声声速正相关于混凝土强度和密实度,具有高速高强及高速高密度的特点,这方面我国已有相应的评定技术规程。同样,混凝土的回弹值也可用于评估混凝土的均匀性,这种方法已出现在 ISO 国际标准草案与美国的检测标准中。对于一个钢筋混凝土构件,如果将足够多的超声声速值与回弹值标在各自的测点处,其构成的立体图形就如同地貌一样,蜿蜒起伏,上表面是一个复杂的曲面。这个曲面在一定尺度上应具有分形特征,并且分维值越大,曲面越复杂,表示混凝土的均匀性越差。

2.混凝土均匀性的分维计算

混凝土结构中的超声声速值或回弹值是一随机过程 $X(t)$, $t \in T_0$, T_0 为参数空间,是沿测线方向上的距离。如果由超声声速与回弹值组成的立体图是分形现象,在频率域内,$X(t)$ 的功率谱 $S_x(\omega)$ 也必有与圆频率 ω 成负幂率的分布,即:

$$S_x(\omega) \propto \omega^{-\beta} \tag{10-15}$$

式中 β——YL 功率谱指数。

对式(10-15)两边取对数,然后求导,得:

$$\beta = -\,\mathrm{d}(\ln S_x(\omega))/\mathrm{d}(\ln \omega) \approx -\,\Delta(\ln S_x(\omega))/\Delta(\ln \omega) \tag{10-16}$$

由式(10-16)得到分维值 D:

$$D = (3 + 2d - \beta)/2 \tag{10-17}$$

其中,超声声速与回弹值组成的立体图上表面的拓扑维 d 取 2。式(10-17)是功率谱指数 β 与分维值 D 的关系式,是频率法计算分维值的桥梁。由于实际检测的超声声速与回弹值不可能是无间断的,必是一个离散的采集过程,其等间隔采集的数据构成平稳序列 Xt。平稳过程 $X(t)$ 的功率谱 $S_x(\omega)$ 可由平稳序列 X_t 的离散样本谱 $S_x^*(k)$ 得到,见式(10-18):

$$S_x(\omega) = \lim_{\Delta \to 0} \lim_{T \to \infty} E[S_x^*(k)] = \lim_{\Delta \to 0} \lim_{T \to \infty} E[T \mid X_k \mid^2] \tag{10-18}$$

式中 T——样本区间长度;

  Δ——采样间隔;

  X_k——平稳序列 X_t 的傅里叶变换。

然而由式(10-16)可知,计算功率谱指数 β 时,需要计算功率谱对数的差值。因此,式(10-16)中并不需要一定用连续的功率谱 $S_x(\omega)$,而可以用离散样本谱 $S_x^*(k)$ 代替。在此选用经典方法中的周期图法计算离散样本谱 $S_x^*(k)$。由于样本谱作为谱估计时的方差过大,所以可以采用分段平滑谱估计的方法减少方差,即可将整个观测数据序列分成若干个子序列,求出每个子序列的样本谱,然后对这些样本谱进行算术平均:

$$\overline{S}_x^*(k) = \frac{1}{L_n} \sum_{i=1}^{L_n} S_x^{*(i)}(k) \tag{10-19}$$

式中 $\overline{S}_x^*(k)$——子序列样本谱的平均值;

$\overline{S}_x^{*(i)}(k)$——子序列样本谱;

L_n——子序列的个数。

由式(10-16)、式(10-18)、式(10-19)得:

$$\beta \approx - \Delta(\ln\overline{S}_x^*(k))/\Delta(\ln\omega_k) \tag{10-20}$$

这样处理的另一个变化是,分段平滑谱的分辨带宽增加了 L_n 倍,也即降低了谱估计的分辨率。由于计算功率谱指数 β 时,样本谱的连续性并不是很重要,因此经过分段平滑谱估计处理后,不但减小了样本谱作为谱估计时的方差,而且也能满足计算功率谱指数 β 的要求。

3.混凝土均匀性实例分维计算及分析

黄河下游某分洪闸建于 1974 年,设计使用期为 30 年,属开敞式结构的大型分洪闸。分洪闸工作桥大梁为钢筋混凝土结构,共有 14 根。每根大梁长 21.95m、宽 0.3m、高 2m,混凝土设计强度等级为 C25,箍筋混凝土保护层厚度 20mm。大梁预制施工是在 1972 年 12 月,施工时掺入了氯化钙作为防冻剂。该闸投入使用不足 20 年时,梁表面混凝土裂缝密布,且在严重的顺筋裂缝处,还有混凝土大片脱落,大梁老化现象严重。1994 年对部分大梁进行了全面的质量检测。其中回弹及超声测区在每个梁上布置了 66 个,并沿梁高方向分为 3 行,沿梁长方向分为 22 列。因此,回弹及超声声速数据子序列的个数 L_n 取 3,每个子序列中有 22 个数据。将回弹值与超声声速值零均值化后,由式(10-19)算出子序列样本谱的平均值。计算结果显示,样本谱与圆频率有负幂率关系,表明混凝土回弹及超声声速立体图具有分形现象。应用式(10-20)及式(10-17)算出功率谱指数 β 及分维值 D,结果见表 10-14。图 10-15、图 10-16 是 2 孔上游梁混凝土回弹与超声声速立体图功率谱指数 β 的计算图示。

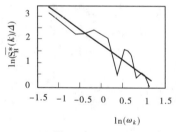 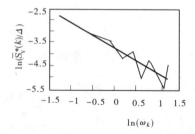

图 10-15 $\ln(\overline{S}_H^*(k)/\Delta)$ 与 $\ln(\omega_k)$ 的关系   图 10-16 $\ln(\overline{S}_V^*(k)/\Delta)$ 与 $\ln(\omega_k)$ 的关系

由表 10-14 可见:混凝土碳化深度随混凝土强度的增大而减小。混凝土强度较低时,反映混凝土不均匀程度的回弹及超声声速分维值较大(图 10-17、图 10-18)。混凝土不均匀程度大时,水泥石局部的不密实、高孔隙率及低强状况必然会加剧,这些部位也就成为大气中有害酸性气体容易入侵的地方,是混凝土碳化的重度区。因此,混凝土不均匀程度与碳化深度应有正相关关系,图 10-19、图 10-20 显示了回弹及超声声速分维数与碳化平均深度的这种正相关关系。

表 10-14　　　　　　　　　分维值计算结果及其他检测结果

梁号	β_H	D_H	β_V	D_V	L_{cj}(mm)	L_{cm}(mm)	f_c(MPa)
1孔上游梁	0.530	3.235	0.809	3.096	25.9	33.7	16.8
1孔下游梁	0.639	3.181	0.481	3.260	31.03	39.6	14.7
2孔上游梁	1.240	2.880	1.078	2.960	14.8	25.3	30.6
3孔下游梁	0.782	3.109	0.512	3.244	18.2	24.0	25.2
4孔下游梁	1.046	2.977	1.223	2.889	18.2	32.3	24.8

注:β_H为混凝土回弹功率谱指数;D_H为混凝土回弹分维数;β_V为混凝土超声声速功率谱指数;D_V为混凝土超声声速分维数;L_{cj}为混凝土平均碳化深度;L_{cm}为混凝土最大碳化深度;f_c为大梁混凝土强度检测推定值。

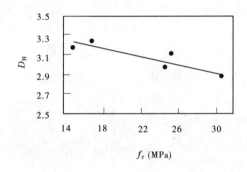

图 10-17　混凝土强度与回弹分维数的关系

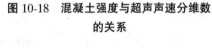

图 10-18　混凝土强度与超声声速分维数的关系

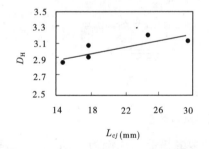

图 10-19　平均碳化深度与回弹分维数的关系

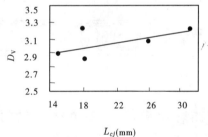

图 10-20　平均碳化深度与超声声速分维数的关系

(二)混凝土裂缝的分形性质分析

1.混凝土裂缝与结构的老化

结构进入老化使用期时,即使受到的荷载大小不变,也会由于混凝土碳化、钢筋锈蚀等引起的结构抗力降低,使"荷载裂缝"进一步发展。对于变形荷载作用下的结构,一般情况下环境的变化、变形的产生到内应力的形成及"变形裂缝"的出现与扩展,不是瞬间完成的,有一个时间过程。如混凝土碳化产生的收缩,会引起混凝土表面出现网状发丝裂缝,这些裂缝随着时间的增加及混凝土碳化程度的加深而逐渐密集;再如钢筋锈蚀裂缝也是随着时间的延长及结构老化程度的加深而逐渐增多。因此,在某种意义上说,裂缝的发育程度是结构生命期的一种度量,亦是结构老化程度的一种度量。

2. 混凝土裂缝的分维计算

对钢筋混凝土结构进行老化分析时,混凝土表面的裂缝数量在某些时候是衡量结构老化程度的一个重要特征。在实际的结构中,由于裂缝产生的原因较多,各种性质的裂缝互相混杂、交织,有时不仅难以确定每条裂缝的属性,而且查清裂缝的条数也相当困难。因此,采用"裂缝密度"的分析方法有一定的局限性。为此,可以引入分形理论,用改变粗视化程度的方法求裂缝分布的分维数,用分维数的大小反映裂缝发育的密集与复杂程度,也即反映结构的老化程度。改变粗视化程度的方法要求用间隔为 r 的格子将构件表面分成网格状,然后统计出格子内有裂缝的格子数目 $N(r)$;接着,改变 r 的大小重复上述过程。如果对不同的 r,下式成立:

$$N(r) \propto r^{-D_f} \tag{10-21}$$

则

$$D_f = - \, d(\ln N(r))/d(\ln r) \tag{10-22}$$

就是裂缝分布的分维数。

3. 混凝土裂缝实例分维计算及分析

裂缝分维计算实例选用(一)3 部分资料。图 10-21、图 10-22 分别为 1 孔下游梁和 4 孔下游梁一侧梁表面的裂缝描绘。

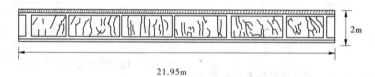

21.95m

图 10-21　1 孔下游梁一侧梁表面的裂缝描绘

21.95m

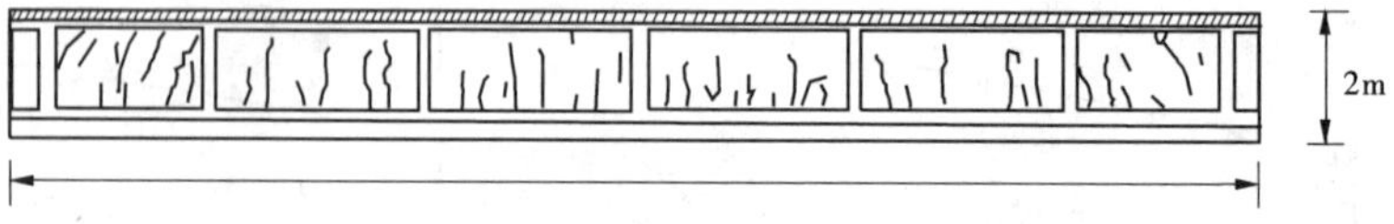

图 10-22　4 孔下游梁一侧梁表面的裂缝描绘

在计算有裂缝的格子数目 $N(r)$ 时,梁表面的裂缝描绘图比例为 1 : 76,网格间隔 r(也称标度 r)取 1、2、2.5、3、3.5、4、5、6、7、8、9、10、12mm 及 15mm 共 14 种尺寸。对标度 r,定义计数函数 $N_i(r)$

$$N_i(r) = \begin{cases} 1 & \text{第 } i \text{ 个网格内有裂缝} \\ 0 & \text{第 } i \text{ 个网格内无裂缝} \end{cases} \tag{10-23}$$

对每一标度 r,有裂缝的格子总数为:

$$N(r) = \sum N_i(r) \tag{10-24}$$

对不同的标度 r,计算得到 $N(r)$。分析结果表明,混凝土裂缝分布的无标度区间较大,最大的达 0.038 倍梁高至 0.38 倍梁高。在无标度区内,裂缝分布的统计自相似性比较明显,$\ln r$ 与 $\ln N(r)$ 呈非常良好的线性关系。因此,由式(10-22)可以算出无标度区内

裂缝分布的分维数 D_f,分维数 D_f 的数值在 $[0.856,1.124]$ 范围内,结果见表 10-15。

表 10-15　　　　　　　　　　　无标度区内的裂缝分布分维数 D_f

梁　号	无标度名义区间 (mm)	无标度实际区间 (76 r/梁高 h)	裂缝分布分维数 D_f
1孔上游梁	$r \in [1,10]$	$[0.038,0.38]$	1.095
1孔下游梁	$r \in [1,10]$	$[0.038,0.38]$	1.124
2孔上游梁	$r \in [1,9]$	$[0.038,0.342]$	0.856
3孔下游梁	$r \in [1,8]$	$[0.038,0.304]$	1.102
4孔下游梁	$r \in [1,9]$	$[0.038,0.342]$	1.012

由表 10-14、表 10-15 中的数据可以得到图 10-23～图 10-26。从图中可以看到,当大梁混凝土强度增大时,裂缝分布分维数就有变小的趋势,表明大梁在老化期有较大的抗力时,相应的裂缝发育程度就较轻。另一方面,大梁的碳化深度与裂缝分布分维数有正相关关系,说明大梁老化程度在这两个方面表现的一致性。最后,裂缝分布分维数与混凝土回弹分维数和超声声速分维数也有正相关关系,这也进一步表明,混凝土的均匀性确是影响结构老化进程及程度的一个因素,应作为评定结构耐久性的一个指标。

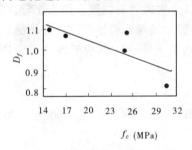

图 10-23　混凝土强度与裂缝分布分维数的关系　　图 10-24　混凝土平均碳化深度与裂缝分布
　　　　　　　　　　　　　　　　　　　　　　　　　　　　　分维数的关系

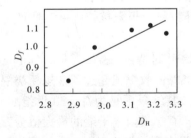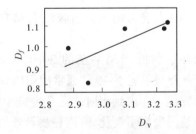

图 10-25　混凝土回弹分维数与裂缝分布　　图 10-26　混凝土超声声速分维数与裂缝分布
　　　　　分维数的关系　　　　　　　　　　　　　　分维数的关系

(三)结语

分析结果表明:混凝土的均匀性存在分形现象,且代表不均匀程度的分维数与梁构件混凝土强度和混凝土的碳化有着良好的相关关系;混凝土的均匀性是影响钢筋混凝土结构耐久性的一个重要因素。一般情况下,混凝土裂缝在钢筋混凝土结构老化期会得到充分发展。实测分析显示,裂缝分布不仅具有统计自相似性即分形性质,而且其分维数能与混凝土碳化等其他指标互相印证,共同揭示结构的老化程度。因此,裂缝分布分维数可以作为结构老化程度评定的一个定量指标。

【技术成果3】 混凝土耐久性修补材料的选择

(一)前言

为使混凝土修补达到耐久性目的,必须考虑影响设计和选择修补措施的诸多因素。选择修补材料是许多相关的措施之一,表面准备、使用方法、施工实践、检查同等重要。无论修补工作如何细心,修补材料的不恰当使用和现场工作条件的不满足都可能导致修补工作过早失效。

与现浇混凝土结构物相比,修补材料的约束收缩,即通过先浇混凝土基面上的胶结材料产生的约束力是大大增加大多数修补工作复杂性的主要因素。当相对薄的修补段由于修补材料干缩、自身体积变形和温度变化时,修补材料也产生了收缩拉应力。当这些应力超过修补材料的极限抗拉强度时,裂缝发生了。通过对典型的船闸闸室边墙重新装修进行有限元分析,表明了先浇混凝土的约束作用。在修补材料与先浇混凝土的基面很好胶结的正常情况下,在修补后的大约3天内应力达到足以产生裂缝的程度。作为比较,在修补的界面上涂抹防粘剂后几乎没有应力产生。实际工程现场观察验证了这一分析结果。

在大面积较厚的修补中,通过在修补的界面或收缩缝上涂抹防粘剂可使约束作用减到最小。然而,这种方法对于小修补常常是不切实际的。

(二)材料性质

在讨论耐久、无裂缝的修补选择或调制修补材料时,应该考虑下述材料的一些性能。

1.收缩

由于大多数修补是在老混凝土结构上进行的,即使有干缩,老混凝土结构干缩也很小。因此,修补材料基本上也一定要无收缩或即使有收缩但没有失去粘结性。无论任何原因,当以水泥为主的修补材料失去水分时,它就会收缩。而且,这种收缩通常被先浇混凝土的基面胶合力约束。当收缩引起的应力超过修补材料的极限抗拉强度时便产生裂缝。

修补材料的干缩早在的20世纪80年代已开始引起特别注意。例如,Gurjar和Carter(1987)报道了46种通常使用的修补材料中的85%的收缩值超过了常规新浇混凝土的收缩值。考虑到当时缺乏开发低干缩材料的动力,其结果不足为奇。20世纪80年代中期情况发生了变化,香港住房管理局(HKHA)规定了7天内的干缩的最大值为万分之三。在Coutinho环线试验中,28天龄期的修补砂浆没有裂缝发生。因为有一项年预算约为1 300万美元的修补混凝土剥落和分离的计划,HKHA引起了大多数材料制造商的注意。与大多数制造商的修补材料相比,HKKA规定了更为严格的试验条件:更高的温度、相对低的湿度以及更小的柱状尺寸。经使用相同的修补砂浆分别在英国和香港进行干缩试验,虽然在开发低收缩材料方面取得了一些进步,但事实上大多数修补砂浆的干缩值充其量仍与新混凝土的干缩值一样。

美国陆军工程师团和垦务局在最近的试验中获得了类似的结果。在 1993 年，大多数大型材料供应商被要求推荐提供适用于薄（<50mm）混凝土修补使用的低收缩材料。在 11 种被选材料中有 6 种材料在 28 天龄期的干缩值超过万分之六。显然在这方面仍需重大改进。事实上，由 Yuan 和 Marosszeky 的研究的结果（1992）表明，如果仅通过降低干缩控制裂缝，这方面仍要求有重大的改进。这些试验表明掺入聚合物的混凝土（最大骨料 ϕ10mm）的收缩量降低 50％才可以消除裂缝。

使用 C 类粉煤灰似乎是解决收缩问题的可行方法。在配比中以 C 类粉煤灰代替 40％的水泥，在密封性收缩试验中表现出持续的收缩特性。相反，在配比中以 C 类粉煤灰代替 50％的水泥在试验期间基本上是稳定的。在随后的试验中，完全不掺水泥，只用少量的石膏与 C 类粉煤灰，初步试验结果表明最佳的石膏含量大约是 7％，这个配比表明 28 天龄期的收缩值不到万分之一，大约不到常规的波特兰水泥砂浆的 1/15，大约不到常规混凝土的 1/50，抗压强度可与这两种砂浆相比。应该进一步试验来评估 C 类粉煤灰减少干缩的潜力。

2.热膨胀系数

研究混凝土修复材料的热相容性在温度经常有很大变化的环境中是很重要的，特别是在大面积修补和覆盖中。使用的修补材料如聚合物，有更高的热膨胀系数，在修补中将经常导致裂缝、剥落和分离。根据聚合物的不同类型，未加填料聚合物的热膨胀系数超过混凝土的 6～14 倍，在聚合物中增加填料或骨料将使情况有所改善。但是加骨料的聚合物的热膨胀系数仍是混凝土的 1.5～5 倍。结果是，含有聚合物的修补材料比混凝土基面更易收缩。当修补材料出现膨胀时，先浇混凝土基面上胶结材料产生的约束力引起的应力能使修补材料裂缝或出现翘曲和剥落。

以水泥为主的修补材料在膨胀系数方面也会呈现明显的不同，膨胀系数影响修补材料应力的发展。另外，在修补材料与混凝土基面之间的膨胀系数，仍未找出可以认可的不匹配范围。

3.抗拉塑性变形

在混凝土结构物修补中，修补材料的塑性变形应该与混凝土基面塑性变形类似。然而在保护性的修补中，更高塑性变形也有其优点。对于后者，通过抗拉塑性变形释放应力减小了裂缝发生的可能性。虽然广泛调查了混凝土在受压时的塑性变形，抗拉塑性变形的有关资料却是有限的。缺乏公开发表的数据归因于这样一个事实，即混凝土很少受直接拉伸的影响，并且当要求单轴载荷试验且必须很精确地测量应力时，特别是一种材料在载荷作用下变干，而且其主要变形是收缩，会遇到试验方面的困难。一些著名的混凝土研究机构得出了结论：新的常规混凝土在相等的应力作用下和相同的环境中，其拉伸塑性变形与抗压变形的差别很小。尽管如此，尚不清楚用于修补的砂浆和小骨料是否也是这样。因此，在两类载荷条件下，需要对典型的修补材料做系统性的单轴拉伸和抗压试验以比较强度、弹性和塑性变形等特性。

Plum（1991）进行了弯曲塑性变形试验，结果表明在受力和受荷时间一样的情况下，弯曲塑性变形比抗压变形高 2～5 倍。

4.弹性模量

就工程而言,结构修补材料的弹性模量应该与混凝土基面的弹性模量相同,使载荷能均匀地穿过修补的地方。尽管如此,有较低弹性模量的修补材料将表现出较低的内部应力和较高塑性变形,这减少了非结构性或保护性修补中裂缝和分离产生的可能。常规混凝土的弹性模量与使用的粗骨料的弹性模量成正比,塑性变形与混凝土和骨料弹性模量成反比。尚不清楚常用于修补的砂浆和小骨料是否也存在这种关系。

5.拉应力

拉应力是指在没有形成一条连续的裂缝时修补材料所能承受的最大应变能力。达到极限应力 90% 的拉应变通常被定义为极限应变。所有测量拉应力(弯曲、直接拉伸和内部约束)的常规方法中的应变速率比在收缩过程中产生的应变速率快很多。还未弄清应变变化率和最终极限值对拉应变量的影响。大家一致认为混凝土的抗拉强度取决于拌和物的配比,特别是骨料的形状、类型和大小。在指定的用途和工作条件下,材料的实际拉应变力主要与前面讨论过的材料的干缩、塑性变形、弹性模量和热膨胀系数等性能相关。然而,计算材料实际产生的应力是困难的,因为在一种指定的修补情况中必须适当权衡单个性能的相对重要性。

一旦能精确地计算修补材料的应变,把预计的拉应力与修补材料的拉应力相比较,就能确定裂缝发生的可能性。如果比较结果表明可能发生裂缝,应该减少产生的应变或应该增加修补材料的抗拉强度,或两种方法综合使用。Yuan 和 Marosszeky 的研究(1992)表明,如果仅通过增加材料抗拉强度来控制裂缝,则要求抗拉强度必须有很大提高。这些试验表明掺入聚合物的混凝土(ϕ10mm 最大骨料)的抗拉强度提高 70% 才可消除裂缝。试验还表明:减小修补材料干缩 50% 也一样能消除裂缝。

理论上可从最大限度地减小干缩引起的应变和最大限度地提高抗拉强度两个方面来解决这个问题。但在实践中很少选择材料或修改配比,因为这样对所有相关特性都有相当大的影响。因此,有必要对材料所有相关性能的作用进行评估,以判定其结果是增加还是减少裂缝的可能性。

为研究材料性能之间的相互关系,向有裂缝倾向的硅酸盐水泥修补砂浆中加入 2 种不同的聚合物,与对比组相比,乙烯基醋酸盐砂浆有类似的收缩能力并增加抗拉塑性变形 60%,预期可能产生较高的抗裂能力。但实际不是这样,在模拟修补的材料中,使用乙烯基醋酸盐砂浆产生了裂缝而丙烯酸砂浆不产生裂缝。显然,丙烯砂浆较低的收缩值、较高的抗拉强度和很低的模量足以抵消较低的塑性变形。拥有较高的抗拉强度和较低模量的丙烯酸砂浆有助于达到较高的抗拉强度。

6.渗透性

渗透性即材料渗透液体或气体的能力,在许多修补中是重要的材料性能。然而,不顾具体情况,规定采用低渗透性修补材料的趋势应该避免。同样,注意到下列事实也是重要的,即在修补中产生的一些贯穿裂缝将大大抵消使用很低渗透性修补材料所带来的好处。因此,在提出耐久性修补时,无裂缝的混凝土修补应该是主要的目标。

7.黏附/胶结

在大多数情况中,在修补材料和先浇混凝土基面之间胶结良好是成功修补的主要要求。准备很好且结实的混凝土基面总能提供足够的胶结强度;表面准备所达到的标准最能体现出胶结的情况;直接的拉伸胶结试验是评估修补材料、表面准备和浇筑过程的最佳技术手段。

8.抗压强度

一般认为修补材料的抗压强度应该与先浇混凝土基面的抗压强度相同。通常,修补材料的抗压强度高于混凝土基面的抗压强度,不一定就有多少好处。事实上,胶结材料的较高强度表明其含有过多的水泥,这有助于产生更高的水化热并增加干缩。另外,与高抗压强度相联系的较高的弹性模量将降低塑性变形。

(三)结语

为达到耐久的修补效果,必须通盘考虑影响设计和选择修补手段的诸多因素。如果要达到混凝土修补无裂缝的目标,有些因素需要多加研究。温度和相对的湿度等应用和工作条件对于与时间相关的材料的早期和后期性能的发展有重要的影响。因此,修补应该根据结构和工作条件的不同加以分类。修补一座大楼内部剥落的支柱与阿拉斯加坝顶修复没有什么共同之处。然而通用的执行标准中似乎存在一个趋势,即在修补材料的使用时没有考虑其应用条件。一旦建立修补分类,针对不同修补类别,应对各种材料性质的相对重要性制定出应用指南。在修补过程中,修补材料和先浇混凝土基面之间的尺寸相容性是最关键的因素之一。一般来说,提高已经稳定的基面性能的可能性或多或少要受限制。因此,必须最大限度地减小粘结材料所产生的约束力或必须改进修补材料的相关性能。如此的改进可能要求更好理解修补材料性能之间的关系,寻求与修补材料相适应的标准化试验方法也是一件必须做的事。技术转让应该是任何研究项目都不可缺少的组成部分。必须判别可能阻碍新技术实施的壁垒和障碍(例如风险)以及可能的解决办法,否则,我们将继续面对不可接受的高的修补失败率。

【工程实例1】 闸基防渗加固处理效果评价

(一)工程概况

九龙江北溪供水工程是福建省目前最大的引水工程。该工程于1980年建成投入运行,闸址上游流域面积9 640km²。工程桥闸枢纽位于九龙江北溪江东桥下游3km处的郭洲头,包括南北港共40孔拦河桥闸、南北港船闸等。其中,北港桥闸25孔,每孔净宽10m。闸基结构为连续底板和井柱桩基础分离式底板,板面高程为0.2m。闸基地质属沿海中细沙蛎壳淤积层。闸前防渗原设计为长25m的红土铺盖和3.5m长木板桩防渗墙。

(二)加固情况

北引桥闸南港曾于1989年发生7～11号孔闸室底板基础淘刷事故,最大冲刷深度达8.7m,工程被迫中断供水10个月。加固后,为加强观测分别在南、北港桥闸安装测压管(南港1990年安装,北港1991年安装)对闸基渗流情况进行观测。测压管安装以来,通过对北港水闸的地质情况、工程现状、观测资料进行计算分析,并对闸基础进行动态测试,发现北港水闸工程存在较严重的工程安全问题(主要是渗流稳定和消能防冲问题)。为此,于1994年对北港桥闸基础进行了加固。主要完成的内容有修建垂直混凝土防渗墙、闸基础灌浆补强、重新布设下游排水孔和修补防冲设施等。其中:修建垂直混凝土防渗墙

$2\ 033m^2$(长 6~9m),闸基灌入水泥 31.2t,改造排水孔 453 个。为了解加固后工程运行情况和加固效果,有必要对工程进行相关的分析。

(三)渗流观测情况

北港桥闸共安装测压管 20 孔,其中:左、右岸边各设一孔,闸基共有 9 个断面(闸墩位置),每个断面上、下游各安装一孔。直至 1997 年 4 月测压管水位均由人工观测。常规每月组织观测一次,视具体运行情况增加观测。根据加固前、后实测渗压系数变化、渗径长度变化情况以及水位过程线特性综合分析此次工程加固效果。由于管数及测量次数较多,此次分析选择加固前分析断定较危险的 3 号、5 号两断面共 4 个管的资料(结果取计算平均值),其中加固前资料共 28 测次(1991 年 12 月~1993 年 12 月),加固后共 18 测次(1995 年 3 月~1996 年 10 月)。

(四)加固前、后扬压力过程线特性分析和闸后排水变化情况

北港桥闸位于感潮区,闸基渗流除受上游库水位影响外,还受到下游潮水位影响。闸后排水带原设计排水孔 4 200 孔。加固前,只有 37 孔能排水,其余全部失效(不冒水)。能冒水的,有的冒水不正常,最高两孔冒出水柱高 37cm。加固后新设计的排水孔运行状况良好。从加固前、后闸基扬压力过程线的对比分析,可明显看出加固前实测的扬压力过程线与理论值的过程线有较大的偏差,尤其是下游潮水较高时偏差更明显,说明有滞后影响(1994 年测压管水位与潮水位变化跟踪观测结果也表明滞后较明显)。加固后的过程线偏差变小,同时高潮的滞后量也变小,显然下游排水系统起一定作用,这和上面的现场情况相符。

(五)加固前、后防渗情况定量分析

1.渗压系数法

根据实际观测的测压管水位和上、下游水位,用渗压系数法可反推计算出各测量断面的实际渗压系数(K),计算结果列于表 10-16。

$$K = (H_管 - H_下)/\Delta H \qquad (10-25)$$

式中 $H_管$——测压管水位;

$H_下$——下游水位;

ΔH——上、下游水位差。

表 10-16　　　　　　　　测压管渗压系数计算成果(取平均值)

时间	3 号上游	3 号下游	5 号上游	5 号下游
加固前	0.418	0.261	0.367	0.287
加固后	0.376	0.128	0.202	0.137
百分比(%)	-10.0	-50.9	-45.0	-52.3

综合分析渗压系数计算结果表明:

(1)实测的渗压系数随上、下游水位差的增大而增大;

(2)加固后的渗压系数明显小于加固前的渗压系数;

(3)下游管的渗压系数变化大于上游管,说明灌浆补强及排水孔处理有明显效果;

(4)下游高水位时,实测的渗压系数不稳定,原因是潮水涨落时,测压管水位滞后,所以不应作为比较资料。

2. 直线比例法

通过实际观测的测压管水位和上、下游水位,用直线比例法可反推计算出各测量断面的实际渗径长度(L),计算结果列于表10-17。

$$L = (L_1 \times \Delta H)/H_管$$

式中 L_1——测压管位置到闸前渗径长度。

表 10-17　　　　　　　渗径长度计算成果(取平均值)　　　　　　　(单位:m)

时间	3 号上游	3 号下游	5 号上游	5 号下游
加固前	15.1	78.7	16.3	68.1
加固后	23.0	161.2	32.5	143.2
百分比(%)	52.3	104.8	99.4	110.3

根据渗径长度计算结果可以得知:
(1)加固后的渗径长度大于加固前的渗径长度;
(2)下游管的渗径长度变化大于上游管。这和渗压系数变化相吻合;
(3)直线比例法和渗压系数法分析的结果是相符的。

(六)结语

通过以上几种方法的比较分析,说明北港闸基垂直防渗墙的修建、灌浆补强及改造排水孔的处理,减小了闸基的渗透压力,尤其是排水孔的修复,明显改善了下游断面的渗流条件,工程加固达到预期的效果。建议在工程运行中要进一步加强对闸基渗流的观测,特别要注意观测下游排水孔的排水情况,并及时进行统计分析。同时,观测测压管水位时应尽量选择下游低潮时进行,以保证观测资料的实用性和科学性。

第五节　新型挡潮闸工程简介

近年来随着全球经济与社会的迅猛发展,国内外大中型城市充分利用自身地理优势,不断加大沿海开发力度,沿海地区汇集了大量的经济发展实体,使得汛期如何防止高潮侵袭,保护沿海重要发展带乃至整个市区免遭洪水破坏,成为一个与沿海开发建设同步考虑的问题。挡潮闸作为市区防汛工程的重要组成部分,建在入海口附近,涨潮时关闸防止海水倒灌,退潮时开闸泄水,正是解决沿海城市防汛问题的对症之举。随着现代水闸建设向形式多样化、结构轻型化、施工装配化、操作自动化和遥控化方向的发展,国内外相继建设了一批新型挡潮闸工程,并且在城市防汛运用中发挥了良好作用。以下介绍几个国外的工程范例。

【范例1】 马来西亚沙捞越河挡潮闸工程简介

(一)概述

1. 地理位置与河流特性

马来西亚沙捞越州位于加里曼丹岛的北部,人口约 200 万,土地面积为 12 450km²。

古晋市是沙捞越州的首府,位于沙捞越河畔。它是马来西亚著名的旅游胜地。沙捞越河将古晋市相当均匀地分为南、北两部分,并在该市的最东面成为两个分汊。挡潮闸建成之前,那里有两个通往中国海的出海口,一个在沙涝越河上(离海约30km),另一个在桑吐邦河上(离海约20km),这一地区是感潮区域,尽管离海有35km,但是古晋市春季的潮汐落差仍超过6m。沙捞越河在流经古晋市段的河面宽度大约为300m,在离海2km处增加到1 000m。

2. 建造挡潮闸的必要性

首先,古晋市在沙捞越州经济中具有重要地位,尤其在港口、商业和旅游方面。政府希望开发沿河岸线旅游资源,可那里过去却是一大片毫无吸引人之处的泥泞岸滩。其次,古晋市部分地区还容易受到由河流或潮汐引起的大水的侵袭,并使该市的东部地区曾处于工业发展之外。这样,控制流经古晋市段的沙捞越河水位并建造通往工业区的道路设施就成为一项迫切的要求。此外,这两条河流均挟带为数不少的沉淀物,而其中细小的泥沙颗粒则沉积在河口周围的海滩上,已影响了好几处已得到充分开发旅游的海滩,尤其是靠近桑吐邦河口的大马海滩。

(二)挡潮闸和拦河坝的设计

1. 水文、水力学设计因素

沙捞越河发源于加里曼丹岛靠近印度尼西亚边界的山区,它的下游流经广阔、平坦的沿海平原,容易受到潮汐影响。沙捞越河流域的年平均降雨量为4 000mm左右。

在工程建造前,采用水文学模型对沙捞越河7处亚流域的降雨径流过程进行了模拟。这套模型是在美国土壤保护机构的"无因次单位水文过程线及曲线值方法"的基础上建立起来的,并考虑了潜在的海平面升高问题。

水力学设计标准由河道流量和潮汐状况而定:

(1)紧靠古晋市的上游河道在最高天文潮位的情况下流量为3 500m³/s,即代表在古晋市萨托克桥处的水位为百年一遇;

(2)年大水平均流量在最高天文潮位的情况下为1 750m³/s,即再次代表在古晋市萨托克桥处的水位为百年一遇;

(3)在古晋市工业区,最高天文潮时最高水位是水基准面上2.5m,而最低天文潮时最低水位是水基准面下3.2m;

(4)预测的海平面升高300mm,再加上述因暴雨侵袭而升高的200mm。

上述设计因子就是挡潮闸设计的基本条件。在设计中还考虑到,为了应付3 500m³/s的最大流量,挡潮闸出水口的净泄水面积必须是1 500m²,这一面积可通过调节一座基底低于水基准面10m且安装有5座25m宽闸门的挡潮闸而获得。闸门两侧均可应付最高为5m的水位差。另外,挡潮闸还允许漂浮的垃圾能被冲到海里。

2. 工程区域的地质与土工技术评估

钻孔和探坑表明,工程所在地区的地质条件是典型的三角洲地形,其土质从上到下依次为高度可压缩性浅表泥沼土、深层可压缩性黏土和粉沙土、密实砂和砾石原积土,以及由高度风化的粉砂岩构成的基岩。在工程区域的西面部分,泥沼土的厚度约为2m、软性黏质粉土的厚度约为8m;而在东面部分,这两种土层的厚度分别为1m和18m。在船闸和挡潮闸周围地区,软黏土的厚度为 13～15m。它分为上、下两层,上层大约有 8m 厚,其强度和密实度通常低于下层。

软黏土的强度太小且具有可压缩性,因此为了支撑挡潮闸主体构筑物的重载则必须打桩。工程范围内的钻孔勘测表明,坚固的基岩层分别在水基准面以下 25～30m。

(三)挡潮闸、船闸和拦河坝设计介绍

挡潮闸拥有 5 条泄水道以及 1 座供船只航行的船闸,每条泄水道宽 25m 且安装有 1 座液压驱动的弧形闸门以控制水位。其中有一条泄水道安装有可完全缩进的闸门以作为紧急航行通道。闸门是钢箱结构的,每座约重 200t。闸门的钢筋混凝土立柱和塔架上筑有壁凹以收纳导向系统和液压传动装置。消力塘和所有门柱均建造在直达坚固的基岩层的桩基之上。另外还采用钢板桩作为消除构筑物基底渗漏的闭水措施。

船闸的设计通航能力为 6 500t 级的轮船或驳船,其两端均安装有弧形闸门。为了在挡潮周围地区实现不间断的过河交通,船闸和挡潮闸上方是一条有着中央分隔带的双向四车道道路。

(四)挡潮闸的施工

在挡潮闸正式建造之前先构筑两条拦河坝,在施工中先做两端边坡垂直与水平的比例为 1/5 的中央填石区,然后再在两端的边坡上铺撒砂子。竣工之后,两端边坡垂直与水平的比例最终为 1/25。

建造船闸和挡潮闸是一项在软黏土上的大型土工工程,施工地点位于卡梅隆角旁的地峡狭窄处。在施工中,一般需要从水平面往下开挖 12m,而最深处需开挖 18.5m。一般在开挖时,垂直边坡与水平边坡的比例为 1/7,并从水平面开始往下挖开 5.5m;而当挖至水平面下 5.5m 时,则须建造 10m 宽的护坡平台。然后继续从那里以 1/5 的垂直边坡与水平边坡的比例开挖至水平面下 15.5m 的深度。在更深处开挖时,使用钢板桩作为维护结构。为了抵御施工时河道的高水位,在围绕开挖的顶脊处筑了一道 2m 高的黏土大堤。在静态荷载下,安全系数至少为 1.5。

这样的开挖深度是在软黏土条件下实现的,于是产生了一个潜在的问题,即当黏土层的上部覆盖层压力低于下层沙土中的地下水浮力时,可能会产生自喷。土工分析表明,为了防止自喷,黏土层的厚度至少为 7.7m。另外还建造了一套地下水排水系统。这一系统除了在开挖时防止自喷外,还将来自蓄水池的和近旁河流的渗漏影响减少到最低程度。排水是通过 30 口管井实现的,其中的 27 口是 24 小时昼夜运行。这样,在最深的开挖区域,地下水的静止水位得以维持在水平面以下 19.23m。而在其他开挖区域,地下水的静止水位则维持在水平面以下 16.5m。

施工最初采用 9 套或 10 套高压水枪以移走在开挖中的黑色海成黏土。施工人员很快发现用这种方法开挖是不适合的。因为它不能精确地保持边坡的纵剖面轮廓,其结果是,边坡的土体可能会不稳定。于是采用了传统开挖方法,即建立一个由 34 台液压挖土机、8 台拉铲挖土机和一支拥有 58 辆翻斗卡车的车队组成的开挖系统。这一系统的最大日开挖土方量为 1 万 m³。

沙捞越河挡潮闸工程于 1998 年 5 月竣工,前后历时 3 年。工程全部造价为 1.65 亿马来西亚元。大部分施工期间,马来西亚元与美元的汇率为 2.5/1。鉴于 1994 年 1 月 1

日我国取消外汇双轨制后,人民币与美元的汇率总体波动不大,因此该工程全部造价目前折合人民币约为 5.48 亿元。

(五)挡潮闸的运行效果

建造挡潮闸的最初目标是减少(最好是消除)古晋市的汛期大水,因为汛期大水通常是由于高潮位和暴雨共同作用形成的,现在挡潮闸将这些影响减少到了最低程度。

沙捞越河上游的水位在挡潮闸建成之后得以保持稳定,这样就大大方便了古晋市工业区码头的货物装卸,而在挡潮闸建成之前,那里春季的潮汐落差可达 6m。挡潮闸建成之后,过去受潮汐影响的地区现在永久地干燥了,蚊子之患也没有了。目前,这些地区中的一部分已经开发。

古晋市的供水水源由于挡潮闸建成而得到了更好的保护,因为咸潮再也不会溯流而上渗透并污染取水口了。

流经古晋市的河道的面貌已经大大地改观了,预计这将给旅游业带来明显的好处。漂浮垃圾在通过市区段河道时再也不会往上、下游漂荡了,而只会朝下游一个方向移动。河道的流速已经减缓了,相应的泥沙负荷也降低了,这样就在某种程度上改善了河水的颜色。

总之,沙捞越河挡潮闸的运行已经达到了预期效果。就挡潮闸设计和运行中的水力、土工技术而言,它们是富有挑战性的。

【范例 2】 荷兰新水道挡潮闸简介

(一)概述

荷兰三角洲工程规划系荷兰总体防洪规划的组成部分。1997 年 5 月马斯兰挡潮闸工程正式通过验收并投入使用。该防洪工程为鹿特丹周边地区约 100 万人口提供了防洪安全屏障,宏伟的白色巨型构架成为这一地区最引人注目的景观。挡潮闸共有两扇挡潮"闸门",风暴潮来临时,两扇闸门关闭,形成宽 360m 的新水道防洪屏障;正常天气情况下,闸门泊在河岸两侧不影响通航。闸门构件长约 300m,几乎与埃菲尔铁塔的高度相当,用如此庞大可移动构架做成的挡潮闸在建闸史上是史无前例的。马斯兰挡潮闸与其他相关防洪设施组成的建设项目是三角洲工程规划的最后一项配套工程,整个三角洲工程的建成可使荷兰免遭风暴潮侵袭。

(二)建闸必要性

历史上荷兰曾遭受严重的洪水灾害。1953 年的洪灾使荷兰受到毁灭性创伤,暴雨加高潮使泽兰省和南荷兰省两省大部分地区洪水泛滥,死伤达 1 800 多人,大量房屋倒塌,许多财产被毁,损失惨重。一个严峻的事实摆在面前——荷兰的防洪设施是不完善的。

三角洲工程规划的提出就是为了从根本上解决这个问题的。三角洲工程规划包括:西兰特和南荷兰两省的堤岸加高到"三角洲"规划统一要求的高度,使之能抵御比 1953 年洪峰高出 1.5m 的洪水袭击。此后几十年中建坝造闸,除保留新水道和西斯海尔德两个入潮口门以保证鹿特丹港和安特卫普港船只进出和扩建之需,其余入潮口门全线建坝封闭,新水道和西斯海尔德沿线堤岸全面加高加固。

(三)建闸与加高堤岸的方案选择

新水道沿线堤岸加高加固工程开始时进展顺利,但工程实施造成多处历史古迹毁坏。从 20 世纪 70 年代起,当地居民强烈反对市区实施堤岸加高工程。80 年代重新测算的结果表明,堤岸改造工程投资会大幅度增加。当时荷兰政府正实行紧缩开支,在这种情况下,建造可移动挡潮闸方案被重新提出,经过严格的技术和经济可行性论证,其可行性得到认可。

1. 门型选择

1987 年荷兰国家交通、公共设施和水利部组织对在新水道建造挡潮闸进行了可行性研究。为将工程对鹿特丹港的负面影响减至最小,闸门必须选择可移动形式,且仅在高潮位时关闭,平均 10 年关闭 1~2 次。进一步的要求是在有洪水威胁时闸门应保证把鹿特丹地区水位降至 1.6m,把多德雷赫特地区水位降至 0.6m,从而缓和对鹿特丹地区堤岸加高加固的需求。1991 年,荷兰国家交通、公共设施和水利部批准在荷兰角附近的新水道建造挡潮闸,可移动挡潮闸被认为是最佳设计方案。由多家荷兰最知名的工程建设、技术设计、项目管理公司组成的集团承担该闸的建设任务。

2. 对安全性的论证

挡潮闸的关闭条件是首先需要慎重考虑的因素。一方面要尽可能把堤岸内的损失减至最小,另一方面又必须保证鹿特丹港的正常运营。1996 年末,项目所有参与方的想法和建议经民意测验后提交荷兰国家交通、公共设施和水利部,最终确定当水位超过阿姆斯特丹水准基面 3m 时关闭挡潮闸。

全球范围海平面上升,意味着挡潮闸在今后 50 年的关闭频率将会增加,预计每 5 年关闭一次。挡潮闸关闭时新水道河的航运交通将中断。除出现洪峰时闸门必须关闭外,每年需进行一次试验性关闭,以便对设备进行测试。试验性关闭选择在航运交通量最少时进行。

3. 自动推进器

闸门由设置在闸门顶部的自动推进器操作。自动推进器有 6 个齿轴,由齿轮传动装置带动。每个自动推进器与岸上 30m 高的导向塔之间通过一伸缩杆连接,自动推进器的相对位置不变,与闸门一起仅作垂直方向运动。

4. 底板

底板由 64 块大型混凝土块构成,每块重 630t。块料铺设在砂石河床上,砂子和砾石由特殊设计的挖泥船铺设,粗石料用船抛填在底板周围以稳固河床。护底工程完成于 1994 年底。

5. 闸门

挡潮闸的两扇滑位闸门系两个空心箱体,高 22m,长 21m,共有 15 个隔间。当闸门沉放水中时,其中一个隔间与水隔绝,内设电器和水力设备,技术人员在内操作,其余隔间均注水压载。

6. 桁架梁

桁架梁把施加于闸门的力传递到球铰节点。每个桁架梁长度为 237m,由三根巨型钢管构成棱形状。底部的巨型钢管直径 1.8m,管壁厚 6~9cm。

7．球铰节点

单个球铰节点重 680t，具有一个与球形钢铸件相贴合的钢制芯板。球铰节点在连接于混凝土地基上的 8 个凹凸型钢铸件内转动。球铰节点直径为 10m，连接精确度为 2mm，这在当今世界上是独一无二的。球铰节点独特地采用了仿人体肩关节的转动原理，可以 3 个方向转动，完全符合闸门运转要求。

8．球铰节点支座

作用于槽门的力通过桁架梁和球窝接头传递到极其硕大的角型混凝土墩。角型墩重 52 000t，构成可承受 70 000t 力的球铰节点支座。采用这种设计是用以抵御可能的最严重的万年一遇的风暴潮。球窝接头底座未打桩，高质量建造技术使混凝土底座与地面的摩擦力足以保持基部稳定，即使遇到万年一遇风暴潮，球窝接头会在闸门关闭时向后移动 20cm，但随后即可复位。

（四）挡潮闸工作原理

正常天气情况下，挡潮闸的两扇滑位闸门停置在两岸干闸坞内。当预测到暴潮来临，即将水引入干闸坞，浮起空心滑位闸门并推进至河道中央，当两扇门体合龙后，空心闸门开始充水沉放形成一道宽 360m 的屏障。洪峰过后墙内水被抽空，整个系统再次浮起并返回闸坞原位。

（五）决策辅助系统

挡潮闸的"大脑"是计算机决策辅助系统（DSS）。该系统通过对预测的高水位、马斯河和莱茵河的实际水位和流量等大量数据的分析，预报出鹿特丹、多德雷赫特、斯派克尼瑟地区的水位。根据这些信息系统作出是否关闭挡潮闸的决定。虽然 DSS 程序是全自动的，以避免人为失误，但技术人员仍全程监测。此外，DSS 系统还同时对位于马斯兰闸东南 30km 外的哈特尔运河挡潮闸系统实行监控。

1．挡潮闸开闭过程

·DSS 系统提前 24h 预测水位，预测结果每 6h 更新一次；

·关闭前 20～8hDSS 系统通知操作人员做好准备；

·关闭前 12h 对挡潮闸发出准备指令；

·关闭前 8h 通知海港调度中心 HCC；

·关闭前 4h 将水引入干闸坞直至与河道水位持平，海港调度中心对所有过往船舶发出警报；

·关闭前 2h 中断新水道和哈特尔运河所有航运交通。

2．关闭指令

关闭过程开始后 0.5h 将闸门浮起并推进至河道中央，开启空心闸门的隔间阀门，下沉过程开始；关闭过程开始后 1.5h 将闸门下沉至距底板 1m 处，让闸门下的高速水流冲刷底板沉积物；关闭过程开始 2.5h 将闸门平稳沉放至被急流冲清的底板，至此新水道完全封闭；风暴潮过后，当闸门河道一侧的水位高于入海口一侧水位时，闸门可重新开启；开启过程开始后 2h 将闸门内水抽空，闸门上浮。

开启过程开始后 2.5h，闸门由自动推进器推动返回闸坞，闸坞内水被抽至控制水位时闸坞门关闭。

3.河道水流

河道的持续水流会引起挡潮闸后的水位升高,但不会达到洪水位的程度。为防止这种水位的壅高,闸门可短暂上浮,使下部水流通过并流入海中。如有必要,让闸门仍保持可再次下沉的状态。闸门何时返回闸坞由 DSS 系统自动控制。

(六)低洼地区防洪

挡潮闸并非独立运行的工程,只有与总体防洪系统——欧港防洪体系(Europort defence system)密切结合,辅之以主要河道低洼地区堤岸的加高加固工程,鹿特丹及周边地区安全才有根本保障。这些低洼地区大多位于多德雷赫特和荷兰角之间沿新马斯和新水道河分布。总体防洪体系使这些低洼地区免遭洪水侵害。

(七)欧港防洪体系挡潮闸

欧港防洪体系起始于罗森伯赫低势堤岸,与马斯兰特挡潮闸南缘相接。该防洪体系沿东南方向延伸,至哈特尔运河的哈特尔挡潮闸止。应特别指出的是,无须一味地进行截流阻水,在允许的区域应让洪水充满河道甚至超过并漫溢堤岸,这样,顺着水的自然流势使洪峰有缓冲空间,从而降低灾害程度。

(八)投资

相对于大规模的堤岸加高加固工程,建造马斯兰挡潮闸在很大程度上节约了投资。按 1987 年荷兰价格指数计算工程总投资为 14 亿荷兰盾,比采用普遍加高加固现有堤岸计划节约投资 4 亿荷兰盾,更重要的是可提前几十年建成并投入使用。

【范例3】 意大利威尼斯市挡潮闸工程设计

(一)概述

闸门和阀门的操作失误或失事记录的大多数例子是水动力方面的原因,因为结构原因而不能按设计操作,可能是机械或电气方面的不适当。实际上,机械或电气方面的缺陷一般都能补救或改进,而水力或水动力方面的缺点则很难纠正。

大型水闸的闸门和操作机构往往需要独特的设计,威尼斯挡潮闸就是一个例子。河流控制工程和水电站的一些闸门通常都用电机或油压启闭机,下面讨论其操作机构的特色和闸门装置在安全与可靠性方面的效果。

(二)威尼斯市的防洪工程设计

(1)威尼斯位于 $500km^2$ 的泻湖内,在深秋和冬季经常遭受洪灾。1966 年 11 月和 10 年后遭遇的洪灾很惨重。当发生西北或东南方向的压差时,洪灾是由于亚得里亚海的风暴潮引发的。东南向的热风在亚得里亚海产生巨浪,而东北向的布拉风使威尼斯海湾引起风暴潮。

(2)威尼斯发生洪灾的频率和程度显著增加,一个原因是由于从威尼斯地下含水土层抽水而引起地面沉降,但 30 年前已停止抽水;另一个原因是海平面上升;再就是一般泻湖地区的地域沉陷。

(3)威尼斯泻湖与亚得里亚海之间有 3 个重要的通航孔相连,最大的一孔在马拉墨苦(Malamoco),深 15m,宽 450m,可通航大油船;与威尼斯较近的朴突第利度(Porto di Lido)孔口一分为二,其一是思尼扣罗(S.Nicollo)航道,深 12m,宽 400m,用于通航大型定期轮船和其他船舶到威尼斯港,另一支是特雷朴替(Treporti)航道,导向泻湖的北部;第三个通航孔在泻湖的南端,是繁忙的威欧其阿(Chioggia)渔港的航道。

(4)经多年的深思熟虑,提出了一个最好的解决方法,就是用浮体闸门做4座400m宽的挡潮闸,每扇闸门宽20m。闸门和门轴设在航道上的钢筋混凝土沉箱内,平时闸门平躺在箱内,使用时用压缩空气将门内的水排出门腔,使闸门浮起与海平面成45°夹角。在不同的水头作用下,水头增高时向门腔内增加压缩空气使闸门保持原状。洪水下退时操作过程相反。

(5)这些闸门并不互相连接,在波浪作用下各自独立摇动,它们的摆动是一致的,相邻闸门的相位角差很小。相邻门缝之间的泄漏量并不影响防洪,因为泻湖的面积很大。闸门都可以从其铰上脱下、更换、维护。

(6)一个原型尺寸的试验证明了上述原理,所做的大量试验包括重复地脱卸和装置闸门。

(7)设计的原型试验(简称MOSE)做了用水泵或用压缩空气升降闸门,试验证明用压缩空气能有效地控制闸门的升降,这与最初的计算和模型研究相反,它低估了群体效果。

(8)模型设计中,操作水泵设置在闸门下面,因为管道不可能通过门铰,而压缩空气可从航道底下的廊道供给闸门。在威尼斯泻湖的Lido通道所做的原型试验(MOSE),所有的传动部件都能从门内拆卸,因此提高了水闸的可靠性。

(9)水和气是能用来经济地储蓄能量的两种介质。值得进行研究的问题是:当闸门必须升起时,高压力储存的空气能否有效地联机加压,据此大大减少备用设备。

(10)压缩空气的储存,研究了4种不同的压力:20MPa、22MPa、40MPa、45MPa。与联机加压相比较,储存容器和操作闸门时空气膨胀到工作压力的复杂性,降低了机械设备的可靠性,此外,费用相当大,仅部分地补偿所需要的备用容量和过多的空压机房。压缩空气储存没有更进一步考虑。

(11)空压机放在岸上两个空压机房内,空气由管子输送到地下通道,该通道与水闸两岸的设施相连接,通过若干高压软管送入每扇闸门。

(12)沉箱的沉积物排除系统,是设在岸边的水泵和通过地下廊道的水管,藉此在闸门缩回时冲除沉箱门库内的沉积物。

(13)最初设计可拆卸的铰链,是基于在北海水下石油装置所用的部件。

(14)试验的闸门操作机构通过门铰,操作机构在门铰两部分的空缺是自动封闭的,这证明是实用和可靠的,后来为了除去闸门内的机械部件,设计作了改进和简化。

(15)设计了特制的门式起重机,可以在海底的轨道上移动,用它取出和替换闸门。

(16)设计的所有机件、管道和闸门控制件,不会由于个别通常的原因,比如火灾、爆炸或溢流而使水闸失去作用。例如,有两个互不相通的地下通道,各自设置压缩空气管露头,分别通过一扇门的两个门铰向门腔充气。空气压缩机分别放入两间房内互为备用。还有水闸控制设备,紧急控制放在不同的建筑物内。主要的控制用程序逻辑控制器(PLC)。从基本的可靠性考虑,决定性功能的备件应该是不同的品种。因此备件控制用硬线取决于电动机械装置。

(17)水闸、溢洪道闸门装置或河道控制结构,其总体设计目标必须有高度的可靠性。

河道控制结构可能事故概率小,一般可按失事损失估计,就威尼斯挡潮闸而论,当事人(Consorzio Venezia Nuova)还没有确定一种事故标准。设计单位对事故的定义,依据威尼斯的洪灾超过一个最小值,以及将设计目标定为千年一次事故。考虑到两扇闸门的事故,主要是由于船舶的猛烈相撞,而又正处于某重现的洪水期,以及在设计洪水期船舶与一扇闸门相撞。在设计阶段设定事故对象,要制定设备装置的重复程度,这是必须提出的。大致的导则是:大型设备 30%,中型 50%,小型提高到 100%。

(18)通常忽视任何部件出事和可靠性的全面计算,这些部件可以在 1~2h 内修理或更换,因为最大洪水水位图在早期阶段是平缓的,这就可以在水闸开始启用前预先检验明显的缺陷。

(19)荷兰新水道挡潮闸文献的作者画示了一种缺陷树,其准则是水闸的失事大约一百万年一遇,然而此缺陷树只是由可能的结构破坏所组成,操作和其他一般的事故排除在外。尽管如此,结果是乐观的。作者认为,对于一个复杂的工程进行完整的概率设计,是不现实的。威尼斯挡潮闸的设计工作也显示了它是不现实的,但是假设了一种连续的事故和可靠性检查,这在设计阶段是很有用的,它是对这些有关系的部件组成作整个或关键功能失效的定量分析。

第六节　涵闸老化病险评估及其整治方法选择的建议

一、改进涵闸工程老化病险评估方法的几点建议

涵闸工程老化评估的最终目的是为工程病险的防治提供指导和依据,对工程老化的评估应做到客观、科学、全面、系统,方能保证评估结果的实用性与指导性。为达此目的,我们认为应处理好以下几个方面的问题。

(一)遵循系统、全面、科学的评估原则

在涵闸工程老化评估中不能将其视为单一的建筑物,而应将涵闸及其相连部分包括上、下游联结段和地基等视为整体对象,进行系统评估;评估时可先对建筑物化整为零,按不同项目进行分级分项评定分级后,再集零为整,综合分级。进行项目划分时首先应结合工程老化状况及评估目标全面考虑评估对象的整体构成,再对整体工程以相应的规范、规程为依据,并参照各类建筑物的工作特点、功能要求及所处的工作环境等科学确定评估项目。

(二)全面考虑工程老化影响因素,科学确定工程老化评价指标

在全面考虑工程老化影响因素的基础上,分清其中导致工程老化的主次要因素,根据评估目标要求科学选定工程老化评价指标,是保证评估结果科学实用的重要环节。在考虑工程老化影响因素时应坚持内因与外因相结合、工程现状与运行历史相结合、工程整体与局部相结合的原则;同时要强化工程检测的技术与设备手段,扩大工程检测的深度与广度。对工程老化主次要因素的确定可在充分采集汇总国内外专家相关理论的基础上,建立专家评议数据库系统,采用自动化手段确定各影响因素权重。要本着有利于全面反映工程老化病险状况、重点突出工程主要病险、评估结果直观实用、有利于指导工程病险整

治的原则,科学确定工程老化评价指标,为满足对工程老化评估高效率、高精度的要求,对工程老化评价指标的确定也应充分考虑运用微机自动化手段。

(三)建立科学实用的评价体系,遵循统筹严密的评估程序

建立一套科学实用的工程老化评价体系,科学确定各递阶层次及其上下对应关系;遵循制定评价指标评分标准→确定各评价指标相对权重→对建筑物老化程度分级→对实际工程各评价指标按评分标准赋分→加权综合得工程总分值→对照分级标准划分工程老化等级的评估程序,并采用扩大资料数据采集及专家评议范围,充分运用微机自动化手段排除人为因素干扰,提高各阶段工作质量,是确保工程老化评估结果科学性、实用性、指导性的重要措施。

(四)实践中完善工程老化评估方法

在涵闸工程的老化评估中采用层次分析法,其评估结果虽基本满足指导工程病险防治需要,但目前尚无系统通用的评价模型,在实际工程应用中,评价指标的建立、评价标准的确定及层次权重的选择尚不够规范统一,工程老化评估结果在一定程度上受人为主观因素影响较大。笔者认为,应通过全面系统的调查分析,统一评价标准及评估程序,尽快建立起一套适合于国内不同地区、不同功能要求、不同地质条件、不同结构型式涵闸工程的老化评估方法,并应有目的地选择典型工程进行试验应用,在实践中不断改进完善,最终形成一套科学客观、统一实用的工程老化评价系统。

二、涵闸工程老化病险整治方法选择的有关建议

目前,涵闸工程老化病险的整治技术发展迅速,如何选择针对性强、效果可靠的整治措施是一个首要问题。笔者认为,涵闸工程老化病险整治方法的选择应遵循以下原则。

(一)以工程老化评估结果为主要依据

根据工程老化评估结果,确定工程的病险损坏程度,以此确定工程需要采取的维修类别(小修、中修、大修或抢修)及改造加固等整治措施。

(二)充分借鉴同类工程病险整治先进经验

在确定工程老化病险整治措施时,应在充分了解国内外最新同类工程病险整治实践的基础上,采用工程类比的方法,考虑采用其中工程地质条件、功能特点、结构型式与现工程相近,经实践证明经济可靠的整治方案,同时结合现工程实际,对整治方案修正完善,使其成为充分适应现工程实际的有效整治措施。

(三)技术、工艺、投资、效果全面比较优选

要找到最经济有效的整治措施,需根据工程病险整治目的要求扩大方案比较项目范围,通过技术新老、工艺繁简、投资大小、效果好差等方面的全面比较,优选技术先进、工艺可行、投资经济、效果可靠的工程病险整治措施。实际比较优选的过程中,项目比较的方法与程序需进行专门研究确定。

(四)通过试验优选工程老化病险整治措施

对技术、工艺、投资相近的几种技术方案,其整治效果应作为方案优选的重要依据。整治效果应通过试验进行检验,对损害程度不大的表面病险可采用现场试验的方法进行效果检验优选,对损害程度较大的深层病险应采用水工模型试验的方法进行方案优选。

试验时应对工程强度、耐久性、防渗效果等项目全面试验检测,确保所选方案整治效果的可靠性。

(五)在实践中完善提高工程老化病险整治技术

总结以往工程老化病险整治实践经验,找出其中的成就与不足,作为今后同类工程病险整治实践指导,如此不断反复,便可不断克服不足,提高成就,使工程老化病险整治技术在实践中不断得到完善提高,为有效消除工程老化病险,延长工程使用寿命更好地服务。

附录一

水 闸 技 术 管 理 规 程

中华人民共和国行业标准 SL75－94

1 总 则

1.0.1 为了对水闸进行全面技术管理,正确运用,确保安全完整,延长使用年限,充分发挥效益,更好地促进国民经济发展,特制定本规程。

1.0.2 本规程适用于大、中型水闸。小型水闸和水利部门管理的船闸可参照执行。

1.0.3 水闸的管理中应贯彻水量与水质管理并重的原则,注意协同有关部门加强水质监测与管理。

1.0.4 水闸管理单位应根据本规程,结合工程具体情况,制定或修订技术管理实施细则,报上级主管部门批准后执行。以后还应根据工程运用情况,适时进行修订。审批程序同上。

1.0.5 水闸管理单位必须建立完整的技术档案,内容应包括:

　　(1)国家有关的方针政策、上级指示和有关的协议等;

　　(2)工程规划、设计、施工及验收等技术文件、图纸等;

　　(3)水闸技术管理有关的标准;

　　(4)控制运用、检查观测、养护修理及科学研究等方面的技术文件、资料及成果等。

1.0.6 水闸管理单位应结合技术管理工作,积极开展科学研究和技术革新。着重研究以下方面:

　　(1)研究改进量测技术、监测手段,提高检测精度和观测资料整编分析水平;

　　(2)研究采用养护修理的新设备、新材料、新工艺。积极开展控制运用、闸门防腐蚀、防淤防冲、混凝土结构防腐蚀及有关补强加固新技术等专题研究;

　　(3)改进通讯工作,提高通讯质量,完善通讯体系;

　　(4)根据水闸运用需要和可能,研究采用计算机管理、自动控制和远动装置。

1.0.7 本规程未作规定的,应按照现行有关标准执行。

本规程于 1995 年 1 月 14 日水利部水科教〔1995〕15 号批准发布。

2 控制运用

2.1 一般规定

2.1.1 水闸应根据规划设计的工程特征值,结合工程现状确定下列有关指标,作为控制运用的依据:

(1)上、下游最高水位、最低水位;

(2)最大过闸流量,相应单宽流量;

(3)最大水位差及相应的上、下游水位;

(4)上、下游河道的安全水位和流量;

(5)兴利水位、流量。

双向运用的水闸,应有相应的上述指标。

2.1.2 水闸控制运用,必须符合下列原则:

(1)局部服从全局,全局照顾局部,兴利服从防洪,统筹兼顾;

(2)综合利用水资源;

(3)按照有关规定和协议合理运用;

(4)与上、下游和相邻有关工程密切配合运用。

2.1.3 水闸管理单位应按年度或分阶段制定控制运用计划,报上级主管部门批准后执行。有防洪任务的水闸,汛期的控制运用计划应同时报送有管辖权的人民政府防汛指挥部备案,并接受其监督。

2.1.4 水闸控制运用,应按批准的控制运用计划或上级主管部门的指令进行,不得接受其他任何单位和个人的指令。对上级主管部门的指令应详细记录、复核;执行完毕后,应向上级主管部门报告。

2.1.5 当水闸需要超过规定的控制指标运用或单向运用改为双向运用时,必须进行充分的分析论证,提出可行的运用方案,报经上级主管部门批准后施行。

2.1.6 在保证工程安全、不影响工程效益的前提下,尚应尽量照顾以下要求:

(1)保持通航河道水位相对稳定和最小通航水深;

(2)鱼类洄游河道,利用鱼道或采取其他运用方式纳苗;

(3)小水电发电。

2.1.7 水闸上、下游河道水质被污染时,除积极向有关部门反映,要求依法进行污染源治理外,有条件时应尽量调节河道径流,减轻下游水污染。污染严重,向下游排放将造成污染危害扩大的,应及时向上级主管部门报告。

2.1.8 有淤积的水闸,应采取妥善的运用方式防淤、减淤。

2.1.9 泄流时,应防止船舶和漂浮物影响闸门启闭或危及建筑物安全。

2.1.10 通航河道上的水闸,管理单位应与当地交通主管部门签订通报有关水情的协议。

2.2 各类水闸的控制运用

2.2.1 节制闸的控制运用应符合下列要求：

(1)根据河道来水情况和用水需要，适时调节上游水位和下泄流量。

(2)当出现洪水时，及时泄洪；汛末适时拦蓄洪峰尾水，抬高上游水位。

(3)多泥沙河道取水枢纽中的节制闸，应兼顾取水和防沙要求。

2.2.2 分洪闸的控制运用应符合下列要求：

(1)当接到分洪预备通知后，立即做好开闸前的准备工作。

(2)当接到分洪指令后，必须按时开闸分洪。开闸前，鸣笛报警。

(3)分洪初期，严格按照实施细则的有关规则进行操作，并严密监视消能防冲设施的安全。

(4)分洪过程中，应随时向上级主管部门报告工情、水情变化情况，并及时执行调整闸门泄量的指令。

2.2.3 排水闸的控制运用应符合下列要求：

(1)冬、春季节控制适宜于农业生产的闸上水位；多雨季节遇有降雨天气预报时，应适时预降内河水位；汛期应充分利用外河水位回落时机排水。

(2)双向运用的排水闸，在干旱季节，应根据用水需要，适时引水。

(3)蓄、滞洪区的退水闸，应按上级主管部门的指令按时退水。

2.2.4 引水闸的控制运用应符合下列要求：

(1)根据需水要求和水源情况，有计划地进行引水。如外河水位上涨，应防止超量引水。

(2)来水含沙量大或水质较差时，应减少引水流量直至停止引水。

(3)多泥沙河道上的引水闸，如闸上最高水位因河床淤积抬高超过规定运用指标时，应停止使用，并采取适当的安全度汛措施。

(4)利用浑水灌溉的引水闸，应充分利用沙峰时机，有计划地进行淤灌。

2.2.5 挡潮闸的控制运用应符合下列要求：

(1)排水应在潮位落至与闸上水位相平时开闸；在潮位回涨至与闸上水位相平时关闸。任何情况下应防止海水倒灌。

(2)根据各个季节供水与排水等不同要求，应控制适宜的内河水位，汛期有暴雨预报，应适时预降内河水位。

(3)汛期应充分利用泄水冲淤。非汛期有冲淤水源的，宜在大潮期冲淤。

2.2.6 通航孔的使用应遵守下列规定：

(1)设有通航孔的各类水闸，应以完成设计规定的任务为主，照顾通航。

(2)开闸通航宜充分利用白天进行。通航时的水位差，应以保证通航和建筑物安全为原则。

(3)遇有大风、大雪、大雾、暴雨等天气时，应停止通航。

(4)因防汛、抗旱等需要停止通航的，应经上级主管部门批准。

2.3 冰冻期间运用

2.3.1 寒冷地区的水闸,在冰冻期间启闭闸门前,必须采取措施,消除闸门周边和运转部位的冻结。

2.3.2 封冻期间,应保持闸上水位平稳,以利上游形成冰盖。

2.3.3 解冻期间一般不宜泄水,如必须泄水时,应将闸门提出水面或小开度泄水。

2.4 闸门操作运用

2.4.1 闸门操作运用的基本要求是:

(1)过闸流量必须与下游水位相适应,使水跃发生在消力池内。可根据实测的闸下水位—安全流量关系图表进行操作;

(2)过闸水流应平稳,避免发生集中水流、折冲水流、回流、漩涡等不良流态;

(3)关闸或减少过闸流量时,应避免下游河道水位降落过快;

(4)避免闸门停留在发生震动的位置运用。

2.4.2 闸门启闭前、后做好下列准备工作:

(1)对管理范围内停靠的船泊、竹木筏等,应予妥善处理;

(2)检查闸门启闭状态,有无卡阻;

(3)检查机、电、启闭设备是否符合运转要求;

(4)观察上、下游水位、流态,查对流量。

2.4.3 多孔水闸的闸门操作运用应符合下列规定:

(1)多孔水闸闸门应按设计提供的启闭程序或管理运用经验进行操作运用,一般应同时分级均匀启闭,不能同时启闭的,应由中间孔向两边依次对称开启,由两边向中间依次对称关闭;

(2)多孔挡潮闸闸下河道淤积严重时,可开启单孔或少数孔闸门进行适度冲淤,但必须加强监视,严防消能防冲设施遭受损坏;

(3)双层孔口或上、下扉布置的闸门,应先开启底层或下扉的闸门,再开启上层或上扉的闸门,关闭时顺序相反。

2.4.4 涵洞式水闸的闸门操作运作,应避免洞内长时间处于明、满流交替状态。

2.4.5 闸门操作应遵守下列规定:

(1)应由熟练人员进行操作、监护,固定岗位,明确职责,做到准确及时,保证工程和操作人员安全;

(2)电动、手摇两用启闭机人工操作前,必须先断开电源;闭门时严禁松开制动器使闸门自由下落;操作结束应立即取下摇柄;

(3)有锁定装置的闸门,闭前应先打开锁定装置;

(4)两台启闭机控制一扇闸门的,应严格保持同步;

(5)闸门启闭如发现沉重、停滞、杂声等异常情况,应及时停车检查,加以处理;

(6)使用油压启闭机,当闸门开启到预定位置,而压力仍然升高时,应立即将回油控制阀开大至极限位置;

(7)当闸门开启接近最大开度或关闭接近闸底时,应注意及时停车;遇有闸门关闭不严现象,应查明原因,进行处理;使用螺杆启闭机的,严禁强行顶压。

2.4.6 闸门操作应有专门记录,并妥为保存。记录内容应包括:启闭依据,操作时间、人员,启闭过程及历时,上、下游水位及流量、流态,操作前、后设备状况,操作过程中出现的不正常现象及采取的措施等。

3 检查观测

3.1 一般规定

3.1.1 水闸检查观测的主要任务应包括以下内容:

(1)监视水情和水流形态、工程状态变化和工作情况,掌握水情、工程变化规律,为正确管理提供科学依据;

(2)及时发现异常现象,分析原因,采取措施,防止发生事故;

(3)验证工程规划、设计、施工及科研成果,为发展水利科学技术提供资料。

3.1.2 检查观测工作应符合下列基本要求:

(1)检查观测按规定的内容(或项目)、测次和时间执行;

(2)观测成果应真实、准确,精度符合要求;资料应及时整理、分析,并定期进行整编;检查资料应详细记录,及时整理、分析;

(3)检测设施应妥善保护;检测仪器和工具应定期校验、维修。

3.2 检查工作

3.2.1 水闸检查工作,应包括经常检查、定期检查、特别检查和安全鉴定。

3.2.2 经常检查的范围和周期:水闸管理单位应经常对建筑物各部位、闸门、启闭机、机电设备、通讯设施以及管理范围内的河道、堤防、拦河坝和水流形态等进行检查。检查次数,每月不得少于一次。当水闸遭受到不利因素影响时,对容易发生问题的部位应加强检查观测。

3.2.3 定期检查的范围和周期:每年汛前、汛后或用水期前后,应对水闸各部位及各项设施进行全面检查。汛前着重检查岁修工程完成情况,度汛存在问题及措施;汛后着重检查工程变化和损坏情况,据以制订岁修工程计划。冰冻期间,还应检查防冻措施落实及其效果等。

3.2.4 当水闸遭受特大洪水、风暴潮、强烈地震和发生重大工程事故时,必须及时对工程进行特别检查。

3.2.5 安全鉴定的周期:水闸投入运用后,每隔15～20年应进行一次全面的安全鉴定;当工程达折旧年限时,亦应进行一次;对存在安全问题的单项工程和易受腐蚀损坏的结构设备,应根据情况适时进行安全鉴定。

安全鉴定工作由管理单位报请上级主管部门负责组织实施。

3.2.6 定期检查、特别检查、安全鉴定结束后,应根据成果作出检查、鉴定报告,报上级主管部门。大型水闸的特别检查及安全鉴定报告还应报流域机构和水利部。

3.2.7 经常检查和定期检查应包括以下内容：

(1)管理范围内有无违章建筑和危害工程安全的活动,环境应保持整洁、美观。

(2)土工建筑物有无雨淋沟、塌陷、裂缝、渗漏、滑坡和白蚁、害兽等;排水系统、导渗及减压设施有无损坏、堵塞、失效;堤闸连接段有无渗漏等迹象。

(3)石工建筑物块石护坡有无塌陷、松动、隆起、底部淘空、垫层散失;墩、墙有无倾斜、滑动、勾缝脱落;排水设施有无堵塞、损坏等现象。

(4)混凝土建筑物(含钢丝网水泥板)有无裂缝、腐蚀、磨损、剥蚀、露筋(网)及钢筋锈蚀等情况;伸缩缝止水有无损坏、漏水及填充物流失等情况。

(5)水下工程有无冲刷破坏;消力池、门槽内有无砂石堆积;伸缩缝止水有无损坏;门槽、门坎的预埋件有无损坏;上、下游引河有无淤积、冲刷等情况。

(6)闸门有无表面涂层剥落、门体变形、锈蚀、焊缝开裂或螺栓、铆钉松动;支承行走机构是否运转灵活;止水装置是否完好等。

(7)启闭机械是否运转灵活、制动准确,有无腐蚀和异常声响;钢丝绳有无断丝、磨损、锈蚀、接头不牢、变形;零部件有无缺损、裂纹、磨损及螺杆有无弯曲变形;油路是否通畅,油量、油质是否合乎规定要求等。

(8)机电设备及防雷设施的设备、线路是否正常,接头是否牢固,安全保护装置是否动作准确可靠,指示仪表是否指示正确、接地可靠,绝缘电阻值是否合乎规定,防雷设施是否安全可靠,备用电源是否完好可靠。

(9)水流形态,应注意观察水流是否平顺,水跃是否发生在消力池内,有无折冲水流、回流、漩涡等不良流态;引河水质有无污染。

(10)照明、通讯、安全防护设施及信号、标志是否完好。

3.2.8 安全鉴定的内容应包括:

(1)在历年检测的基础上,通过先进的检测手段,对水闸主体结构、闸门、启闭机等进行专项检测。内容包括:材料、应力、变形、探伤、闸门启闭力检测和启闭机能力考核等,查出工程中存在的隐患,求得有关技术参数。

(2)根据检测成果,结合运用情况,对水闸的稳定、消能防冲、防渗、构件强度、混凝土耐久性能和启闭能力等进行安全复核。

(3)根据安全复核结果,进行研究分析,作出综合评估,提出改善运用方式、进行技术改造、加固补强、设备更新等方面的意见。

3.3 观测工作

3.3.1 观测项目应按设计要求确定。设计未作规定的,可结合工程具体情况和需要确定。必要时,可增列一些专门性观测项目。

必须观测项目有:垂直位移、扬压力、裂缝、混凝土碳化、河床变形、水位流量。

专门性观测项目有:水平位移、绕渗、伸缩缝、水流形态、水质、泥沙、冰凌等。

3.3.2 垂直位移观测:

3.3.2.1 观测时间与测次应符合下列规定:

(1)工程竣工验收后两年内应每月观测一次,以后可适当减少。经资料分析已趋稳定后,可改为每年汛前、汛后各测一次。

(2)当发生地震或超过设计最高水位、最大水位差时,应增加测次。

(3)水准基点高程应每五年校测一次,起测基点高程应每年校测一次。

3.3.2.2 观测时,应同时观测上下游水位、过闸流量及气温等。

3.3.2.3 垂直位移观测应符合现行国家水准测量规范要求,水准测量等级及相应精度应符合表 3.3.2.3 的规定。

表 3.3.2.3 垂直位移观测水准等级及闭合差限差

建筑物类别	水准基点—起测基点		起测基点—垂直位移标点	
	水准等级	闭合差(mm)	水准等级	闭合差(mm)
大型水闸	一	$\pm 0.3 \sqrt{n}$	二	$\pm 0.5 \sqrt{n}$
中型水闸	二	$\pm 0.5 \sqrt{n}$	三	$\pm 1.4 \sqrt{n}$

注:n 为测站数。

3.3.3 水平位移观测:

3.3.3.1 观测时间与测次应符合下列规定:

(1)水平位移观测时间与测次按 3.3.2.1(1)、(2)规定执行;

(2)工作基点在工程竣工后五年内应每年校测一次,以后每五年校测一次。

3.3.3.2 每一测次应观测二测回,每测回包括正、倒镜各照准觇标两次并读数两次,取均值作为该测回之观测值。观测精度应符合表 3.3.3.2 规定。

表 3.3.3.2 视准线观测限差

方 式	正镜或倒镜两次读数差	两测回观测值之差
活动觇牌法	2.0mm	1.5mm
小 角 法	4.0″	3.0″

3.3.4 扬压力和绕渗观测:

3.3.4.1 观测时间与测次应符合下列规定:

(1)不受潮汐影响的水闸,在工程竣工放水后两年内应每五天观测一次,以后可适当减少,但至少每十天应观测一次。当接近设计最高水位、最大水位差或发现明显渗透异常时,应增加测次。

(2)对于受潮汐影响的水闸,应在每月最高潮位期间选测一次,观测时间以测到潮汐周期内最高和最低潮位及潮位变化中扬压力过程线为准。

3.3.4.2 观测时必须同时观测上、下游水位,并应注意观测渗透的滞后现象,必要时还应同时进行过闸流量、垂直位移、气温、水温等有关项目的观测。

3.3.4.3 测压管管口高程应按三等水准测量要求每年校测一次,闭合差限差为 $\pm 1.4 \sqrt{n}$ mm(n 为测站数)。

3.3.4.4 不受潮汐影响的水闸,测压管灵敏度检查应每五年进行一次。管内水位在下列时间内恢复到接近原来水位的,可认为合格:黏壤土—5d,沙壤土—24h,砂砾料—12h。

3.3.4.5　当管内淤塞已影响观测时,应立即进行清理。如经灵敏度检查不合格,堵塞、淤积经处理无效,或经资料分析测压管已失效时,宜在该孔附近钻孔重新埋设测压管。

3.3.5　裂缝观测:

3.3.5.1　经工程检查,对于可能影响结构安全的裂缝,应选择有代表性的位置,设置固定观测标点,每月观测一次。裂缝发展缓慢后,可适当减少测次。在出现最高(低)气温、发生强烈震动、超标准运用或裂缝有显著发展时,均应增加测次。判明裂缝已不再发展后,可停止观测。

3.3.5.2　在进行裂缝观测时应同时观测气温,并了解结构荷载情况。

3.3.6　混凝土碳化观测:

3.3.6.1　观测时间可视工程检查情况不定期进行。如采取凿孔用酚酞试剂测定,观测结束后应用高标号水泥砂浆封孔。

3.3.6.2　测点可按建筑物不同部位均匀布置,每个部位同一表面不应少于三点。测点宜选在通气、潮湿的部位,但不应选在角、边或外形突变部位。

3.3.7　伸缩缝观测:

3.3.7.1　观测时间宜选在气温较高和较低时进行。当出现历史最高水位、最大水位差、最高(低)气温或发现伸缩缝异常时,应增加测次。

3.3.7.2　观测标点宜设置在闸身两端边闸墩与岸墙之间、岸墙与翼墙之间建筑物顶部的伸缩缝上。当闸孔数较多时,在中间闸孔伸缩缝上应适当增设标点。

3.3.7.3　观测时应同时观测上下游水位、气温和水温。如发现伸缩缝缝宽上、下差别较大,还应配合进行垂直位移观测。

3.3.8　河床变形观测:

3.3.8.1　引河冲刷或淤积较严重时,应在每年汛前、汛后各观测一次,当泄放大流量或超标准运用、冲刷尚未处理而运用较多时,应增加测次。冲刷、淤积变化较小的工程,可适当延长观测周期。

3.3.8.2　观测范围一般从上、下游铺盖或消力池末端起,分别向上、下游延伸1～3倍河宽的距离。对冲刷或淤积较严重的工程,可根据具体情况适当延长。

3.3.8.3　断面间距应以能反映引河的冲刷、淤积变化为原则,靠近水闸宜密,离闸较远处可适当放宽。

3.3.8.4　断面位置应在两岸设置固定观测断面桩。测量前应对断面桩桩顶高程按四等水准要求进行考证,闭合差限差为 $\pm 20\sqrt{K}$ mm(K 为测线长,单位 km,不足 1km 时以 1km 计)。

3.3.8.5　断面测量宜在闸门关闭或泄量较小时进行,并同步观测水位。

3.3.8.6　当河面较宽,施测河道断面有困难时,可采取散点法测绘水下地形图,然后切取河道横断面。

3.3.9　水流形态观测包括水流平面形态和水跃观测,可根据工程运用方式、水位、流量等组成情况不定期进行。如发现不良水流,应详细记录水流形态、上下游水位及闸门启闭情况,分析其产生的原因。

3.3.10 水位、流量、水质、泥沙和冰凌等项目的观测,可参照现行水文观测规范的有关规定执行。

3.3.11 资料整理与整编:

3.3.11.1 观测结束后,应及时对资料进行整理、计算和校核。

3.3.11.2 资料整编宜每年进行一次,包括以下内容:

(1)收集观测原始记录与考证资料及平时整理的各种图表等;

(2)对观测成果进行审查复核;

(3)选择有代表性的测点数据或特征数据,填制统计表和曲线图;

(4)分析观测成果的变化规律及趋势,与设计情况比较是否正常,并提出相应的安全措施和必要的操作要求;

(5)编写观测工作说明。

3.3.11.3 资料整编成果应符合以下要求:

(1)考核清楚、项目齐全、数据可靠、方法合理、图表完整、说明完备;

(2)图形比例尺满足精度要求,图面应线条清晰均匀、注字工整整洁;

(3)表格及文字说明端正整洁,数据上下整齐,无涂改现象。

3.3.11.4 资料整编成果,应提交上级主管部门审查。

3.3.11.5 水闸管理单位必须对发现的异常现象作专项分析,必要时可会同科研、设计、施工人员作专题研究。

4 养护修理

4.1 一般规定

4.1.1 水闸养护修理工作可分为养护、岁修、抢修和大修,其划分界限应符合下列规定:

(1)养护:对经常检查发现的缺陷和问题,应随时进行保养和局部修补,以保持工程及设备完整清洁,操作灵活。

(2)岁修:根据汛后全面检查发现的工程损坏和问题,对工程设施进行必要的整修和局部改善。

(3)抢修:当工程及设备遭受损坏,危及工程安全或影响正常运用时,必须立即采取抢护措施。

(4)大修:当工程发生较大损坏或设备老化,修复工程量大,技术较复杂,应有计划进行工程整修或设备更新。

4.1.2 养护修理工作应本着"经济养护、随时维修,养重于修、修重于抢"的原则进行,并应符合下列要求:

(1)岁修、抢修和大修工程,均应以恢复原设计标准或局部改善工程原有结构为原则;在施工过程中应确保质量和安全生产。

(2)抢修工程应做到及时、快速、有效,防止险情发展。

(3)岁修、大修工程应按批准的计划施工,影响汛期使用的工程,必须在汛前完成。完工后,应进行技术总结和竣工验收。

(4)养护修理工作应作详细记录。

4.1.3 水闸管理范围内环境和工程设施的保护,应遵守以下规定:

(1)严禁在水闸管理范围内进行爆破、取土、埋葬、建窑,倾倒和排放有毒或污染的物质等危害工程安全的活动。

(2)按有关规定对管理范围内建筑的生产、生活设施进行安全监督。

(3)禁止超重车辆和无铺垫的铁轮车、履带车通过公路桥。禁止在没有路面的堤(坝)顶上雨天行车。

(4)妥善保护机电设备、水文、通讯、观测设施,防止人为毁坏。

(5)严禁在堤(坝)身及挡土墙后填土地区上堆置超重物料。

4.2 土工建筑物的养护修理

4.2.1 堤(坝)出现雨淋沟、浪窝、塌陷和岸、翼墙后填土区发生跌塘、下陷时,应随时修补夯实。

4.2.2 堤(坝)发生渗漏、管涌现象时,应按照"上截、下排"原则及时进行处理。

4.2.3 堤(坝)发生裂缝时,应针对裂缝特征按照下列规定处理:

(1)干缩裂缝、冰冻裂缝和深度小于0.5m、宽度小于5mm的纵向裂缝,一般可采取封闭缝口处理。

(2)深度不大的表层裂缝,可采用开挖回填处理。

(3)非滑动性的内部深层裂缝,宜采用灌浆处理;对自表层延伸至(坝)深部的裂缝,宜采用上部开挖回填与下部灌浆相结合的方法处理。裂缝灌浆宜采用重力或低压灌浆,并不宜在雨季或高水位时进行。当裂缝出现滑动迹象时,则严禁灌浆。

4.2.4 堤(坝)出现滑坡迹象时,应针对产生原因按"上部减载、下部压重"和"迎水坡防渗、背水坡导渗"等原则进行处理。

4.2.5 堤(坝)遭受白蚁、害兽危害时,应采用毒杀、诱杀、捕杀等办法防治;蚁穴、兽洞可采用灌浆或开挖回填等方法处理。

4.2.6 河床冲刷坑已危及防冲槽或河坡稳定时应立即抢护。一般可采用抛石或沉排等方法处理;不影响工程安全的冲刷坑,可不作处理。

4.2.7 河床淤积影响工程效益时,应及时采用人工开挖、机械疏浚或利用泄水结合机具松土冲淤等方法清除。

4.3 石工建筑物的养护修理

4.3.1 砌石护坡、护底遇有松动、塌陷、隆起、底部淘空、垫层散失等现象时,应参照《水闸施工规范》(SL27-91)中有关规定按原状修复。

4.3.2 浆砌块石墙墙身渗漏严重的,可采用灌浆处理;墙身发生倾斜或滑动迹象时,可采用墙后减载或墙前加撑等方法处理;墙基出现冒水冒沙现象,应立即采用墙后降低地下水位和墙前增设反滤设施等办法处理。

4.3.3 水闸的防冲设施(防冲槽、海漫等)遭受冲刷破坏时,一般可加筑消能设施或抛石笼、柳石枕和抛石等办法处理。

4.3.4 水闸的反滤设施、减压井、导渗沟、排水设施等应保持畅通,如有堵塞、损坏,应予疏通、修复。

4.4 混凝土建筑物的养护修理

4.4.1 消力池、门槽范围内的砂石、杂物应定期清除。

4.4.2 建筑物上的进水孔、排水孔、通气孔等均应保持畅通。桥面排水孔的泄水应防止沿板和梁漫流。空箱式挡土墙箱内的淤积应适时清除。

4.4.3 经常露出水面的底部钢筋混凝土构件,应因地制宜地采取适当的保护措施,防止腐蚀和受冻。

4.4.4 钢筋的混凝土保护层受到侵蚀损坏时,应根据侵蚀情况分别采用涂料封闭、砂浆抹面或喷浆等措施进行处理,并应严格掌握修补质量。

4.4.5 混凝土结构脱壳、剥落和机械损坏时,可根据损坏情况,分别采用砂浆抹补、喷浆或喷混凝土等措施进行修补,并应严格掌握修补质量。

4.4.6 混凝土建筑物出现裂缝后,应加强检查观测,查明裂缝性质、成因及其危害程度,据以确定修补措施。混凝土的微细表面裂缝、浅层缝及缝宽小于表 4.4.6 所列裂缝宽度最大允许值时,可不予处理或采用涂料封闭。缝宽大于规定时,则应分别采用表面涂抹、表面粘补、凿槽嵌补、喷浆或灌浆等措施进行修补。

表 4.4.6 　　　　　　　钢筋混凝土结构最大裂缝宽度允许值　　　　　　　(mm)

区　域	水上区	水位变动区		水下区
		寒冷地区	温和地区	
内河淡水区	0.20	0.15	0.25	0.30
沿海海水区	0.20	0.15	0.20	0.30

注:温和地区指最冷月平均气温在 $-3℃$ 以上的地区;寒冷地区指最冷月平均气温在 $-3～-10℃$ 的地区。

4.4.7 裂缝应在基本稳定后修补,并宜在低温季节开度较大时进行。不稳定裂缝应采用柔性材料修补。

4.4.8 混凝土结构的渗漏,应结合表面缺陷或裂缝进行处理,并应根据渗漏部位、渗漏量大小等情况,分别采用砂浆抹面或灌浆等措施。

4.4.9 伸缩缝填料如有流失,应及时填充。止水设施损坏,可用柔性材料灌浆,或重新埋设止水予以修复。

4.5 闸门的养护修理

4.5.1 闸门表面附着的水生物、泥沙、污垢、杂物等应定期清除,闸门的连接紧固件应保持牢固。

4.5.2 运转部位的加油设施应保持完好、畅通,并定期加油。

4.5.3 钢闸门防腐蚀可采用涂装涂料和喷涂金属等措施。

实施前,应认真进行表面处理。表面处理等级标准应符合《海港工程钢结构防腐蚀技术规定》(JTJ230-89)中的规定。不同防腐蚀措施对表面处理的最低等级要求应符合下列规定:

(1)涂装涂料应按《海港工程钢结构防腐蚀技术规定》(JTJ230-89)中不同涂料表面处理的最低等级表中选定;

(2)喷涂金属等级应为 Sa2$\frac{1}{2}$。

4.5.4 钢闸门采用涂料作防腐蚀涂层时,应符合下列要求:

(1)涂料品种应根据钢闸门所处环境条件、保护周期等情况选用;

(2)面(中)、底层必须配套性能良好;

(3)涂层干膜厚度:淡水环境不宜少于 $200\mu m$,海水环境不宜少于 $300\mu m$。

4.5.5 钢闸门采用喷涂金属作防腐涂层时,应符合下列要求:

(1)喷涂材料:淡水环境宜用锌,海水环境宜用铝或铝基合金,也可选用经过试验论证的其他材料。

(2)喷涂层厚度:淡水环境宜不小于 $200\mu m$,海水环境宜不小于 $250\mu m$。

(3)金属涂层表面必须涂装涂料封闭。封闭涂层的干膜厚度:淡水环境不应小于 $60\mu m$,海水环境不应小于 $90\mu m$。

4.5.6 喷涂的金属和涂料的质量,应符合《海港工程钢结构防腐蚀技术规定》(JTJ230-89)和其他有关材质规定的要求。

4.5.7 涂装涂料和金属喷涂的施工工艺、质量检查和竣工验收的要求,均应参照《海港工程钢结构防腐蚀技术规定》(JTJ230-89)有关规定执行。

4.5.8 钢闸门使用过程中,应对表面涂膜(包括金属涂层表面封闭涂层)进行定期检查,发现局部锈斑、针状锈迹时,应及时补涂涂料。当涂层普遍出现剥落、鼓泡、龟裂、明显粉化等老化现象时,应全部重做新的防腐涂层。

4.5.9 闸门橡皮止水装置应密封可靠,闭门状态时无翻滚、冒流现象。当门后无水时,应无明显的散射现象,每米长度的漏水量应不大于 0.2L/s。

当止水橡皮出现磨损、变形或止水橡皮自然老化、失去弹性且漏水量超过规定时,应予更换。更换后的止水装置应达到原设计的止水要求。

4.5.10 钢门体的承载构件发生变形时,应核算其强度和稳定性,并及时矫形、补强或更换。

4.5.11 钢门体的局部构件锈损严重的,应按锈损程度,在其相应部位加固或更换。

4.5.12 闸门行走支承装置的零部件出现下列情况时应更换,更换的零部件规格和安装质量应符合原设计要求。

(1)压合胶木滑道损伤或滑动面磨损严重;

(2)轴和轴套出现裂纹、压陷、变形、磨损严重;

(3)主轨道变形、断裂、磨损严重或瓷砖轨道掉块、裂缝、釉面剥落。

4.5.13 吊耳板、吊座、绳套出现变形、裂纹或锈损严重时应更换。

4.5.14 钢筋混凝土与钢丝网水泥闸门表面,应选用合适的涂料进行保护。

4.5.15 钢丝网水泥面板损坏时,应及时修补。损坏部位网筋锈蚀严重的,应按设计要求修复。

4.5.16 钢筋混凝土闸门表层损坏应按本规程4.4节的有关规定进行修补。

4.5.17 寒冷地区的水闸,冰冻期间应因地制宜地对闸门采取有效的防冰冻措施。

4.6 启闭机的养护修理

4.6.1 防护罩、机体表面应保持清洁,除转动部位的工作面外,均应定期采用涂料保护;螺杆启闭机的螺杆有齿部位应经常清洗、抹油,有条件的可设置防尘装置。

启闭机的联接件应保持紧固,不得有松动现象。

4.6.2 传动件的传动部位应加强润滑,润滑油的品种应按启闭机的说明书要求,并参照有关规定选用。油量要充足,油质须合格,注油应及时。在换注新油时,应先清洗加油设施,如油孔、油道、油槽、油杯等。

4.6.3 闸门开度指示器,应保持运转灵活,指示准确。

4.6.4 滑动轴承的轴瓦、轴颈,出现划痕或拉毛时应修刮平滑。轴与轴瓦配合间隙超过规定时,应更换轴瓦。滚动轴承的滚子及其配件,出现损伤、变动或磨损严重时应更换。

4.6.5 制动装置应经常维护,适时调整,确保动作灵活、制动可靠。当进行维修时,应符合下列要求:

(1)闸瓦退距和电磁铁行程调整后,应符合《水工建筑物金属结构制造、安装及验收规范》(SLJ、DLJ201-80)附录十三有关规定。

(2)制动轮出现裂纹、砂眼等缺陷,必须进行整修或更换。

(3)制动带磨损严重,应予更换。制动带的铆钉或螺钉断裂、脱落,应立即更换补齐。

(4)主弹簧变形,失去弹性时,应予更换。

4.6.6 钢丝绳应经常涂抹防水油脂,定期清洗保养。修理时应符合下列要求:

(1)钢丝绳每节距断丝根数超过《起重机械用钢丝绳检验和报废实用规范》(GB5972-86)的规定时,应更换。

(2)钢丝绳与闸门连接一端有断丝超标时,其断丝范围不超过预绕圈长度的二分之一时,允许调头使用。

(3)更换钢丝绳时,缠绕在卷筒上的预绕圈数,应符合设计要求。无规定时,应大于5圈,如压板螺栓设在卷筒翼缘侧面又用鸡心铁挤压的,则应大于2.5圈。

(4)绳套内浇筑块发现粉化、松动时,应立即重浇。

(5)更换的钢丝绳规格应符合设计要求,并应有出厂质保资料。

4.6.7 螺杆启闭机的螺杆发生弯曲变形影响使用时,应予矫正。

4.6.8 螺杆启闭机的承重螺母,出现裂缝或螺纹齿宽磨损量超过设计值的20%时,应更换。

4.6.9 油压启闭机的养护应符合下列要求:

(1)供油管和排油管应保持色标清晰,敷设牢固;

(2)油缸支架应与基体联接牢固,活塞杆外露部位可设软防尘装置。

(3)调控装置及指示仪表应定期检验;

(4)工作油液应定期化验、过滤,油质和油箱内油量应符合规定;

(5)油泵、油管系统应无渗油现象。

4.6.10 油压启闭机的活塞环、油封出现断裂、失去弹性、变形或磨损严重者,应更换。

4.6.11 油缸内壁及活塞杆出现轻微锈蚀、划痕、毛刺,应修刮平滑磨光。油缸和活塞杆有单面压磨痕迹时,分析原因后予以处理。

4.6.12 高压管路出现焊缝脱落、管壁裂纹,应及时修理或更换。修理前应先将管内油液排净后才能施焊。严禁在未拆卸管件的管路上补焊。管路需要更换时,应与原设计规格相一致。

4.6.13 贮油箱焊缝漏油需要补焊时,可参照管路补焊的有关规定办理。补焊后应做注水渗漏试验,要求保持12h无渗漏现象。

4.6.14 油缸检修组装后,应按设计要求做耐压试验。如无规定,则按工作压力试压10min,活塞沉降量不应大于0.5mm,上、下端盖法兰不得漏油,缸壁不得有渗油现象。

4.6.15 管路上使用的闸阀、弯头、三通等零件壁身有裂纹、砂眼或漏油时,均应更换新件。更换前,应单独做耐压试验。试验压力为工作压力的1.25倍,保持30min无渗漏时,才能使用。

4.6.16 当管路漏油缺陷排除后,应按设计规定做耐压试验。如无规定,试验压力为工作压力的1.25倍,保持30min无渗漏,才能投入运用。

4.6.17 油泵检修后,应将油泵溢流阀全部打开,连续空转不少于30min,不得有异常现象。

空转正常后,在监视压力表的同时,将溢流阀逐渐旋紧,使管路系统充油(充油时应排除空气)。管路充满油后,调整油泵溢流阀,使油泵在工作压力的25%、50%、75%、100%的情况下分别连续运转15min,应无振动、杂音和温升过高现象。

4.6.18 空转试验完毕后,调整油泵溢流阀,使其压力达到工作压力的1.1倍时动作排油,此时也应无剧烈振动和杂音。

4.7 机电设备及防雷设施的维护

4.7.1 电动机的维护应遵守下列规定:

(1)电动机的外壳应保持无尘、无污、无锈。

(2)接线盒应防潮,压线螺栓如松动,应立即旋紧。

(3)轴承内的润滑脂应保持填满空腔内的1/2~1/3,油质合格。轴承如松动、磨损,应及时更换。

(4)绕组的绝缘电阻值应定期检测,小于0.5MΩ时,应干燥处理,如绝缘老化,可刷浸绝缘漆或更换绕组。

4.7.2 操作设备的维护应遵守下列规定:

(1)开关箱应经常打扫,保持箱内整洁;设置在露天的开关箱应防雨、防潮。

(2)各种开关、继电保护装置应保持干净,触点良好,接头牢固。

(3)主令控制器及限位装置应保持定位准确可靠,触点无烧毛现象。

(4)保险丝必须按规定规格使用,严禁用其他金属丝代替。

4.7.3 输电线路的维护应遵守下列规定:

(1)各种电力线路、电缆线路、照明线路均应防止发生漏电、短路、断路、虚连等现象;

(2)线路接头应联接良好,并注意防止铜铝接头锈蚀;

(3)经常清除架空线路上的树障,保持线路畅通;

(4)定期测量导线绝缘电阻值,一次回路、二次回路及导线间的绝缘电阻值都不应小于 0.5MΩ。

4.7.4 指示仪表及避雷器等均应按供电部门有关规定定期校验。

4.7.5 线路、电动机、操作设备、电缆等维修后必须保持接线相序正确,接地可靠。

4.7.6 自备电源的柴(汽)油发电机应按有关规定定期维护、检修。与电网联网的应按供电部门规定要求执行。

4.7.7 建筑物的防雷设施应遵守下列规定:

(1)避雷针(线、带)及引下线如锈蚀量超过截面 30% 时,应予更换;

(2)导电部件的焊接点或螺栓接头如脱焊、松动,应予补焊或旋紧;

(3)接地装置的接地电阻值应不大于 10Ω。如超过规定值 20% 时,应增设补充接地极。

4.7.8 电器设备的防雷设施应按供电部门的有关规定进行定期校验。

4.7.9 防雷设施的构架上,严禁架设低压线、广播线及通讯线。

附加说明

主 编 单 位:水利部水利管理司、江苏省水利厅

参 编 单 位:江苏省三河闸管理处　江苏省秦淮河闸坝管理处　江苏省盐城市水利工程管理处

主要起草人:寿景耀　连登庸　韦康瑛　蔡洪卿　高杏根

审 订 人 员:曹松润　俞衍升　封文堪

条 文 说 明

1 总 则

1.0.2 我国现有大型水闸300余座,中型水闸 2 000 余座。因大、中型水闸作用重要,效益显著,技术管理较复杂,故列为本规程适用范围。

全国现由水利部门管理的船闸 400 余座,按照行业标准的严格界限,应全面执行交通行业的有关技术管理标准进行管理,但考虑到船闸与水闸的技术管理,在许多方面具有相同之处,故列为本规程参照执行范围。

本规程大、中、小型水闸的分级标准,系按"1973 年水利普查提纲中几项水利标准的规定"、"1981 年《水利工程管理单位编制定员试行标准》(SLJ705 - 81)"和"1984 年《水利统计主要指标解释》(试行)"的有关规定作为依据,即按校核过闸流量(无校核过闸流量就以设计过闸流量为准)划分为:

大型水闸:1 000m³/s 及以上;

中型水闸:100m³/s 及以上,不足 1 000m³/s;

小型水闸:10m³/s 及以上,不足 100m³/s。

1.0.7 水闸技术管理涉及面十分广泛,内容比较复杂。因此,对本规程未作规定的内容,应分别按照现行国家标准或行业标准的规定执行。现行标准中,与水闸技术管理密切关联的主要有:

(1)《水闸设计规范》(SD133 - 84);

(2)《水闸施工规范》(SL27 - 91);

(3)《水文测验试行规范》1980 年 2 月重版;

(4)《水利水电工程施工测量规范》(SDJS9 - 85);

(5)《水工建筑物金属结构制造、安装及验收规范》(SLJ201 - 80、DLJ201 - 80);

(6)《水利水电工程钢闸门设计规范》(SDJ13 - 78);

(7)《电气装置安装工程施工及验收规范》(GBJ232 - 82);

(8)《海港工程钢结构腐蚀技术规定》(JTJ230 - 89);

(9)《海港钢筋混凝土结构防腐蚀》(JTJ228 - 87);

(10)《起重机械用钢丝绳检验和报废实用规范》(GB5972 - 86)。

2 控 制 运 用

2.1 一般规定

2.1.1 水闸工程控制运用指标是水闸运用的控制条件,也是实际运用中判别工程是否安全、效益能否发挥的主要依据之一。一般情况下,规划设计所采用的各种水位、流量特征值就是运用指标的限值。当水闸由于某种原因,如:上、下游河道未达到标准或安全状况出现较大变化,不能按设计标准运用时,就需要及时论证,重新确定运用指标。

各项运用指标之间是互相联系的,当某一指标被重新确定后,其他相应指标应随之修改。

2.1.3 水闸控制运用,是通过有目的地启闭闸门、控制流量、调节水位、发挥水闸作用的重要工作,必须有计划、按步骤进行。水闸管理单位应综合考虑各有关部门的要求,结合工程具体情况,并参照历史水文规律和工程运用经验以及当年水情预报等,在运用指标许可范围内,认真制定好全年的或分阶段的供水、排水控制运用计划。

2.1.6 水闸承担的各项任务的主次关系,是根据国民经济有关部门的要求和水闸工程建设的条件合理拟定的。水闸运用应本着综合利用原则,尽可能做到一闸多用,促进国民经济的发展。

(1)水运是综合运输体系中的一种重要运输形式,也是水资源综合利用的重要组成部分。通航河道上建闸后,运用中尽量保持河道水位相对稳定和最小通航水深,防止发生船舶搁浅。

(2)从20世纪60年代开始,在江苏、安徽、浙江、上海、广东、湖南等省(市),已建鱼道40座左右。在鱼苗旺发季节,将过鱼效果好的鱼道及时投入运行,能使水产资源得到保护和增值。除鱼道外,也可因地制宜采用开闸纳苗(又称灌江纳苗)或利用检修叠梁门控制倒灌流量纳苗等方法。但无论采用何种方法,都必须以确保工程安全为前提。

2.1.7 利用现有水利设施,通过合理运用,进行冲污换水,对改善水质能起到一定的作用。水闸管理单位在水资源条件许可时,应配合环保部门调度运用,以起到防污、减污作用,但不得使水污染扩散,危害下游地区。

2.1.8 我国许多河流修建水闸后,因水位壅高,流速减小,促使大量泥沙淤积。河口兴建挡潮闸后,闸下河道受潮汐影响的淤积问题尤为突出。淤积使工程效益降低、寿命缩短,严重者甚至造成水闸报废。为了减少淤积,多年来各地积累了不少减淤、防淤的经验,如引水灌溉工程采用渠道拦沙、分散沉沙、沉沙与淤地改土相结合等办法,防治河渠淤积。受潮汐影响的水闸用水力冲淤、机械拖淤和水力冲淤相结合等办法,减少闸下河道淤积。

2.1.10 本条根据《中华人民共和国航道管理条例实施细则》第二十二条精神制定。

2.2 各类水闸的控制运用

2.2.1 节制闸。雨源性河道来水量受降水制约,一般在枯季量小分散,汛期则丰沛集中。生产、生活的用水需求在一年内也是不均衡的,故节制闸运用,要根据来水、降水、用水等情况,适时调节水位和泄量。汛期泄洪,要根据河道行洪能力及时排泄,尽量减少洪涝损失。汛末蓄水既要能蓄足,又要不影响汛后期的防洪安全,因此要掌握当地汛期特点,恰当地确定蓄水时机。

2.2.2 分洪闸。我国江河中下游的分(蓄)洪区或分洪道,土地肥沃、物产丰盛,有的人口密集,分(蓄)洪会造成很大的损失,因而分洪闸运用受到严格控制。一旦决定分洪,则要求做到及时准确,不允许出现差误,水闸管理单位在分洪前应做好开闸前的一切准备工作。分洪初期,闸后往往无水,消能防冲条件较为恶劣,必须严格按启闭程序和操作规定操作。分洪过程中,水情不断变化,并需要与其他分洪工程配合运用。因此,应随时向调度指挥部门反映水情及工程变化情况,并按调度指令及时进行泄量调整。

2.2.3 排水闸。排水区域地势低洼,易积水成涝,给工农业生产带来不利影响。排水闸要尽可能按照生产要求,控制适宜的闸上水位,如连日阴雨,雨前要提前排水。汛期排涝,外河水位变化大,在江河下游的还受潮汐影响,为使内河少受涝,应根据外河水位涨落规律及时启闭闸门,充分发挥排水效益。

2.2.4 引水闸。从多泥沙河道引水,取水防沙是较为突出的问题。由于多泥沙河道的水、沙量在全年内分配不均匀,出现沙峰时间一般较短。根据我国许多引水枢纽的运用经验,应掌握引水时机,避免在沙峰时引水,使取水和防沙都能得到较好兼顾。

浑水灌溉具有改良土壤、提高水资源利用率和减轻水患的作用,我国引黄淤灌工程规定淤灌引水含沙量下限为 $25kg/m^3$。

2.2.5 挡潮闸。挡潮闸排水受潮汐制约,为充分发挥挡潮排水作用,故作了落潮平水开闸和涨潮平水关闸的规定。为了满足防洪、排水与灌溉或城镇供水要求,内河水位控制,通常采用分季节分级控制河网水位的办法。一般在汛期临近时,提前排水,降低内河水位,以迎蓄洪峰。

　　我国沿海汛期多大雨、暴雨天气,还不同程度受到台风袭击,台风经过的地区常出现暴雨或特大暴雨天气,在大雨、暴雨形成前适当预降内河水位,可防止形成涝灾。

　　挡潮闸下游普遍存在淤积问题,利用泄水冲淤,能减少淤积量。在枯水季节,如有水源可供冲淤,对于维持闸下游河道深槽,保持一定的排水效益,具有重要意义。在农历每月初三、十八前后1~2日大潮汛期间,由于退潮流速快,低潮潮位低,此时放水冲淤可获得相对较小的河道水深和较大的势能,冲淤效果较好。

2.2.6 通航孔。由于通航孔过船以自航的小型运输船和渔船为主,加之水闸助航及系船设备不完善,且受闸孔泄水影响等,一般宜在白天通航,同时应控制好通航孔流速。遇有恶劣天气情况,应停止通航,以策安全。

2.3　冰冻期间运用

2.3.2 在封冻期间,适当抬高闸上水位和维持水位平稳,有利于闸上游形成平封的冰盖,防止水内冰产生,减少冰塞危害,使冰层下有较大的过水能力。河流封冰期间一般要求水闸泄量由大到小,呈递减趋势,以免河道涨水形成水压力鼓破冰盖层,造成被迫开河。

2.3.3 水闸在解冻期间如需泄水,当冰凌较薄时,应将闸门提出水面;冰块较大时,闸门开度过大,会使冰块潜没水中下泄,擦伤闸门等工程设施,甚至危害下游安全。根据江苏省三河闸的经验,一般宜控制闸门开度不超过闸前水深的0.2倍。

　　分凌闸的运用,应防止大冰块堵塞闸孔。必要时可在闸前采取措施将大冰块破碎。

2.4　闸门操作运用

2.4.1 闸门启闭是水闸控制运用的关键。以往因不按闸门操作制度启闭,导致闸门和启闭设备损坏以致水闸失事的事例也有发生。本条规定已为我国多年水闸管理实践证明是行之有效的。

　　(1)水跃越出消力池使水闸下游受冲刷损坏的,大多在下游无水或闸下水位很低时,闸门开启方式不当所造成。江苏省三河闸于1959年率先制订了"始流时闸下安全水位曲线",对保证安全操作,避免下游冲刷,作用很大,从1963年起,已在全国推广应用。另根据各地水闸多年运用的经验,要满足在消力池内发生水跃,闸门逐级提升高度以一次0.2~0.5m为宜,开始宜小,逐级可稍大。分次开启的间隔时间视下游水位趋于稳定所需时间而定。

　　(2)在闸门大开度一次到位时最易产生集中水流和偏流,对水闸危害较大,运用中应注意避免。折冲水流和回流会使闸上下游两侧冲淤不平衡,引起河床变形,影响泄水量。后两种流态常发生于闸前来水主流不正的水闸。避免的办法,一般应通过水工模型试验得出改进闸门操作的方式,或在实际运用中摸索出一套控制闸门的方式进行调整,有的甚至还要采用工程措施。

(3)当河道水位急剧下降时,河堤(岸)内的水将向外渗流,对堤(岸)的稳定是不利的,严重者可引起土坡坍塌。据一些水闸实际运用经验,在减少水闸泄量时,河道水位每天下降速度宜控制在 $1\sim2m$。

(4)闸门的振动,通常与闸门开度、门后淹没水跃影响、止水漏水、闸门底缘型式的影响等因素有关。运用中多采用避开发生闸门振动位置的措施,但这仅是一种权宜之计。如闸门开度调整幅度过大,有时可能与下游消能防冲有矛盾,应该针对振因,尽量消除振动。

2.4.4 根据江苏省沿海挡潮闸经验,在冬、春季节闸下游河道回淤厚度可达 $1\sim2m$,有的闸门都无法开启。如有水源可供冲淤,为了提高冲淤效果,可不按常规操作闸门。一般是大水位差轮流开启少数闸孔,以孔流将近闸的泥沙冲起,然后再加大闸门开度,加大流量把冲起的泥沙尽量送出河口。冲淤过程中,应加强监视,防止冲坏消能防冲工程。

2.4.5 涵洞明满流可能产生不稳定气囊,水流的压强也可发生周期性变化,从而影响洞内流量,甚至引起振动,操作时应尽量避免。

3 检查观测

3.2 检查工作

3.2.2 水闸的经常检查是用眼看、耳听、手摸等方法对工程及设备分部位地进行观察和巡视。由于方法简单易行,既全面又及时,一些事故苗头或工程隐患常常通过经常检查首先发现,而得到及时处理。故必须予以足够的重视,经常地认真进行。

经常检查的周期各地区规定不一,多根据水闸的工程规模大小、建成时间长短和运用频繁程度等具体情况确定,但都不少于每月一次。水闸管理单位可根据本工程的具体情况确定,当水闸处于不正常情况,如宣泄较大流量、出现较高水位、冬季冰冻以及暴风雨或地震影响本地区时,都应增加检查次数。

3.2.4 当水闸遭遇到特大洪水、风暴潮、强烈地震和发生重大工程事故等特殊情况时,很容易使工程受损甚至破坏,严重影响工程安全运用,故必须及时进行特别检查。

水闸上游如出现特大洪水,将会出现超过设计最高水位的可能,迫使水闸不得不实行超设计最大流量的泄流,从而导致闸身失稳或下游冲刷破坏。

风暴潮系指由气压、大风等气象因素急剧变化造成的沿海海面或河水位的异常升降现象。我国是频受风暴潮侵袭的国家之一,在南方沿海夏、秋季节受温带气旋影响,形成台风登陆,发生风暴潮,而在北方沿海,冬、春季节,北方强冷空气与江淮气旋组合影响,也易引起风暴潮。风暴潮发生时,潮水位可能陡涨 $1\sim3m$,对水闸会产生很大的破坏力。

强烈地震系指我国地震震级强度标准的 $6\sim7$ 级而言,一般是相当于震中烈度 $7\sim10$ 度。根据国内外地震灾害的资料来看,水闸一般在地震震中烈度超过 7 度以上时,就会产生不同程度的损害。在《水工建筑物抗震设计规范》(SDJ10-78)中规定,震中烈度在 6 度以上时,必须进行抗震计算。故规定遭遇强烈地震后应进行特别检查是适当的。由于过去兴建的水闸多数未进行抗震设计,有的后来虽进行过抗震校核,但多数未进行彻底的抗震加固，故地震烈度虽未达 7 度，仍可能发生损坏。损坏后，亦应进行特别检查。

在水闸运用中常会发生重大的工程事故，如闸门自动下坠，使闸底或闸门、启闭机受损，消能防冲设施损坏等，影响工程正常运用，也必须进行特别检查，查明情况，以便采取措施。

3.2.5 安全鉴定的周期，在《水闸工程管理通则》(SLJ704－81)中曾规定"水闸建成后，在运用头三至五年进行一次，以后每隔六至十年进行一次"。由于规定要求偏高，难以贯彻执行。新中国成立以来，只在 1973 年进行的一次水利大检查和 1983 年进行的"三查三定"工程大检查可算作安全鉴定。在本规程进行审稿时，与会专家一致认为，原规定周期过短，根据水闸建筑物及其运行的特点，建议改为每隔 15～20 年进行一次安全鉴定。对存在安全问题的单项工程，主要指一些设计标准偏低、功能有所改变、工程质量存在着严重问题。对影响工程安全运用的工程及闸门、启闭机等单项工程而言，应适时进行安全鉴定。

3.3 观测工作

3.3.1 《水闸设计规范》提出：水位、流量、沉降、裂缝、扬压力、冲刷、淤积等为水闸一般性观测项目，结合各地区观测工作实际开展情况，为达到监视工程安全、充分发挥工程效益的目的，将上列各项列为大、中型水闸的必须观测项目，是完全必要的。

近年来，随着对提高混凝土耐久性问题的日益重视，各方面的调查结果表明，混凝土碳化问题存在比较普遍，尚未引起普遍重视，沿海水闸受氯离子侵蚀相当严重，从而引起钢筋锈蚀，导致混凝土开裂，为此，将混凝土碳化观测增列为必须观测项目，显然有重要的现实意义。

对于条文中所列的一些专门性观测项目，应根据具体情况和实际需要，并考虑各单位的具体观测条件，有选择地开展。如水平位移观测，对大型水闸和中型水闸中地基条件较差或设计滑动安全系数较小而又常处于较大水位差运行的水闸，列为专门性观测项目是必要的。又如在多泥沙河道中的水闸，将泥沙观测列为专门性观测项目，显然也是必要的。

3.3.2 垂直位移观测：

3.3.2.1 观测时间与测次的确定，主要基于下列理由：

(1)工程建成初期沉降量较大，必须加强观测。随着时间的推移，沉降趋于稳定后，可适当减少测次。沉降是否稳定，可通过绘垂直位移过程线确定。据国家标准《地基与基础工程施工及验收规范》(GBJ202－83)附录三建筑物和构筑物沉降观测要点，沉降稳定时间一般为：砂土地基 2 年、粗性土地基 5 年、软土地基 10 年。取沉降稳定时间最短的砂土地基为低限，在建成初期 2 年内每月观测一次。

(2)当发生地震或超标准运用时，有可能加大地基沉降，危及工程安全，故应加强观测。

(3)水准基点是垂直位移观测的高程原点，大部分水闸建闸施工施样前即已埋设水准基点，并与国家水准网相连。由于国家水准网校测间隔时间较长，以及其他一些原因，水准基点高程变化较大。由于地下水位下降，地面沉降，致使水准基点高程发生变化，但由于仍采用原水准基点高程计算，间隔变化量很小，不能反映出工程的实际沉降变化。因此，除水准基点埋设时应选择较好的地基外，还应加强对水准基点的保护和定期校测。

起测基点是观测垂直位移的依据,应设在水闸附近,便于引测。起测基点的高程引自水准基点,在每年测量前应校测一次,然后再进行水闸工程的垂直位移观测。

3.3.2.2 影响建筑物垂直位移的因素很多,作用在建筑物上的各种荷载都有可能引起垂直位移量的变化。如温度的变化会引起混凝土的涨缩,也影响垂直位移量的准确性。

3.3.2.3 采用《水利水电工程施工测量规范》(SDJS9-85)观测精度标准:

一等:$\pm 0.3\sqrt{n}$;二等:$\pm 0.5\sqrt{n}$;三等:$\pm 1.4\sqrt{n}$。

一、二等水准测量按《国家一、二等水准测量规范》(GB12897-91)的规定执行,三、四等水准测量按《国家三、四等水准测量规范》(GB12898-91)的规定执行。

3.3.3 水平位移观测:

3.3.3.1 采用《混凝土大坝安全监测技术规范》(SDJ336-89)(试行)规定。

3.3.4 扬压力和绕渗观测:

3.3.4.1 内河水闸一般水位变化较小,每十天观测一次即可满足监视要求,位于感潮河口的挡潮闸,由于受潮汐影响,外河水位变化较大。为掌握潮水位与测压管水位的关系及对工程的影响,应在大潮期内连续观测。每月有两个大潮期,相应有两个最高潮位。每月可任选一个大潮期,在最高潮位期间观测即可。潮汐涨落以一个太阳日(24h50min)为一个日周期,而我国沿海多数地方潮汐呈不规则半日潮型,在日周期内出现两个低潮,但两次高潮和低潮的潮差以及涨、落潮的历时均不等,观测时间以测到潮周期内最高和最低潮位及潮位变化中扬压力过程线为准。

由于建闸河口地形条件和径流的影响,潮波变形严重,闸下涨潮历时从短的1h左右到长达5h以上,而落潮历时则从长6~7h到10h以上不等。因此,在进行测压管水位观测时,涨潮期及潮位接近峰谷时间隔时间宜短,落潮可适当延长。

3.3.4.2 由于地基渗透系数小及测压管进水管段堵塞、淤积等原因,测压管水位变化与上、下游水位变化不同步,呈现"滞后"现象,一般黏性土地基较为明显。

据测压管水位观测资料分析,不少水闸实测水位与理论值相差很大,甚至出现管内水位高于上游水位或低于下游水位的现象,即呈现"异常"现象。为掌握测压管水位变化规律,分析其"异常"原因,还应配合进行如过闸流量、垂直位移、气温等有关项目的观测。

3.3.4.3 测压管管口高程考证可以结合水闸垂直位移观测进行,测压管可作为水准测量的一个测点加以测量。

3.3.4.4 常用的测压管灵敏度检查为注水试验。由于受潮汐影响的水闸外河水位时刻在变化,因此注水试验时的管内水位恢复到原来水位的时间可能较长,难以判断测压管的灵敏度,故未作规定。

测压管注水试验恢复到原来水位的规定时间,经江苏省多座水闸的试验,认为是可行的。

3.3.4.5 测压管堵塞会影响观测的正常进行,测压管淤积使得测压管内水位滞后时间过长,所测数据不能正确反映地基的扬压力。因此,发现淤积问题应及时清理。测压管如已失效,宜重新埋设测压管,以便能继续监测扬压力情况。

3.3.5 裂缝观测:

3.3.5.1 细微的表面裂缝,对结构安全影响不大,可不设标点进行观测,但应详细记录裂缝的位置和分布情况等,为混凝土表面维护提供依据。

对于影响结构安全的裂缝,特别是位于结构主要受力部位的裂缝,裂缝宽度超过允许值时,则应设标点进行观测。

3.3.5.2 由于裂缝的开合受温度的影响较大,并与结构荷载大小有直接关联。因此,观测裂缝时,应同时观测气温、水温和结构荷载变化情况。当气温、水温和荷载有较大变化时,应适当增加观测次数。

3.3.6 混凝土碳化观测:

3.3.6.1 混凝土碳化观测目前一般采用打孔的方法。用酚酞试剂测定,属损伤性观测,因此不宜多测,可根据工程检查情况不定期进行。为保持结构的完整及防止进一步碳化,观测结束后必须采用高标号砂浆将凿孔封闭,并应严格掌握封孔的质量。

3.3.7 伸缩缝观测:

3.3.7.1 伸缩缝的涨缩主要随温度的变化而变化,因此选择在气温较高和较低时观测比较合适。另一方面,当结构荷载发生较大变化、出现最高水位或最大水位差等情况时,建筑物可能出现较大的沉降或倾斜,从而引起伸缩缝的异常变化,故亦应加强观测。

3.3.7.2～3.3.7.3 由于边荷载对边孔闸底板伸缩缝的影响较大,尤其是地基较差的水闸,易产生较大的不均匀沉陷,致使两侧边孔底板伸缩缝展开较大,甚至引起止水片损坏、漏水等,影响水闸的正常运用。因此,水闸两岸第一块底板上的边墩与岸墙之间、岸墙与翼墙之间的伸缩缝上应设置观测标点。当伸缩缝展开较大时,还应配合进行有关部位的垂直位移观测。

3.3.8 河床变形观测:

3.3.8.2 引河冲刷一般发生在防冲槽后的河段,而引河淤积则范围较大。为了解水闸的工程安全状况及过水能力大小,观测范围取河宽的1～3倍距离。对于靠近河口的水闸,测到河口为止。

3.3.8.3 断面的间距应根据工程的具体情况确定,一般近闸宜密。在河道易冲刷部位,如防冲槽后、急弯、断面收缩(扩散)或比降有显著变化等河段也应适当加密。

3.3.8.4 断面位置固定,便于资料的对比分析和确定河床变形变化情况。桩顶宜设钢标点并标以断面编号及里程桩号。桩顶高程可以引测水上部分地面高程,应在测量前按四等水准进行考证。

3.3.8.5 水流较急时,由于测船很不稳定,测具难以保持垂直,定位不准,不宜观测,宜在闸门关闭或泄放小流量时进行,测深仪具应根据所测水域的具体情况选用。

3.3.8.6 采取散点法测绘水下地形时,一般以前方交会法定位,用两台经纬仪或平板仪测量。测深点间距及选用比例尺以能准确反映河床变形情况为原则。在测量时如发现水深突变,应加密测点。

3.3.9 水流观测一般采取目测,主要监测过闸水流对消能设施的影响。当发现漩涡、回流、折冲水流、浪花翻涌等不良水流时,应详细记录,并立即采取如调整闸门开度等适当的办法予以解决。

3.3.10 水文观测项目、方法及要求,应按现行水文观测规范的有关规定执行。对于未设水文测站的水闸至少应进行水位、流量观测,作为控制运用的依据。

水质监测应着重检测环境水质中对工程有腐蚀影响的因素。

3.3.11 资料整理与整编:

3.3.11.1 资料的整理是经常性的工作,在每次观测结束后应立即对资料进行计算、检查和校核。主要检查计算是否正确,观测精度是否符合要求,有无缺测、漏测,记录有无遗漏,数据是否合理等,做好资料整编的准备工作。

3.3.11.2 资料整编前,收集与工程安全和观测工作有关的资料,以便进行综合分析。整编时应对观测成果进行审查复核,着重审核考证图表是否正确,观测标点与以往是否一致,整编项目、测次、测点是否齐全,计算、曲线点绘有无错误、遗漏等。并填制整编图表、对成果进行分析及编写说明。

3.3.11.3 资料整编的图、表幅面宜统一,以便于装订。图形比例尺一般采用1:1、1:2、1:5或是1、2、5的十倍、百倍数。

4 养护修理

4.1 一般规定

水闸在运用中,不断地遭受各种内、外不良因素的作用,使工程产生冲刷、磨损、腐蚀等破坏,使材质日渐削弱,构件的承载能力降低。因此,为了保证工程及设备完整整洁、安全运用、操作自如,延长使用寿命,必须经常做好养护修理工作。进行养护修理时,应着眼于日常维护工作,一旦发现工程及设备缺陷和隐患,应及时修复,做到小坏小修,随坏随修,防止缺陷扩大和带病运用。在养护修理工作中,还应不断地学习和吸取国内外的先进经验,因地制宜地采用新技术、新材料、新工艺,务求耐久、经济、有效。

4.2 土工建筑物的养护修理

4.2.2 堤(坝)如出现渗漏、管涌,很容易形成滑坡,甚至溃堤、倒坝,故应及时处理。各地区都有不少的成熟经验,一般多采用防渗与导渗措施相结合的办法进行处理,即在迎水面铺一层防渗土工织物,背水坡设导渗沟以导渗,尽可能使堤内渗水安全排出堤外,以达到渗透稳定的目的。

4.2.4 为了防止堤(坝)滑坡,平时应注意防止或减轻外界不良因素对堤(坝)稳定的影响。对堤(坝)稳定有怀疑时,应进行稳定校核。一旦发现滑坡迹象,应及早采取堤脚压重和迎水坡防渗、背水坡导渗等预防措施。

当发生滑坡时,应本着"上部减载、下部压重"的原则进行抢护,即在主裂缝部位削坡减载,堤脚抛石压脚。在抢护时,不宜采用打桩阻滑,或在滑动土体上压重。

4.2.5 河床冲刷,多因超标准泄流、偏流泄水或违反操作规程启闭闸门出流而引起的。当冲坑已影响工程安全时,可因地制宜地采用抛石、沉柴排或软体排等措施进行防护,防止冲坑继续扩大。

4.2.6 水闸上、下游引河常出现淤积现象,其中尤以沿海的挡潮闸下游引河淤积最为严重,不少水闸因而影响工程效益的发挥,甚至丧失宣泄能力而报废。故应适时清淤,以保证工程充分发挥效益。清淤的办法各地区都有不少行之有效的经验,可因地制宜地选用。

4.3 石工建筑物的养护修理

4.3.2 浆砌块石挡土墙墙体倾斜或滑动的现象时有发生,为防止继续恶化,危及工程安全,应分析产生的原因,采用适当的措施进行处理。一般可采用降低墙后填土高度,改善墙后排水设施,或在墙前筑撑墙,墙后加拉条等办法解决。

当挡土墙底部出现漏水、冒沙等现象时,应在墙前增设倒滤层防护,这是行之有效的应急措施。

4.4 混凝土建筑物的养护修理

4.4.1 门槽范围内积聚的砂石、树枝或其他杂物,不仅使门关不到底,还可能发生螺杆启闭机的螺杆压弯等事故。消力池内的砂石受流水冲动,往往在池尾槛附近反复滚动,严重磨损底板面层混凝土。如江苏省三河闸消力池在 1968 年加固时,发现池内石块已磨成卵蛋形,尾槛附近池面多处磨成深坑,严重的部位已磨断了顶层钢筋。

4.4.2 保持箱式结构进水孔、通气孔、涵洞通气孔、墙体和反滤层排水孔等的完好、畅通,是保证结构安全运行、延长使用寿命的重要措施。

公路桥面排出的水如沿板底或梁侧漫流,将加剧该部位混凝土的腐蚀损坏。据江苏省 21 座水闸调查,凡桥面排水孔的泄水沿板底或梁侧漫流的,这些部位的混凝土均受到不同程度的腐蚀,甚至成片剥落,钢筋裸露。江苏省武定门节制闸在原排水孔内加设塑料管,下端管口离开板底和梁侧,取得较好效果。

箱式结构内的淤积过多,可引起该结构过度下沉或超过墙、底板的允许承载能力,导致不良后果。

4.4.3 我国有些水闸的底部钢筋混凝土结构,经常露出水面,较长时间暴露于大气中,易受温度变化影响,引起混凝土冻坏或温裂。因此,除今后在设计、施工中予以注意外,对已建水闸还应采取适当的保护措施。据山东省黄河河务局管理的麻湾等 4 座水闸的经验,利用淤土覆盖,效果较好。

4.4.4 钢筋的混凝土保护层,易受到碳酸气、氯离子等有害物质的侵蚀,当侵蚀深度达到钢筋表面时,将引起钢筋锈蚀,导致混凝土开裂。因此,应根据环境条件、结构特点、腐蚀程度和施工条件等,及时采取适当保护、修补措施。

混凝土表面损坏处理,各地区积累了较多的成熟经验,如涂料封闭、砂浆涂抹、喷浆等措施,各地可因地制宜地选用。必须注意,保护、修补工作应严格掌握质量标准。当采用新技术、新材料时,应通过充分试验论证。

4.4.6 关于钢筋混凝土结构最大裂缝宽度允许值的标准,《水工钢筋混凝土结构设计规范》(SDJ20－78)作了具体规定。近年来随着对混凝土耐久性要求日益提高的趋势,通过大量调查、试验和研究,原规定不尽合乎实际。1987 年交通部颁布的《港口工程技术规范》(JTJ228－87)"海港钢筋混凝土结构防腐蚀"中,对此项规定有较大变动,特别对水上区提出了更为严格的要求。1991 年水利部颁布的《水闸施工规范》(SL27－91)中,通过大量调查研究,参照各有关规范的规定,结合水闸具体情况,拟定了水闸钢筋混凝土结构最大裂缝宽度允许值的规定及裂缝处理方法的原则要求,本条即参照该规定拟订。

4.5 闸门的养护修理

4.5.4 用于钢闸门防腐涂料的品种繁多,各单位应视具体情况,认真研究涂料的性能,因地制宜地选用适宜的品种。

涂料是高分子化合物,活性强,有的属碱性,有的属酸性,面(中)、底层涂料必须相容,否则引起酸碱化学反应,将导致涂层在短期内失效。

涂层的干膜厚度是按保护周期为5~8年的要求,参照有关规范的规定,并结合国内钢结构防腐工程的实践而拟定。

4.5.5 钢闸门喷涂的金属材料,应视环境介质而定。一般情况:淡水环境或pH值大于7时,以采用喷涂锌为宜,海水环境或pH值小于或等于7时,以采用喷涂铝或锌铝合金、铝基合金为宜。但随着工业的发展,新的优质材料不断出现,如上海市苏州河闸桥钢结构表面喷涂AC铝,效果较好。另外掺有稀土材料的锌或铝合金也正在试验论证之中。

金属喷涂层厚度是按保护周期为15~20年的要求,参照水工、港工等国内规范及英国《钢结构防腐喷锌层厚度覆盖层规范》(BS5493-1977)的规定,并结合我国水闸闸门防腐措施的实践经验而拟定。

表4.5.5-1　　国内有关规范关于一般工程金属结构表面保护层厚度的规定

资　料　来　源	涂料种类	涂层总厚度(μm)			适用范围
		保护周期(年)			
		10~20	5~10	<5	
《海港工程钢结构防腐蚀技术规定》(JTJ230-89)	涂料	320~450	220~350	170~250	海　水
	喷锌层	250~300	150		
《水工金属结构制造、安装、验收规范》(SLJ、DLJ201-80)	涂料				淡海水
	喷锌层	150~250			
《水闸施工规范》(SL27-91)	涂料				淡海水
	喷锌层	150~250			

表4.5.5-2　　英国《钢结构防腐喷锌层厚度覆盖层规范》(BS5493-1977)　　(μm)

环　境　条　件		首次维修时的保护周期(年)			
		>20	10~20	5~10	<5
内陆大气	无污染	150	100		
	污染	150	100	100*	
海边大气	无污染	150	100	100*	
	污染	250	150	100	
淡　水　中		150	150		
海　水　中		250	150	100	100*
海水浪溅区		250	170	150	100*

*为喷锌未加封闭覆盖层;其余为喷锌加封闭覆盖层。

4.5.9 目前水闸闸门止水装置较普遍采用止水橡皮,据《水工金属结构制造、安装、验收规范》的规定,止水橡皮每米长度的漏水量为 0.1L/s。根据新疆、江苏等地一些水闸的调查资料,使用多年的闸门止水装置的漏水量,远大于该规范的规定。本规程讨论中,多数专家认为:经过多年使用后,止水装置的止水标准如采用新建工程标准,定量太严。故将闸门止水橡皮每米长度的漏水量放宽为 0.2L/s。

4.5.14 钢筋混凝土与钢丝网水泥闸门是高配筋率的构件,钢丝网水泥结构比较单薄,防止混凝土碳化或其他有害物质的侵蚀,保持网筋的钝化状态,应是维护工程的重点。因此,必须选用耐碱、耐久并与基体具有良好粘结性能的涂料,作为保护涂层。常用的涂料有环氧类、聚苯乙烯类、氯丁橡胶类等材料。

4.6 启闭机的养护修理

4.6.6 钢丝绳应定期清洗,涂抹防水油脂。特别是靠近绳套、弯曲处和门顶固定防漏盖等部位,易失油锈蚀,应勤加保养。

绳套内金属块通常采用锌材,锌是很活泼的金属,极易氧化或受酸性物质的腐蚀,如发现粉化或松动时,应立即重浇,以防发生脱套掉门事故。

4.6.8 承重螺母如螺纹的超量磨损,易导致螺杆螺纹的磨损。螺纹磨损后的螺杆会加剧新螺母的磨损,形成恶性循环。据了解,各地区对承重螺母磨损量的报废标准不一。据不完全统计,江苏、安徽、浙江等省分别为 33%、25%、20%。本条综合各方面意见,并按适当从严要求的精神,拟定承重螺母螺纹磨损量达 20% 时,即应报废更换。

4.6.9 油压启闭机的工作油液中,如含有超过规定的杂质、灰分能引起机件超量磨损,缩短使用寿命,当水分超过 0.025% 时,将引起工作机颤料,故应确保油质合格。

4.6.12 修理高压管路必须先排净油液,并拆卸待修管件后方得进行。严禁在未拆卸或分解的管路上施焊,以免与管路串通的泵、阀体受电弧火花的损伤或引起残存油液的挥发物爆炸。

更新的管件应与原设计规格一致,并清洗干净后方可安装。

4.6.13 贮油箱修补后作渗漏试验的标准,系参照《水轮发电机组安装技术规范》(GB8564-88)中,无压容器须作渗漏试验的规定而拟订的。

4.6.14～4.6.18 油缸、管路、闸阀、弯头、三通及油泵检修后的耐压试验或空转试验标准,系参照《水工建筑物金属结构制造、安装及验收规范》(SLJ、DLJ201-80)和《水轮发电机组安装技术规范》(GB8564-88)有关规定而拟订的。

附录二

水 闸 安 全 鉴 定 规 定

中华人民共和国行业标准 SL214－98

前　言

制定 SL214－98《水闸安全鉴定规定》的主要依据为 SL75－94《水闸技术管理规程》第 3 章对水闸安全鉴定的有关规定和我国水闸安全鉴定工作的经验总结。

《水闸安全鉴定规定》主要包括以下内容：

——安全鉴定的适用范围和周期；

——安全鉴定工程程序；

——水闸现状调查分析；

——现场安全检测与成果分析；

——工程复核计算与计算成果；

——水闸安全评定标准和鉴定报告书。

本标准解释单位：水利部水利管理司

本标准主编单位：水利部水利管理司　江苏省水利厅

本标准主要起草人：黄莉新　蔡洪卿　寿景耀　连登庸　张汉君

　　　　　　　　　陆一忠　高杏根　肖向红　徐永田

1　总　则

1.0.1　为保证水闸运行安全,规范地开展水闸安全鉴定工作,根据 SL75－94《水闸技术管理规程》的要求,特制定本标准。

1.0.2　本标准适用于平原区大、中型水利水电工程中的 1、2、3 级水闸的安全鉴定。山区、丘陵区泄水闸及平原区的 4、5 级水闸和水利部门管理的船闸的安全鉴定,可参照执行。

1.0.3　水闸安全鉴定范围：闸室,上、下游连接段,闸门,启闭机,电气设备和管理范围内的上、下游河道。

1.0.4　水闸安全鉴定周期：水闸投入运用后每隔 15～20 年,应进行一次全面安全鉴定；

＊1998 年 6 月 3 日水利部水科技［1998］222 号文发布。

单项工程达到折旧年限,应适时进行安全鉴定;对影响水闸安全运行的单项工程,必须及时进行安全鉴定。

1.0.5 水闸安全鉴定工作,应由水闸管理单位按本标准 1.0.4 的规定,向水闸上级主管部门申报。水闸上级主管部门应负责主持并组织实施。

1.0.6 水闸安全鉴定工作,除应符合本标准外,尚应符合国家现行有关标准的规定。

2 鉴定程序

2.0.1 水闸的安全鉴定工作,应按下列基本程序进行:

(1)工程现状的调查分析;

(2)现场安全检测;

(3)工程复核计算;

(4)水闸安全评价;

(5)水闸安全鉴定工作总结。

2.0.2 水闸管理单位应承担工程现状的调查分析工作,在申报要求安全鉴定时,必须将工程现状调查分析报告报上级主管部门。在开展安全鉴定工作过程中,应积极配合安全检测、复核计算单位和安全鉴定专家组的各项工作。

2.0.3 水闸上级主管部门组织实施水闸安全鉴定时,应承担下列各项工作:

(1)审批水闸管理单位的安全鉴定申请报告,下达安全鉴定任务;

(2)聘请有关专家,组建水闸安全鉴定专家组;

(3)编制水闸安全鉴定工作计划;

(4)委托或组织有关单位进行现场安全检测和工程复核计算;

(5)组织编写安全鉴定工作总结。

2.0.4 水闸安全鉴定专家组应根据工程等别、水闸级别和鉴定内容,由有关设计、施工、管理、科研或高等院校等方面的专家和水闸上级主管部门及管理单位的技术负责人组成。水闸安全鉴定专家组人数一般为 5~11 名,其中高级职称人数比例不少于 2/3。

2.0.5 水闸上级主管部门在编制安全鉴定工作计划时,应根据工程情况和现状调查分析报告中提出的工程存在问题,征询水闸安全鉴定专家组意见,拟定现场安全检测和工程复核计算项目,提出鉴定工作进度计划、资金安排和组织分工等具体意见和要求。

2.0.6 现场安全检测和工程复核计算工作,一般应委托具备相应资质的检测单位和设计单位进行。承担上述任务的单位必须按时提交现场检测报告和工程复核计算分析报告。

2.0.7 在鉴定过程中,发现尚需对工程补作检测或核算的,水闸上级主管部门应及时组织实施。

2.0.8 水闸安全鉴定专家组应审查工程现状调查分析报告、现场安全检测报告和工程复核计算分析报告;主持召开鉴定会议,进行水闸安全分析评价,评定水闸安全类别,提出水闸安全鉴定结论,编写水闸安全鉴定报告书。

水闸安全鉴定报告书的编排格式,应符合本标准附录 A 的规定。

2.0.9 技术鉴定工作结束后,水闸上级主管部门应组织编写安全鉴定工作总结。安全鉴定工作总结和水闸安全鉴定报告书应报上一级主管部门备案,1、2级水闸的鉴定资料还应报水利部和有关流域机构。安全鉴定资料应归档长期保管。

3 现状调查

3.1 一般规定

3.1.1 水闸工程现状调查分析的内容,应包括技术资料收集、工程现状全面检查和对工程存在问题进行初步分析。

3.1.2 收集的技术资料,应真实、完整,力求满足安全鉴定需要。

3.1.3 工程现状全面检查应在原有检查观测成果基础上进行,应特别注意检查工程的薄弱部位和隐蔽部位。

3.1.4 对检查中发现的工程存在问题和缺陷,应初步分析其成因和对工程安全运用的影响。

3.2 技术资料的收集

3.2.1 设计资料应包括下列主要内容:

(1)工程地质勘测和水工模型试验;

(2)工程(包括新建、改建或加固)的设计文件和图纸。

3.2.2 施工资料应包括下列主要内容:

(1)施工技术总结资料;

(2)工程质量监督检测或工程建设监理资料。

(3)观测设施的考证资料及施工期观测资料;

(4)工程竣工图和验收交接文件。

3.2.3 技术管理资料应包括下列主要内容:

(1)技术管理的规章制度;

(2)控制运用技术文件及运行记录;

(3)历年的定期检查、特别检查和安全鉴定报告;

(4)观测资料成果;

(5)工程大修和重大工程事故处理措施等技术资料。

3.3 工程现状调查分析报告

3.3.1 工程现状调查分析报告,一般应包括下列内容:

(1)基本情况:

1)工程概况:包括水闸建成时间,工程规模,主要结构和闸门、启闭机形式,工程设计效益及实际效益等。

2)设计、施工情况:包括建筑物级别,设计的工程特征值,地基情况及处理措施,施工中发生的主要质量问题及处理措施等。

3)技术管理情况:包括技术管理制度执行情况,控制运用情况和运行期间遭遇洪水、风暴潮、强烈地震及重大工程事故造成的工程损坏情况及处理措施等。

(2)工程安全状态初步分析:应对水闸的土石方工程、混凝土结构、闸门等工程设施的安全状态和启闭机、电气设备等的完好程度以及观测设施的有效性等逐项详细描述,并对工程存在的问题和缺陷的产生原因,进行初步分析。

(3)建议:根据初步分析结果,提出需进行现场安全检测和工程复核计算的项目及对工程大修或加固的建议。

4 安全检测

4.1 一般规定

4.1.1 水闸现场安全检测项目,应根据工程情况、管理运用中存在的问题和具体条件等因素综合研究确定。一般包括:

(1)地基土、填料土的基本工程性质;

(2)防渗、导渗和消能防冲设施的有效性和完整性;

(3)混凝土结构的强度、变形和耐久性;

(4)闸门、启闭机的安全性;

(5)电气设备的安全性;

(6)观测设施的有效性;

(7)其他有关专项测试。

4.1.2 水闸现场安全检测应遵守下列规定:

(1)现有的检查观测资料已能满足安全鉴定分析要求的,不再检测;

(2)检测项目应与工程复核计算内容相协调;

(3)检测工作应选在对检测条件有利和对水闸运行干扰较小的时期进行;

(4)检测点应选择在能较好地反映工程实际安全状态的部位上;

(5)现场检测宜采用无破损检测方法。如必须采用破损检测时,应尽量减少测点。检测结束后,应及时予以修复。

4.1.3 多孔闸应在普查基础上,选取能较全面反映整个工程实际安全状态的闸孔进行抽样检测。抽样比例应综合闸孔数量、运行情况、检测内容和条件等因素确定,一般应符合下列规定:

10 孔以内的水闸为 100%～30%;

11～20 孔的水闸为 30%～15%;

21～70 孔的水闸为 15%～10%;

超过 70 孔的水闸可酌量减小抽样比例。

4.2 安全检测内容

4.2.1 水闸地基渗流异常或过闸水流流态异常的,应重点检测水下部位有无止水失效、结构断裂、基土流失、冲坑和塌陷等异常现象。

4.2.2 闸室或岸墙、翼墙发生异常沉降、倾斜、滑移等情况,除应检测水下部位结构外,还应检测地基土和填料土的基本工程性质指标。

4.2.3 混凝土结构的检测应包括以下内容:

(1)主要结构构件或有防渗要求的结构,出现破坏结构整体性或影响工程安全运用的裂缝,应检测裂缝的分布、宽度、长度和深度。必要时应检测钢筋的锈蚀程度,分析裂缝产生的原因。

(2)对承重结构荷载超过原设计荷载标准而产生明显变形的,应检测结构的应力和变形值。

(3)对主要结构构件表面发生锈胀裂缝或剥蚀、磨损、保护层破坏较严重的,应检测钢筋的锈蚀程度。必要时应检测混凝土的碳化深度和钢筋保护层厚度。

(4)结构因受侵蚀性介质作用而发生腐蚀的,应测定侵蚀性介质的成分、含量及检测结构的腐蚀程度。

4.2.4 闸门和启闭机的安全检测:

(1)钢闸门、启闭机的检测应按 SL101－94《水工钢闸门和启闭机安全检测技术规程》的规定执行;

(2)混凝土闸门除应检测构件的裂缝和钢筋(或钢丝网)锈蚀程度外,还应检测零部件和埋件的锈损程度和可靠性。

4.2.5 电气设备的安全检测,可参照 GB50150－91《电气装置安装工程电气设备交接试验标准》等有关规定执行。

4.2.6 观测设施有效性检测,应按 SL75－94 及其他相应的现行标准中有关规定执行。

4.2.7 复核计算或安全鉴定所需要的其他专项测试,应按相应的现行标准中有关规定执行。

4.3 现场安全检测报告

4.3.1 现场安全检测报告一般应包括以下内容:

(1)基本情况;

(2)原有检查观测资料的成果摘要;

(3)检测内容和方法;

(4)检测资料成果分析;

(5)对检测结构安全状态的评价和建议。

5 复核计算

5.1 一般规定

5.1.1 复核计算应以最新的规划数据、检查观测资料和安全检测成果为主要依据,按照现行 SD133－84《水闸设计规范》及其他有关标准进行。

5.2 复核计算内容

5.2.1 水闸因规划数据的改变而影响安全运行的,应区别不同情况,进行闸室、岸墙和翼墙的整体稳定性、抗渗稳定性、水闸过水能力、消能防冲或结构强度等复核计算。

5.2.2 水闸结构因荷载标准的提高而影响工程安全的,应复核其结构强度和变形。

5.2.3 闸室或岸墙、翼墙发生异常沉降、倾斜、滑移,应以新测定的地基土和填料土的基本工程性质指标,核算闸室或岸墙、翼墙的稳定性与地基整体稳定性。

5.2.4 闸室或岸墙、翼墙的地基出现异常渗流,应进行抗渗稳定性验算。

5.2.5 混凝土结构的复核计算应符合下列规定:

(1)需要限制裂缝宽度的结构构件,出现超过允许值的裂缝,应复核其结构强度和裂缝宽度。

(2)需要控制变形值的结构构件,出现超过允许值的变形,应进行结构强度和变形验算。

(3)对主要结构构件发生锈胀裂缝或表面剥蚀、磨损而导致钢筋保护层破坏和钢筋锈蚀的,应按实际截面进行结构构件强度复核。

5.2.6 闸门复核计算应遵守下列规定:

(1)钢闸门结构发生严重锈蚀而导致截面削弱的,应进行结构强度、刚度和稳定性验算。

(2)混凝土闸门的梁、面板等受力构件发生严重腐蚀、剥蚀、裂缝致使钢筋(或钢丝网)锈蚀的,应按实际截面进行结构强度、刚度和稳定性验算。

(3)闸门的零部件和埋件等发生严重锈蚀或磨损的,应按实际截面进行强度核算。

5.2.7 水闸上、下游河道发生严重淤积或冲刷而引起上、下游水位发生变化的,应进行水闸过水能力或消能防冲核算。

5.2.8 地震设防区的水闸,原设计未考虑抗震设防或设计烈度偏低的,应按现行 SL203-97《水工建筑物抗震设计规定》和 DS133-84 等有关规定进行复核计算。

5.3 工程复核计算分析报告

5.3.1 工程复核计算分析报告一般应包括以下内容:

(1)工程概况;

(2)基本资料,包括建筑物级别、设计标准、地基情况、地震设防烈度和安全检测中的有关资料等;

(3)复核计算成果及分析评价;

(4)水闸安全状态综合评价和建议。

6 安全评价

6.0.1 对工程现状调查分析报告、现场安全检测报告和工程复核计算分析报告等三项成果,应着重审查报告中所列数据资料的来源与可靠性,检测和核算方法是否符合现行有关标准的规定,论证其分析评价是否准确合理。

6.0.2 水闸安全类别评定标准:

一类闸:运用指标能达到设计标准,无影响正常运行的缺陷,按常规维修养护即可保证正常运行。

二类闸:运用指标基本达到设计标准,工程存在一定损坏,经大修后,可达到正常运行。

三类闸:运用指标达不到设计标准,工程存在严重损坏,经除险加固后,才能达到正常运行。

四类闸:运用指标无法达到设计标准,工程存在严重安全问题,需降低标准运用或报废重建。

6.0.3 水闸安全鉴定报告书的各项安全分析评价内容,应根据对调查分析、安全检测和复核计算三项成果的审查结果,按规定内容逐项填列。在综合分析各项安全分析评价内容基础上,提出水闸安全鉴定结论。并应按本标准 6.0.2 的规定,评定水闸安全类别。对工程存在的主要问题,应提出加固或改善运用的意见。

6.0.4 水闸上级主管部门及管理单位应根据水闸安全鉴定结论,采取相应措施:对三类闸,应尽快进行除险加固;对四类闸,应逐级上报,申报降低标准运用或报废重建。在未除险加固或报废重建前,必须采取应急措施,确保工程安全。

水闸安全鉴定报告书样式

鉴定种类	全面	
	单项	

水闸安全鉴定报告书

水闸名称：_____

年　　月　　日

填 表 说 明

1. 水闸名称:除闸名外,填明水闸类型,如节制闸、分洪闸、排水闸、挡潮闸等。

2. 水闸级别:按 SDJ217－87《水利水电枢纽工程等级划分及设计标准》(平原、滨海部分)的有关规定划分。

3. 工程概况:填明建筑物结构和闸门、启闭机形式,闸孔数及孔口尺寸,主要部位高程,地基情况及处理措施,设计的工程特征值和工程效益等。

4. 工程施工和验收情况:填明工程施工的基本情况和施工中曾发生的主要质量问题及处理措施,工程验收文件中有关对工程管理运用的技术要求等。

5. 水闸运行情况:填明水闸运行期间遭遇洪水、风暴潮、强烈地震和重大工程事故造成的工程损坏情况及处理措施等。

6. 水闸安全分析评价:按照本标准 6.0.3 的要求编写。

7. 水闸安全类别评定:按照本标准 6.0.2 水闸安全类别评定标准评定的结果填列。单项工程的安全鉴定,可不填列。

8. 报告书中栏目填不下时,可适当调整或扩大。

水闸名称		水闸级别		建成年月	
所在河流		所在地点			
设计地震烈度		鉴定时间			
上级主管部门		管理单位			

鉴定项目：

工程概况：

工程施工和验收情况：

本闸运行情况：

本次安全鉴定安全检测、复核计算基本情况			
现场安全检测单位 名　　　　称		工程复核计算 单 位 名 称	
现场安全 检测项目	安全检测 成果名称	工程复核 计算项目	复核计算 成果名称

水闸安全分析评价	水闸稳定性 和 抗渗稳定性	
	抗震能力	
	消能防冲	
	水闸过水能力	

	混凝土结构	
水闸安全分析评价	闸门、启闭机	
	电气设备	
	观测设施	
	其　他	

水闸安全类别评定：

水闸安全鉴定结论：

专家组组长(签名)

年　　月　　日

_____闸安全鉴定专家组成员

年　　月　　日

姓名	专家职务	工作单位	职务	职称	从事专业	签名

本标准的用词和用语说明

本标准按要求严格程度不同的用词说明如下：

——表示很严格，非这样做不可的：

正面词采用"必须"，反面词采用"严禁"。

——表示严格，在正常情况均应这样做的：

正面词采用"应"，反面词采用"不应"或"不得"。

——表示允许稍有选择，在条件许可时首先应这样做的：

正面词采用"宜"，反面词采用"不宜"；表示有选择，在一定条件下可以这样做的，采用"可"。

本标准用语说明如下：

条文中"条"、"款"之间承上启下的连接用语，采用"符合下列规定"、"遵守下列规定"或"符合下列要求"等。

条文中引用本标准中其他条文时，采用"符合本标准×.×.×的规定"。

条文中指明应按相关标准执行的，采用"应按……执行"或"应符合……要求"；非必须按照相关标准执行的，采用"可参照……"等。

条 文 说 明

1　总　　则

1.0.1　我国现有水闸30 000余座(其中大型水闸300余座，中型水闸2 000余座)，是我国除害兴利的水利基础设施的组成部分，对防洪、挡潮、排涝、灌溉、供水、环保、航运和水力发电等方面具有十分重要的作用。若水闸一旦损坏失事，将给下游广大地区人民生命、财产和国民经济各部门造成严重损失。因此，为了保证水闸安全运行，除应加强日常的检查观测、养护修理和进行科学的控制运用外，还必须建立完善的安全鉴定技术法规。

水闸安全鉴定的基本内容，在SL75－94《水闸技术管理规程》中已作了原则性规定。但为了规范地开展安全鉴定工作，便于实际操作，尚须对水闸安全鉴定的组织和程序，现状调查分析、现场安全检测和工程复核计算具体内容及其要求，水闸安全类别评定标准以及水闸安全鉴定报告书格式及其填写要求等作出明确规定，故制定本规定。

1.0.2　目前水利工程管理所采用的水闸分级标准，是按校核过闸流量(无校核过闸流量就以设计过闸流量为准)大小划分的。即：校核过闸流量1 000m³/s及以上为大型水闸；100m³/s及以上，不足1 000m³/s为中型水闸；10m³/s及以上，不足100m³/s为小型水闸。上述水闸分级规定，只考虑过闸流量的因素，未能充分反映水闸功能、特点和重要性，对水闸安全鉴定适用范围的划分，不尽合理。

水利电力部于1978年颁布了适用于山区和丘陵区、平原和滨海区的《水利水电枢纽工程等级划分及设计标准》。该标准对水闸分级的规定,既考虑到工程规模、功能和在国民经济中的重要性,又反映了水闸的不同技术要求和安全要求。按此标准划分的水闸级别,无疑要比上述目前所采用的划分办法准确合理,同时也利于进行工程的复核计算。

为了合理划分水闸安全鉴定适用范围和便于本规定与有关标准配套使用,故作本条规定。

1.0.4 水闸安全鉴定的周期,是根据 SL75-94 有关规定制定的。

水闸工程的折旧年限,可按照 SL72-94《水利建设项目经济评价规范》附录 A 水利工程固定资产分类折旧年限(表1.0.4)的规定执行。

表1.0.4　　　　　　　　水利工程固定资产分类折旧年限

固定资产分类	折旧年限(年)
大型混凝土、钢筋混凝土的堤、坝、闸	50
中小型混凝土、钢筋混凝土的堤、坝、闸	50
土、土石混合等当地材料堤、坝	50
大型闸阀、启闭设备	30
中小型闸阀、启闭设备	20
铁塔、水泥杆	40
变电设备	25
配电设备	20

1.0.6 水闸安全鉴定工作涉及面较广,内容比较复杂。凡本标准未作规定的,应符合国家现行的有关标准的规定,如:水闸的分级应按照 SDJ271-87 有关规定执行;工程检查观测内容及观测设施有效性的检验等,应符合 SL75-94 有关要求;地基土和填料土基本工程性质指标的测定,混凝土结构、闸门和启闭机以及电气设备等检测工作,应分别按照 GBJ123-88《土工试验方法标准》、SD128-84《土工试验规程》、SD105-82《水工混凝土试验规程》、CECS03:88《钻芯法检测混凝土强度技术规程》、JGJ/T23-92《回弹法检测混凝土抗压强度技术规程》、CECS21:90《超声法检测混凝土缺陷技术规程》、CECS02:88《超声回弹综合法检测混凝土强度技术规程》、SL101-94《水工钢闸门和启闭机安全检测技术规程》及 GB50150-91《电气装置安装工程电气设备交接试验标准》等的有关规定执行;其他项目的检测工作尚需按照相应有关标准执行;水闸工程复核计算应符合 SD133-84《水闸设计规范》及其相关的 SDJ20-78《水工钢筋混凝土结构设计规范》、SL74-95《水利水电工程钢闸门设计规范》和 SL203-97 等的有关要求。

2　鉴定程序

2.0.1 水闸安全鉴定工作的内容,系总结我国 20 世纪 70 年代水利工程大检查和 20 世纪 80 年代水利工程"三查三定"的工作经验,参考水库大坝安全鉴定工作内容,以及近年各地一些水闸进行除险加固所开展的安全鉴定工作实践而制定的。其工作过程为:由水闸管理单位通过工程现状的调查分析,系统反映工程存在问题,再经有资质的有关单位进行安全检测和复核计算,最后由专家鉴定进行综合评价,提出安全鉴定的结论意见。经实践证明是比较成熟的。

2.0.2 水闸工程一般是按照受益和影响范围的大小,实行分级管理。加强对水闸工程的管理以确保水闸安全运用,是水闸上级主管部门的职责。本条规定,安全鉴定工作由上级主管部门组织实施,明确了组织水闸安全鉴定的工作职责。

2.0.4 水闸安全鉴定工作技术性很强,涉及多种专业。为切实保证安全鉴定工作质量,得出准确的鉴定结果,以便作出大修、加固或更新等方面的决策,需要组织具有较高水平的专家来进行。专家组人数及高级职称人数比例,是参考水库大坝安全鉴定办法及已有的水闸安全鉴定实例综合研究确定的。

2.0.5 鉴定工作涉及面广,参与单位较多,需在事前做好周密的计划安排。对需要进行安全检测和复核计算工作的,在水闸管理单位现状调查分析后,充分征询安全鉴定专家组意见,再拟定检测和核算项目是切实可行的。如江苏省万福闸补办验收进行工程技术鉴定(相当于安全鉴定)时,先由管理单位上报较为详尽的"管理运用技术总结",然后由省水利厅召集设计、施工、科研和管理方面专家对工程现状和存在的主要问题进行鉴定。经听取管理单位汇报、现场勘查后座谈讨论,一致认为该闸先天不足,存在问题过多,必须立即进行加固处理,方能使工程再继续发挥效益。会上还议定了尚需补做的检测项目和加固工程复核项目,从而不仅使这项工程的安全鉴定工作得以顺利开展,而且落实了加固工程的基建计划。

2.0.6 安全检测和复核计算工作,是安全鉴定工作的重要环节,承担工作的单位对检测和核算的结论负有责任。因此,检测和核算单位应具有较强的业务能力和较高的技术水平,方能承担上述任务。

2.0.8 水闸安全分析评价是水闸安全鉴定的结论阶段,一般以专家鉴定的形式进行。本条规定明确了专家组职责。

3 现状调查

3.0.1 20 世纪 80 年代初,在我国进行的水利工程"三查三定"工作中,水闸管理单位编写的《水利工程管理状况登记表》和《水闸三查三定报告书》等资料,是根据全面检查结果,在查清水闸存在问题和缺陷的基础上,并对其成因进行初步分析编成的。这些资料为后来有计划地开展水闸的安全鉴定和大修、加固工程,提供了可靠依据,取得了良好效果。根据上述经验,水闸管理单位在安全鉴定之初,进行水闸全面检查,对查清水闸存在问题和缺陷是很有必要的。

水闸的薄弱部位和隐蔽部位,多系平时不易检查到的部位,主要是:

(1)水闸底部工程:

1)底板及防渗铺盖有无断裂损坏;

2)永久缝止水有无损坏失效;

3)倒滤水器有无淤堵;

4)消力池内有无砂石堆积或磨损、露筋;

5)海漫、防冲槽及河床有无冲刷破坏。

(2)闸门和启闭机部位:

1)平面闸门端柱是否严重锈蚀,行走支承的主滚轮是否运转灵活,轨道或滑道有无磨损、脱落;

2)弧形闸门的支臂与支铰连接及组合梁夹缝等部位有无严重锈蚀;

3)经常处于水下的启闭机钢丝绳套与闸门吊耳是否连接牢固,钢丝绳有无锈蚀、断丝。

3.2 本节所列的技术资料系参照 SD184－86《水利基本建设工程验收规程》、SD133－84、SL27－91《水闸施工规范》、SL75－94 中有关内容,结合水闸安全鉴定需要确定。但由于水闸建成年代不同,各类技术资料的完整程度有差别,名称也不尽相同,管理单位可根据各闸具体情况,按规定要求尽量将资料收集齐全,以利安全鉴定工作顺利开展。

3.0.1 对水闸的土石方工程、混凝土结构、闸门等工程设施的安全状态和启闭机、电气设备等完好程度的描述内容,可按照 SL75－94 中定期检查的内容要求择要叙述,以能反映出存在影响工程安全运用的问题为原则。

4 安全检测

4.1.1 我国已进行安全鉴定的水闸,基本上都安排现场安全检测项目。为了满足鉴定分析需要,检测项目都应针对工程存在问题而确定。本条规定的检测项目是总结诸多水闸安全鉴定的实践作出的。

混凝土的耐久性系指其抗渗、抗冻、抗冲磨、抗气蚀、抗碳化、抗氯离子侵蚀和抗化学侵蚀等性能。

观测设施的有效性,主要指测压管灵敏度是否合适;垂直位移和水平位移观测的各项基点高程是否符合精度要求;河床变形观测的断面桩和伸缩缝及裂缝观测的固定观测标点是否完好等。

其他有关专项测试系指特殊工况的水闸,根据安全鉴定需要而进行的非常规性检测。如混凝土结构隐患探测和水下结构裂缝的激光电视观测、地基土对混凝土拖板的抗滑试验和管涌试验、闸门震动观测以及闸基扬压力监测设施的安装与观测等。

4.1.3 现有的检查观测资料系指按 SL75－94 中所规定的常规检查观测项目的检测成果,或其他专项检测成果。

4.2.1 闸基的渗流异常,一般可通过测压管水位的观测资料判断或潜水员作水下检查探明。当实测测压管水位与理论计算结果对比有较大差别时,可能是防渗设施的破坏或导渗设施的淤堵所致,会对闸室或闸基渗流的稳定产生不利影响。故本条规定应查明水下有关结构的损坏情况,以便采取防范措施,确保工程安全。

4.2.2 闸室或岸墙、翼墙异常沉降,指地基累计沉降量或沉降差超过设计的允许值。当出现上述情况时，会导致底部结构产生裂缝或发生永久缝止水设施失效，危及水闸安全运用。故应检查水下结构和永久缝止水设施是否完好。

水闸出现异常沉降的原因，往往由于对地基土的基本工程性质没有查清所造成。因此，为准确地进行复核计算，对地基土及填料土的基本工程性质应进行测定。

4.2.3 混凝土结构的检测内容：

国内外大量调查材料表明，混凝土中钢筋锈蚀是混凝土结构最普遍的病害之一，水闸混凝土结构也不例外。例如1985年水电部水工混凝土耐久性调查组对全国46座水闸调查结果表明，因混凝土碳化导致钢筋锈蚀引起构筑物破坏的占47.5%。

混凝土碳化导致钢筋锈蚀是一种先锈后裂的病害。对此类病害应以防为主，即应在混凝土碳化深度尚未到达钢筋表面时，就进行涂料封闭等表面防护措施以防止钢筋锈蚀。对已发生锈胀裂缝的主要结构构件，应测定混凝土碳化深度及钢筋实际保护层厚度和钢筋的锈蚀程度，这对于确定合理的维修方案也是十分必要的。

据调查，不少水闸受城市工业污水和生活污水的化学侵蚀较为严重。如处于南京市秦淮河的武定门节制闸，于20世纪60年代初建成，4年后，闸墩和空箱岸、翼墙混凝土与水接触的部位产生了剥蚀、露石破坏，腐蚀深度逐年加深，1994年最大深度已达40～50mm，钢筋局部裸露锈蚀。经检测，污水对混凝土的侵蚀主要为碳酸性和一般酸性侵蚀，其危害较为严重。

5 复核计算

5.1.1 本条所称的规划数据，系指水闸工程规划所确定的过闸流量和上、下游水位等特征值而言。水闸工程的特征值，通常是在流域规划、地区水利规划或某些专业规划基础上确定的。我国早期编制的水利规划，往往受条件限制对某些规划数据定得不够确切，从而影响到水闸的安全运用。随着国民经济和科学技术的发展，水利规划每隔一定时期就要进行修订和补充，水闸规划数据也要作相应修正。为了使水闸安全鉴定的复核计算成果正确可靠，故规定复核计算应以最新修正的规划数据为依据。

5.2.1 在水闸管理运用中，由于规划数据改变而影响安全运用的事例，主要有下列几种：

(1)洪水位超过设计最高水位。如新中国成立初期淮河下游洪泽湖大堤上修建的高良涧进水闸，因规划确定的闸上最高水位(即洪泽湖最高水位)偏低，1954年淮河大水时，洪水位超过设计最高水位，影响闸室稳定。经采用临时抢险防护措施，才安度汛期。

(2)闸下水位消落。由于闸下河道拓浚或受流水冲刷等原因，会使闸下水位消落，在低于过闸流量的相应闸下最小消能水深时，就能使消能防冲设施遭受破坏。如京杭大运河上的淮安节制闸，因闸下游河道浚深拓宽，闸下水位消落。1960年5月该闸泄流时，因下游消能水深不够，防冲设施受到严重破坏。当时采用在下游筑堆石坝抬高闸下水位度汛。

(3)超标准泄流。这种现象比较普遍，主要系规划的过闸流量偏低所造成。超标准泄流的后果，往往造成防冲消能设施的破坏。

(4)水闸由单向运用改为双向运用。由于规划数据改变而影响水闸运用方式改变的情况,在我国也不少见。如海河水利委员会下游局管理的西河闸等5座水闸,由于规划数据的改变,将原来的单向运用改为双向运用。其中西河闸在1990年作安全鉴定时,已对反向运用时闸室和闸门的安全状态进行了复核计算。

综上所述,水闸的规划数据改变后,将会对结构或构件带来不利影响,故在安全鉴定时应区别不同情况,进行有关内容的复核计算工作。

5.2.2 水闸结构因荷载标准提高而影响工程安全的情况,在水闸运行管理中屡有发生。比较突出的问题是早期修建水闸的交通桥设计标准偏低,20世纪70年代以前的荷载设计标准,一般为汽-10~汽-6级,已无法适应目前公路交通发展的需要。有的管理单位为保护交通桥安全,不得不树立限载标志,但仍有超载车辆通过,影响结构安全。此外,有的水闸管理单位为加强工程保养而增建的管理设施,如岸墙顶部加建桥头堡,工作桥上加建启闭机房等,都使岸墙或闸室荷载增加,影响结构或构件运用安全。因此,在复核计算时,对上述增加荷载标准的结构,应进行强度和变形的验算。

5.2.3 闸室或岸墙、翼墙发生异常沉降、倾斜、滑移的,多数是由于原设计时没摸准软弱地基或填料土的基本工程性质,导致设计结果不符合实际,故在进行复核计算时,应按安全检测时所测定的地基土和填料土的基本工程性质指标,作为闸室或岸墙、翼墙的稳定性与地基整体稳定性的复核计算的依据。

5.2.6 水闸上、下游河道出现严重冲刷是水闸较普遍存在的病害。如沿长江下游两岸的水闸多出现不同程度的冲刷破坏,其主要原因多为消能防冲设施的设计水位流量组合与实际运用的水位流量组合不相适应造成的。对存在上述问题的水闸,应对消能防冲设施进行复核计算。

水闸上、下游河道的淤积现象比较普遍,特别是沿海挡潮闸下游河道的淤积更为严重。如天津市海河口和独流减河河口每年的淤积量就达100万m³,江苏省沿海挡潮闸下游河道淤积后使水闸排水能力明显降低。

对淤积较为严重的水闸,应根据河床变形观测成果,复核水闸的过水能力。

5.2.7 20世纪70年代前兴建的水闸,大多未进行抗震设计。据1986年全国水利工程"三查三定"汇编资料,北京、天津等地的大中型水闸均未进行抗震设计,因而在1976年唐山地震时,京津地区不少水闸均出现不同程度的震害。全国水利工程"三查三定"工作后,各地虽对大中型水闸进行抗震验算和陆续进行一些抗震加固工程,但至今仍有部分水闸尚未能按设防的地震烈度进行验算。因此,抗震复核计算工作,仍是水闸安全鉴定工作的主要任务之一。

6 安全评价

6.0.1 现状调查分析、现场安全检测、工程复核计算等三项工作是水闸安全鉴定的技术依据。为了避免凭经验下鉴定结论的倾向,必须做好这三项工作。单从技术资料这方面看,一些建设年代较早的水闸,资料可能比较少,或者原来的资料由于某些原因散失不全。特别是20世纪70年代建造的一些"边勘测、边设计、边施工"工程,资料极不完整。此外,水闸的运行管理资料也可能存在一定差误,难以满足鉴定要求,使用不当,也会使分析结论偏离实际,故规定应对上述三项成果进行认真审查。

6.0.2 在以往工作中,对存在问题的水闸,常称为病闸或险闸,由于概念不明确,给正确开展水闸安全鉴定工作带来不利影响。

根据水利工程"三查三定"资料:浙江省查定的大中型水闸127座,其中工程安全、运用正常的为28%,存在一些隐患,可维持运用的占67%,工程年久失修、不能安全运用、亟待抢修的占5%;江苏省查定的276座大中型水闸中,工程安全、运用正常的占60%,存在一些隐患,但可维持运用的占30%,不能安全运用、亟待抢修的占10%。再如1990年调查的淮河流域87座大中型水闸中,影响正常运行的有53座,占60%,其中有14座严重影响防洪安全,被列为病险水闸,占总数的16%。根据上述情况,本标准在征求意见时,将水闸安全类别评定标准分为三类,一些省市提出还是分为四类为妥。即第一类是符合国家现行标准要求的;第二类是略低于国家现行标准要求的,水闸某些设施存有较大损坏或设备老化,需要进行工程大修或设备更新,可称之为可用的水闸;第三类是不符合国家标准要求的,其存在问题对工程正常使用影响较大,应当立即采取除险加固措施,才能保证工程安全运用,可称之为病闸;第四类为严重不符合国家现行标准要求的,已不能正常使用,可称之为险闸。为此,本标准从运用指标、维修要求和运行状况三方面,对水闸安全类别的评定标准作出规定。

水闸运用指标是水闸运用中作为控制条件的一系列特征水位及流量。一般有上、下游最高、最低水位,最大过闸流量及相应单宽流量,最大水位差及相应的上下游水位等。水闸设计时所采用的各种工程特征值是运用指标的上(下)限值。当规划数据发生改变时,水闸设计的工程特征值与运用指标也应随着改变。在进行水闸安全类别评定时,应以最新的规划数据作为设计标准。

参 考 文 献

[1] 水利部黄河水利委员会.黄河水利工程建设管理手册.郑州:黄河水利出版社,1999

[2] 尤宝良,武士国.东平湖治理与运用.郑州:黄河水利出版社,1999

[3] 胡一三.黄河防洪.郑州:黄河水利出版社,1996

[4] 水利部黄河水利委员会.黄河青年优秀科技论文集.郑州:黄河水利出版社,1997

[5] 江仪贞,徐云修等.灌区工程老化损坏评价方法.农田水利与小水电,1991(1)

[6] 江仪贞,雷声隆,徐云修.全国大型灌区工程老化病害评估分级——层次分析法的应用.武汉水利电力大学学报,1994(6)

[7] 钱尧华.水利工程管理.武汉:武汉水利电力大学出版社,1998

[8] 阎观文.CT104 型复合添加剂在武定门闸加固中的应用.水利建设与管理,1999(4)

[9] 孟祥敏,孙明权.钢筋混凝土渡槽病害及老化问题分析研究.人民黄河,1995(10)

[10] 刘长敏,赵现军.吸沙管法喷砂技术在白马泉闸防腐处理中的应用.人民黄河,1997(1)

[11] 张炳臣,李新生.气喷涂锌(铝)技术在张庄入黄闸闸门防腐处理中的应用.人民黄河,1997(9)

[12] 张行森,李作彬,崔秀梅.潘庄引黄闸门滚轮老化、损坏原因及其防治措施.人民黄河,1998(1)

[13] 杨耀卿,王德才,程绍杰.引黄涵闸改(扩)建总体布置形式分析.人民黄河,1998(2)

[14] 苏洪禄,李梅,马静.丙乳砂浆在钢筋混凝土机架桥大梁防腐加固中的应用.人民黄河,1998(7)

[15] 李秀明,王振光.振冲法在引黄入卫穿堤涵闸基础处理中的应用.人民黄河,1999(8)

[16] 李秀强,范万荆,王涛.道平拦河闸工程的设计与施工.山东水利科技,1997(1)

[17] 穆绪刚,徐国勤.闸门双重止水技术及施工要求.山东水利科技,1997(3)

[18] 水闸设计规范(SD-133—84),北京:水利水电出版社,1985

[19] 水利电力部东北勘测设计院等编.水工建筑物冻害及其防治.长春:吉林学术出版社,1990

[20] 陆文海等.水工建筑物病害处理.成都:四川科技出版社,1985

[21] 陆长庚.混凝土结构的检测和修补.混凝土及钢筋混凝土,1986(4)

[22] 刘柏青,徐云修,张劲松.碳化对水工建筑物耐久性影响的评估.武汉水利电力大学学报,1994(6)

[23] 江仪贞,周素真,徐云修等.混凝土水闸工程老化病害评估方法研究.武汉水利电力大学学报,1994(6)

[24] 吴中伟.混凝土耐久性综合症及其防治.混凝土,1991(4)

[25] 万海斌.抗洪抢险成功百例.北京:中国水利水电出版社,2000

[26] 李云飞.海安闸除险加固工程浅析.江苏水利,2001(12)

[27] CECS21:90,超声法检测混凝土缺陷技术规程.

[28] 蒋元炯,韩素芳.混凝土工程病害与修补加固.北京:海洋出版社,1996

[29] 刘式达,刘式适.分形和分维引论.北京:气象出版社,1993

[30] 甘仞初.动态数据的统计分析.北京:北京理工大学出版社,1991

[31] 汪富泉,李后强.分形.济南:山东教育出版社,1996

[32] 日本沿岸开发技术研究中心,渔港渔村建设技术研究所.刘希和,于凤琴译.水下不分散混凝土设计与施工指南.北京:水利电力出版社,1993

[33] 中华人民共和国水利电力部.水工混凝土试验规程(SD105-82).北京:水利电力出版社,1983

[34] 国家建筑工程质量监督检验中心.混凝土无损检测技术.北京:中国建材工业出版社,1996

[35] 罗骐先.水工建筑物超声检验.北京:水利水电出版社,1986

［36］楼宗汉,叶青等.熟料中氧化镁的水化及其膨胀性能.硅酸盐学报,1998,26(4)

［37］陈胡星,王尚贤等.双膨胀水泥混凝土膨胀性能.水利学报,2000(10)

［38］中华人民共和国行业标准.水工(常规)模型实验规程.北京:中国水利水电出版社,1995

［39］费文才,曹学德,Amir Sahib Khan,GHAZI－BAROTHA.水电工程尾部节制闸闸下出流水流特性试验研究.水力发电学报,2000(2):43～48